wealth Publishing Commonw

Commonwealth Publishing C

wealth Publish onwe

D1176266

Commonweal ng C

wealth Publishing Commonwe

Commonwealth Publishing Co

wealth Publishing Commonwe

Commonwealth Publishing Co

wealth Publishing Commonwe

Commonwealth Publishing Co

wealth Publishing Commonwe

Commonwealth Publishing Co

wealth Publishing Commonwe

天下·文化
Commonwealth Publishing Co., Ltd. 出版公司

Commonwealth Publishing Co

Commonwealth Publishing

n Publishing Commonwealth
nonwealth Publishing Commo
h Publishing Commonwealth
nonwealth Publishing Commo
h Publishing Commonwealth
nonwealth Publishing Commo
h Publishing Commonwealth
nonwealth Publishing Commo
h Publishing Commonwealth
nonwealth Publishing Commo
h Publishing Commonwealth
nonwealth Publishing Commo
th Publishing Commonwealth
nonwealth Publishing Commo

壯志未酬

繞室莫謂秦無人，
恨吾謀之不用耳。
——左傳

（遠見雜誌　陳志銘攝）

1939年，
王作榮於重慶中央大學的
註冊證，時年二十歲。
（王作榮提供）

學號 1637

姓名 王作榮 年齡 廿一

籍貫 湖北 省 漢川 市縣

院別 法學 院 政治 系科 生

註冊組主任簽名

1957年，
於美國范登堡大學
研究經濟發展問題，
與來自世界各國的同學相切磋。
第二排右四為王作榮。
（王作榮提供）

1962年，
於世界銀行
經濟發展研究所進修。
右為巴基斯坦高層官員。
（王作榮提供）

1962年，
與美援運用委員會同事
遊新竹青草湖。
第二排左三為王作榮，
後排右二為王作榮之妻范馨香。
（王作榮提供　黃中伯攝）

1967年，王作榮（左）奉召回國
晉見蔣中正總統後，
歸返聯合國任所，
行前與大學同學田萬傑（右）
攝於松山機場。
（王作榮提供　熊伯敬攝）

王作榮（左一）擔任
「聯合國亞洲暨遠東經濟委員會」
工業研究組組長時，
列席工業會議主席台。
約攝於1968年。
（王作榮提供）

1968年，
王作榮於曼谷
參加亞遠經會之酒會。
左為該會執行祕書。
（王作榮提供）

1970年1月，
王作榮辭聯合國職返國，
與妻子攝於曼谷機場。
（王作榮提供）

王作榮在教學生涯中結合理論與實務。1983年與台大農經系學生。（王作榮提供）

王作榮曾長期擔任報社主筆，立論頗受矚目。（天下雜誌　張良綱攝）

老友當年歡聚一堂：前排左起王作榮、范馨香、楊寶琳、楊家麟、林瓔華。
後排：華嚴（左一）、曾文惠（左三）、李登輝（左四）、陳清治（右四）、侯金英（右二）、梁國樹（右一）。攝於1980年，李登輝時任省主席。（王作榮提供）

王作榮（中）與李登輝（左）同赴第一銀行董事長梁國樹之邀宴。
右為友人何濟明醫師，約攝於1980年。（王作榮提供）

1977年，王作榮夫婦向台塑董事長王永慶的母親拜壽。
後排左一為台塑總經理王永在，右二為王永慶之妻李寶珠。（王作榮提供）

偕考選部同事遊宜蘭縣棲蘭山莊。左二為女兒王梅君。（王作榮提供）

考選部行政大樓啓用典禮，與考試院長邱創煥（中），
副院長毛高文（左）共同剪綵。（王作榮提供）

1996年8月30日，離情依依中卸任考選部長。（王作榮提供）

中央大學校友宴請科學家袁家騮（左三）、吳健雄（左五）夫婦。
左二為李國鼎、右五余紀忠、右三虞兆中、右二王作榮。（王作榮提供）

1993年，紀念行政院經濟安定委員會工業委員會成立四十週年。
前排左起：韋永寧、李國鼎、金開英、王作榮。後排左起：馮鍾豫、陳正賢、孫漢德、葉萬安、王昭明、崔祖侃、梁樹熾。（王作榮提供）

1996年，王作榮被總統提名為監察院長，赴高雄市政府爭取支持。左為監察委員被提名人葉耀鵬，中為時任高雄市長的吳敦義。（王作榮提供）

1996年8月31日，監察院長交接典禮。左為卸任代院長鄭水枝，中為監交人俞國華。（王作榮提供）

1997年，五院院長為副總統連戰賀壽。左起：行政院長蕭萬長、連戰、司法院長施啓揚、監察院長王作榮、總統府祕書長黃昆輝。（王作榮提供）

王作榮與劉達人（左一）、李模（左二）、許婉清（右三）以及彭令占（右一），均為1943年高等考試同年。（王作榮提供）

1997年，
監察院同仁為王作榮祝壽，
左四為其長子王念祖，
右三為次子王紹祖。
（王作榮提供）

1999年2月1日，
王作榮在新任監察院長
錢復（右）送行下，
告別監察院。
（遠見雜誌　黃明堂攝）

1984年，
王作榮夫婦
與孫子王長義，
孫女王璇玲。
（王作榮提供）

1991年，與孫子王長仁，
孫女王瓊玲。（王作榮提供）

王作榮與妻子大法官范馨香相依半世紀。攝於1983年。（王作榮提供　謝孟雄攝）

1987年，全家福。（王作榮提供）

蒿目時艱，王作榮畢生相信「士當以天下為己任」。（聯合報　盧振昇攝）

謹以此書，紀念我的

祖父　王宗璉

父親　王功清

母親　王陶慈

他們都是典型的中國人與中國農民。他們都不識字，但都具有深厚的儒家文化，一言一行，都遵守儒家文化的規範：言必忠信，行必篤敬。他們終生望孫望子成龍，而我卻辜負了他們的終生之望。他們有的屍骨無存，有的墓門已遠，我連説聲負罪的話，都不知道向何處去説，風木之慟，昊天罔極。

An Unfulfilled Mission

—Autobiography of Tso-Yung Wang

by Tso-Yung Wang

社會人文⑭

封面照片／《遠見雜誌》羅旭光攝
封面設計／李錦鳳

壯志未酬

——王作榮自傳

王作榮 著

出版者的話

爲歷史留下紀錄

——出版傳記的用心

高希均

一個時代的歷史，是由一些英雄以血、淚、汗所共同揉合的；同時，也是由各方菁英，以生命力、創造力、競爭力所共同塑造的。其中有國家命運的顛簸起伏，有政治結構的解體與重組，有落後經濟的起飛與折騰，有傳統文化的反思與提升，更有民族自信的喪失與再建。

美國歷史學家史來辛格對二十世紀有這樣的描述：「這是一個混亂的世紀，充滿了憤怒、血腥、殘酷；也充滿了勇敢、希望與夢想。」

近百年來我們中國人的歷史，正就徘徊在絕望與希望之中，毀滅與重生之中，失敗與勝利之中。

沒有歷史，哪有家國？只有失敗的歷史，何來家國？

歷史是一本舊帳。但讀史的積極動機，不是在算舊帳，而是在擷取教訓，避免悲劇的重演。

歷史更可以是一本希望之帳，記錄這一代中國人半世紀以來在台灣的奮鬥與成就，鼓舞下一代，以民族自尊與驕傲，在二十一世紀開拓一個中國人的天下！

以傳播進步觀念爲己任的「天下文化」，就在告別二十世紀的前夕，先後出版了實際參與台灣發展重要人士的相關著作。這些人士都是廣義的英雄。他們或有英雄的抱負，或有英雄的志業，或有英雄的犧牲，或有英雄的功績。在發表的文集、傳記、回憶錄中，這些黨國元老、軍事將領、政治人物、企業家、專家學者，都坦率而又系統地，以歷史見證人的視野，細述他們的經歷軌跡與成敗得失。

就他們所撰述的，我們尊重，但不一定表示認同；如果因此引起的爭論，我們同樣尊重，但也不一定表示認同。我們的態度是：以專業水準出版他們的著述，不以自己的價值判斷來評論對錯。

在翻騰的歷史長河中，蓋棺也已無法論定，誰也難以掌握最後的真理。我們所希望的是，請每一位人物或自己執筆、或親自口述、或經由第三者的觀察與敘述，寫下他們的歷練與感受，爲歷史留下一頁珍貴的紀錄。

⊙王作榮手稿：

自序

左傳有云：「大上有立德，其次有立功，其次有立言，雖久不廢，此之謂不朽」。這就是我們常說的三不朽。有傳記是偉大人物的事。所謂偉大人物，我們定義是在三不朽中，至少必須有其一。我何人斯，根本沾不上不朽的邊，寫自傳實在僭越的過分了。不要說傳諸後世，連一時都難傳下去。不要說讀者沒興趣讀或保存，連自己的子女都未必耐煩去讀和保存。但還是寫了。主要理由是人到晚年，百無聊賴，喜歡回憶往事，而往事歷歷，記憶雖有時模糊，但也有時清明，不由得不傳。兼且一生，遭遇這樣一個混亂而又偉大的時代，國家幾度窮途末路，幾度柳暗花明，興亡盛衰，變化於俄

自序

王作榮

《左傳》有云：「大上有立德，其次有立功，其次有立言，雖久不廢，此之謂不朽。」這就是我們常說的三不朽。有傳記是偉大人物的事，所謂偉大人物，我的定義是在三不朽中，至少必須有其一。我何人斯，根本沾不上不朽的邊，寫自傳實在僭越地過分了。不要說傳諸後世，連一時都難傳下去。不要說讀者沒興趣讀或保存，連自己的子女都未必耐煩去讀與保存。

但還是寫了。主要理由是人到晚年，百無聊賴，喜歡回憶往事，而往事歷歷，記憶雖有時模糊，但也有時清明，不由得不傳。兼且一生，遭遇這樣一個混亂而又偉大的時代，國家幾度窮途末路，幾度柳暗花明，興亡盛衰，變化於俄頃之間。而平民百姓有時顛沛流離，生死難卜；有時又安逸驕奢，人欲橫流，對比鮮明。像這樣劇烈的變局，中外歷史上都少有，值得一傳。至於我個人，則在大時代的洪流中載浮載沈，多少冷暖，多少辛酸，而公然苟活到這樣的年紀，也值得一傳。於是雖然明知傳而不傳，但還是傳了。

寫自傳首先要寫的，當然是出身，所以我將這一點列在第一部「成長過程」中。我的出身，可以我的祖父爲準，分爲兩個階段：假如以我祖父之前爲準，則我出身寒微；假如以之後爲準，則我的出身是微而不寒，家道小康。總之，沒什麼好誇耀的。我的求學也是平凡無奇，可以兩句話來概括，那就是小時不曾了了，大時更未必佳，總是名列中衛，既不超前，也不落後。至於我的個性，則誠如命理家季伯年所言：「忠厚有餘，機變不足」，也就是憨憨的，厚厚的，憨而厚而已。憨厚的別號就是笨拙，俗稱笨蛋。我有時也自己覺得真有些笨。我三歲才會開口說話，鄉人背後叫我啞巴，我的祖父常爲此罵鄰人，真是不笨也難。不過，我有時也有些聰明，不幸都是事後的，國父說這就是後知後覺。我自己評估，還沒笨到不知不覺的程度，差堪告慰列祖列宗。

總結上述各點，就是平凡。假如有什麼偉大之處，也只能「在平凡中見偉大」，而平凡中的偉大就是不偉大，號稱偉大實是安慰之詞，不能當真。

我有些優點，但有數不清的缺點，決定了我一生的命運。我的最大缺點是愛說話，愛管閒事，不但愛說，而且愛寫。另一個最大缺點是愛思想、愛挖根。國家與社會發生任何重大經濟、政治、社會問題，我都會一個人坐在那裡想，找中外資料去分析，直到我自以爲得到一個滿意的答案爲止，這是我中學時代做數學習題所訓練出來的。將愛寫與愛想結合起來，再加上愛管閒事，便成了以文字來表達己見了。我將這些意見稱爲「一得之見」，列爲第二部。取這個部名，表示愚蠢而又多話的意思，也是實情。

這些一得之見，在寫的當時，雖然散見於各個篇章，然篇篇相連，都頗有條理，頗有脈絡，自成「一家之言」。不料在寫自傳的時候，年事老大，記憶模糊，竟然理不出頭緒來。只好盡能力之所及，拼湊成章，不免於散漫，缺乏系統，成不了思想體系，只是片段想法而已，實在令人傷心。悲年事之老大，傷振奮之無力，徒呼奈何。

回顧我這短促而又漫長的一生，少年既未立大志，長大又復無雄心，遭逢季世，生存第一，竟是在餬口於四方中度過，從來不曾想到新人類所謂的生涯規畫，真沒出息。因以「餬口生涯」名第三部。這間接表示書名《壯志未酬》是自我安慰之詞，我哪有什麼壯志。老年人常愛自誇，言必稱當年勇，我不能免俗。

既然是生涯，那麼就必然有成功，有失敗；有順風，有逆流；有得意，有失意；有奮發，有挫折；有起，有伏；有浮，有沈；有喜，有怒；有樂，有哀，總之，人生百態，我應有盡有。但生涯而冠以餬口，便可想見前述那些百態，處順境者卻十不得一，處逆境者卻十得八、九。所以說人生不如意事常十之八、九，貴在能安時處順、哀樂不入而已。然而真能做到這種境界，世上又能有幾人，而且假如人人都做得到，人生便不會有百態，只會有一態或幾態，人生又太單調寂寞了。我是貴在善忘，無論百態中的什麼態，雖然不是過目即忘，但總是過幾天、幾週、幾月即忘，所以一生從無快意恩仇之事，也無意氣風發的經驗。即使是升官，也是吊車尾的感覺，喜悅不起來。

我的生涯既是以餬口爲主，當然就不會有豐功偉績足以傳世。但是我有獨特的個性，有專業的知識，有儒家文化的傳統，也有西方文化的修養，這便形成在我生涯的各個階段獨特的作風與表現，從我個人的觀點看，值得一傳。即使從讀者的觀點看，也可從這裡看到我無論公私，爲人處世、理事的態度與方式，似乎也值得一讀。

人，都有一定的人際關係，即使是遺世而獨立的隱士，也還是有人際關係，不然就獨立不起來。我當然也有我的人際關係，只是由於我個性內向，不結黨，不搞派，獨來獨往，人際關係十分簡單罷了。我將這種關係列入第四、第五部，題目分別爲「知我罪我」與「謂我何求」。第四部是摘要記入對我有重大影響或重大意義的人士，順便也對他們作一些我個人主觀的評價，其中包括三位前任總統在內。第五部則是敍述與李登輝總統的關係。由於涉及的內容很廣泛，不僅止於兩人之間的關係，所以另列一部。

環顧當今之世，像我這樣與四代擁有最後決定權力的總統，都或多或少有相當關係，而與後三代總統關係尤爲密切，卻始終沈而不浮，浮而不起，起而不用，用而不當，以致壯志未酬的人，可能不多。老總統是我中央大學的校長，對我的文章一而再地公開讚揚，要那些達官顯貴去閱讀，要想見我，當然也想用我。嚴家淦總統更是我的頂頭上司，不僅賞識我，也確實想要拔擢我。蔣經國總統曾經主動召見我，到寒舍拜訪我，還兩次親口要我爲國家所用。李登輝總統更是自壯年開始，便往來密切，關係非比尋常。然而馮唐易老，李廣難封，壯志未展，只能歸之於數了。我常午夜難眠，徘徊斗室，細思往事，前三任總統都確實賞識我，確實想重用我，而始終未能重用我，絕大部分的責任在我，所以我對他們也始終抱有知遇的感恩心情。而與我關係最密切的李總統，則是最不能知我，最不想重用我的人，而我對他的幫助最大，建言最多。這又只能歸之於數了。不錯，李總統曾經發表我爲監察院長，但高官不等於重用，只是安插或酬庸而已，安插或酬庸可以使人做大官，但不能讓人做大事。這對個人有利，對國家無益。我所希求的是適才適所，做對國家有益的事，不在乎做大官，但是此種心事誰能知。

我對國計民生及如何治理一個國家，如何從落後與威權的社會轉變爲進步與民主的社會，徵諸史乘，面對現實，從理論、從實際方面，形成了一套我自己的想法與路線，與李總統的完全不同。假如李總統採用了我的想法與路線，則今日的國家局面與李總統個人所面對的形勢，及其在歷史上的定位，也將完全不同。至於孰優孰劣，誰對誰錯，或者優劣對錯互見，便只好由上帝來判斷了。我不說由歷史學家來判斷，是因爲我太渺小了，歷史學家會看不上眼，不會將我列在他們要判斷的名單內。而上帝則是眾生平等，王侯螻蟻都在祂的關愛與寵召之列，沒有例外，否則就不是上帝了。我這裡所說的上帝，係包括不同宗教的不同上帝，也是眾上帝平等之意。我個人則是基督徒。

在我這一生中，除了與四任總統有緣外，當然還會遇到我必須要遇到的人，包括我的上一代、同代、下一代、甚至再下一代的人。撇除我與這些人的個人關係外，我對他們有些共同的觀感，可以用一句話來形容，那就是真的一代不如一代。這當然是指平均數而言——每一代的平均數與每一代所有特性的平均數。所謂特性，包括個人道德、修養、風範、氣質、清廉、誠實、愛國、盡職、器識、學問、能力等等，與其作爲一個人，與擔任公職，或作爲社會領袖，所需要具備的一些基本條件而言。

我當然會細究原因何在，發現與中國的傳統文化或者說儒家思想有非常密切的關係。我的上一代的人都深受儒家思想的洗禮，我這一代流風餘韻仍存，下一代及再下一代，便愈來愈遠了。也許有人要問，那麼西方人從未感染儒家思想，爲什麼那麼有水準呢？我的答覆是基督精神，與由此而產生的民主、自由、博愛、寬容、平等、誠實等美德。當然，自十八世紀末期以來，經濟發達所造成的富裕生活也有重大關係：「衣食足而後知榮辱，倉廩實而後知禮義」嘛！我要在此特別聲明，讀幾本孔孟之書，不一定就有儒家文化；唸幾聲哈利路亞，不一定就有基督精神。文化也好，精神也好，都是在社會的大環境之下，歷史的大洪流之中，所廣大地、深厚地培養成長出來的。

最後的結語以「往事雲煙」爲題，來總結我的一生，也總結我的這本自傳。所代表的意義不是牢騷，是我回顧這一生的感受。

寫自傳或回憶錄之類的書，貴在真實。我的原則是寫出來的一定真實，真實而不便寫出來的，寧可不寫，所以我也有些未便寫出來的。我對四任總統都有褒有貶，對許多當代人物也有臧有否，但都不失真實。對於這些人物受到讚揚，都是他們應該得到的；對於這些人物受到批評，則是春秋責備賢者之義。總之，我自以爲係以公正的態度來寫，希望這些人物也以平常心來看待。

對於許多事，也有我獨特的看法，與清晰的立場。我既然明白地寫出來，就表示我對我的看法立場的客觀性與公正性，有充分的信心。持不同看法與立場的人士可以猛烈地批評我，責罵我，這正是台灣的流行病，但是我不在乎。寫自傳就要存真，我要存真，我要爲歷史作見證。不然，這本自傳就真的不值一文錢了，王作榮不做這種事。

這當然不是說我對事件的評論，對人物的臧否，就是正確的，沒有個人的意識型態或一偏之見在內。我只是儘量求真、求實、求客觀而已。對於當前的人與事究應如何定位，還有待於後世的歷史學家。實際上，歷史上有無數的人與事，雖千百年後仍是眾說紛紜，未有定論。這本書只是我一個人的意見，留供後世參考而已，更何況未必能傳到後世，後世也未必參考。

本書自一九九三年十月動筆，至十二月已完成初稿約十萬字。但仔細一看，竟是一篇流水帳的大綱而已，拿不出去，只好重寫。以後公務甚忙，寫寫停停，拖到一九九六年十月我動手術爲止，二稿大致完成，但仍不滿意。一九九七年健康仍甚差，深恐時不我予，扶病修改補充，至一九九八年三月三稿定稿，仍覺有應予修改之處，遂於出版前作最後改正。我寫文章多是一次寫完，從不看第二遍，這本書是例外。一則由於年事已大，難免思考不周，遺漏太多，必須修改補充；再則這可能是我最後的寫作，有所偏愛，不能不慎重其事。至於因此書而知我罪我，則是讀者的事了。

最後一點，也是最重要的一點，是我對本書讀者的一個請求。我請求讀者不要將這本自傳僅僅當做我個人一生的一個故事來看，我是一個再平凡不過的人，一生的故事實在沒有什麼好看的。這本書名叫作《壯志未酬》，貫穿全書的都是我未酬的「壯志」，我要誠懇地請求讀者能注意到我的「壯志」及如何實現這種「壯志」，這對讀者也許更有意義，不會有浪費金錢與時間的感覺，同時也許會認爲這本書有保存一段時間的價值，不致讀後就丟入字紙簍。

簡單地說，我的「壯志」就是想要建立一個高度現代化的國家，使我的同胞無論在經濟方面、政治方面、社會方面，都能過著像西歐、中歐、北歐、北美那些國家人民的生活。如何才能達到這樣的境界呢？這正是我一生致力的目標，都概略地寫在這本書裡面。我的如何達到這一目標的政策建議，都有相當的理論根據與中外事實的印證，值得有興趣的讀者去玩味。

大陸現在無論在政治、經濟、社會各方面，都頗類似台灣一九五〇年代至一九七〇年代的情形，正在面臨一個重大的轉捩點，其所遭遇的問題與未來可能的發展，在台灣都可找到案例。因此，這本書如果能夠流傳到大陸，而有心人又能仔細地對比評估，則對大陸解決若干現有的問題，防患未然，及如何展開建立一個現代中國的工作，也許可有些微的參考價值與幫助，在某些方面也可避免重蹈台灣的覆轍，減少一些亂象。

無論遠從中外的歷史看，近從各個現代進步國家的典章制度看，都可看出富強之國立國的支柱不外三點：

一、嚴格的法治及普遍的守法精神。

二、健全的文官制度及廉能的政府。

三、完善的教育及高品質的人民。

台灣在這三方面都不曾用心地去做，也就未曾做好，而若干亂象都是從這裡開始。現在已是積重難返，欲振乏力了，要做到合於現代國家的標準，不知是何年何月的事。

大陸的轉變正開始不久，積習也許不深，政府的公權力尚強而有力，集中力量將這三個支柱堅固地豎立起來，則建立一個現代國家便可順利展開，企予望之。不然，兩岸的中國人都不會有前途。因此，我很希望這本書能爲中共高層決策官員、高級知識份子、社會領袖人物看到，並能產生一些影響力。

王作榮　謹序於台北寓所
一九九九年二月

壯志未酬——王作榮自傳

目錄

第二部 一得之見

智者千慮，必有一失；愚者千慮，必有一得。

第三部

餬口生涯　185

而使餬其口於四方。

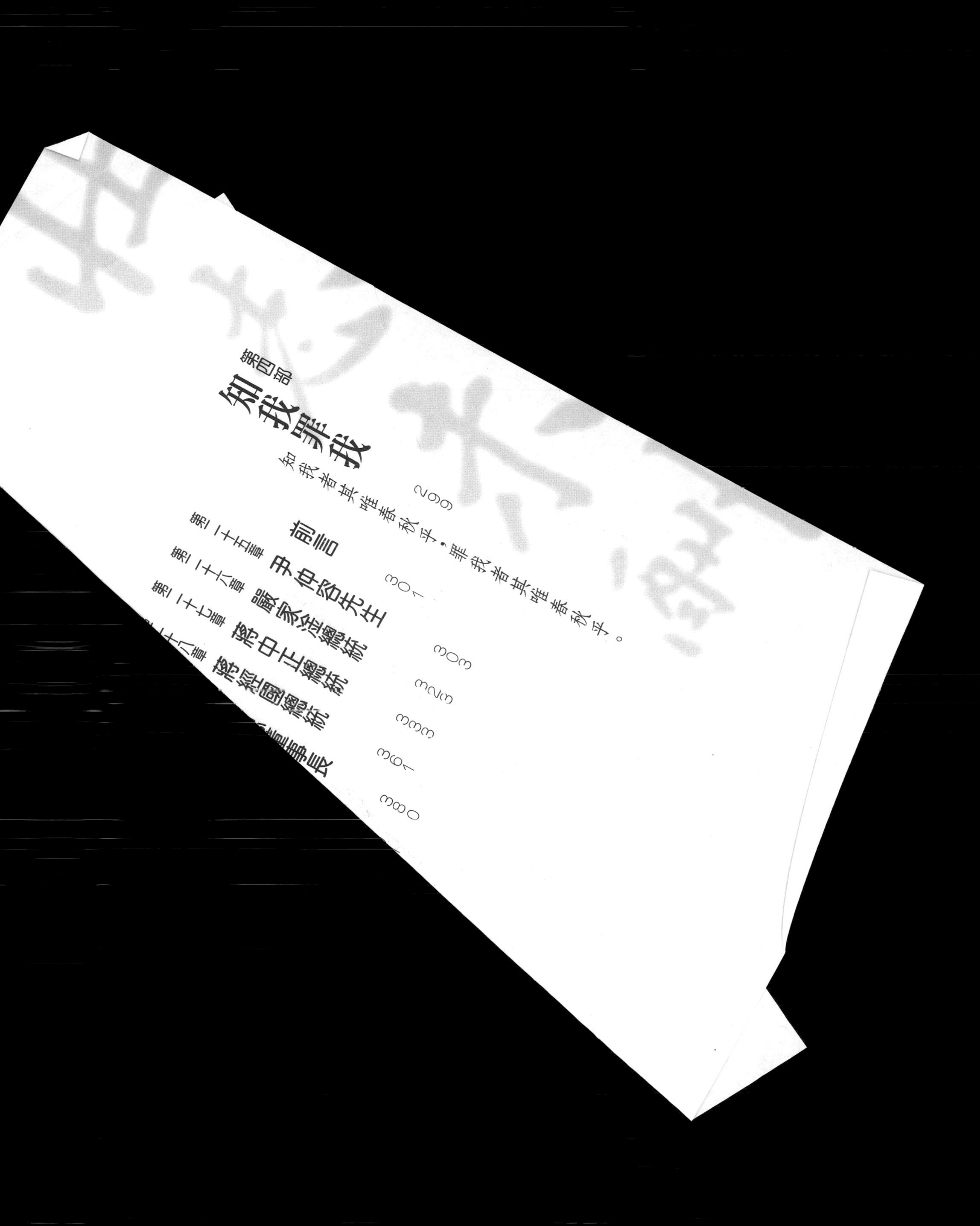

第四部

知我罪我

知我者其唯春秋乎，罪我者其唯春秋乎。

第五部

謂我何求 409

知我者謂我心憂，不知我者謂我何求。

第一部

成長過程

思文后稷，克配彼天。

詩經・周頌・思文篇（王姓世系）

王作榮生在一個偉大而痛苦的時代，國難頻仍，新舊文化激盪，對他的思想人格影響深遠。（王作榮提供）

前言

人生到了要結帳的時候，不由得不從頭算起，因此便常想到當年如何如何，發現我這一生的經歷，從未有偉大成功，也沒有嚴重失敗；沒有榮，也沒有辱，平安愉快地白過了這一生，這就是平凡。而決定這樣一生的有兩個最基本的因素：一個是與生俱來的遺傳性格；一個是成長過程。

我的遺傳性格屬於隔代遺傳，多半來自我的祖父：剛直、誠實、熱心助人、愛管閒事，這是一個好人的性格，但不是一個可愛、甚至是可憎的性格。

我出生在一個簡單、和睦的中產階級家庭，兒時生活在純樸的農村，父母望子成龍心切，管教過嚴，等於是在一個與世隔絕的環境中長大，求學時期又過的是單純的學校生活，是以樸實、天真、內向、怕羞、缺少心機，不能隨機應變，始終長不大，直到老年都是如此。

這樣的成長過程注定我一生事業的失敗。真是「他生未卜此生休」。

第一章 家世

我於一九一九年二月六日（農曆正月初六日）辰時，出生於中國湖北省漢川縣同仁區西王家村（今改為丁集鄉八大村）一個富裕的家庭。

漢川縣位於漢水之濱，漢水穿縣而過，應屬於雲夢古澤的範圍。縣境內湖汊縱橫，原野一片，是一個魚米之鄉。其景物頗似宜蘭縣的蘭陽平原，而遠爲開展遼闊平坦。每次我到宜蘭，都頗有回到家鄉的感覺，也很想在那裡買塊小土地蓋屋終老。我所住村莊前後都有湖，大門前的湖更可通舟楫直達著名的洪湖與長江。居民以務農爲業，傍湖而居者，則兼以捕魚爲生。主要物產有米、棉、豆、麥、油菜、魚鮮。由於人口繁衍快，耕地便不免狹小，因而人民平均收入不高，生活相當艱難。農閒時，有小手工業爲副業。如無大的天災兵燹，人民可以得個溫飽，整個農村亦顯得和平安詳。但不幸在我有記憶之年起，便天災兵燹不斷，人民生活陷於水深火熱，這是我一九四六年五月離開家鄉時的情形。（附注）

在我十歲時，全家遷居漢口，即是三國演義上的夏口。漢口、漢陽與武昌合稱「武漢三鎮」，現稱武漢市。中國古時四大名川，江、淮、河、漢，就有兩條在武漢三鎮合流，那即是長江與漢水，合構成江漢平原。登高遠望，無論陪襯的是朝陽夕暉，但見浩浩江河，莽莽大地；而夜闌人靜則是星垂平野，月湧大江，都給人一種宇宙莊嚴蒼茫的感覺，不能不興起「念天地之悠悠，獨愴然而涕下」的心情，心胸爲之一寬，意氣爲之一振。尤其我們讀過一點古書，號稱知識份子的人，緬懷五千年國家民族的興衰歷史，面對如此壯麗的河山，而屢受外人的侵略，國亡無日，便自然興起家國之痛，而思有所作爲。

我便是在這樣一個地理環境中成長的。地理環境對於一個人的人格形成有非常大的影響。南方山明水秀，所產人物聰明靈傑，多文人謀士；北方河山雄壯，所產人物厚重沈穩，多帝王將相。而無論南北，是一個傑出人物（不論官階大小），就一定會有相當寬廣的格局與器量，足以成就一番事業。遷台以來，閱人多矣，不勝感慨系之，益信地理環境對人格形成之影響。語云：「人傑地靈」，人傑與地靈是分不開的，而且是先有地靈，然後有人傑，然後成就豐功偉績。

現在來敘述一下我的家世。我們王家始祖據說可遠溯至周靈王太子晉，而姬周始封之祖則爲后稷，后稷又源出黃帝。所以我們王家應是不折不扣的黃帝子孫，若干代後傳至秦將王翦，其曾孫威居太原，故我們稱太原王氏。但有譜可稽者，則始自宋開國時之名臣封晉國公的王祜，曾手植三槐樹於堂前說：「我家後代必有爲三公者」，至其子王旦即應驗，故王家堂名爲三槐堂。以後屢經遷徙，由汴京（開封）遷江西，其中一支遷湖北漢陽，再分遷至漢川縣後，另立譜系曰：

「祖德垂基遠，宗功作慶長，文章開世業，詩禮序家祥。」我是作字輩。

我的曾祖父名王遠材，早逝。曾祖母劉氏，撫二子一女成人。長子宗瑚，無子，以我父爲嗣子。次子宗璉，即我的祖父。我的祖母涂氏，生二子一女，子功燮、功清。祖父續娶嚴氏，即我的繼祖母，無出。功清即我的父親，娶我母陶慈，生十胎，僅有四人存活。前三胎均爲男嬰，早殤。長姊王享，適許傳烈，居漢川原籍。我爲長子，下有一弟名王中（原名王作富），生於一九二三年十月，歿於一九七八年二月，享年五十五歲，未娶。幼妹名王蘭，適舒廣年，曾在高雄中國石油公司服務，已退休。

我的曾祖母是真正無立錐之地的赤貧。借鄰居富戶一小塊地蓋一茅棚遮身，後退還這一塊地給鄰居蓋了一個廁所，其小可知。兒時鄉人常指給我看：「這是你家的發祥地」，意謂我家出身孤寒，頗不屑。

我讀中學時，祖父已接近八十高齡，每追憶往事，常流淚一再重複告訴我兩個故事：一是他十二歲時，即懇求鄉人帶他去遠地湖中割茅柴（蘆葦），人小跟不上大人腳步，不但被拋在後面很遠，還不時挨駡，說他拖累別人。返程時，想多擔一點柴，又不勝負荷，常連人帶柴摔倒在田溝中、山坡下，無人相助，自己爬起來趕路，仍然要挨駡。

另一則故事也是他十多歲時的事。每趁冬閒出遠門，爲麥芽糖場做工，一方面減輕家中吃食負擔，另一方面可以賺取極微薄工資幫助家中度過冬寒。一年除夕日，大雪紛飛，天寒地凍，我祖父急急趕回家過年，經過小集，買了一點豬肉、豆腐及香燭、紙錢等過年之物。趕到家時，已將近半夜。時家家戶戶都已貼出紅紙對聯，祭過祖，吃過團圓飯，掩門度歲。唯獨我曾祖母，家中一無所有，攜幼女倚門望我祖父歸來，才算祭了祖過年。

我祖父靠他的刻苦勤勞，以耕田爲主業，兼在農閒時做傭工，後來又做點小生意，到了中年，竟然成了富農，而且還有餘力讓他的兩個兒子讀書。我伯父考秀才未中，廢科舉後教蒙館，也是我的啓蒙老師。我父親讀了不到一年的書就逃學，去學做生意，所以是白丁。中共得到政權後，對於富農除沒收土地外，還清算鬥爭，使其家破人亡，列爲黑五類，子孫不得翻身，我常想，像我祖父這樣，有罪嗎？

我祖父個性剛強正直，喜歡管別人的事，看不慣就要說話。別人家田裡荒草未除，他也要管。但他無私心，也不妒嫉人，常是爲別人好，所以不招人怨，晚年鄰居們都很尊敬他，即使土匪與土共也沒有殺害他。我的個性得自他的遺傳很多，無論身材與面貌都很像他。

他五十歲時即退休，不再做事。將家產分成三份，兩子各得一份，他自己保留一份收租，手上還有一點儲蓄放帳收利息，所以生活十分寬裕。我的六年中學學費都由他負擔，他也高興有長孫讀洋學堂，這在我們家鄉是少有的事。他無不良嗜好，僅喜歡飲高粱酒，每日四次，天亮起床第一件事就是喝酒，睡覺以前又是喝酒。他買酒是用大罈子裝，用兩個籮筐挑回家，不是一瓶一瓶買，所以他很懂得享受人生。

在那兵荒馬亂的日子裡，他毫無顧忌地罵革命黨，罵蔣介石，罵北洋軍閥，罵共產黨，罵日本鬼子，認爲都是他們把天下搞亂的，結論總是大清皇帝好，因爲他可以安居樂業，過太平日子。在我於一九三九年初揮別他去重慶讀大學，做流亡學生時，他流著淚送我很遠一程，似乎知道祖孫再沒有見面的機會了。果然就在那年的春夏之交，祖父因小病而去世，享壽八十整，大我整六十歲。他是老羊，我是小小羊。

總結我祖父一生，是一個典型的中國農民，刻苦、勤勞、老實、厚道、守分、知足，而上天待他也不薄，讓他過了二十年寬裕悠閒歲月，壽終正寢。他的葬地也是好風水。破土之後，掘地數尺，在穴道正中央有一如洗臉盆大小及形狀之整齊圓洞，四周光滑，界線分明，有如人造，推想是野生動物穴居之地，棺木即放在圓洞上。有幾位著名風水師路過墓旁，遠遠望去說這座墓風水真好，走近看墓碑上文字，知是我家，同聲說：「原來是這一家，果然不錯」，可惜後來被中共剷掉了。我家所有祖墳都被剷，一個不剩。所以我常說，我這一輩子之所以沒出息，就是因爲沒有祖墳風水。

我的父母親智商都高，精明能幹，反應敏捷，決斷力強，見識手腕都超過同儕，我的母親尤勝過我的父親。我常想，假如他們受過適當教育，處在今日台灣，一定是成功的企業家和女強人。在我有知識之年，已經知道我家是收租穀和租銀的。母親主持家務，掌握財產權。父親做行商，在鄂西收購山貨，運至漢口透過商行賣給洋人，獲利頗豐。在我讀中學時，我家已經是富甲一鄉的首富，土地阡陌相連，還有流動資本。可惜連年戰亂，四處遷徙，不能安居，我父親很早就收手不做生意，有些年連地租也收不到，還不斷地被搶，被勒索，被要求樂捐，財富不能繼續增加，反而衰減。所以止於中共所說的「土豪」而已，不能成巨富。

我是家裡的長子長孫，父母生我時已三十歲，祖父六十歲，在我們鄉下算是很遲得子抱孫了，所以我是家中的寶貝。根據算命先生的建議，若要我長命百歲，便必須要過繼給許多人做義子，因而好幾個鄰居我都叫他們親爺、親娘；又說我要吃百家飯（乞丐），因而我的繼祖母抱著我吃遍附近的鄰居，得了一個好吃的名聲；又說我不能叫我父母爲爸媽，因而我叫父親爲伯伯，叫母親爲嬸娘，真是不倫不類。我這一生從未叫過父親、母親或爸爸、媽媽；又說我必須男扮女裝，因而我尚在襁褓時便已穿雙耳洞，戴了一對金耳環，後來一只被人偷走，另一只是下大雨戲水弄丟了，但現在撫摸兩耳，猶可感覺出痕跡。我現在偶爾在台北街頭看到男人戴耳環，我便暗中說有什麼神氣，我七十幾年前就已開風氣之先了；又說我必須戴項圈到十歲，我就真的被迫戴一個銀項圈到十歲生日那天才取下。我兒時天天希望快長大，爲的就是可以不戴這個撈什子項圈，因爲與人打架時，對手只要一拉我的項圈，我就輸定了。兒時冬天戴大紅緞風帽，帽前額當中繡一王字，表示老虎之意，兩旁有白毛耳朵，王字下面橫縫銀質四個大字「長命富貴」，帽尾繫有銀鈴，頭一動，便會叮噹作響，這整套裝備要多滑稽，就有多滑稽。

爲了我的長大，我的父母又向神明許願，滿週歲及十歲時，願意搭戲台說善書各三天，而且招待聽書的人吃「壽」麵，這是我生平最風光的兩個快樂生日了，以後就一次不如一次。

不過，不要以爲我父母會溺愛我，我是天之驕子，童年生活十分愉快，事實恰好相反。我們家鄉有一句話：「財不發三代」，後來我發現到處都有這句話，連外國都有。如果從我祖父算起，到我這一代恰好三代，我父母怕我成爲敗家之子，管教特別嚴。不過，人算不如天算，中共到來，全部財產沒收，根本沒讓我們兄弟有機會來敗，我弟弟連性命都丟掉了。我父母望子成龍心切，也是管教嚴的主因之一。

別人家都是嚴父慈母，有點調和空間，我們家是父嚴母更嚴，我母理智勝過感情，對我的管教從不因爲是寶貝兒子而放鬆。不准跑跳太多，說不像斯文學生；大人說話不准小孩插嘴；客人來了不准多話；吃飯不許說話，更不許飯粒掉到桌上或碗內留下米粒；不准挑菜；不准吃零食；客人吃飯不准上桌；不准在水塘湖邊玩耍；無論在外玩得多高興，雞上籠就得回家；不准與別人家小孩打架或吵架，否則回家先挨一頓打。因此，我不合羣，雖身高體壯，力氣很大，但不會打架，每打必輸，因爲沒有實際打架的經驗。我也不會罵髒話，一直到老，最粗的話是「放屁」與「混蛋」，也是因爲沒有相罵的經驗，同時一吵架便興奮起來，忘了怎麼罵下去。兒時與鄰居小孩相罵，我罵的是「你們家的一個鍋，你們家的一個灶」，我祖母聽見了，哈哈大笑說：「我這個笨孫子，連罵人都不會。」不准在外走得太遠，要隨時可以找得著，因爲我不會辨方向。初到台北，住在司法大廈，我最遠只敢走到衡陽街和台北車站，如果可能，我可以一連多少天待在家裡不出門；還有與姊姊、弟弟吵架，總是我倒楣。總而言之，我的童年就在這些數不清的「不准」中度過，如果犯了，便要挨打。所以在我的記憶裡，從未像別人家小孩會在父母懷裡撒嬌，我總是離父母遠遠的。這些對我的人格形成與日後的事業都有很大的影響。因爲管教太嚴，所以一離開我的父母，我就好像解放了，就要發洩一陣子，於是給人以頑皮不堪的印象。

我父母唯一不管的是我的讀書。他們只繳了學費，將我交給老師或學校便不再過問，一個可能的原因是我讀書很順利，用不著他們煩心，所以在這一方面我毫無壓力。我父親常對我說的兩句名言：「兒子不知道老子有多大財產，老子不知道兒子有多大學問」，這倒很傳神，也是寫真。不過，我知道我父母是非常愛子女的，對長子寄望尤其殷切。特別是我父親，情感非常豐富，是一個至情至性之人，我也得到一點這方面的遺傳。這可從兩件事看出來：一是無論環境如何不安定，也無論要花多少錢，他們從不讓我們的教育中斷；另一件事是抗日戰爭期間，我父親兩次不遠千里冒險來重慶探望我們兄弟，甚至因此送命。

我父母都是典型的一般中國善良老百姓，一生克勤克儉，艱苦奮鬥，累積一點財富，維持一家溫飽，善盡做父母的責任，安分守己，完糧納稅，唯一的願望就是能夠安居樂業，將子女養大成人。但是在中國這個環境裡，就是難得做到；一生不知吃過多少不必有的苦，受過多少不必有的氣，經歷多少的危險。而我父母還算是幸運的，還不知有多少中國人遭遇了多少悲慘的命運，這些中國人真不如一隻外國的狗，這真是中國人的悲哀。

我父母都能知足，都有一套他們的人生哲學。他們大約在不到四十五歲就告歇手，不再積極經營財富，守著那點產業，希望過一個平安愉快的晚年，安享人生。我父親年輕時有點愛打麻將，常輸錢，這點我也完全遺傳到了。晚年不大打牌，改抽旱菸管的菸。我們兄弟同在重慶做流亡學生，他曾遠道冒重重危險來探望兩次。第二次在途中染上霍亂症，於一九四五年八月，即抗戰勝利那年死於途中，享年五十六歲。靈柩運返家鄉安葬，墳墓後爲中共剷平。我母於一九四九年隨我來台，於一九六一年初以胃癌病逝，享壽七十歲，葬於陽明山第一公墓。我父母夫妻感情甚篤，老而彌堅，晚年都以十分禮貌的語氣互相稱呼，相敬如賓。

中華民國政府舉行各大學聯合招生，不是始於台灣，而是始於一九三八年夏季在大陸所舉行的聯考。由於對日作戰，各沿海及內陸重要城市俱已淪陷，幾乎大部分著名大學都向內地搬遷，不能安定，大部分流亡學生則集中在未淪陷的幾個大都市中。這種情形之下，各大學分別招生，十分困難，乃想出聯合招生，統一報名，分填入學志願的辦法。時保衛大武漢防衛戰已在外圍激烈進行，仍在武漢設有考區，考場設在漢口鄰近法租界的青年會，我亦報名前往應考。後來以第一志願錄取中央大學政治系，後轉經濟系。

武漢撤守時，我退居漢川原籍，至年底經友人告知，我已考取中央大學，並到繫馬口鎮上的一家商店樓上祕密看到榜單證實。遂與我弟王中乘內湖小船抵沙市，轉輪船至宜昌，再經萬縣至重慶沙坪壩學校報到。而學校編級試驗已過，只能註冊上課並領取流亡學生貸金，但不能計學分。我即辦理註冊手續，註冊證號碼爲一六三七。

我弟王中經我在沙坪壩補習半年，考取設在長壽縣專爲容納湖北籍流亡學生之國立十二中學初三級。一年後畢業，考取設在江津縣之國立九中高中二年級，故六年中學他只讀了三年便畢業。隨即考取中央大學法律系，畢業後復考取特種考試司法官考試及格。大陸撤守時任首都地方法院檢察官，被中共以反革命罪名送青海省海西州二〇一勞改農場，勞改二十七年，據說因腦溢血病逝，葬於青海省第八勞動改造營管教支隊，直屬七大隊墓地。

我妻范馨香，湖北應城人，一九一八年農曆一月二十二日，俗稱烏龜生日出生。父范韻珩，係老法官，曾任宜昌高分院檢察官、安徽高等法院鳳陽分院首席檢察官、山東煙台高分院院長。來台後任最高法院檢察署檢察官，在任上退休。母熊雲鸞，係明末鎮邊名臣熊廷弼之嫡裔。父母均以高壽病逝，合葬於陽明山第一公墓。

范馨香畢業於湖北省第一女子中學，與我在同考場應考，亦以第一志願錄取中央大學法律系。武漢淪陷時避居應城原籍，後隨其父母與兩妹坐小船循與我相同之路線抵沙市，轉宜昌，再轉重慶。到校報到時亦因編級試驗已過，只能註册上課並領取貸金，但不計學分。她的註册號碼爲一六二二。

由於我們是同鄉，同來自武漢的中學，同時遲到，多在同一教室上課，那時法學院一年級不分系，都必讀同樣課程，僅英文與國文因人多分班不同而已，故很快即互相熟悉。至二年級後，交往逐漸密切，感情日深。至四年級已形影不離，互許婚嫁。一九四三年畢業，在同一年考取高等考試，同時至南溫泉受訓。一九四四年十二月二十四日聖誕夜，我們在重慶「中蘇友好協會」結婚，新房設在重慶望江樓旅社。其時，她任長壽地方法院推事，我在中央設計局任幹事。

我們結婚時十分窮困，兩個小公務員的收入只能各自餬口。結婚費用係向同班同學方常新、王福杰、歐陽維鑄各借了一萬元。我妻新娘裝係一個綢被面改製，我的西服係向歐陽維鑄借的。婚後住處設在長壽地院內一間小房內，一張舊白木床，兩隻凳子，一個茶几而已。我妻逝世後，我不願再婚，這是原因之一。

我妻個性堅強，美麗而不溫柔，天資聰慧，讀書用功，她是她那一班的前一、二名，畢業後曾留校擔任助教，轉任法官後，即專心辦案，在大陸主辦刑事。那時女性法官甚少，我妻甚美而又年輕，在長壽那種閉塞地方確實很聳動，有一次開庭後，當事人紛紛議論：今天老爺不在家，派小姐問案。

抗戰勝利後，我妻調鎮江地方法院推事，復調司法行政部辦事。大陸撤守前，已任桂林廣西高等法院刑庭推事。來台後，歷任台灣高等法院民庭推事、庭長，爲全國女性簡任法官之第一人。一九五六年四月與另一女法官同時升任最高法院民庭推事，亦破全國司法界紀錄。後又任最高法院民庭庭長，亦爲女性任最高法院庭長之第一人。迄至一九七二年，遞補司法院第三屆大法官爲止，共在最高法院任職整整十六年。第三屆大法官任期屆滿，後連任第四、五屆大法官，於一九八七年十一月三十日以肝硬化症逝世，計任大法官十五年半，享壽七十。我有兩子均在舊金山工作，她希望與她的兒子在一處，也希望她的兒子能常到她的墳上去看她，如果葬在台灣，我死後，女兒居處不定，她會變成孤墳，所以葬在舊金山的百齡園（San Mateo, Skylawn Memorial Park, Bai Ling Yuan, Lot 300 Section D, Nc.3, 4）。至於我死後，希望火葬，骨灰撒台灣海峽或基隆海外，回歸自然，不占人間一寸地。

我妻任職法官，操守廉潔，態度公正，辦事認真迅速，嫻熟法律，爲民事權威法官之一。因此聲譽鵲起，升遷快速，在毫無人事背景下，以一女性得以歷任審判方面要職，直達顛峯。其任法官時，每週年終，必助同庭法官結案。任庭長時，每次審議案件，必事先詳細審閱庭員承辦案件之卷宗及判決書，遇有疑難，必反覆推敲，然後提出建議，遇有能力較弱之庭員，則等於代其辦事，遠較一個法官之負擔爲重，是以備極辛勞。在任職大法官時，無論是否本身承辦之案件，必遍查參考書籍文件，從法理與事實上求其至當，亦爲同儕大法官所尊敬，稱其爲「女中豪傑」。

我妻自一九四四年起任長壽地方法院法官，至一九八七年十一月逝於大法官任上爲止，計四十三年，從未間斷。其待遇與一般公務員相同，官階等級亦然，而工作之繁重與壓力之大，則倍於一般公務員。但從未聽其有一句抱怨或不平之辭，只知埋頭認真辦案，還當事人一個公道。從來不爭待遇、爭地位、爭首長位置、搞串聯、連署等動作，而操守之清廉，則更認爲係當然之事，「明鏡高懸」四字足以當之。

不僅我妻如此，其同時之高院與最高法院法官，亦大部分如此，都是操守清廉，不計名利，埋頭認真辦案。尤其最高法院那些老法官，真正令人佩服，最高法官四字實在當之無愧。偶有一、二個不肖之徒，立即被清除。故在司法風氣逐漸敗壞時，我們常稱最高法院爲最後防線，撫今追昔，豈止感慨而已。

我妻在司法界地位崇高，至親好友來請託案件者，必詳爲解析案情，但絕不影響其辦案或轉向其他法官關說。遇有送禮者必收下，然後再還以價值相等之禮，當時成爲我們沈重的負擔。如果禮太重，還不起，則退回。不熟悉之人送禮則一律退回。經過一段時間後，除偶有至親好友請教法律問題外，便甚少關說送禮者。

我於一九四九年初自美國返抵上海，全家隨同岳家遷廣州。因我妻已發表爲廣西高院推事，遂全家轉赴桂林。隨後我又返武漢奉我母及率一妹一外甥女來桂林相聚。同年八月，我妻攜二子隨同岳家來台，十五日在基隆登岸。我於同年九月十五日奉我母及率領前述諸人亦在基隆登岸，寄寓司法大廈三樓一間辦公室內達四年之久。我們原有二子，來台又生一女，連同我母、妹、甥女及庶伯岳母，共計九口之家，兩人收入難以維持生活，每月須貼補美金十至二十元，全家營養不良，子女時常生病。我們吃的都是吳郭魚、空心菜，加一點肉類，黃豆芽都算好菜了。一日高等法院書記官長張靜修來我家洽公，見桌上飯菜，默然不語久之，他那同情我們的表情我現在還記得。這也是我不願續絃的主因之一，我們曾經是百事哀的貧賤夫妻。

我妻是一位非常成功的職業婦女，將全部精力都集中在事業上，可以夙興夜寐來形容，但不是一個十分稱職的主婦，人的精力究竟有限，難以兩全。我對職業婦女的看法十分理性客觀，認爲應由婦女的個別性向及環境決定，如果一位婦女的性向是事業型，環境文化又允許她這樣做，那麼她就應該做職業婦女，對國家社會有貢獻；反之，就做家庭主婦，相夫教子，治理好一個家，讓丈夫專心事業，子女都有良好的家教，成爲有用的人，也同樣對國家社會有貢獻，兩者無分軒輊。因此，我對我妻的從事司法工作，全力給與支持和鼓勵。她的官位與收入都比我高，但我從來沒有所謂自卑感或妒嫉心，反而唯恐她的官升得不高。

我們家庭生活十分簡單樸素，我妻比較講究穿，不講究吃。早年吸菸，五十歲後戒菸。出外常坐公車，甚少看電影，幾乎沒有娛樂。態度平易近人，直到病倒前，都是自己上菜市場買菜，肉販、菜販都成了朋友。在家都是親自接待客人，拿菸奉茶；我的朋友來家玩小牌，她也親自奉茶拿毛巾，曾使張茲闓先生大爲欽佩，到處讚美。我是吃穿兩不講究，玩小牌，但不耽迷，無其他嗜好與娛樂。家中生活自理，我妻從不過問，我一生從未享受過妻子的照應與溫柔，不知溫柔爲何物。我們常說母親慈愛，我的母親愛而不慈；我們又說妻子柔情，我的妻子情而不柔，都是女強人型。我真命苦。

但我對妻卻恰好相反，她的衣料及服裝設計，她的化妝品，她的皮包與鞋子，很大一部分都經我之手，而且都是高價名牌。從前出國很困難，台北名牌物件很少，我常出國，每次回來她的用品要裝滿一箱。美援會同事陳梅小姐係在美國長大，後來去華盛頓，看到我買的化妝品，大吃一驚，說這些都是美國女明星用的。我妻自己買的衣物用品，價廉物不美，俗不可耐，常使我生氣她的品味不高，而她卻嫌我管她太多。所以對女人的事，不關愛不行，關愛太多也不行，孔夫子歎女人「難養」，不是沒有道理，孔老先生一定也吃過這種苦頭，才能成爲聖人。

我妻有兩件事常使我生氣：一是她總覺得我十分委曲，背著我求人助我，再不就是我得罪了人，她背後替我向別人道歉。她不了解我的個性，更不了解官場生態。我常爲此氣得多少天都不能釋懷，與她大吵，但是她依然照做。另一件事是我非常守時，而她卻非常不守時，好不容易打扮好了走出大門，她忽然覺得鞋子穿得不對，毛衣顏色不妥，又要回去重來，夫妻倆於是便吵起來。現在都是此情可待成追憶了。

我妻逝世後，她的臥房、書房、化妝品擺設等一切依舊，衣物、鞋子、皮包等物保存如生前。兩箱進口衣料都放在那裡聽其陳朽。我們有二子一女，長子念祖，一九四五年九月生，媳魯恬，育有一子名長義，女名璇玲。次子紹祖，一九四七年十一月生，媳羅素娥，亦育有一子名長仁，一女名瓊玲。幼女梅君，一九五〇年元月生，未婚，與我同住。隨同我來台之大姐之女名許記先，適于翰屏。

附注：最近據家鄉來信，漢川縣已於一九九七年十一月八日改為漢川市，轄地一千六百六十三平方公里，人口一百零四萬人，距市五十四公里，即為武漢天河國際機場。漢丹鐵路、宜黃高速公路、一〇七國道、省級幹線荷沙公路穿境而過，新建漢川漢江大橋、新北公路將宜黃高速公路、一〇七國道連成一體，境內有年吞吐量一百萬噸的鐵路貨場、十多個現代化漢江碼頭可停靠五百噸級船舶，有三座日供水量十五噸的自來水廠，裝機容量一百二十萬瓦發電廠，六萬門程控電話和傳真電報可直通世界各地，十二萬畝全封閉式養殖區，擁有骨幹工業企業近六百家，漢川也是全國內陸唯一的淡水漁業改革試驗區，全國、全省的商品糧、商品棉、優質棉出口基地縣市、農業機械化試點縣市，可見中共進行之經濟改革有顯著成效，較我在本世紀前離開時已完全改觀。

第二章 時代

套用狄更生在《雙城記》中的語調，我所生的這個時代，是最混亂的時代，也是最偉大的時代；是最黑暗的時代，也是最有希望的時代。這樣一個時代，最容易時勢造英雄，只可惜英雄不多，草寇流氓專制獨裁型人物倒是不少，以致生靈塗炭。這樣的一個時代，也最容易英雄造時勢，只可惜造出來的時勢，混亂與黑暗的居多，偉大與光明的很少，以致時勢總在苦難中。

我出生於一九一九年，距離民國肇建已有八年。推翻帝制，肇建民國，在中華民族史上便是一件畫時代的大事，將永垂青史。而且我們並沒有像法國、美國、俄國，或其他若干國家，經過長期的戰事或極大的屠殺，才達成建立民國的目標。雖然我們也有一些起義，也有一些殺身成仁的烈士，但都微不足道。不料隨之而來的戰禍，時間之長，殺戮之眾，卻遠遠超過那些國家。

這一年，也是巴黎和會第一次大戰的戰勝國欺凌我國，縱容日本侵奪我國權益，激起五四運動的一年。五四運動無論在政治、社會、文化各方面都對我國產生了深遠的影響，可以稱之為國家復興運動的開端，在歷史上也會有它的地位。

至於國內一般情勢，大局是外侮不斷，內戰不已，地方則土匪如毛，民不聊生。我剛出生不久，家就遭到土匪的侵犯，爲躲避土匪，我家在下房堆滿一綑綑稻草，中間留很大一個空間及一個出口，土匪來了，便全家躲入其中，再用幾綑稻草將出口堵塞，外面看不出痕跡，不易被發現，以保一家安全。我母告訴我，當時唯一恐懼的就是怕我哭鬧，聲音外洩，全家都會被逮著，但每次都是天保佑，我很合作。當時的土匪都有古代之風，不殺人，不放火，不強姦婦女，很少擄人勒索，但會搶奪財物及打人勒索財物。所以，我一出生就是在這種恐怖不安的環境中長大。

約在一九二七年左右，我不到十歲，國民革命軍已占領武漢，隨即發生寧漢分裂，國共分家，不少槍械流入民間，地方秩序崩潰，土共橫行。所謂土共，就是本地無業無產人民所組成的共產黨，有時也出現外地來的有組織的共產黨正規軍。一般而言，共產黨正規軍比較有紀律，雖然徵糧，徵夫，但不亂殺人。土共就不然。他們熟知地方情形，知道哪家是土豪（富農），哪家是劣紳（認識幾個字的地方知識領袖）。每趁半夜至那些家，殺盡全家，連搖籃裡的嬰兒都不放過，要斬草除根，然後拿走可以拿的財物，放一把火將房屋燒掉。今天太陽下山還是一個快樂的家庭，明早太陽升起這一家就從世界永遠消失了。我本有左傾思想，極端同情窮人生活，痛恨那些官與兵欺壓無知的老百姓，但就是因爲這些土共的惡行，使我不接受共產黨。

可以想像得到，我家是最大的目標之一。於是每天都急急吃完晚飯，先是投奔鄰居或附近親戚家借住一宿，天亮後回家。後來不受歡迎，因爲若被發現，會連累這些家也被殺，所以是可以諒解的。我家於是每晚分成二、三組，在荒郊野外，或特定地點躲避一夜，常是露宿在深溝中、田坡下，冬天寒冷，有時飛雪，其苦可知。一家人晚上分散時，都不知道第二天早上能否再團聚，那種生離死別的淒慘景象，我雖不滿十歲，迄今記憶猶存、印象深刻。

我總是帶著我的二弟（王作華，後染時疫早死）一組，躲在家附近的田坡下。聽到遠遠某一方犬吠甚急，人聲嘈雜，隨而火光燭天，便知這代表某一家可能完了，第二天消息傳來也果然如此。寧靜的鄉下，半夜裡的火光、人聲、犬吠的這種情景，我現在也還記得。

在這樣恐怖的情況下生活了一段很短時期，便全家移居鄂城縣鄉下，後又移居住家附近大鎮繫馬口，該鎮被共軍攻占一次，又移居漢口。在漢口住了約三年多，於一九三二年再移居繫馬口，直至一九三八年，日軍占領該鎮，我家才又遷回家鄉。

土共在鄉下殺人放火期間，地方人士也組織團隊自衛，權力極大，只要認定某人是土共，抓來就搶斃。駐繫馬口的官軍也時常下鄉清鄉。於是今天土共夜晚來殺一陣，明天白天清鄉軍又來剿匪殺一陣，如此殺來殺去，最後目的都在搜括錢財。土共力量小，夜晚急急來，急急去，所得有限；清鄉軍白天堂堂正正來，慢慢搜括而去。鄉人稱前者爲梳子梳，後者爲篦子篦。除此以外，我們還要逃避打內戰潰散的大批逃兵及正規軍，他們不殺人放火，但要搶劫財物及強姦婦女。

無論是哪一種兵，到了鄉下，他們就是老百姓的主宰，生殺予奪，生命財產都掌握在他們手裡。在鄉下房子住的大一點，家具擺設好一點，他們就認定是富戶。衝進門來，抓著大人就是一頓打，打過以後就說是要搜查這家富戶所窩藏的土匪，或是藏有違禁品如鴉片之類的，然後全屋搜查，值錢的東西能拿走的都拿走，現錢當然更不放過。這就是小說上常說的「洗劫一空」。如果這些兵認爲所得不多，便將主人五花大綁帶往部隊，等這家人拿錢來贖，如稍有反抗或不來贖人，便可正法，就是槍斃掉。

因此鄉民怕兵更甚於怕土匪與土共。每聽說有兵來，便嚇得四處亂躲亂竄。小兒哭鬧，便說兵來了，兵來了，小兒便不敢哭。我親眼見到我祖父被打與被綁、我伯父被關。我一直到很大的年齡，見到穿軍服的人仍怕怕的，因爲警察穿制服，所以見到警察也怕。直到我自己當學生兵以後，怕的程度才減少，但仍是怕。現在好像不怕了。但我的個性是喜歡當軍人的。

在這裡，我要附帶講一則小故事。鄉下的狗很兇，常成羣咬人，追逐不放。我兒時在門前玩要，一路過陌生人被狗追咬，便用磚塊打狗，正打中我眼角旁眉毛下的地方，流血不止，差一點被打瞎，以後留下一個疤。因此我見狗就怕，直到現在，我見到狗迎面而來，必定恭立路旁，讓牠先過。如果狗是跟在我的後面，我會一步一回頭，唯恐牠突襲。我任考選部長時，有一次與記者談及兒時心理印象會終生不忘，便舉怕軍人、警察與狗的例子，記者以花邊新聞刊出，結果被「軍人退伍協會」大刊廣告，栽誣我侮辱軍人與警察。這種栽誣實在沒有格調，他們真正的用意是因爲我逐步廢除軍人參加國家文官考試，種種不合理的優待辦法，想藉口要我下台。

我的另一隻眼角在相對稱的地方，也有一道疤痕，那是鄰居小孩打架，丟磚塊打成的，結果形成兩隻眼睛、兩道眉毛、兩個疤痕。我兒時眼睛大，炯炯有神，一次相命先生相我的面，說我的眼神有英銳之氣，主貴，惜太強，主凶，不得善終，幸好有這一對疤痕，破了相，可保平安。現在，年老了，這一對相對稱的疤痕也模糊了，兩眼也不再炯炯有神了，穿的兩個耳洞也沒了，我的青春小鳥也一去不回來了，富貴也早已於我如浮雲了，思之悵然。

在前面所敘述的土匪、土共、官兵殺來搶去之後，又繼之以天災大水，鄉民連草根、樹皮、觀音土都吃，吃了會死人，不吃也會死人。殺、搶與天災之後，即是瘟疫流行，我的二弟、堂侄、表侄及鄰居一些玩伴，都是在一次大瘟疫中死去。在鄉中無法生存，投奔他鄉者更是妻離子散，死亡相繼。自我出生時起，約至一九三二年清鄉完以後止，我的家鄉就是處在這種環境下，誠如我祖父所說的，還是滿清皇帝好。這時鄉下所剩的人口已經不多了，不久又經一次日本人占領的浩劫，每讀白居易「自河南經亂，關內阻饑，寄兄弟妹」詩：「田園寥落干戈後，骨肉流離道路中」，都有切身之感，痛恨中國人命運爲何總是如此悲慘。

讀者也許要問，人民生活在如此水深火熱之中，地方政府呢？中央政府呢？那些官難道不管事嗎？他們管事，但只管兩件事：打仗的時候徵兵，平時徵糧課稅。我在鄉下生活約到十歲，只遠遠地望見一次縣太爺下鄉，坐的是大轎，前後是身掛盒子砲的衛兵，鄉下人都跟我一樣，遠望。只有讀過書的「仕紳」才有資格陪駕，而且係一陣風一樣地過去了，留下給鄉民的印象是做官真好，祖上有德。我的家鄉地窄人稠，佃農求塊耕地都難。耕種用的都是祖傳若干代的老方法，種籽也是年復一年的老種籽，肥料都是有機肥。有古老的灌溉系統，平時尚可應付，一遇較嚴重的天乾水旱，便只有看天了。至於病蟲害，則更是束手無策。農民生產力之低可想而知，正是孟子所說的：「樂歲終身苦，凶年不免於死亡。」從未聽說有什麼農業改良、農業試驗推廣、農村金融、農村建設。遇到天災人禍，也從未聽說有什麼官方救濟、補償。我的家鄉冬天十分寒冷，萬物都爲冰雪封凍，連草根樹皮都難找，如果遇上凶年，則冬天真正是十室九饑，慘不忍睹。然而一般農民除了怨天之外，都只有認命，很少想到去搶劫，更不會去搞革命。

也許有人要問，像這種情形，中國農民如何能一代傳一代地傳下去呢？原來舊的農村社會也有一套古老的生存制度或方法。例如重大基本建設，如主幹的灌溉系統、主幹的交通運輸道路、主要的防水系統，還是由政府來做或是由一些好官主動來做；遇有重大災情，政府也賑災，不過貪污的多，實際用在賑災上的少而已。在一般情形下，多是由地主與富戶出錢，一般人民出力，來解決這些問題；個別土地的灌溉設施，種田所需要的流動資金，則由地主負擔；冬季對貧民及老弱鰥寡的生活照顧，也多由一族的富戶負責。鄉村多是聚族而居，頗有組織，負責一族治安、倫理秩序的維持、社會福利的給與，有些大族羣甚至包括婚喪教育的補貼，而且一家有事，鄰居戚族都來幫忙。所有這些優良傳統與組織，都禁不起人口迅速增加的壓力，及重大而連續的天災人禍，如戰亂之類。我兒時就是遭遇到這樣的環境，才目睹了上述的慘狀。我親眼見到富者變窮或遷居城市，窮者餓死或散之四方，整個以家族爲中心的社會福利措施完全解體。

以上是我在一九四九年離開大陸時，家鄉的情形。其他全國各地廣大的鄉村，除江南一帶外，大都差不多，而內地山區，則貧苦尤甚於我的家鄉。現在，半個世紀過去了，接到鄉人來信或聽曾經回鄉的友人說，情況已有重大改善，前面已經引述過。但願天佑中華，使中國人民早日脫離貧窮、饑餓、疾病、愚昧的苦海。

再就整個國家來講，則自一九一六年袁世凱死後，北洋軍閥無人能夠駕馭，彼此殘殺不已；直皖戰爭、兩次直奉戰爭、蘇浙戰爭，打得沒完沒了；而西南、西北、四川也是連年打個不停；一九二六年國民革命軍北伐，一九二八年完成統一；一九三〇年又發生中原大戰，規模空前，國力民生損耗無數；而自一九二七年國共開打，直至一九四九年底國民政府遷台，前後斷斷續續打了二十三年，消耗國力民力更是不貲。在所有這些數不盡、打不完的內戰中，參加者都要發通電、搞文宣，告知全國的「父老兄弟諸姑姊妹們」，說他們如何愛國愛民、救國救民、伸張正義，都將對方罵成國賊、民賊、漢奸、走狗、軍閥、專制魔王。實際上則都是爭城一戰，殺人盈城；爭地一戰，殺人盈野，燒殺搶姦，殘民以逞。以致哀鴻遍野，餓殍載道，真正是「老弱填諸溝壑，少者散之四方」。而大戰之後，必有凶年，接踵而來的便是饑荒瘟疫。付出如此大的代價，說穿了不過爭政權，稱王道霸而已。這就是打從我孩提時期至長大成人這個時代中國人的生活。我們歌頌革命偉大，但這樣的革命偉大嗎？當然，這其中比較有紀律、有理想目標的，還是老總統所領導的國民革命軍，因此頗得民心，可惜在八年抗戰的後期，便已腐敗，至勝利後，更是兵驕將悍，貪污腐化，一旦兵敗，便如摧枯拉朽，不堪一擊。

一九三一年，即是中原大戰後一年，華中地區空前大水災，武漢及我家鄉均為大水淹沒。水退後，繼之以瘟疫與饑餓，死人無數。而在此時，發生了九一八事變，日本出兵占領了瀋陽，隨即占領了東三省全境。正是家難未已，國仇又至。我那時是小學三年級學生，還記得手拿小國旗，參加遊行示威，口呼「打倒日本帝國主義」口號的情景。以後日本人不斷進逼，一二八淞滬之戰、長城之戰、察熱事件、何梅協定、秦土協定、冀東僞組織、華北五省自治運動，國土日蹙千里，而我們的抗日遊行示威也不斷，對日本人的仇恨也深入每個中國人的心，連窮鄉僻壤無知無識的中國人都知道要打日本。至於學生與知識份子，則更是愛國熱情高漲，人人都要奮發圖強，人人都要站起來與日本人一拚。可惜這種全民族同仇敵愾的精神與力量，日本人並不了解，否則便不會輕易發動侵略了。

在日本人侵略無止境，我國抗日衛國鬥志昂揚之下，終於一九三七年七月七日在河北省宛平縣蘆溝橋爆發了對日本的全面戰爭。全國軍民浴血奮戰。雖然不過一年多的時間，所有沿海城市及內陸精華地帶全部爲日本人所占領，我政府退到西南、西北及四川等偏僻地區，仍然繼續作戰，苦撐八年，得到最後勝利。即使勝得很慘，但仍是勝利。由於此一勝利，我國方能取消不平等條約，取得在國際上的平等地位。甲午戰爭被迫割讓的台灣省也終於物歸原主。

八年抗戰中，日本屠殺我軍民無數，轟炸平民，姦淫擄掠，無所不用其極。我廣大人民，尤其青年學生，追隨政府西遷者，欲逃離日本虎口者，絡繹於途，造成又一次的民族大遷徙。在此過程中，因饑餓而死者，因瘟疫而死者，因轟炸而死者，因逃走不及爲日本人追至而屠殺者，因慌亂中而妻離子散者，不知有多少人，可謂歷盡人間之浩劫。

日本與中國有往來，傳說中可遠溯至秦漢；有史籍可稽者，則可追溯至魏晉，但有密切交往則應自唐朝始，而日本深受唐以來中國文化的洗禮，對中國文化十分崇拜。現今日本雖云西化，但其若干生活傳統與風俗習慣，仍帶有相當濃厚的中國文化色彩，包括其傳統衣著與使用的漢字漢語。但自明治維新以後，日本從事革新的一代，特別是所謂的少壯軍人，便打從心底看不起中國人。甲午一戰後，更是想要鯨吞中國，年年都在製造藉口，尋釁挑事，著著進逼。一九三一年九月十八日瀋陽事件，更加速其侵略野心，蘆溝橋事變，更聲稱三個月可以亡中國。

日本人所以敢如此斷言，當然是比較過中日雙方的戰備及軍隊的訓練與素質。僅就這一方面來講，日本人並沒有誇張。但是他們忽略了一個更根本的因素，那就是中華民族在有信史可稽的三千年中，幾度亡國，幾度偏安，爲什麼終能復興，終能占據地球的一方而不斷壯大，這必然有其民族的特性，有其不可侮的精神力量。果然，在蘆溝橋事變後，這種特性與精神便充分顯現了。當時，我們真正做到了全民抗戰，全國總動員，地不分南北，人不分老幼，都只有一個念頭，便是打倒日本。現在回想當時大批軍隊悲壯地開赴前線，屢敗屢戰，前仆後繼，青年學生投筆從戎，黨國要人子弟紛赴前線殺敵；再回想無窮無盡的人流追隨政府向大後方撤退，不願做亡國奴，嘗盡流離死病之苦，不僅令人感動，更可從這種歷史場面真正了解中華民族之偉大，之所以歷經三千年而未從地球上消失的真正原因。

日本，究竟是一個文化根基不深厚，浮躁短視的民族。如果作一個比喻，就好像是一個新起的暴發戶，不可一世，確實也有不可一世的本錢，問題是不能致遠；中國就好像是一個有點衰敗的世家，也確實衰敗，但格局氣勢猶在，一旦振作，便會昂首直上青雲。此所以德國宰相俾斯麥將中國比作睡獅，而日本戰前元老重臣西園寺公望稱日本軍人占據了東三省，等於是吞下了一顆炸彈。可見這世界仍有很多有識見的政治家。

第二次中日之戰，雖然半壁江山爲日軍所占領，雖然人口財產損失難以估量，雖然人民所受的痛苦煎熬難以描述，但從另一角度看，也有其正面的作用。那就是由於戰爭的需要，政府在大後方的西南與西北廣人地區，從事了很多比較現代化的建設；更由於人口與軍隊的大量移動，使得中國進步與落後地區的文化與知識有了交流。這對整個中國的平衡發展，及區域性的西南與西北地區的發展，都有重大的促進作用，值得歷史學家作深入的研究與評估。通常我們只見到戰爭破壞的一面，但像中日這種大規模的戰爭，必然也對物質建設與文化發展產生重大影響。事實上，假如我們稍微留意二次大戰前後的世界，便可發現全世界國家在經濟、政治、社會、文化、與國際關係上都產生了難以估量的影響。

對日戰爭於一九四五年八月十四日日本宣布無條件投降後結束，繼之而來的又是驚天動地的國共內戰，與國民政府戰敗，於一九四九年底遷來台灣的歷史事件，這種場面也是人生難得一逢。三百萬大軍，其中有很大一部分具有新式的美式配備，竟不堪中共的人民解放軍一擊。自一九四八年冬，瀋陽撤守，至一九四九年底，撤出大陸，爲時不過一年；解放軍自極北而極南，橫越數千里，追奔逐北，國軍望風披靡，土崩瓦解，這在中國歷史上可能是空前的敗績紀錄。我們這些追隨政府的文職人員，也是一夕數驚，一年數遷，輾轉徬徨於旅途道路之間，前途莫卜。那麼，原因究竟何在呢？當然，歷史學家會有各種不同的答案。但迄今爲止，我似乎尚未看到有點權威性的分析與結論。正如八年對日作戰這麼大的事，也未看到公正翔實的歷史紀錄一樣，誠令人遺憾。

依我這個並非歷史學家，卻親身經歷這一場面的人來看，國民政府政權崩潰，大陸撤守，原因當然很多，但最重要的有下面幾點：

一、經濟與財政的崩潰。八年血戰，真可說是民窮財盡，民不聊生，不僅中國如此，所有受戰爭破壞的國家都是如此，而這種情形正好是培養共產黨的溫床，是以西歐大陸國家如無馬歇爾計畫的援助，都有淪爲共產國家的可能，事實上，這也應該是馬歇爾計畫的主要動機之一。南歐的義大利與希臘則是美援從共產黨手邊搶過來的。中國土地最大，人口最多，原本就最窮，受戰爭的破壞最大最久，是最好培養共產黨的環境，而中國共產黨原就有很大的勢力，加以毗鄰蘇俄，東北三省尤其如此，得到蘇俄的援助十分方便，可以說中國共產黨化的環境較世界其他國家都要優越。

二、國民政府貪污腐化。我要在這裡坦白指出，當年國民政府貪污腐化的程度，要比現在的台灣好得多，無論就貪官的人數比例、貪污的手法、貪污的金錢數量及貪污的普遍性，都遠不如今日的台灣。這只要一看當年追隨政府撤退來台，領導台灣復興的上中下層官員的情形，便可知道我所言不虛。這些官員十之八、九都清廉自守，生活刻苦儉節，做事勤奮努力。但是貪污腐化仍是國民政府失敗的主要因素之一，因爲具備了幾個特色：

㈠孔宋兩外戚家族利用特權，違法亂紀，明目張膽地壟斷資源搞錢，當局者包括經國先生在內，都莫可奈何，可以說達到人神共憤的程度。再加以中共的宣傳，使朝野上下及一般老百姓都移恨於政府及老總統。

㈡軍人貪污。大小軍頭利用通貨膨脹的環境，剋扣軍餉，明吃空缺，走私貨物，買賣黃金，除極少清廉者外，大都因此腰纏萬貫。而上行下效，低級軍官及士兵也只有跑單幫做生意，向民間強買強賣，以求自保，否則等軍餉到手，在惡性膨脹下已是不值幾文錢，只有餓死了。一九四八年下半年至一九四九年，火車上多擠滿了跑單幫的軍人，如此軍隊如何打仗。

㈢特情人員、黨工及部分行政人員，以及與前述㈠、㈡有特殊關係，可以分享特權保護的人物貪污。來台接收的人員中，就有很多這類人物。

以上這三種貪污的情形，都特別顯眼，特別叫人痛恨，也特別容易失去人心。尤其軍人貪污，還涉及軍紀與作戰能力及意願，問題更嚴重。為什麼土崩瓦解，一瀉千里，這就是關鍵因素。岳武穆說：「文官不貪財，武將不怕死，則天下太平。」是說宋朝。在大陸撤退當時，實際情形則是：「文官貪財又怕死，武將怕死更貪財，天下安得不失。」當然不是所有文武百官都如此，否則連台灣也來不成了。

三、內鬥。國民黨內派系分歧，內鬥激烈，聞名中外，而且是埋起頭來，關起門來苦鬥，以致中共譏笑國民黨內鬥內行，外鬥外行。其實中共內鬥更激烈，但對外則是比較一致的。這是兩黨不同的地方，也由此而分勝敗。在一個威權的政黨與威權的領導之下，決策與權力官位分配缺少民主、公平、公開程序，依賴權威，依賴黑箱作業，很自然地就會結幫組派，各自製造聲勢力量，在權力與官位分配中便可互相援引，互相標榜，顯現實力，讓威權領導人不能不重視，而予以一杯羹。

國民黨自一九一九年改組成立，以迄現在，都是在威權領導之下的一個列寧式政黨，其內部鬥爭乃是必然性的。而威權領導人也樂於見到這種鬥爭，因爲這可使領導人定於一尊，充分享受威權的滋味。只可惜老總統玩得過火，竟因此而喪失了大陸政權，應了「玩火自焚」一語。

大約在一九二八年七月北伐完成時，國民黨內雖有汪精衛等人的對抗組織存在，然以老總統爲中心的定於一尊的態勢已經形成，不料在老總統之下的新派系卻如雨後春筍般地冒出來了，最強者有陳果夫、陳立夫的ＣＣ派、陳誠的三青團，早期老總統親自指揮的復興社，陳立夫領導的中統，戴笠領導的軍統。還有其他數不清的派中之系。老總統似乎頗欣賞這種派系鬥爭，而且樂此不疲。而中共間諜人員就在這種情形下無聲無息地滲入了黨、政、軍、情各方面，以致大陸變色時，到處都冒出了中共的地下組織。

四、輕敵。在對日作戰以前，中央軍有絕對力量可以消滅中共的紅軍。然而未曾消滅，有種種傳說，一說是中央政府要保存實力與日本作戰；一說是讓雜牌軍如張學良的東北軍去對抗紅軍，互相消滅；也有一說讓中共向西南及西北邊疆地區逃竄，中央軍藉口追擊而將中央勢力滲入這些地方軍閥割據地帶。這些軍閥也知道中央政府用意，於是與中共暗中協商讓紅軍順利通過，彼此互不相擾。於是中共軍慢慢地向前逃，中央軍慢慢地隨後追進，地方軍閥則慢慢地相送：送金錢、送糧食、送軍械。這就是中共所稱的萬里長征。這些傳說不知是真是僞，但是中央軍可以消滅紅軍而未消滅，則是事實，這就是不認爲中共能構成威脅，就是輕敵。

一九四五年日本投降，老總統只派少量軍隊去接收東北，當時中國戰區參謀長美國魏德邁中將見所派軍隊太少，曾建議加派若干人，但未爲老總統所接受。而後來國軍之敗，是從東北開始的，這就是輕敵。一九四七年春夏之交，國共已正式破裂，以兵戎相見。我親眼見到各報紙都刊載一則新聞，引述參謀總長陳誠談話：「三月之內可以消滅共匪」，我當時即感到參謀總長怎可說這樣的話，印象深刻，迄今記憶猶新。當時駐軍西北，專門防堵中共的胡宗南也有類似的說法。從這些話可知當時中央政府輕敵的心態之濃厚。但據我所知，當時許多高級文官及知識份子都憂心忡忡，不作如是想，亦可見高層決策階層與實際情形之脫節。

五、用人不當。上面二、三、四種情形，都緣於用人不當。依我之見，有兩個原因：㈠我們都知道馬上得天下，不能馬上治之的道理，這是說打天下是一套人才，治天下是一套人才。老總統知道這個道理，也用了很多治天下的人才，但很少能進入他的權力核心。他的左右仍是打天下的人才居多。這是因爲他自一九二六年就任北伐軍總司令掌握實權起，至大陸撤守止，年年都在戰爭中，年年都在打天下。㈡老總統比諸他的後任者，雖然用人格局與氣象，以及待士之道，都要高明很多，是以終成開國之主，但仍嫌不夠。

所謂仍嫌不夠，就是他喜歡用並且信任外戚、蘇浙同鄉故舊、學生幹部，再用這些人主控財經、特務、軍隊、黨務，形成他的統治網。而在中國歷史上，這樣用人即使不亡其身，也必禍延後代。我曾說過，老總統的天下，可謂自我得之，自我失之，客觀因素固然很多，老總統的主觀因素亦應負有責任。但無論如何，老總統仍不失爲一代人傑，後世史家必有定評。

以上是我在大陸時期的個人成長與國家背景，那真是一個偉大而痛苦的時代：推翻帝制，肇建民國；軍閥割據，內戰不斷；五四運動，開啓復興機運；日人侵略，幾乎亡國；全面抗戰，民族遷徙；國共內戰，全國赤化，徹底摧毀舊有秩序及制度；以及遷台以後，經濟富裕，政治民主，所有這些無一不破中華民族歷史紀錄。實在是一個偉大的時代，身歷其中，何其有幸；而另一方面，混亂、恐怖、殺戮、貧窮、饑餓、瘟疫、壓迫、流亡，每日都在死亡陰影下求生活，又何其痛苦。我常想在這樣一個時代中，我能活過來，就是偉大，就是滿足。這樣一個時代，對於我的思想與人格形成，自然有深遠的影響。

第三章 求學

我父母望子成龍心切，四歲不到便將我送入私塾讀書，別人家小孩可以自由自在玩耍時，我就要枯坐在一間屋子裡「讀書」。因個子太小，爬不上座位，需有人抱我入座，我一方面口中唱著「人、手、足，刀、尺。山、水、田，狗、牛、羊。一身二手，大山小石。天地日月，父母男女。」另一方面眼巴巴地望著放學。我用的在當時是新教科書，很新派，所以我打從啓蒙起，就是很新派的。不過，後來我也自修了《三字經》——傳統教科書，稱得上是學貫新舊。

由於我家經常在逃難遷徙中，我就斷斷續續地讀了八年私塾。背過整套《四書》、《左傳》、《書經》等古籍，讀了一些歷史書籍與詩詞，奠定了我對中國歷史的興趣。在離開私塾時，我已會作文。

一九三一年春季，我家已遷居漢口兩年了，一位同屋鄰居小朋友裴紹華跑來告訴我說，漢口市立第五十二初級小學（只到四年級為止）正在招生，他可以陪我去報名應考。我因已十二歲了，經過考試後，教務主任劉鼎甲說可以讀三年級下學期，我就這樣進入了洋學堂，開始接受現代教育。讀不多久，老師嫌我程度太低，降一級，改讀三上，我也欣然接受。一學期讀完，除了唱歌難聽外，其餘都會，尤其國文，老師田人龍常在班上誇我，唸我的文章示範，說寫得好，總成績爲班上第二名。三下讀完，考了第一，這是我一生讀書生涯中唯一的一個第一名，可惜我那時已高齡快到十三歲了，十三歲讀小學三年級考第一，真是啼笑皆非。我要在此特別聲明，我當然不是什麼天才兒童，但我是超齡兒童。

讀三下時，有兩件事值得一記。第一件事是我曾以一篇作文〈我的故鄉〉，經過老師修改後投登了《漢口公論報》兒童版，這是第一次向報紙投稿，時爲一九三一年底，距今已六十多年了。以後又陸續投登過幾篇日記之類的「文章」。想不到日後竟然以寫社論維生，從小看大，一點不假。第二件事是我自覺年事老大，不能按部就班地讀下去，向劉老師要求跳升四下。經過四下的入學考及格後，不必讀四上，便直升四下。

四下有位女同學名閻鳳姣，年齡似乎比我大，已很成熟，人如其名，美而姣，衣著華麗，屬富家小姐型。嫻靜溫柔，讀書用功，是班上的第一名。我那時很皮，常將她逗哭回家，第二天上學又和好如初。我也常與班上的野孩子一起瘋，她總是將我拉到一旁輕聲勸說，要我別跟那些野孩子一起，說我應該與他們不一樣。我們在班上是一、二名，畢業時，她第一，我第二，但從來沒有爭過，更沒有彼此妒嫉過。我離校很久後回想，這應該就是芳心暗許（贊許之許），可惜我不懂。等我懂了後，已不知芳蹤何去了。而我總是逗她哭回家，也可能是一種潛意識的愛的表示，她哭後即與我和好，也可能願意接受我的逗弄。她應是蘇杭一帶佳麗，迄今她的倩影與一顰一笑，我仍記憶猶新，並懷念不已，她應是我的「初戀情人」。後來我寫了一篇〈我的初戀〉小品文，刊在《自立晚報》上，來紀念這件事。

一九三二年夏，初小畢業後，跳過五年級，考入市立八小六上班，尚未註册。一日在街上閒逛，看見招貼，漢口市立第一中學尚在招生，便想去投考，回校與訓育主任袁善後商量，袁老師慨然送我一張空白的高小畢業文憑，記得是黃崗縣立第二小學的他的叔父做過校長，留有幾張空白文憑。書記王先生填上我的姓名，證書號碼填八號，說是要得發，不離八。我向同學的哥哥借了全套五、六年級課本準備應考，居然考上了，名次是十八名。猶記當時考過後，在街上遇見一位測字先生硬拉我拆字，我說沒有錢，他說等靈了後再付。我遂拈了一字，是籽字，問能不能考取學校。他恭賀我說：籽字右邊是子，子屬鼠，左邊是米倉。這是老鼠掉到米倉裡，又有吃的，又有住的，一定高中。考取後去找他，已不知去向。

一九三二年夏，年十三，進入漢口市立一中讀書。初一上與同學打架，記大過一次，錯不在我，很冤枉；初一下期末考，坐在同一排的三個同學要作弊，邀我參加，並要我擔任抄手，因爲只有我知道在書上什麼地方可抄。我答應了。臨到考時，他們把風，我抄書，老師來了，他們咳嗽，我關書。我忽然覺得這是在做小偷，父母拿這許多錢來叫我讀書，我竟然做小偷，一陣羞愧襲上心頭，遂決心不再抄，匆匆忙忙寫了答案交卷。下課後，三個同學圍攻我，說我欺騙他們，自己拿高分。我一氣之下，哭著衝進教員休息室拿出我的試卷就撕，說是情願零分。老師搶過卷子，罵我一頓，記大過二次。成績單的操行評語是「嫌藼」。

自此以後，我這一生考試從未爲自己的分數舞弊過。高一上有同學花錢向生物老師家人買到期末考題目，我與部分同學不聞不問，能考幾分就是幾分。一九四八年秋季，在華盛頓州立大學考碩士畢業總考。高級經濟學慕德教授（Dr. Mund）將題目出好後，要我一個人下午二時去他的研究室應考，並告訴我，他將進城辦事，當天不會回來，會將門從外反鎖，無人進，我寫好試卷放在桌上，他明日會來取卷，說畢即離開。他的講義與參考書卻放在研究室，隨手可取，但我視若無睹，埋頭疾寫，從下午二時寫到六時，整整四小時，寫完兩本試卷。交卷後出來站在Commerce Hall大門外，好久都不辨回家的路，不敢舉步，當時落日黃昏，校園闃無人影，一陣淒涼之感襲來，覺得拋妻離子，不遠萬里而來，究竟是爲了什麼。那次題目相當難，考試成績是A或是A+，我已記不清了。

一直到初二上，我的學業與操行成績都是雙丙，我也不以爲意，能升級就好。直到此時，無論讀私塾與小學，我都未曾認真用功過。初二下開學，我忽然開竅，在毫無壓力與刺激之下，覺得應該用功讀書了，就真的用起功來，這並不是什麼覺悟了，更不是痛改前非，也不是爲了功課好的虛榮心，應該算是祖上有德，祖墳風水發動了。到了初三下，我已經名列班上的前幾名了。只不過，惡名在外，老師們都不太信任而已。記得在準備全漢口市初中畢業會考期間，除了國學常識因老師未教，須看《考試指南》一類書外，我與幾位同學都硬碰硬讀本校及他校教科書，要憑真才實學去應考，絕不走簡路去讀什麼《考試指南》，投機取巧，自然更不會去補習了，也沒有錢去補習。初中畢業會考，我在班上名列前茅，老師與同學都吃驚，覺得意外，可見浪子回頭之不容易被接受，哪有什麼金不換。

我的學業雖有重大進步，但並不是全面的。體育方面，我能跑，跑不快；能跳，跳不高，也跳不遠；能打籃球，但不及校隊水準，體育成績只可以得乙等。音樂方面只能合唱，跟著大家起鬨，不能獨唱。在讀高中時，被老師發現，每次都罰我一個人獨唱，期末考不及格，還要補考。美術方面，就是繪畫，別的同學都是一週換一個樣本畫，只有我是整個學期都畫一個盤子裡裝一條魚，每次送上去，老師都說不像，重畫，直到學期結束，老師才不得不接受，打了個乙等。勞作方面，則是三人一組做木器，我從不參加，也不進勞作教室，同學報告老師，得了個零分，下學期重來。音樂、美術、勞作，都是由同一位老師裴介一先生指導。

在我讀書的那個時代，教育十分不發達，讀書的人很少。初中三年，分成上學期與下學期，共六班，每班大約都在四十人上下，初、高中合計，通常爲五百人左右，便算是很大的中學了，當然不會有什麼資優班與放牛班之分。同班同學成績也有好有壞，每學期可能有一、二人留級，但都不以爲意，老師一視同仁地教，同學同等地學，沒有歧視，沒有緊張，沒有補習，一團和氣。當然，成績較好的同學可能玩在一起，也僅止於此而已，對其他同學不會構成壓力，更不會成爲特殊階級，全班相處都十分和睦。

我和同班同學，無論升初中、高中、大學，似乎都沒有什麼升學壓力，更沒聽說上補習班的事，我們唯一的願望就是考上公立學校，少繳學費。實在考不上，私立學校也無妨，輕鬆得很，我的個性尤其使我從來沒有緊張過。我一生經過無數次的考試，都是事先充分準備，臨考前二、三日，便不再溫習功課了，讓頭腦清醒一點，將應考的用品準備好。臨赴考時，從不帶書本，只帶考具，絕不臨時抱佛腳，在進入考場前還做苦讀狀。下了考場，也從不去對書本或與同學討論對錯，真是蕭灑得很。

猶記得我在考高中的前一晚，與同班同學住在漢口學校宿舍，其時放暑假，非畢業班同學都回家了。我們便一起玩起牌九，輸贏只夠買幾杯酸梅湯，但賭興很大，不知不覺玩到天亮。趕快洗一把臉，拿起考具便飛奔考場。考場在武昌，還要過一道長江，趕到考場就考，共考了一天半，結果得了一個第十名。我考高考時，前一天晚上還打麻將打到半夜，睡一下覺便赴考場，也考了一個第七名。這沒有什麼訣竅，只是事先盡力準備，臨考時放鬆心情而已，考得上是本事，考不上是天命。

說起打麻將牌，我是從高一開始的。那時大部分同學都是來自各縣，只有住校，少數同學則家住學校附近。於是每學期開始時，我們外縣同學便約好早幾天到校，辦好註册手續，就到同學家打牌。期中考完畢，打一場牌；期末考完畢，更要打幾天牌才回家。我們最高紀錄是連打三天兩夜，回校睡一夜，第二天上課去。輸贏還不夠吃一餐便宜飯，完全是賭興。而我們都是績優的好學生，除這幾場固定的牌局以外，平時都用功讀書，絕不打牌，甚至足不出校門。正是西方人說的：「該玩的時候玩，該工作的時候工作。」可以喜愛，絕不耽迷，更不會誤了正事。不過，現在回想當年仍是覺得有些過分，不足爲訓。

一九三五年夏季，我考取了湖北省立第一中學高中部，這是武漢著名的兩個高中之一，那年我十六歲。省立一中位於武昌曇華林，是一個歷史相當悠久的學校，分爲初中部與高中部。校舍位於城牆邊，後有小山，幽靜寬敞。有圖書館，每班有固定的教室，晚上可以在教室自修，亦可在宿舍自修，同等舒適。另有音樂教室、室內體育館，有大運動場，已是大學氣派。

一中學風十分自由，老師資歷都很深，學問修養都很好，待學生親切關心如子弟。除上課外，對學生很少管束。晚自習時亦不點名，可以自由出入學校，但晚上十時關校門，由軍事教官點名後入睡，這屬於軍訓系統，學校不過問。上課都是用一般的教科書，循序漸進，從無補習，亦不用超過程度的教科書。所以已是大學作風，學生無論在讀書或行爲方面，都可自由發揮，我十分喜歡這個環境。

但在另一方面，學生程度就難免參差不齊，好的很好，差的很差，升學率也不是很高，學校當局似乎並不在乎這些，仍維持自由校風。相對之下，另外一些以升學率高爲目標的全國著名中學如揚州中學、上海中學、南開中學等等，不僅教學嚴格，淘汰率高，而且高年級用的教本都是大一的教科書。這就有點類似現在台灣的情形，活填死逼，不顧學生的程度與學習興趣，目的就在升學率高，才表示辦學成績好。後來在大學，我與這些學校畢業，而且成績都在前幾名的學生同學或同班，當然其中有不少優秀人才，但程度平平，表現並不突出的更多，我與他們比並不遜色。可見假如教育目的在培育人才，而不在升學率高，則這種填鴨與超級教育並無多大效果。我想台灣教育如此普及，卻並沒有培養出多少人才，特別是氣度恢弘、識見遠大的國家棟樑之才，這種填鴨升學教育應是主要原因。

我的高中生活可說多采多姿。學業成績大約總在前三名左右，學校從不排名，而且是國、英、數、中外史地、物理化學平衡發展。課外活動方面，我曾擔任全校學生膳食委員會主任委員，也當過會計管錢；曾當過全校學生制服委員會主任委員，敢不買學校當局的帳，由委員會自己去找制服店承包，結果以過去線布制服同樣的價錢，做了卡其布的制服，在全武漢市的學生制服中最出色。高二下，我也曾帶領同學在同學集會中與廖西平校長辯論，指責他偏袒高三下同學，對高三上同學不公平。校長召集校務會議要開除我，所有出席老師都為我求情，怕有失「英才」，改為記過。廖校長歎了一口氣，連記過也免了。在畢業考時，同班同學喻志仁得罪了監考的教育廳督學，當時的鄭萬選校長要開除他，同學公推我去解決此事。我公然說服督學先生轉向鄭校長求情不要開除喻志仁，鄭校長事後大罵我一頓，因為有損他的權威。所以我在學校的操行紀錄不是很好，很可能是個乙等。這與我後來在社會上做事一樣，總是成為爭議人物。由於我的活躍，「復興社」及共產黨工作同學都曾拉我加入他們的組織，我都婉謝了，不願搞政治。

在這裡，我要特別提到幾位老師，一位是張少春，他是訓育主任，我們背後稱他張閻王，是武漢各中學校有名的訓育主任之一。一位是許品珊，是教務主任，為一慈愛的老先生。他們兩人都是我的漢川縣小同鄉。還有一位田郁文，好像也是漢川縣人。他們都很重視我，對我十分照顧，原諒我老是犯過失，我之未被開除，也是他們的力量。師恩難忘，特在此記一筆。

此外，我還要寫一段趣事。在我讀中學的那個時代，男女界線十分嚴格，不但不能同校，而且不相往來，有些中學還檢查住宿生信件，如有異性信件，還要警告或記過，但我卻有兩次受女生欺負的遭遇。一次是初中畢業會考，在漢口市女中舉行，我因交卷早，一人坐在學生休息教室，一羣女中學生經過，見我一人，一湧而入，將我團團圍住，說我眼睛大而有神、身材修長、很可愛，可惜皮膚很黑、頭髮生得太高，很難看，也很土，又說我這麼早交卷，一定是答不出、交白卷，功課太差。我面紅耳赤，手足無措，她們則嘻笑不已，一直等到交卷出來的學生多了，她們才一哄而散。

另一次是高中畢業，我出外拜訪同學，話別後返校已將近晚上十時。因日軍逼近武漢，街上幾乎無行人，尤其學校校區更是無人行走。我低頭疾走，忽然前面有一羣湖北省立女子師範學校的學生走在我前面，她們回頭看到我一人穿著一中校服，立即一聲招呼，手挽手牽成一道防線，將一道窄街塞滿，使我無法通過。請讓路，不理會，衝又怕衝不過去，而且不雅，只好跟在她們後面，由她們慢慢走，高聲說笑，一中與女師相距約一千五百至二千公尺，是鄰校。她們明知各校都規定十時前必須返校，否則校門便關了，進不去要翻牆，被發現要記過。跟著她們走到女師門前，她們一字擺開，讓路望著我笑，我只好以跑一千五百公尺的長跑姿勢向前衝，她們卻在後面大笑，我跑到學校，門房校工正在關門，還責怪我，爲什麼不早一點回校。我真是有苦說不出，腦中忽然想到：「男人，你的名字是弱者。」

一九三八年夏季，我十九歲，在武漢失守前四個月，漫天烽火中，我高中畢業，結束了我六年的中學生活，進入一個新的階段。在這六年的求學中，我有幾個讀書的特點，影響了我的一生，值得敘述一下。

前面提到過，我是小學四年級考取初中的。小學五、六年級的課程都是靠自修，特別是算術，我自學自算。初一還有一年算術課，我更自修課外參考書，使得我的算術極好，一般的四則題我提筆就解，毫無困難。初中時，很流行道爾頓教育制度，即是在未上課前，由老師指定學生先讀某一課，遇有不了解的，上課再由老師講解，這可加強學生的了解與記憶。我本來就有自修的習慣，這樣一來，我更是喜歡自修。通常一自修就能了解，用不著老師再講，於是養成凡事自修，不聽老師講課的壞習慣。我可以坦白地說一句，我這一生所得到的一點知識，大部分是自修來的，很少部分是老師教的，上課只不過是形式而已。

因爲喜歡自修，便養成了愛看課外書的習慣。我學算術就看課外書，以後更是如此。我的知識領域超越了我的專業知識，而我的專業知識也廣及專業知識內的很多領域，都是因爲愛看課外書而來的。這有利有弊：利是知識領域比較廣，弊是不專。其結果是未必博，但一定不精。不過，我仍喜歡我的讀書方式。

除了這兩個特點外，我在讀書方法方面也有幾點值得一提。

一、國文。很多人都問我如何寫文章，其實，我哪會寫什麼文章，從來沒有想到靠寫文章維生，實在是被逼出來的。根據我的看法，真正的傳世之作要靠文章的內容，不是靠華麗的詞藻，所謂「文以載道」，「道」就是指文章的內容而言的。至於文，則是表達「道」的工具，要簡潔有力，清晰通暢，結構有序，才能將「道」表達出來。要做到這些，就只有靠多讀多寫，別無他法。

我讀了八年私塾，《四書》與《左傳》都全套背誦過，原已有點基礎。進入中學後，學校有國文課，但收穫似乎不多。直到高中，從一九三六年我參加集中軍事訓練起，我就開始背誦古文。將《古文觀止》拆散放在口袋裡，軍中無事或打野外擔任哨兵時，就拿出來背誦，以打發時間，及減少站在亂葬堆中四周都是白骨嶙嶙的恐懼。我也背誦過《古文筆法百篇》，不過其中大部分與《古文觀止》重複。此外，我還讀完《史記》，及從名師點讀過一段《孟子》。我最得力於《孟子》與《左傳》，前者使我的文筆雄放有感情，後者使我的文筆簡練有力。背古文則可使文筆流暢典雅。

我也讀了許多新舊小說，著名的舊小說都讀過，有的讀幾遍。著名新作家的小說、戲劇也讀了一些，不過興趣不大。這些小說對於我的寫作能力似乎沒有什麼影響。

二、數學。我從初中起，就喜歡自修數學，高中更是如此，我的大代數及幾何都是一個人靜坐在那裡自修的。學校都採用當時流行的教科書，如《范氏大代數》之類，市面上對其習題都有解答。我每一個習題都自己做，遇到少數難的習題做不出來，便朝思暮想二、三天，有時想出了，便大喜過望，實在想不出，才看解答。就這樣給我思考問題的訓練：㈠解答背後必然有定理作依據；㈡解答有一定的步驟次序，一步步來，不能顛倒逾越，否則會解不出或走曲路；㈢有時必須要加一條線或一道假設前提，才能解得出，不能抱著原題死啃。我寫文章思想快，組織力強，前後結構次序井然，就是得力於這種數學訓練，它已經成爲我思想方式的一部分，很自然地表露出來。

我對數學的興趣一直不斷，一直想重溫及進一步進修，到五十幾歲都有這種衝動，只可惜沒有決心，始終沒有實現。另一個我想重讀的是政治學，也只是想而未付諸實施，成爲遺憾。我的大學聯考數學得分是九十幾分。

三、英文。我對英文也下過苦工夫。除了英文課本外，我在初中就讀《伊索寓言》、《泰西五十軼事》等英文小說。讀高中時，更讀過《天方夜譚》、《少年維特的煩惱》、《魯賓遜漂流記》等英文小說。這些除了對辭彙及閱讀能力有幫助外，對於寫作似乎沒有幫助。我對英文文法下的工夫很深，一個長達半頁的句子，我一眼望去，就知道它的文法結構，隨口就可圖解出來，連省略句在內。我的這手工夫，在美國讀書選讀一門英文課時，連洋老師都佩服不已。這種工夫對於寫作幫助也不大，只是不會弄錯文法，但卻反而拘束了寫作，僵硬化了，不能放手寫。而學校作文練習又很少，我們所選的英文背誦課文，十之八九都是古典英文，對作文幫助不大，因此英文作文很差。會話則從來沒有練習過，而由於我不愛聽講，靠自修，發音也奇差。

前面說過，我在一九三八年夏以第一志願考入中央大學政治系，一九三九年春註册上課，讀了一年半政治系，三年經濟系，於一九四三年畢業。由於我讀的高中本就有大學之風，所以沒有適應上的困難。

由於中央大學校長羅家倫眼光遠大，氣魄雄偉，在七七事變時，便立即派人至四川重慶尋覓校址，安定下來，而沒有一再搬遷。在所有內遷的學校中，是唯一事先有準備，臨危又不亂，將全部圖書儀器遷移後方，連農學院的外國種牛豬雞都走陸路遷到重慶，維持弦歌不絕。更由於地處中央政府所在地，成爲外國貴賓參觀我國戰時大學教育的樣板，設備、師資、學生及待遇都是全國第一流。學生四千餘人，絕大部分都是來自各著名高中的前幾名畢業生，所以中央大學在當時是最大的大學，也是最好的大學。我們經濟系畢業生進入國家銀行工作，起薪要比其他學校高三分之一。掛著中央大學校徽，走在重慶街上都引人注目。

我與范馨香曾在一篇記述中央大學生活的文章中（〈最堪回首是沙坪〉），描寫「中央大學是有教無類的一個大學，是一個吞納萬物的大熔爐，熔化了各種類型的素材，鑄成了各種類型的人才。」說「中央大學的教授團，一如中央大學的校風——樸實而有光輝……。每天帶著智慧的微笑，默默地傳道授業解惑，散發師道的尊嚴與光輝。」又說中央大學的學生「有抱負、有識見、有個性、有特長，而且一致的不在乎物質生活，只知埋頭追求各自的理想與興趣，豈止旁若無人，連自己都沒放在眼內。這些都是中國士這個階級的傳統精神、傳統氣魄與傳統風範。」

我就是在這樣一個大學與老師、同學中讀了四年半的書，自由自在、無拘無束，讀自己想讀的書，做自己想做的事，說自己想說的話，只要不妨礙別人，不違反校規，無人過問。四年半的生活，不認識軍訓教官，未見過訓導長。我畢業時候的校長是老總統，不能適應我們的校風，不到一年就辭職了。

我讀一年級，見到老師所開的參考書與課本都是英文，雖然在中學已讀過一些英文小說，但很不夠用，遂下決心要提高英文閱讀能力。於是選了一本愛迪（Edie）的《經濟學原理》，共八百頁，用了一整年的時間，從第一頁第一個字讀到最後一頁的最後一個字，邊讀邊用中文做筆記。

遇有不懂的地方便自己思考，想不通放下來隔幾天再讀，連一個生字都不放過。一年才讀完這本書，暑假又重讀一遍。到了二年級以後，除了畢業後參加高考以外，便再沒有讀過中文的經濟學方面的教科書，因爲當時中文的教科書不管好不好，大部分都是以外國教科書爲樣本，有些還抄錯或語句不通，讀起來反而困難，不如直接讀外國書。以當時由巫寶三、杜俊東合著的一本著名的《經濟學》來說，便是模仿費爾恰德（Fairchild）的經濟學。幾年之後，我在經濟書籍與文章的閱讀能力方面，已無英文與中文的區別，同樣地快，同樣能記憶。

因爲讀愛迪的書隨手做中文筆記，再加上我對英文文法的功力，使我英文譯中文的能力大爲提升。一篇普通的經濟論文或報告，我可一面眼看英文，一面手寫中文，一天譯一萬字，而且譯出來就是一篇通順的文章，不用草稿或修改。即使譯十九世紀的經濟名著也不用草稿，甚少修改。我也能眼看英文，口譯中文，不會停頓，而且通順流暢。關於寫的方面，對於專業性的論文，我能寫流暢通順的英文，很少文法錯誤，連美國教授都稱讚有加，甚至很多美國學生都寫不出來。我在聯合國亞洲遠東經濟委員會（Economic Commission for Asia and the Far East, ECAFE，以下簡稱聯合國亞遠經會）的英文報告，曾經被選載於聯合國貿易暨發展組織的會議論文中，得到好評。但聽與說則很差，這是因爲我讀書靠自修的壞習慣所造成的。

中央大學既是一個可以自由發揮的地方，我便可完全不受拘束去安排我的時間。那時進口教科書很難，學生也買不起。老師們多半自編講義，考試就考講義。對於這些講義，我應付考試時只讀一遍，第二遍便沒興趣，考試結果大概可得七十分左右，成績不是很好，但我不在乎。上課記筆記，我也有一絕技，我可耳朵聽，手中寫，不必經過大腦。而且寫的與老師講的一樣快，一字不漏，像個錄音機一樣。

學生時代，我用在應付功課的時間不多，我的時間主要用在兩方面：一方面是讀我願意讀的書，一方面是與范馨香談戀愛，兩者時間約各占一半。閒書讀得很雜，包括經濟方面的書籍、歷史、文學、政治以及共產黨方面的書。有些書看一遍就不再看，有些書則反覆地看，如錢穆的《國史大綱》便是。也讀了一些英文小說。現在回想起來，我這種自由讀書的態度是正確的，不過，有兩點遺憾：一是沒有繼續研讀數學；一是對本業沒有下苦功專精地去讀，一般的閱讀也沒有系統。西方大學者常是專精幾門學科的，所以才稱爲博士。我沒有注意讀哲學及有關思想方面的專著，也是遺憾。不過假如要是這樣讀法，我就會沒時間談戀愛了。這是不值得交換的。

我與范馨香相識於一年級柏溪分校，來往雖不密切，但已是彼此有點心心相印了。讀一年級時，我的國、英、數都很突出，尤其國文，老師黃孝先曾在課堂上唸我的作文，說文氣磅礴，有孟子筆法，將來會以文章維生，竟一語定了我的終生。這些都可能是引起范馨香注意我的因素。那時女學生對於「學問」好的男同學都有好感。到了二年級時，她曾選讀統計學以便增加我們的見面機會，以後便感情日深，終至不能分開。那時差不多每天都見面，約好讀書，總是以說話結束。沙坪壩附近的名勝我們都遊覽遍了。我們都很窮，一包花生米，兩枚橘子便能打發一個下午，而這兩樣東西是最便宜的。有時我請她吃牛肉麵，我不吃；請她在學校看話劇，我不看，在門外等。不只我倆如此，別的戀愛中同學也一樣，晚飯後多半一起出外散步。戀愛是很奇妙的，它確實令當事人忘我、難分，感覺到人生無比的美好與幸福，也會使人振奮。

中央大學四年半是我一生中的黃金時代，雖然物質生活非常貧乏，總是衣破腹饑，靠政府一點貸金維持基本生活，偶然家中匯一點錢來，勉強可以添一點衣物和加一點菜，吃一碗牛肉麵之類，終是在貧困中度日。但這四年半使我成長、成熟，充實了我的知識與人生，使我的視野廣闊，胸襟開拓，見解不凡，奠定了我一生的事業基礎與家庭生活，「成家立業」都是在這一階段形成的。我與范馨香在前述〈最堪回首是沙坪〉的文章中，曾有這樣的結語，足以代表我們的感受與對中央大學的感恩：

沙坪壩，這個三千國士的培育之地，這個度過我們黃金年華之地。是在這裡，我們接受了完整的現代教育，培養了我們完整的人格，奠定了我們為國家社會服務的基礎。是在這裡，我們緣結終身，共同消磨了多少個可愛的日子，共看了多少個晨曦晚霞。是在這裡，我們結識了多少才俊之士，一同讀書，一同歡笑，分享彼此的快樂，分擔彼此的憂傷。是在這裡，我們得到了多少老師們的教誨與愛心，得以平安地度過那段艱苦的歲月，羽翼豐滿地邁向人生大道。

一九四三年夏天，抗戰已勝利在望，我也自中央大學畢業，結束了我的國內學校教育。自一九三一年九一八事變日本大規模侵略我國那年起，我進入洋學堂讀書，到此已有十三年了，我從一個鄉下小孩讀到國內最好的大學畢業，也算是人生快事之一，何況還帶回了一個美麗而不溫柔的女朋友。

畢業後，在財政部專賣司做了一年的事。於一九四四年秋季轉到中央設計局資金組任職，開展了我求學的新階段，奠定了我經濟學專業領域的基礎。同辦公室的同事除了我及一位收發小姐外，全部爲南開經濟研究所畢業的優秀學生，位置都比我高，學問都比我好，也都十分友善，樂於助人。我無力去讀研究所，他們就趁赴南開講課之便，將南開所有最新的書借出來給我看，甚至連他們的課堂講義筆記也拿給我抄。他們是宋俠（字則行）、楊叔進、汪祥春。後來宋俠公費留英，返回大陸後曾任東北一個大學的副校長；楊叔進是獎學金留美，威斯康辛大學博士，任職世界銀行專家，退休後住在華盛頓；汪祥春也留美，返回大陸後情況不明。我尤其感謝宋俠與楊叔進，他們那種無條件地幫助別人，不怕麻煩將那些珍貴的書借出來給一個與他們並無淵源的人，也不怕我將書遺失掉。現在哪裡去找這樣的好人，只能說是緣分，我對他們終生感激。

他們借給我讀的經濟學書籍，在當時都是國外最新的名著，經濟思潮的主流，在國內則可說是孤本，連當時以藏書多著名的中央大學圖書館都沒有。我現在舉幾本如下（實際上不止這幾本）：

1. Alfred Marshall, *Principles of Economics.*（美國加州大學講義）
2. Edward Chamberlin, *The Theory of Monopolistic Competition.*
3. Joan Robinson, *The Economics of Imperfect Competition.*
4. J. R. Hicks, *Value and Capital.*

5. J. M. Keynes, *The General Theory of Employment, Interest and Money.*

6. D.H. Robertson, *Banking Policy and the Price Level, an Essay in the Theory of the Trade Cycle.*

我一本過去讀書的習慣，自己摸索，讀不懂的儘量推敲思考，絕不輕易放棄，實在無法解決，便放在那裡，以後再回來讀，總要得到一個能自圓其說的解答。記憶中，最難得的一本書，是馬夏爾的《經濟學原理講義》。據說是加州大學柏克萊分校一位著名經濟學家的講稿，將馬夏爾原著全書徹底解剖分析。每一個概念，每一條定理，散布在全書各處的，都綜合在一起予以解析，使讀者對那個概念與定理也能徹底地了解。最難念的有兩本書，一本是希克斯的《價值與資本》，一本是有名的凱恩斯的《一般就業理論》。後一本直到我留學美國後讀了H. H. Hansen《*A guide to Keynes*》及其他相關的書，才完全弄懂。這些書都是經濟學方面最新的知識與理論，得益匪淺。我後來到美國念書，完全接得上，與國內其他大學去留學的學生從未聽到過，無法銜接的情況，相差很遠。

我於一九四七年考公費留學未錄取，但考自費留學錄取後，便到美國西雅圖華盛頓州立大學（University of Washington, Seattle）讀研究所，於九月初自上海乘美國運兵船Marine Adder至舊金山，轉火車至西雅圖。於一九四九年初取得碩士學位，並已註冊讀博士學位，因大陸局勢混亂，國民政府不斷敗退，全家老小需我回國處理，便退學返國。

在這第一次留美期間，我有兩大收穫：

一、在學術方面，除了繼續研讀經濟學領域的課程，使我的知識更寬廣，更深入外，最重要的是我學習了美國大學教學或研究的方法。他們對每一個概念，每一個原理，都徹底地分析清楚，沒有一點含混。然後根據概念與原理，來一步步地分析經濟現象與經濟問題，非常嚴謹，非常科學化。我們在國內學的那些大而化之的「學問」，在那裡完全禁不起考驗，別人一發問就會考倒我們，背熟了也沒用。

二、在見識方面，擴大了我的視線與胸襟，知道世界上還有這麼美好的國家，還有人類普遍過這樣富足的生活，還有這樣平等、講禮、有秩序、守法的社會，也還有這樣有尊嚴、有自信、無所恐懼的人民。與我生長的地方和國家相比，簡直是天壤之差。我所親眼見到的我的鄉間同胞，其生活、其地位、其遭遇，遠不如他們的一隻狗。這就不免使我在感慨之餘，興起殷切希望中國能趕上去的念頭，這就是我在台灣天天喊現代化的根源。

一九五七年，我以美國技術援助（Technical Assistance，簡稱ＴＡ）的經費，第二次赴美，在田納西州納什維爾城范登堡大學經濟發展計畫（Economic Development Program, Vanderbilt University, Nashville, Tennessee）讀了十二個月的書，又取得一個碩士學位。一九六一年十月至次年三月，我第三次赴美，由世界銀行資助至該行經濟發展研究所（Economic Development Institute，ＩＢＲＤ）從事研究工作半年。

這兩次都偏重實務方面，使理論與實務互相印證。由於我喜歡思考，喜歡拿實務來印證理論，而且我在台灣實際從事經濟發展工作，也得有很多經驗可以印證，所以得到許多別人所不能領悟到的知識。我更發現當時所流行的一些經濟發展理論，我早就想到了，不免有英雄所見略同的喜悅。另一方面，以我的實際經驗來印證，也可發現許多外國經濟學家的發展理論實在並不高明。這些外國經濟學家的通病，就是他們幾乎全是從西方進步國家的經驗與觀點來談落後國家的經濟發展，特別是東方國家的，便不免有南轅北轍的感覺了。

這兩次進修，我都全力以赴，同學都是來自許多不同的落後地區，可能以我的程度最高，也以我最用功。我不僅完成學校或研究所要求的條件，而且除讀書外，還仔細地觀察美國及其他國家的經濟發展情形，並蒐集各種有關資料。每到一個國家或地方參觀，大家都忙著觀光購物，只有我一個人默默地蒐集及索取資料，並想到這些資料帶回國後可以作什麼用途，台灣的哪些經濟發展需要這種資料。所以這兩次的進修，我也是收穫豐富，對我的成長與工作都有重大影響。

我的求學歷程就到此告一段落，其時我已四十三歲了。如果從四歲進入私塾算起，共有三十九年。如果從進入洋學堂接受現代化教育算起，也有三十一年，讀書時間不可謂不長。

我有一些讀書的經驗寫出來，也許可以供讀者參考。

一、讀書範圍要廣博。胡適先生曾說過一句名言：「讀書當如金字塔，先要博大後要精。」這就是讀書要博的意思；我們中國人稱讚某人書讀得好，便說是「博覽羣籍」，「博聞強記」，「博學多才」，也是讀書要博的意思；孔子告訴我們要「博學、審問、愼思、明辨、篤行」，也將博學列爲第一。古希臘的大學者，眞正是上通天文，下曉地理，這種人才能稱爲哲人。我們也知道西方著名的大學者都不止專精一、二門學問。這是因爲讀書在於增加知識，增加知識在於助長思考、明理及分析問題、判斷問題的能力，然後才有創新與發明，而成爲人類進步之源。

讀書博的人做學問固然有成，從事實務工作或事業也一樣會有成。因爲見多識廣會使人識見遠大，慮事周詳，判斷正確，統御有方，心胸開拓，寬容量大。這種人就是成大事的格局與氣勢，一站出來就與人不同，這就是我們所說的人才，大學者與大政治家都從此出。

讀書博的人也會變換氣質，自然流露出一種尊貴、高雅、雍容的舉止，使人自然地對他產生一種尊敬與看重，這就叫做風度。

台灣花龐大經費辦教育四十餘年，博士、碩士、學士、學者滿天飛，但用起人來便有才難之歎，官場甚至找個次長、司長都難，名列國際第一流的學者少之又少，聞名世界、對國家社會有巨大貢獻而能正派經營的企業家也找不出幾個，而僅有的幾個又未必是大學教育培養出來的。實在是因爲教育制度逼使學生走窄路，年幼時只知道升學知識，成年後只有一點專業知識，距離做大學者、大政治家、大企業家的需要太遠了。

二、必須要有獨立思考的能力。孔子曰：「學而不思則罔，思而不學則殆。」這就我的解釋是說：光讀書而不思考讀書的內容，便是頭腦一片混沌，不知所云；光思考而不讀書，沒有思考的資料，便是白想。可見孔夫子早已了解讀書與思考關係之密切，也可見孔夫子的那些門徒也有讀書而不思考的懶惰學生，也有思考而不認真讀書的空想學生。

不過，我所說的思考，還不僅是指讀書的時候要「口而誦，心而維」，了解書的內容；更是指對任何遇到的問題、現象與事件，都要在思考之後，獨立地下判斷及結論。而這個思考還必須是你自己的思考，而不是人云亦云，被別人牽著鼻子走，在別人的思想框框之內去思考。這是十分難以做到的事，但是一定要學著去做。不然，一輩子被別人牽著鼻子走，「言必稱堯舜」，就很沒出息了。即使成了學者，也算不了什麼，因爲沒有原始貢獻，對人類的知識累積或前途改善沒有價值。

我這一生中最令自己滿意的事情之一，就是不被別人牽著鼻子走，總是吸收別人的知識後，再自己思考判斷這些知識是否正確，是否有價值，經過消化後變成自己知識的一部分，不再是別人的知識。正如原料變成成品以後，是另一種新東西，不是原來的原料一樣。這要慢慢養成習慣。記住，要有成就，必須先學會獨立，創造自己的風格，不要隨便模仿權威，更不要隨便崇拜權威，但必須要吸收權威的知識與長處，經過消化後變成自己的知識與長處。

三、讀書要持續不斷。俗語說：「不怕慢，只怕站。」又說：「行者常至，爲者常成。」都是勉勵人做事要繼續不斷，一直做下去，終必有點成就。讀書也是一樣。也許我的資質不如人，別人聰明我愚笨，別人讀書容易有成，我很難有成。但是假如我持續下去，人一能之己十之，人十能之己百之，不一定趕得上，但已盡力，必有小成。我就是有一點這樣的精神。數十年來，從未手不釋卷地去讀書，也從未書我兩忘。有時間，總是讀讀寫寫，從未中斷。有幾本書在那裡翻，也總有一些東西要寫，所以不曾荒廢。日積月累，多少有點成績。我常看到許多幼時表現不凡的同學或友人，及許多著名大學出來的優秀學生，二、三十年之後，都爲時間所淘汰，一如常人，並不傑出，唯一的原因就是他們停下來了，不曾繼續與書本保持接觸。

四、假如時光能倒流。回憶我一生求學的歷程，犯的錯誤不少，假如時光能倒流，讓我重新來一遍，我一定會做到下面幾件事：

㈠我現在說的是我的母語——漢川兼漢口話，是帶有湖北腔的官話，所以別人聽得懂，但發音很難聽，我生平最怕的事之一，就是聽到自己的錄音帶或錄影帶。所以我一定要學會注音符號及正宗國語，這樣我可以與國內外十幾億中國人溝通而不怕難爲情，包括新加坡、香港、泰國等地華人。

㈡不管我讀什麼系，除了國文要寫得通順以外，必須要精通一或兩種外國語。所謂精通，包括讀、寫、說、聽。要多讀數學、中外歷史、中國文學、哲學及思想方面的書。最好也讀一點法律、政治、經濟方面的書。

㈢必須要有一點才藝。包括樂器、聲樂、舞蹈、美術及體育等。選擇一、兩種作爲嗜好，其餘要能有一點欣賞能力。

㈣要參加一、兩種學校社團，學會如何開會、討論、演講、領導別人及被別人領導，但絕不搞政治與鬥爭，以免未出校門即已學會做壞事，墮落自己的人格，一生沒有出息，不能堂堂正正爲國家社會做點事。也要學習起碼的社交禮貌與做人的起碼道德。

㈤當然要談戀愛，否則豈不虛度此生。但千萬不要存玩戀愛的心理，傷害別人，別人也會傷害自己。誠摯的戀愛才是快樂的戀愛，使人覺得幸福。

㈥如此一來，剩下的時間便不多了，那麼，今天已充實地過了一天，請休息吧，明天重新開始。

能做到以上這些，不一定是一個偉大的人，或會有什麼豐功偉業，但一定是一個有知識、有道德、有風度、有能力、有幽默感、能通情達理的人。這樣的人，對國家社會一定有其貢獻，對自己，也是不虛此生，一定會有一個快樂的人生。但問題出在時光不能倒流，白說，但還是說了，目的在「以誌吾悔」，兼勉後人。

第四章 個性

我特意將個性這一章放在本部的最後，因爲個性實在是家世、時代與求學的混合產物，這三者合起來塑造了我的個性，也影響了我的一生。我的個性很難以一、兩句話概括，可以列舉於下：

一、遺傳自我祖父、父親的個性，脾氣剛強而耿直。胸無城府，口裡講的與心裡想的一致，而且不保留。愛打抱不平，時常有「義憤」，而且每憤必填膺。我祖父愛管別人家的事。我因受過現代教育，知道別人家的事不應管，也不能管，所以我從不過問或談論別人私事，但卻移私作公，愛管國家社會與政府的事。我認爲國家社會與政府不應該有的現象，不應該發生的問題，不應該用的人，就私下氣憤不已，更寫成文章發表。大家都說我的文章氣勢壯，實在是氣出來的，有氣才能壯。也因如此，當朝顯要都給我得罪光了。屈指算來，沒有得罪的好像沒有，這當然妨礙我的前途，不過我從不後悔。

二、因家教太嚴，養成我內向、怕羞、孤僻、退縮、拘謹、不合羣、沈默寡言、不善於表現自己。這樣的個性常使我不容易與人打交道，在大庭廣眾之下，常默默地站在或坐在角落裡；也不輕易去拜訪親戚朋友，主動與人打招呼，這些都使人誤會我是驕傲，不易親近，因而不諒解；或是認爲我土氣、愚蠢，因而低估我。我以高名次考取省立一中，我的初中數學老師徐文壽硬說我是僥倖。我的大學數學老師趙少鐵硬說我的數學高分是舞弊得來的，下次考試他硬站在我桌旁兩小時盯著我不動，結果又得高分，他才服氣。我的「美援會」同事、大學同學拓國柱有一天忽然對我說：「看你傻里傻氣，原來是大智若愚。」至於對我臉露不屑之色的人則隨時都可遇到。旅美學人劉大中、蔣碩傑等人都明顯看不起我，甚至台大經濟系畢業學生寫文章罵我，其實，這些人不過鑽牛角尖，在其極狹窄的專業領域內也許有一得之見，根本未聞君子之大道，最多只能稱之爲某某極狹窄微小領域中之專家，談不上是學者，更談不上是通儒、大師，坦白而言，教書匠而已。而且即就此專業領域而言，亦僅限於空談或公式演算，未能將理論融入實務中，真正能夠學以致用。有時看似提出一些主張，實則書生空談，爲政府官員所竊笑。

當然也有欣賞我的人。我大學畢業餐會完畢，在同學們分手時，羅家鄺同學便拉著我的手，低聲對我說：「我知道你是我們班上，書讀得最好的。」書讀得最好當然不敢當，不過絕不如外表那樣差。在國外進修，也得到一些老師與班主任及同學的稱讚，這也許是基於客氣，我不知道。

這些個性的反彈便是衝動、愛鬥、強出頭、語驚四座、容易對抗、不容易妥協等等。這又給人一種脾氣大、難纏、不理性、不合作的印象。這與前一類個性看似矛盾，實則是一體的兩面，都是由於管束過嚴而引起的心理與行爲反彈。

其實，我真正的個性是幽默、風趣、隨和，不給人當面難堪，不占人便宜，情感豐富，具高度同情心，知恩必報，熱心助人，尊重倫理，謹守公平，不遷怒，不宿怨，從不記仇，也從不想到報復，聞過能改。我的很多過失只緣於我自己不知道，只要有人指出，立即道歉悔改，而且不背後傷害人，打壓人，也不背後批評人。我也有相當的現代知識，相當的行政才能，更有一點知人之明與量才用人、能容才的本領，與爲國培育人才、選拔推薦人才的胸襟。如我認爲是人才，我必無條件推薦，唯恐埋沒，從不在乎這些人才會擋住我的出路。我從不妒嫉人，只是羨慕人，而我的家教連羨慕人都不准說，認爲是眼皮子淺，成不了大器。我的這種胸襟與氣魄得自於我多讀書，尤其是歷史書。我常說好宰相只做兩件事：一是建立制度，一是選拔人才。可惜我一生卻不在其位。放眼兩代蔣總統時代那些當權的人物，搞派系，用私人，結黨固權，排斥異己，而所用之人多半都是巧言令色，善於逢迎，以擅表現爲真人才，他們雖然居高位，實在誤了國家。現在人才寥落，幾無可用之人，他們應負最大的責任，他們本身就是頭號庸才。

三、如前所云，我所經歷的時代是個混亂的時代，也是一個偉大的時代。國難家難，接踵發生，流民載道，死亡枕藉，而畫時代的一些大事，也都在這一個時代發生及完成。作爲一個高級知識份子，我能不負荷沈重，能不興起擔負天下興亡的志氣？再加上受過西方教育，密切接西方文化，自然養成我的做事負責盡職，公私分明，「恪遵國家法令，盡忠職守，報效國

妄費公帑，不濫用人員，不營私舞弊，不受授賄賂」，所有公務員宣誓就職的
聲我全部做到了。我在美援會擔任主管及考選部長的作為就是如此。我常說我雖
天下」，但至少我要「窮則獨善其身」，我的個性使我做到了「獨善其身」。

四、我缺乏進取心、競爭心，從來沒有立志要超越別人，讀書的時候是如此，做
是如此。但對於那些看不起我的人，我又不願屈居其下。這種性格主要來自中國書讀多
人做人的哲學講求澹泊明志，講求謙抑為懷，講求凡事退一步想。另一方面，又教人「無
己者」、「良禽擇木而棲，良臣擇主而事」，特別是兒時讀多了這類古訓，便自然地形成了我個性的一部分。不過，我推測與我的身體、遺傳、家教也可能有關係。

五、缺少對自己前途開創新局面的能力。我善於為國謀，而不善於為己謀。終此一生，從未對自己前途及生活有所經營，連股票都不買一張，直到晚近，才託我的學生買了幾張，但只買不賣，有點閒錢，就往郵局或銀行一存了事，先室還比我精明。這自然談不上開創自己的事業，或蓄意打開一個新局面。但對國家如何現代化，如何開創新局面，如何訂定新決策，制定新制度，則頗能思慮周詳，洞燭機先，寫成文章，常風行一時，使當權官員為之失色。這對於缺乏現代知識，保守成性的官員來說，又是一種挑釁，必欲置之廢棄而後快。

六、不能專心從事一種終生事業，將精力分散。也許是為生計所迫，也許是為滿足安全感，也許是為人情所拖累，終此一生，除老年擔任考選部長，精力已衰，職務上亦不得不辭去其他兼職外，總是身兼數職。既從事教學工作，又從事評論寫作，更兼做公務員，開會、座談、演講、

寫稿等應酬不斷。每一件事都在做，每一件事都不曾全力追求，每一件事都沒有充分發揮我的潛力。時間就在這種無意義的忙碌中混過去了，等到一旦覺醒，已是百年身，回頭已晚。假如年輕立志，專心致力於做學問，或做官，或發財，或寫作，或辦一個小事業如學校之類，均可望有所成就。不會像現在這樣，仍然依人作嫁，一事無成，虛度此生。

七、獨來獨往，痛恨搞派系，恥於做別人的親信。我自認是國家社會的人，對於大是大非，公私義利之辨，自有定見。不畏人言，不找靠山。絕不因私害公，但卻常因公利而動私怒。水太清則無魚，過於有是非之辨，亦是得罪人及行事不通的重要原因，晚年頗有所覺。而不搞派系，每遇打擊及挫折，便毫無奧援，束手承受，不免興起孤單之感，也了解派系爲何如此盛行之故。在官場，結黨不僅是爲了營私，更是爲了生存。

八、我有一點見識，對於問題能見其大，能見其遠，因此見解常與一般人不同，並能說出一番道理。我也有決斷力及勇於負責。我一生從沒負過國家社會大的責任，但我經辦的事，都能下比較正確的判斷，而且爲判斷負起責任。我也有執行的能力，能貫徹我的主張。

所有這些個性，無一不可追溯至我的家世、時代及教育，就是這些個性決定了我的一生，而我也滿意於這一生，無怨也無悔。晚年頗相信命運，實則是個性決定了命運，命運又決定了我的一生。

最後，假如要用兩個字來概括我的個性，我想「憨厚」二字頗適當。憨，是我初中一年級老師在我的成績單上的評語，我完全接受；厚，則是我的一位會算命的朋友季伯年的話，他說我：

「土太厚，沖不開，忠厚有餘，機變不足。治世之能臣，亂世之棄才。官可至特任，但無權。財可豐衣足食。」我將這幾句話用三個字概括，就是「厚而笨」，還是憨厚的意思。而厚能載福，所以我一生還有一點福氣，有福也有氣。不幸的是福太少而氣又太多了一點，所以終究沒有什麼前途與成就，以餬口生涯終此一生，而憨厚也就成了我一生的寫照。

在結束本章時，偶然讀到差不多與我同時代的大陸名文學家沈從文先生，在一篇名叫〈習題〉的小說中，描寫他自己的一段：

我實在是個鄉下人，說鄉下人我毫無驕傲，也不在自貶。鄉下人照例有根深柢固永遠是鄉巴佬的性情，愛憎和哀樂自有他獨特的式樣，與城市人截然不同！他保守、頑固、愛土地，也不缺少機警卻不甚懂詭詐。他對一切事照例十分認真，似乎太認真了，這認真處某一時，就不免成為傻頭傻腦。

這一段話讀來好像就在說我，如果將其濃縮成兩個字，就是「憨厚」，正好是我的寫照。

第二部

一得之見

智者千慮，必有一失；愚者千慮，必有一得。

史記·淮陰侯傳

對於中國之現代化工程，
王作榮胸有藍圖。
圖為一九六八年代表聯合國
亞洲暨遠東經濟委員會，
參加聯合國工業發展會議。
（王作榮提供）

前言

前面說過，我幼無大志，雖然在中小學寫了好多次的作文題「立志」，但從未想到要立什麼志，只是在求學時期喜歡涉獵課外書籍，思想比較複雜而已。而這一時期又正是國家遭遇外侮日亟、社會動盪不安、人民生活水深火熱的時期。加上我的主修學系又是政治與經濟，而興趣則在歷史，於是很自然地便想到如何致國家於富強的問題，也就是國家現代化的問題，而這又必須從經濟發展著手。我的大學畢業論文爲〈計畫經濟之理論分析〉，碩士論文爲〈中國經濟建設資金之可能來源〉，都與政府領導經濟發展有關。來台以後，有幸親身參與了實際經濟發展工作，同時也廣泛地接觸了世界各國的經濟發展資料與理論文獻，逐漸形成了一套建設一個富強的現代化國家的藍圖。這一藍圖的構想散見於我歷年發表的文章中，比較有系統的敘述，則見於《天下雜誌》派林昭武專訪我，所出版的一套《走上現代化之路——王作榮的建國藍圖》。

一個現代化的國家究竟要具備什麼樣的條件呢？我的答案是：經濟要富強、政治要民主、社會要公平。當然，其他的條件也許還可以列舉很多，但這三項卻是不可缺少的基本條件。在經濟方面，我們必須快速地發展，儘快擺脫貧窮與落伍，讓人民有免於匱乏的自由。在政治方面，必須要建立民主政治制度，讓人民有免於恐懼的自由，這樣人才能活得有尊嚴、有意義，而不致成爲一羣豐衣足食的奴隸。在社會方面，社會要公平，讓人民有免於仇恨的自由。只有公平的社會，才是真正和諧的社會；一個人欺壓人、人剝削人的社會，必然是一個充滿仇恨、報復、動盪不安的社會。西方進步的民主國家，特別是北歐與西歐的那些小國，大致都做到了這三點。我對這些國家嚮往不已，見賢思齊，總是希望我們中國人也能達到這種境界。大陸已失，托足台灣，我一生都在台灣度過，也一生都希望在台灣的這些中國人能達到這種境界。我時常一個人幻想，假如台灣做到這一點就好了，假如台灣做到那一點就好了，而幻想總是破滅。

儘管幻想會破滅，我仍然有我的如何實現上述三項條件，構建一個現代化國家的藍圖。概括地說，我的構想是以經濟發展爲現代化的核心，而在經濟發展的過程中，必然觸動一個落後國家的每一個角落、每一個層面，來配合經濟發展的需要，形成經濟發展的條件。這包括政治的逐漸民主化，因而涉及憲政的實施與民主政治制度的形成；行政效率的提升，因而涉及文官制度的建立，與文官體系超然於政治之外，成爲行政與社會的穩定力量；人民品質與生活環境的提升，與經濟、政治、社會秩序的重建，這又涉及法治、教育與文化的改造與形成。如此便成爲一個全面性的，然而卻是循序漸進的國家現代化工程。這也就是經濟發展理論中，所謂的不平衡發展理論，而以經濟發展作爲整個國家現代化的領導部門（leading sector）。

專就經濟發展方面來說，則又牽涉到經濟制度方面的自由市場經濟，與政府介入的程度問題，經濟發展與經濟穩定孰爲優先的問題，平衡與不平衡發展的問題，農業與工業、輕工業與重工業的優先選擇問題，基本建設、科技發展、對外貿易、金融改造等等問題，以及由經濟發展而引起的人口問題、環境污染問題、社會結構改變與社會倫理問題、社會福利設施等問題。

假如對所有這些問題都有清楚的了解，都能採取正確的對策，並由此建立完善持久的制度，則一個現代化的、富強的國家與社會便建立起來。這可說是近代大部分富有責任感的知識份子的抱負，而我則爲其中的一份子。我較絕大多數知識份子爲幸運的，是我自大學時代起，便不斷地、廣泛地接觸這方面的知識，而很大一部分的實際工作，正好即是這一方面的核心工作。因此，我能接觸上述的每一個層面——實際的與理論的，也能提出可以切實付諸實施的政策，而從不流爲空談。

現在，就將我在這些方面的想法與做法，就我記憶所及摘錄在下面。由於經歷的時間有四十年之久，難免粗略疏漏，讀者可以參讀我的著作——《王作榮全集》與《走上現代化之路——王作榮的建國藍圖》二書。

第五章 自由市場經濟與政府角色

我完全了解自由市場經濟的機能與理論上的優點，而且我也極力擁護這一經濟制度。但是另一方面，我更了解這一經濟制度在實際運作上的缺點及限制。因此，我毫不遲疑地主張我國應採取自由市場經濟制度，但不主張自由放任到政府可完全不加干預的程度。我認爲在某些情形之下，政府的干預是必要的。這有幾點理由：

一、自由市場經濟運作，在理論上的完美無缺，必須建立在一個自由市場的存在上。但是到現在爲止，很難在任何採行自由經濟制度的國家，找到任何一個能滿足自由市場條件的自由市場。或多或少都受到自然的或人爲的限制，於是才有所謂不完全競爭理論的出現，而這種不完全競爭是很難以人爲的力量消除的。

二、在一個經濟遭遇到某種巨大的危機，例如巨大的天災或戰爭，或嚴重的經濟波動時，或一個落後國家要積極從事經濟發展時，完全靠自由市場運作便達不到目的，解決不了問題，而必須要政府的介入。這已是不爭的事實。

三、自由市場運作的結果，單純從經濟的觀點看，可以是最佳的結果。但從社會、政治等其他方面看，則未必能被採行這個制度的社會所接受，這時又必須要有政府的干預。最顯著的一個例證，便是社會財富的分配不平均，及保障社會每一個人的起碼生活，迫使所有已發展的民主國家都必須採取某種程度的社會福利措施，而一旦採取這種措施，便是政府的介入自由市場，不讓自由市場機能分配財富。

基於以上的理由，我一方面大聲疾呼主張自由市場經濟制度，指責政府不應干預太多，應該防阻壟斷，對國內外開放市場，公營事業應移轉民營，維護自由競爭；但另一方面，我又積極要求政府出面干預某些經濟活動，採取某些經濟措施，以改正自由市場經濟運作的不良結果。下面幾段話最足以反映我這種看似矛盾，實則極其合理的觀點。

一、我於一九五三年爲尹仲容先生寫的第一篇文章〈台灣工業投資的來源與通貨膨脹〉中，在論及自由與保護時，便曾說到：「至於自由與保護，對於這些過了時的理論，更是一無成見。自由有利則自由，保護有利則保護。政策貴在解決問題，應當因時、因地、因事而制宜，豈可一成不變。」（參閱尹仲容著：《我對台灣經濟的看法續編》第一～七頁）

二、在同一年撰寫〈台灣工業政策試擬〉時，說到：「在現在情況下，台灣工業發展，在時間上必須求快速，在資源上不能有浪費。但此兩點，絕非自由放任之經濟所能做到，而必須有賴政府積極參加經濟活動，訂立完善計畫，並監督其執行。」

以上引述的兩篇文章，代表我四十多年前剛進入政府經濟單位工作，對自由市場經濟與政府角色的看法。一九八二年，正是美國以及一些經濟進步的民主國家，普遍瀰漫著自由經濟的思潮，頗有回復到十九世紀的情形下，美國著名自由派經濟學家、諾貝爾經濟獎得主傅利曼（Milton Friedman）教授來華訪問，曾舉行兩次演講，第一次講題爲〈經濟與政治中看不見的手〉，從十八世紀的思潮推演到目前，認爲現在潮流又已回流到十九世紀曾達顛峯的自由放任主義，今後世界思想潮流將更趨於著重個人主義與自由市場。相對的，政府的規模則愈小愈好，愈少管事愈好。這即是傅利曼教授所衷心服膺的思潮，也即是一般人認爲在美國正趨於流行的思潮。

我隨後於同年十二月，在「中國經濟學會」以理事會主席的身分，發表了一篇〈政府在經濟活動中的角色〉的演講作爲回應。在那篇演講稿中，我首先指出政府的存在與其日趨龐大的事實：

「在未說出我的看法以前，我要先提出我對於思想演進的一個基本觀念，那就是歷史事實有時相似，但絕非重演；思想潮流可以迴旋，但絕不倒流。無論世界或美國現時的思潮為何，絕不會回到十九世紀。人類是政治動物，有人類就有政治，有政治就有政府，有政府就有政府的罪惡，有政府的罪惡就有人主張要廢除它，廢除不了，就主張限制它，將它看成一個必須的罪惡，愈小愈好。我們中國人就曾有過『聖人不死，大盜不止；剖斗折衡，而民不爭』的無政府主義思想，也曾有過『無為而治』的不做事政府。所以自由放任主義與政府愈小愈好的思想，並非西方才有。但無論中西，歷史事實所顯示的，是政府的規模愈來愈大，承擔的責任愈來愈多，而權力愈來愈重。

「其所以有這種演進，其所以阻止不了這種演進，並非人類有什麼哲學思想、政治思想或經濟思想，在左右它、在牽引它，而是基於人類共同生活的需要，需要主宰一切。從人類歷史的長期趨勢看，政府的大小與活動，與人類生活的實際需要有密切的關係。」（《王作榮全集》第二冊，第二五三～二五四頁）

「當然，我絕不會那麼悲觀和走極端，以致於完全否定經濟上的個人主義，完全否定個人為自己追求最佳利益的權利及其對社會的貢獻，我更不會完全否定市場機能在分配經濟資源，維護經濟秩序，保持經濟效率的功能。換句話說，我並不完全否定那隻看不見的手。不僅如此，我還讚美及主張運用那隻看不見的手。我只要強調一點，就是那隻看不見的手，在現代經濟社會中，已經是一隻殘廢的手、被污染的手、不能自由活動的手。這就需要政府以它那隻看得見的手，去幫助、維護、補充那隻看不見的手，兩者共同操作，互相補充，互相加強。我們討論現在及以後的經濟與社會發展趨勢，與政府在人類經濟活動中的地位，及有關的思想，必須要從這一觀點出發，而不是無條件的復古，或是超越現實的對未來的一種空想。」（同上，第二五六～二五七頁）

由此而得出對我國現階段政府干預經濟活動，應該要遵守的原則：

「在像我們這樣一個經濟發展階段，政府必然要擔負起領導、發起及推動若干經濟活動的責任，必然要舉辦若干生產事業，但絕不阻塞或代替民營企業的活力；對民營企業活動必然要從旁監督與維持秩序，但對自由市場機能絕不輕言干預；必然要舉辦若干社會福利措施，但絕不削弱個人的經濟動機與努力。」（同上，第二六二頁）

從上面的引述，可以看出我認爲政府在人類經濟活動中所扮演的角色，是不可缺少的，但其角色的大小、輕重與種類，與經濟、政治、社會的發展階段有密切的關係，而且愈是進步的社會，角色有愈來愈吃重的趨向。也許將來的發展有使得政府角色不斷減輕的可能，但目前還看不出這種跡象。另一方面，我對自由市場機能的功能完全了解，也十分尊重這一機能，認爲應該讓它充分發揮作用。但我也完全清楚它的反功能或缺點，這有賴於政府的介入防範或清除。是以我尊重自由市場機能，但從不迷信它。

從一九五三年至一九八二年，經歷了將近三十年，或者說早在一九五三年以前，我尚未進入政府經濟決策部門工作時，至撰寫本文爲止，將近半個世紀，我對自由市場經濟制度及政府角色的論點，沒有改變。這些論點在我討論台灣經濟問題，及提出政策建議的文章中隨處可見。我是一個不走極端，實事求是的調和主義者。不但在這一個問題上，在其他許多問題上都是如此。有人說我偏激，又有人說我保守，更有人說我不懂經濟理論。特別是自美國來台的旅美經濟學人，他們經常以教科書上的理論，來僵硬地應用到台灣經濟問題上，而不知道這些專爲西方進步國家所寫的理論，用在西方國家上都並不完全靈驗，何況經濟情況有相當差距的台灣經濟，更是難以全部採用。我與這些學人爭論了幾十年，現在回想起來，實在無此必要。而兩位爭論的主角卻已謝世，我更不免有孤寂之感。

我要在這裡特別強調指出的是，政府在經濟發展與活動中角色的階段性。政府的角色誠然會隨著經濟發展階段的進步而愈來愈繁重，但這並不是說在舊的任務上不斷加上新的任務，而是有些舊的活動要拋棄掉，新的任務要加上來。

舉例來說，台灣在一九五〇至一九六〇年代，經濟才開始發展，民間很少企業家，而且個人資本累積也有限，對於較爲大規模的，採用較爲進步技術的投資計畫根本無能力嘗試，或是不知道有此投資機會，或是不敢冒風險。相對之下，政府則擁有較進步的企業人才，也有較多的資本，也敢冒風險。於是便可由政府出來做投資計畫的發起人，擔負發現投資機會、策畫投資計畫，籌集資金，及負擔全部或一部分風險的責任，將這個投資機會實現。在整個過程中，可以由政府單獨進行，成功後轉爲民營；或開始時即由民間經營，政府輔導。這一工作，在一九五〇年至一九六〇年代，政府做得很好，台灣玻璃工業的發展是一個代表性的例子，台塑是另一個成功的例子。事實上，這種政府擔任企業發起人任務的做法，對於當年台灣經濟起飛確曾發揮了重大的作用。

除直接擔任發起人外，政府還採取了許多獎勵與扶植企業發展的措施。爲維持投資與市場秩序，也進行了許多干預。爲遏止通貨膨脹及應付通貨膨脹所引發的問題，更採取了許多管制措施。所有這些政府所扮演的角色，有些對發展有幫助，更多的則是嚴重阻礙。

無論如何，在經濟發展至相當階段，民間企業人才數量多了，品質也提升了，資本累積也大了，都超過了政府的水準，這時政府便應功成身退。而爲促進經濟發展與維持經濟穩定所採的一些扶植與管制措施，在環境多變時，也當予以改變或取消。如果不如此做，便會對民營企業的發展與整個經濟的進步，構成嚴重的阻礙。這時政府便應轉換角色，致力於下面幾個重要的任務：

第一、維持政治、經濟與社會的安定，並能公正有效地執行法律。這一任務其實在任何階段都重要。台灣經濟發展從一開始，就得力於政治、經濟與社會的安定，但未能做到公平有效的執行法律。

第二、對於經濟問題做適當的決策，並且採取適當的措施。

第三、建立各種適合經濟發展需要的現代制度。

第四、視當時環境與需要，單獨地或與民間合作，或推動民間舉辦的，從事重大的基本建設。

這些工作在經濟發展初期就應該做；不過，在經濟發展到一定階段後，其重要性與複雜性就會更突出，更有需要，因而成爲政府扮演角色的重點。所以，政府在經濟活動中的角色，應該是不斷地除舊布新，不斷地轉換。其結果不是政府角色的減輕，而是加重。這就是愈進步的經濟，政府的組織與功能便愈擴大的原因。不過這種擴大是除舊布新後的擴大，不是舊的原封不動或動得有限，又加上新的擴大。

所不幸的，是差不多所有落後國家的政府，基於惰性與對權力及既得利益的戀棧，總是把持舊的角色不放，而對新的角色則缺乏能力與興趣去擔任。結果是舊的角色已不需要，新的角色又擔負不起來，成爲經濟活動中一個重大的阻礙因素。這表現在具體施政上，便是該管的不管，不該管的卻要管；該做的事不做，或不知道如何做，不該做的事卻天天習慣性地做，這正是存在了幾十年而不能改的現象。台灣之所以仍能有重大的成就，在一九六〇年代以後，便主要是靠民間力量。

第六章 經濟發展的策略

我與許多所謂自由派的經濟學家常發生激烈爭論的重要政策問題之一，便是經濟發展的策略或路線問題。爭論重點主要集中於兩點：一、應否完全依循生產要素的賦予，遵循自由市場法則推動經濟發展；二、應否以經濟穩定爲優先。這兩者之間有密切的關係。來台的美籍華裔學者，及國內很大一部分他們的追隨者，都依照教科書上的原理，認爲台灣勞力豐富，資本及技術缺乏，應從農業、輕工業，甚至手工業循序漸進的發展。這一派學者很自然地也是主張經濟穩定優先於經濟發展者。我與他們的意見有很大的不同，並形成強烈的對照，互相辯論達二十年以上，辯論的領域從經濟發展的策略延伸到貨幣政策、彈性匯率等方面，而以所謂的「王蔣大戰」（參閱第十九章「文章報國」）達到最高峯。

純從傳統的自由經濟學派的理論來說，他們的論點是對的。但是他們忽略了這是落後國家的經濟發展，不是進步國家的經濟成長。後者可以遵循自由學派的理論，採取進化方式按部就班慢慢來；前者則因必須迎頭趕上進步國家，便必須採取革命方式。這可從歷史上的事實獲得證實。英、美、法等國的經濟發展都是循自由經濟法則，自然進化而成的，歷時一、二百年。但德、日、俄、韓等國，則是採取政府強力介入，替代部分市場法則而加速推動，在短短二、三十年便收到重大成效，趕上進步國家。

我的基本論點是，經濟發展的策略是達到經濟發展目標的一種手段，目標不同，手段便應當有異。如何為台灣經濟發展選擇策略，便必須要先確定我們發展的目標何在。而確定目標不能僅從經濟發展本身來看，還要從整個國家的大環境需要來考慮。據我的看法，我國大環境的需要有二：

一、我們是一個比較落後的國家，便要在最短的時間內，以最快的速度趕上進步國家，即中山先生所說的「迎頭趕上」。這是一般落後國家共同的需要。

二、我們國家的處境艱難，必須要有強大的經濟力量來支持我們的生存，這與其他落後國家不同。

基於這兩點要素，我們經濟發展的目標便很明顯，即是要在最短的時間內，最有效率地運用我們的資源，建立一個經濟體，足以使我們邁入進步國家的境界，並能維護我們國家的安全。簡單地說，就是自鴉片戰爭以來的一句口號──「富國強兵」。

我即是根據上述目標需要，主張我們應採取革命型的經濟發展策略。我並不是不知道進化型的策略有堅強的理論依據，但是它不適合我們的實際需要。我的這種想法是在大學時代便形成的。一方面是基於愛國熱情，另一方面也是看到日、俄兩國的成功先例。

所謂革命型的發展策略或路線，用軍事術語來形容，便是一種「中央突破，兩翼包抄」的發展，一種跳躍式的發展。集中力量推動關鍵性的經濟部門，壓迫其他經濟部門配合前進。這一策略共分為下列四方面：

一、經濟發展的原動力，即是主攻點或中央突破點——出口。我們應該在發展的初期，選擇一、二種我們力之所及的產業來求突破。由於我們自然資源缺乏，市場狹小，這種產業必須是能出口的產業。以其產品出口，換取外匯，進口必需的原料、零件、技術、設備，並累積資金，在國內擴大生產，再出口，再換取外匯，再進口，再擴大生產。如此循環不已，我們便可累積資金、國際市場經驗及關係，以及生產與管理技術，逐漸擴展其他產業的發展，於是整個經濟發展便動起來了，其簡單的模式是：進口→加工→出口→再進口→再加工→再出口。這裡關鍵便在於出口，它實是我們經濟發展的原動力。所以我喊出「出口第一」、「一切為出口」的口號，這也受到自由經濟學派的攻擊，說是經濟發展目標在於提高國內消費，改善人民生活，為何是出口第一。他們不知道我所說的出口第一，是一種手段，是一個過程。

在一九六○年代，我們選擇的最重要出口工業是紡織及其相關的產業，一九七○年代是電子及其相關的產業，都是很成功的選擇，都能達成帶動整個經濟發展的作用。這種選擇部分歸功於政府，部分歸功於民間企業。

二、經濟發展的核心——重工業與高科技產業。前面已指出我們的經濟快速成長靠進口→加工→出口的模式，我們所能賺得的所得只是加工的那一部分，而那一部分又大部分是勞力，因此我們只是在國際市場出賣勞力。這種情形近年已有相當改善，但基本結構未變，只不過加工或裝配的層次較爲提高而已。這樣的經濟結構可以使我們享有富裕的生活水準，但不能成爲經濟大國，達不到富國強兵的目標。

放眼世界，幾乎所有經濟強國如美、英、德、法、日，甚至中級國家如荷蘭、瑞典、西班牙、義大利、比利時等，都是重工業與高科技工業發達的國家，這些工業才是一個國家強大經濟力量的來源。因此，我們的發展策略必須要以這些工業爲發展的核心，即是以現有的出口工業所產生的儲蓄與外匯，撥出一部分作爲發展這些工業之用。我的看法如下：

㈠就現有的經濟基礎與工業設備，加緊生產與出口，以產生大量的所得與外匯，並加緊節約儲蓄，以累積大量資本。

㈡全力發展及輸入科學技術，再運用這些資本及技術建立重工業與高科技工業。

㈢以這些工業的產品出口，累積更多的資本與技術，發展更多的高級工業。

這是以智慧、知識、訓練與技術，來代替一般勞力，以勞心來代替勞力。勞力的所得有限，勞心的所得無窮。這可以無限制地提高國民所得，改善人民生活，也可以無限制地配合國防及國家其他方面的需要，達到富國強兵的境界。

三、經濟發展的主體——民營企業。我對於公營與民營企業並無特殊偏好，不像那些自由經濟主張者，認爲民營百般好。我常說的一句話：「落後國家的民營事業與公營事業同樣地壞，進步國家的公營事業與民營事業同樣地好。」這即是說，公營事業不是天生就經營不好，要看環境而定。事實上，我國公營事業無論在大陸時期及台灣光復與遷台初期，由於用人得當，都曾有高效率的經營，而且成爲工業發展的領導者，對大陸當年工業建國及初期台灣經濟發展，都有相當大的貢獻。但不幸得很，以後由於用人一代比一代差，政治環境一年比一年壞，以致腐敗落後，成爲經濟發展的負擔。有些公營事業如果及早關閉，據估計反有助於國民所得的提升。

而另一方面，民營企業則人才輩出，創業精神壯盛，展現一片活力，在最近二十年來，已成爲台灣經濟發展最主要的力量。如果不是公營事業的阻礙及政府的過度干涉與法令制度跟不上需要，民營企業很可能會有更大的發展。是以爲了加速經濟發展及產業升級，以適應國家總目標的需要，製造一個有利的環境，讓民間潛力充分發揮，使民營企業成爲發展的主體，應爲不二選擇。

四、經濟發展的總樞紐——政府。政府並非不重要，無事可做，或僅是維持法治與社會的安定等等，就如那些自由經濟學派的學者所主張的。相反的，政府的工作不但更爲繁重，而且居於發展是否成功的樞紐地位。

現在假定政府確定以富國強兵爲我們經濟發展的總目標，並決定以出口爲發展的原動力，並以重工業及高科技產業爲發展的核心，及以民營企業爲發展的主力，那麼政府究竟有些什麼事必須要做呢？就我所能想到的就有：

㈠像我們這樣的經濟體，政府便必須要決定以出口來解決我們的原料與市場問題，接著便要對整個貿易制度、機構、人事、政策、措施做徹底檢討，看是否都能適合我們的需要。如果不適合，便要革新的革新，改造的改造，補充的補充，務使其適合需要為止。

這裡更牽涉到參與國際經濟組織與活動的問題，遵守國際經濟的遊戲規則問題，再進一步更是自由化與國際化的問題。所有這些問題，民間企業都不能替代，而對一個像我們這樣的政府，卻是負荷十分沈重。

㈡其次，政府要立即檢討的，是我們的財政、稅政、預算、金融、銀行等，在制度、機構、人事、政策、措施等方面，能否與發展重工業及高科技工業的需要相符合，教育與科技水準能否適應高級技術人員訓練的需要。如果答案是否定的，政府便要擔負起全面改造革新的責任。

㈢在前述策略之下，經濟會快速發展起來，必然會產生社會脫節現象，這時便需要建立制度、訓練人員，來從事社會福利工作，包括社會安全制度、國民住宅、公共醫藥衛生、公害防制及環境保護、普及教育，以及都市化所產生的一切問題。

㈣另一個脫節的問題，便是農業部門的落後，農民所得的相對低落，這又需要一套現代的農業制度與農業政策來解決。

㈤還有一個重大的脫節問題，那便是基本經濟設施，諸如海陸空運輸、港口、電力、電訊、交通等等，這些不但要增加，舊的還要革新。

㈥在經濟快速發展，及社會各方面都劇烈轉變之下，政治、經濟與社會的關係會變得十分複雜，利益的衝突與結合會不斷發生，這時便需要一個獨立、廉潔、公正、具有現代頭腦思想的司法體系，作爲仲裁與平衡的力量。

㈦所有以上這些工作都需要政府來做，這就涉及現有的行政組織及人事配備，公務員的操守、能力、知識水準及服務態度等等，是否足以勝任這樣現代的、複雜的任務，於是便不得不有全面的行政革新，建立健全的文官制度來適應。

假如政府有意願與決心擔負起這些革新的工作，並能有效地達成，那麼，我們便是一個完全現代化的國家，我們富國強兵的目標也達到了。

與這一策略選擇有密切關係，也是產生劇烈路線之爭的一個策略問題，便是經濟成長與經濟穩定孰爲優先的問題。主張循序的、進化式的發展模式者，一定是經濟穩定優先的主張者；另一方面，主張突進的、革命式的發展模式者，一定是經濟發展優先的主張者。美籍華裔學者與政府決策人員屬於前者，我則屬於後者。

落後國家在從事經濟發展時，有三個因素必然會引起劇烈的通貨膨脹：

一、瓶頸。落後國家從事經濟發展，可說處處瓶頸，而每遇到一個瓶頸，就會引起物價上漲。例如技術勞工的缺乏，某種關鍵性原料的缺乏，經濟部門間的失衡等等，都會使物價不斷地上漲。以台灣爲例，在一九六〇年代中期，曾因經濟快速發展，農業生產落後，而導致農產品價格劇升，演變成巨幅的通貨膨脹，而且這是多次中的一次，不以一次爲限。這種性質的通貨膨脹不能以收縮信用或控制貨幣供給量來穩定，這會造成經濟成長的停滯。

二、資金短缺。落後國家經濟發展的最大困難之一，是資金短缺，因此常用中央銀行增加信用融通的方式來因應資金短缺之急，這必然會造成通貨膨脹，這種性質的通貨膨脹等於是政府以強迫儲蓄的方式，向社會徵集資金。日本、俄國、韓國、我國，以及許多落後國家都曾使用這種方式籌集資金，尤以日、韓兩國爲最。日本戰後重建初期與韓國經濟發展的初期，都曾採用中央銀行大量擴張信用融通，來應付資金短缺的需要，都曾引起相當長時期的劇烈通貨膨脹，但卻是解決資金短缺相當有效的辦法。因此在一九六〇年代，曾有一派學者從理論的觀點，提出了所謂的「赤字融資理論」（deficit financing），公開主張落後國家應採取這種辦法，解決部分資金短缺問題，這在當時曾風行一時。

三、時間落差問題（time lag）。資金投入生產會立即變成生產要素所有者的所得，特別工資是如此。而產品應市則還有一段時間落差，若干產品係供大量出口之用，根本不在國內應市，進口的又大部分不是消費品。於是便發生一種現象，即人民手中握有增加的大量購買力，相對的消費貨品則增加不多，這必然促成物價的普遍上漲，而且是連續性的，即是通貨膨脹。這種情形愈是投資於重工業與高科技產業，就會愈嚴重。因爲投資與產出的時間拉得很長，而且產出的產品又絕大部分不是消費者所要的。

由於這三種原因，可以說落後國家經濟發展注定了要造成通貨膨脹，而且不能用緊縮貨幣供應量來解決；如果緊縮貨幣供應量，一定會造成經濟衰退。歷史事實也證明，落後國家在經濟發展初期都曾遭遇嚴重的通貨膨脹。

當然，我也知道過度的通貨膨脹會造成經濟災難，損害經濟發展。這便是一個分寸拿捏的問題了，即是如何在可以控制的通貨膨脹程度內，進行快速的經濟發展；而不是爲了經濟穩定，去犧牲經濟發展。我常舉的一個例子，便是駕駛汽車。最穩定安全的駕駛是不發動，停在那裡。一開動就會有震動，開動愈快，震動愈烈，也愈有翻覆的可能。第一流的駕駛是全速行駛，但不會翻覆，平安而迅速地達到目的地。所以，這不是經濟發展與經濟穩定誰優先的問題，而是兩者會同時相伴發生，落後國家的決策者應該在維持安全的穩定範圍內，加速經濟發展的問題。

第七章 農業與土地資源利用

一九四九年，政府著手台灣經濟發展時，一個重要的決策是農工並重，這在當時無疑是一個正確的決策。差不多所有落後國家的經濟發展都是從農業發展開始的，包括英、美、日、俄都是如此。原因很簡單，在一個落後國家，農業占總生產的比例、所得來源的比例、總就業人口的比例，乃至出口貿易的比例，都居於最大的地位，只要農業生產有所革新進步，整個經濟發展就會動起來。特別是象徵落後國家經濟發展的工業發展，如果沒有外援或外援不足，則其所需原料、糧食、資金、外匯、勞工、產品市場，都是來自本國的農業。所以沒有充足的農業發展，包括工業發展在內的整個經濟發展，便會困難重重，難以推動。

不過，我國政府實行農工並重的政策，倒不一定是了解這種農工業在經濟發展中的關係，而是因爲：第一、認爲大陸之失，是沒有實施土地改革的結果；第二、當時對糧食需要的急迫性。也因此，台灣的農業發展，土地改革便占了舉足輕重的地位，甚至有一段時間將土地改革等同了農業發展，反而將促進農業發展的真正因素掩蓋了。

所謂土地改革，實包括下面幾個階段：

一、先於一九四九年推行三七五減租，即規定佃農繳給地主的地租爲正產物的千分之三百七十五。過去在大陸大部分地區，佃農付給地主之租金，多爲正產物之百分之六十或更多，副產物全部爲佃農所有。如果土地等級不佳，削減爲百分之五十，即佃農與地主各得百分之五十，稱爲分收。陳誠任湖北省主席時，規定佃農付與地主之租金爲正產物之百分之五十，即各得五十，稱爲二五減租。陳誠對此頗爲得意，認爲是仁政。於是在其於一九四九年任台灣省主席時，進一步規定對地主所得之百分之五十，再打七五折，就變成地主所得只有千分之三百七十五了，簡稱爲三七五減租。

二、耕者有其田。一九五三年實施之耕者有其田辦法，簡單地說，以水田爲例，地主可保留三甲外，其餘土地由政府徵收，徵收地價以三七五減租時評定之標準收穫量之二．五倍計算，徵收地價之補償，則七成爲實物土地債券，三成爲公營事業股票。此兩者在當時都缺少買賣市場，市價亦低，脫手困難，故實際上在當時差不多等於沒收土地，地主銜恨甚深。政府將如此徵收來之土地轉放領給佃戶，放領地價即是徵收地價，按年率百分之四加收利息，本息合計，由承領農民自承領之季起，於十年內以實物或同年期之實物土地債券，分期均等繳清。連同利息計算，還不到十年應繳的租金。這對佃農而言，等於是天降一筆財富。

三、公地放領。台灣光復之初，政府接管前日人政府、會社（公司）所有及日人私有的耕地面積，共有十八萬一千四百九十甲，是爲政府公有耕地的由來。爲貫徹實施耕者有其田政策，乃將此等耕地放領給承租之現耕農、雇農、耕地不足的佃農及半自耕農、原土地關係人需要土地耕作者、轉業爲農者。放領地價分十年攤還，不須負擔利息，每年攤還的數額，占承領耕地全年正產物收穫總量的四分之一。一九四八年試辦。自一九五一年至一九七五年，共辦了九期公地放領，一九七六年結束。

以上土地改革的三個階段，當然以實施耕者有其田最爲重要，當時參與者及許多學者專家與國內外人士，都認爲這是一個重大的成功與貢獻。但這個辦法實際上是抄襲日本的。日本政府於一九四六年在盟軍總部指令下，頒布「耕者有其田設定法」（Owner-Farmer Establishment Law of 1946），實施耕者有其田，約於一九四九年完成，這即是我們的藍本，內容大同小異，精神則完全一致。

這種土地改革，本質上是一種社會財富的重分配，與農業發展並無必然的關係。所謂刺激農業生產，完全是推測之詞。在中國租佃制度之下，即使耕者不能有其田，仍然會努力生產。至於農地改良投資，地主的能力反而大於佃農。農村儲蓄意願，亦是地主大於佃農。可惜很少人從中國租佃制度、地主角色，及地主與佃農的邊際消費傾向等各方面，作客觀科學的分析研究。

在一九五〇至一九六〇年代，真正促使農業發展，使農業生產力大幅提高，農民生活顯著改善的，爲下面兩項改革：

一、農業技術改進。包括耕作方法、品種的改良、施肥、灌溉、病蟲害防治、引進新品種及新產品等農產多元化。台灣由於日據時代建立有良好的農產試驗所及推廣系統，加上農民教育普及，在這一方面的成就斐然，貢獻也大。

二、農民組織及農村社會環境的改進。這包括前述的農業研究及推廣系統、農、漁、水利會的組織、農情資訊的傳播、產品運銷、農業信用、農村生活環境改進等等，這些都大有助於農業生產力的提高。

即是由於在這兩方面的重大成就，使得我們有資格派遣農耕隊到非洲及中南美洲，協助許多較落後的友邦發展農業，並得到普遍的歡迎。由此亦可見，土地改革至少對像我們這樣租佃制度的國家而言，不是農業發展的重要因素。

而另一方面，實施耕者有其田卻發生了兩個非常重大的後遺症：一個是佃農在幾乎無償的情形下，取得農地後，在都市化的過程中，鄰近當時都市的耕地或以後新闢都市中的耕地，都是價格飛漲，成了以千萬計的富戶，造成另一種財富分配不平均；另一個是耕者有其田嚴格限制了農地所有權的移轉，在平均繼承制下，單位耕作面積愈變愈小，成了農業現代化的一個阻礙。

耕者有其田這一概念與制度，並不是現在才有，而是古已有之，而且屢試屢敗。唯一的原因是土地有限而人口增加無限，最後不得不被迫放棄，結果仍然是富者田連阡陌，貧者無立錐之地。由一次次的大饑荒、大暴亂、大屠殺來減少人口。不過，這種現象由於人口增加受到人爲的節制，而工商服務業發達吸收了農村剩餘勞力，在台灣沒有重現。

但是這一古老的觀念與制度，卻不適合農業現代化的要求，於是我便於一九六九年寫了一篇

〈宜著手籌畫第二次土地改革〉的文章，來闡述我從一個現代農業的觀點，如何對土地作進一步的改革，以促進農業現代化的主張。爲便於讀者了解，茲列出一、二兩次土地改革的對照表如下：

第一次土地改革	第二次土地改革
一、分配土地所有權	一、提高農業生產力
二、社會財富之平均	二、農業本身之改造
三、社會性的改革	三、經濟性的改革
四、目的在救貧	四、目的在致富
五、農業家庭化，求自給自足	五、農業企業化，供市場需要
六、單位耕種面積由大變小	六、單位耕種面積由小變大
七、傳統的農業觀念與操作	七、現代的農業觀念與操作
八、農業經濟社會的土地改革	八、工業經濟社會的土地改革

讀者在比較上表後，便會知道兩次土改的觀念完全不同：一個是保守的、農業社會的，應該隨時代的進步予以淘汰；一個是進步的、工業社會的、合於時代要求的。爲引起決策階層的注意，我並在本文中引述了兩位學者對日本農業的意見，日本土改即是我們第一次土改的藍圖，其

所遭遇的問題，也即是我們遭遇的問題。（參閱《王作榮全集》第六冊，第一二九～一三二頁）

第一位學者是英國的日本經濟史家亞倫（G. C. Allen），他說日本：

「農業所面臨的問題，與過去完全不同，在農業適應新經濟環境的過程中，在技術方面曾被迫引進令人驚心的革新，在組織方面，則面臨革命性改變的境界。

「但是假如資本與勞力（在農業方面）的使用，其效率一如在工業方面的使用，則土地持有制度必須要改變，而小規模的小農場，必須要代之以大規模的商業性農業。」

另一位學者，是曾任日本農林部次長的小倉武一先生，他說日本：

「現在很清楚，在未來的農業進步的途程中，至少有一個主要的阻礙，這便是現有的土地結構，那即是說，在政府視民如子的愛護下的小規模農作的耕者有其田制度。

「假如農業現代化意指農業商業化，使小農成為具有企業精神的農人，則土地改革便不一定能達到這一點。

「土地改革使農業規模變小了，至少其間接結果是如此。為了進一步的現代化，必須要解決土地結構問題。假如必須要有一個第二階段的土地改革為農業完全現代化鋪路，則似乎最近的將來便必須要採取最後步驟，以完成此一第二階段。」

繼這篇文章之後，我曾在十餘年的時間內，陸續寫了很多篇有關土地政策與農業現代化的短文，鼓吹我上述的觀點，未曾得到回應。其中有兩篇關於農業的，特別值得在此處一提：一篇是一九七九年發表的〈應建立資本及技術密集的農業〉；一篇是一九八二年在中國農學會年會所作的演講〈台灣農業在未來經濟發展中之角色〉。

在前一篇文章中，我曾指出：「傳統的農業耕作方式，地廣人稀的地方便採土地集約方式，地狹人稠的地方便採勞力集約方式。而這兩種方式都不能大量提高農民生產力及其所得，解決所得偏低問題。近年來，若干進步國家農民所得提高，足以抗衡非農業部門人民的所得，實得力於兩個重要因素：一為在現代技術之下，從事資本及技術密集的耕作；一為農民兼營副業，或竟以農業為副業。」實際上，台灣過去數十年的農業發展之所以有重大成就，農民所得及生活水準之所以不斷提升，就是因為沿著這兩條線前進的緣故，今後應該更為加強。

在後一篇文章中，我更進一步地指出，如果採用資本及技術密集的方式來經營農業，則「在若干年後，儘管在習慣上或表面上有農業部門與工業部門等等之分，但在高度的農業生產技術與農業經營組織的情形之下，農業與工業已經沒有什麼分別，而只有農作工業（或產業）、水產工業、畜牧工業、林木工業、汽車工業、紡織工業之別了。」「假如到了這種境界，農業生產力便會超越目前的限制，與其他工業只有程度上的距離，而不是不同部門的區別了。」

依照上面的分析，我們可以很清楚地看出台灣農業，或全世界所有農業發展的階段：

一、自給自足的農業階段。假如地廣人稀，則用土地集約或多用土地方式；假如地狹人稠，則用勞力集約方式或多用勞工方式，來提高勞力或土地的生產力，以提高農民所得，滿足農民生活需要。

二、農業商業化階段。擴大土地耕種面積，增加資本與技術，以配合一定的農業勞力，使每一個單位農業勞力的生產力提高，因而提高其所得與生活水準。此時農業脫離自給自足階段，爲市場而生產，於是便發生市場預測、市場波動、農情預測、倉儲、運銷、管理、資金周轉等商業行爲，亦即前述農業商業化。

三、農業工業化階段。使用大量的資本及技術投入生產，將農業生產工業化，與一般製造業相類似，使每一農業勞力的生產力提高的速度，與一般製造業相當，做到真正農工平衡發展的境地。這應是徹底解決農工所得差距的辦法。

我國農業已進入上述的第二階段，有向第三階段前進的趨勢。但人類農業是否真能達到此一階段，尚有待以後技術的發展情況，難以逆料。

現在，我們來談土地資源利用的問題。這是一個遠較農業問題更爲廣泛的問題，農業僅不過是土地利用的一種而已。土地資源利用與土地所有權制度密不可分，故前述土地改革也應屬於土地資源利用的範圍。談土地資源利用，一如談農業問題，也應有進步或開發的觀念。第一次土地改革局限於將土地資源利用於農業上，而且是非常落後的利用觀念與方式，現在應予徹底的改變，否則台灣土地問題將層出不窮。我在這一方面早從一九七〇年代開始，就不斷表示我的意見，曾就土地問題發表多次評論，代表作爲一九七六年寫的〈建立全面性的土地政策〉一文。（參

閱《王作榮全集》第六冊，第一四四～一四七頁）

談台灣土地資源利用，必須先了解下面幾個觀念：

一、任何土地政策，都必須將重點放在最有效的利用上，而非放在所有權的分配上，除非某種所有權的分配最有利於土地的利用。準此，則第一次土地改革以平均社會財富爲主，便難成爲一個長期的土地制度。

二、土地是上天給與的，數量固定，對台灣而言，尤其如此，所以土地資源是一個絕對稀有性的生產要素。既是如此，土地便不能爲私人所壟斷，以致嚴重損害人民大眾的切身利益。可以爲私人所有，但其利用必須在政府的控制之下。

三、土地既是稀有要素，則其利用必須有科學化的策畫與嚴格控制，不能有浪費。

自一九四九年以來的土地政策與制度，甚至土地利用的觀念，都仍停留在第一次土地改革的時代，距離以上三個觀念甚遠，以致台灣土地問題亂成一團，嚴重妨礙整體經濟發展、財富分配、人民生活、社會風氣，以及土地資源利用。因此我在前述文章中，曾提出如下的意見：

一、就台灣情形而論，理論上應將土地全部收爲國有，實際上則做不到。但政府可經由立法程序對其利用及轉移予以絕對控制，而無論其爲公有私有，則屬毋庸置疑之事。此爲建立一全面的、進步的土地政策的一個大前提。

二、在這一大前提之下，「應該有一個國土綜合開發計畫，就全省三萬六千平方公里土地面積的利用與開發，作全盤性的規畫……。作綜合規畫時，必須考慮到未來若干年的人口增加、都市化的進行、交通運輸設施、經濟發展趨勢，特別是工業發展趨勢與農業發展趨勢，以及休閒遊樂的需要等等……。」在考慮都市化時，也應注意都市郊區及都市與都市之間的綠化問題。

三、關於土地所有權方面。土地可以私有，也可對持有面積的大小加以限制，但不能隨意規定，必須與實際需要或未來發展趨勢相配合。對土地的移轉應有較嚴密的規定，以避免囤積投機。例如對於土地移轉，可以規定承受人於承購時必須提出利用計畫，經有關機關按綜合開發計畫審核合格後，方准購買，購買後必須立即照提出之計畫予以利用，無論農地與住宅均可照此辦法移轉。

四、漲價歸公的問題。土地漲價全部歸公顯然有失公平，應一如其他投資，土地漲價有一部分須爲土地所有人或投資人所有，另一部分則以課所得稅的方式收爲政府所有。

政府如能依照上述觀念及原則，規畫成周密的制度，付諸實施，則土地這一稀有要素必可獲得最有效的利用，而目前層出不窮的弊端亦可全部消除。可惜我們空有一個毫無實用的所謂「國土綜合開發計畫」，從未認真規畫，認真建立制度，付諸執行，令人扼腕。

第八章 工業發展

當我在讀大學的時代，還沒有所謂的「經濟發展」這個名詞，至少不是很流行，我不曾在課堂上聽過或書本上讀過。那時落後國家要想進入進步國家的集團，要想富國強兵，所時常喊的一個口號，就是「工業化」。那時的工業化與現在的經濟發展可以說是同義字，由此足見工業化在整個經濟發展中的分量爲如何了。

我常說建立一個現代國家，經濟發展實是核心；而工業發展則是經濟發展的核心，重工業或高級工業發展又是工業發展的核心。日、俄兩國都是基於國防的需要，大量發展國防工業，使他們的經濟迅速發展，而造成今日的地位，而國防工業就是我們通常所說的重工業。不僅日、俄兩國如此，環顧當今世界的一些大小進步國家，莫不以重工業與高科技工業爲其經濟的主導部門，而經濟又爲其國力的基礎。那麼，爲什麼工業發展對於一個國家，特別是落後國家，有如此的重要性呢？這是因爲：

一、工業，特別是重工業，都是採取集中且大規模的生產方式。現代的生產技術、生產設備、管理、儲藏、運輸、推銷等等，都是配合大規模生產而來，要建立現代工業，則技術、設備、管理、儲藏、運輸、推銷等等，都要跟著現代化。

二、許多工業，特別是重工業，如鋼鐵、機械、重化學、電器、飛機、汽車、造船等，一方面需要其他工業供給原料、配件；另一方面，其產品又成爲其他工業的原料或配件。因此，發展一項關鍵性的工業，可引起無數的其他工業的發展。

三、工業的高度發展，需要行政、農業、貿易、金融、交通、教育、科學研究等各方面的配合，工業的高度發展也會刺激這些方面的發展。

四、現代的社會組織、社會關係、生活方式等等，都受工業發展的影響，例如小家庭制度，重視團體利益與團隊精神，重視配合協調，重視組織紀律，講求工作效率，尊重法律，都是因工業高度發展而來。

所以，工業發展不是如一般人，或甚至政府決策官員所想像的或者看到的，建立幾個工廠，生產一些工業產品而已。它幾乎影響人類生活的各方面，都要作配合的發展，工業愈是高度發展，愈需要高度配合。假如能夠成功地建立現代高級工業，則這個社會的各方面都必然已達到現代化的程度。基於這一理由，一個國家要迅速地現代化，必須要從發展工業著手，以發展工業來刺激壓迫行政、農業、工業、交通運輸、貿易、財政、金融、教育、科學研究、組織管理、市場推銷、社會組織、社會關係、生活態度，乃至基本觀念，作配合的發展與現代化。換句話說，工業發展已成爲國家全面現代化的一項最有效的工具了。

工業發展的重要性既如上述，接下來的便是如何發展及發展路線等政策問題。而牽涉到政策，爭論便多了。

首先談如何發展的問題，即落後國家從事工業發展，應否有產業政策；如有，其內容又是如何。遠在一九五三年，我進入工業委員會工作，即曾奉命就台灣工業發展政策作過全面的、整體的研究思考，這構成我以後對工業發展看法的基準。其內容概述如下：

一、工業發展的方式。政府必須積極介入工業發展，訂立完善計畫，並監督其執行。此處所謂計畫，並非共產國家的計畫經濟，而係指政府以其統籌全局的地位，從整個經濟利益著眼，決定某一時期內，工業發展的方向及發展的目標。即某些工業應該優先發展，某些工業屬於次要，可以暫緩發展，及某些工業在某一時期內，應發展至何種程度，發展極限訂在何處。在此一範圍內，各企業單位仍應有其充分活動之自由。以上所云，即是在自由經濟之下，政府應有一定的產業政策。

至於究竟應該發展哪些工業，則應從可能性、重要性、比較利益等三方面去衡量。其中可能性更包括設備及技術的需要、原料供應、市場及利潤大小等考慮在內。工業重要性方面，則依照當時台灣的環境，按優先順序排列爲國防工業、民生基本必需品工業、可以出口以增加外匯收入的工業、可以代替進口以減少外匯支出的工業，及易有成效而不需大量資本的工業。所以是輕重工業並存，內需外銷工業並重的發展形態，並無特殊的偏廢。

執行政府工業政策及計畫的方法，在當時的情形下，包括實施信用優先分配制度、實施進口外匯優先分配制度、實施原料優先分配制度及技術指導。這在當時都是最有效的掌控經濟資源分配的工具。

二、合理扶植，維護自由競爭。在經濟發展比較落後的區域，缺乏發展工業的有利環境，無政府力量的培植，便難有順利的發展，因而政府認爲必須要發展的工業，而需政府扶植者，便當予以扶植。但應有其限度，僅應協助其克服困難，奠立基礎。至於工業的發育滋長，及如何使其水準提高，則仍爲工業本身的責任。欲達到正常發展的目的，從長期看，必須聽其自由競爭，以期提高效率，淘汰不經濟之生產。過度地扶植，顯然妨害自由競爭的運行，終不免造成依賴政府生存的溫室工業。此種工業徒爲政府之累，自非我們所希望。

政府基於全民福利，爲穩定經濟或達到某種經濟目的，自可對某一工業予以臨時性的管制。此項管制固亦違反自由企業精神，但亦爲不得已之措施，不能盡免，但政府自亦不輕易管制。一旦管制的目的已達，或需要管制的原因消失時，管制措施自應立即取消。

三、實施對外保護政策，以樹立國家工業基礎，追求正常發展。落後國家的工業規模，生產技術及市場關係，都不能與進步國家競爭，政府如不採取保護措施，則新興工業永無建立之日，原有工業且時有被摧毀之虞。故政府對於新興工業，認爲需要發展者，必須予以適度保護；對於已有工業，有遭受外來不公平的競爭威脅，或有被其摧毀之可能者，必須予以防衛。在保護政策之下，消費者或其他方面，難免受一時的損失，但此爲國家建立其工業必須付出之代價，實屬不可避免者。

所謂保護政策，亦如扶植政策，應有其合理的限制。在程度上，不宜作過度的保護；在時間上，亦絕不應作長期的保護。保護的時間愈長，消費者的損失愈大，於整個國家無益，徒使少數企業獨占利益，失去原來保護的意義。保護政策的實施，關稅與進口管制兩種方法，應同時並用。

四、擴大民營範圍，發展私人企業之優點，相同性質之公民營事業予以平等待遇，以保持公平之競爭。基於尋求利潤的動機，在自由經濟制度之下，私人企業大量發展，此種自由企業的精神對於工業乃至整個經濟的進步，其貢獻無法估計。在工業極發展的台灣，此種精神亟需鼓勵。因此，除極少數工業外，所有工業應盡可能畫歸民營。其他由於特殊原因，目前已由政府經營之若干事業，亦應於適當時期開放民營。

政府所經營的工業，宜以下列幾種爲限：㈠與國防有重大關係的工業；㈡有獨占性的公用事業；㈢關係公共福利，而人民不願興辦的工業；㈣足以影響國家經濟命脈的工業；㈤可以民營，但因風險較大，或投資過巨，人民不願投資，而應由國家倡導的工業。

鑑於公私合營事業在過去所發生的流弊，此一方式宜逐漸淘汰。

在未移轉民營以前，所有同類性質的公營民營事業，應享同樣待遇，使兩者立於平等基礎，從事公平的競爭。一方面維護民營事業的正當發展，另一方面亦可使公營事業於競爭之下，走上獨立經營之路。

五、改善工業環境，促進事業發展。良好工業環境，實爲促使工業發展的最重要條件。惟愈是經濟落後的國家，愈需要發展工業，但其環境則往往愈不利於工業發展，而必有賴於目的性的改善。而且，工業環境爲整個經濟環境之一部分，後者不改善，前者之改善即受阻礙。爲促使工業得以迅速健全發展，政府當採取種種措施，改善大的經濟環境，並針對與工業有密切關係的各方面，加以改善。務必做到需要發展的工業，能以正常發展，其最重要者則爲投資的安全保障，與合理的利潤。

㈠協助各工業逐漸更新設備，採用進步技術。台灣不僅要發展工業，而所發展之工業尤須現代化。根據美國工業界所作調查，大規模更換設備，爲獲致更高利潤的最大原因，而保持舊機器則爲被淘汰的最大威脅。政府宜採取鼓勵措施，諸如縮短陳舊設備的新舊期限，保留事業盈餘以爲換置設備之因；對進口新設備予以結匯方便；聘請外國專家及留學生來台；在國內外訓練技術人才；歡迎外人投資時，特別著重進步技術之輸入等等。

㈡以政府力量培植產品銷路，國內市場力求穩定，國際市場盡力擴充。爲保障生產者及消費者利益，對於國內市場宜全力維持穩定。至於外銷市場，爲台灣工業大規模發展的先決條件，政府當運用政治力量積極擴充，以補私人企業力量之不足。嚴格檢驗外銷產品，簡化產品標誌，使國外消費者易於熟悉辨認。成本方面，經查確不足以與國際產品競爭，或其他國家對同類產品有出口補貼者，政府亦當予以出口補貼。惟數額與期限應隨時調整。

㈢改善原料供應，減低原料成本。應力謀改善國產原料的供應，如成本過高或品質過劣，應開放進口。對於進口原料，應妥籌外匯供應，在匯率及進口關稅方面，應予以差別待遇。

(四)疏導資金來源，便利工業投資。無論國內國外資金，兩皆缺乏。國內部分由於國民所得不高，儲蓄額不大，宜改良儲蓄辦法及建立投資機構，以引起人民的儲蓄興趣，便利其儲蓄行爲，使資金順利流入工業投資上。

外資方面，除出口及美援外，主要來源爲外人及華僑投資，應對此種資金的本金及利潤匯出有合理規定。對投資安全、匯率變動損失、稅收、設廠與入境等方面，亦應有適當安排，則以台灣經濟方面的安定及利潤率高，當可吸收相當數額的僑外資。

除此以外，尙須有一融通工業資金的金融機構，應可在現有金融機構中，指定一家，專負吸收及融通工業資金，並便利工業投資之責。

(五)健全金融政策，配合工業發展。配合工業的政策與計畫，銀行信用數量必要時應作合理的擴充。只要發展的工業，其產品有銷路，增加信用數量控制適當，不但不致危害經濟穩定，且將有助於其繁榮。一定數量的信用，如能調度適當，則收效必較大，故在數量上固應加以控制，在貸放方向上亦應有所調節。銀行利率宜續降低，以減低工業生產成本。

(六)改善勞工環境，提高工作效率。工人工作效率及情緒，影響生產成本與產品品質至巨，必須設法提高。因此，舉凡影響效率及情緒的因素，諸如勞資關係、工作環境、工人待遇及福利、知識程度、技術訓練，均應協助督促力謀改善，以培養一強有力的勞工隊伍，爲發展工業之用。

(七)修改與工業有關的稅法，減輕工業負擔。減免稅的範圍，應包括營利事業所得稅、設備器材原料進口、產品出口、盈餘保留作為營運資金或增資等等。

以上是四十餘年前，我對台灣如何發展工業的政策及做法，所提出的意見。雖然現在整個經濟環境已有重大改變，但仍有許多可資擷取，以促進台灣工業發展之用。（請參閱附錄一）

現在，我們來談路線問題。在我親身經歷或從旁觀察，差不多長達半個世紀的台灣經濟發展過程中，發展路線的政策爭論始終不斷，前面已經幾次提到。

一、在發展初期，所爭論的是農工平衡發展問題。我的意見是農業發展當然很重要，但從長期觀點看，重點應放在工業發展上。這毫無忽視農業發展之意，而是如在本章開始時所說的，落後國家所謂經濟發展，實際上就是工業化。

二、就工業發展來說，又發生輕重工業孰為優先的問題。我的意見是兩者應同時發展，不可偏廢。我當然知道落後國家發展重工業會遭遇到資金、技術、市場等等的困難，難以成功，而且多半會引起嚴重的通貨膨脹。但是我更知道如果不發展重工業，落後國家將永遠落後。即使循序漸進，先輕工業而後重工業，也會在時差上落後進步國家很多。並舉日、俄兩國的發展歷史為例來說明。這裡所謂重工業，泛指資本密集、技術密集及高科技的工業，有時也稱高級工業。

我曾於一九六五年在《中央日報》發表了一篇〈論重工業的建立〉，說明為什麼要選擇重工業。我指出建立重工業，有很多國防上、政治上、經濟上的理由。單就經濟上的理由來說，有下列幾點：

㈠落後國家所謂的經濟發展，實際上就是要拋棄已經落伍的技術，採用現代複雜的技術，以提高生產要素的生產力，擴大生產要素的利用範圍。而需要大量使用進步複雜技術的只有重工業，所以落後國家要變成現代國家，必須要走重工業這條路。

㈡落後國家以有限的資源，勢不能百廢俱舉，必須要選擇關鍵之點求發展，以牽動刺激整個經濟的發展，所謂發展領導部門是也。選擇領導部門的基本原則，是要與其他經濟部門的前後聯繫關係（forward and backward linkages）愈廣密愈好，可以由此一部門的發展而帶動許多其他部門的發展，而重工業具備這一條件。例如發展汽車工業，可以帶動許多零件工業的發展。

㈢落後國家發展經濟，可說處處瓶頸，要等到各種條件具備才開始發展，則永難有開始之日。因此決策階層便應該選擇領導部門，全力突破瓶頸，解除難題前進，迫使經濟展開新局面，這就是所謂的不平衡發展。而這一領導部門便應是重工業，因爲如前所云，重工業涉及層面廣，難度高，一旦突破，便精進千里也。

㈣一般人常認爲落後國家只宜發展輕工業，因爲輕工業收效快，重工業收效慢。殊不知輕工業收效快而短，重工業收效慢而長。從長期看，投資重工業的經濟成長率遠較投資輕工業爲大，這是加速經濟發展的關鍵之一。

一般人又認爲輕工業可以解決眼前的就業問題，誠然不錯，但重工業由於其前後連鎖反應大，間接增加就業更多。而且其勞動生產力亦遠較輕工業大，能較快地提高國民所得水準。

即是由於上述種種理由，再加上國防與政治因素的考慮，使得許多落後國家常不顧及本身實力發展重工業，遭到失敗。但台灣經濟發展到現階段，應該早已無這種顧慮了。

三、另一個發展路線之爭，便是發展工業究應以內銷爲主，抑或偏向出口工業，我是力主發展出口工業的。我所謂的出口工業，係指在設立該項工業的開始，即以出口爲目的，因而在規模、技術、設備、管理等各方面，都以具備國際競爭能力爲標準。我作這種主張有下面的理由：

㈠我們的國內市場狹小，其容量不足以使我們建立現代大規模生產的工業。如以出口爲主，則對於提高工業水準，改變工業結構，要較之以國內市場爲主要快要深。

㈡要縮短經濟現代化的時間，迎頭趕上進步國家，唯有以國際市場爲目標，適應進步國家市場需要來建立工業，這即是出口工業。

㈢出口爲所得、儲蓄、投資與進口能力的主要決定因素，爲經濟發展一個戰略性的變數，必須加強運用。台灣過去因出口擴張而帶來的高度經濟成長及所得與生活水準的提升，可以作證。

㈣正在我們爲發展輕工業抑或重工業，發展以內銷工業爲主抑或出口工業爲主的爭論時，世界經濟發展的趨勢已在悄悄地改變之中，而且十分明顯。那就是在自然資源、資本與勞力的三大生產要素組合中，自然資源的重要性已在減低，資本的重要性雖未減退，但勞力的重要性則正在大量增加。不過，這種勞力不是勞力的勞力，而是勞心的勞力，也即是科學與技術知識已掌握了工業發展的關鍵。一種大量仰賴科學與技術知識的新工業，一種高度自動化與機械化的新工業，正在興起之中，如電腦、核子、太空、海洋、人造原料……等等。現在是有能力建立這些工業的國家，才能算是第一流的工業國家。在我們這一代人中印象深刻的，以鋼鐵、汽車、機械、造船、電器用具等，傳統性的所謂重工業與高級工業，稱雄世界的一流工業國家，正在淪入第二流，其餘則等而下之降爲三、四流了。

綜上所述，可以得出一個結論，即我們今日要發展以出口爲主的出口工業，而不再是進口代替品工業尾閭的出口工業；我們要發展以勞心（技術）爲主的工業，而不再是以勞力爲主的工業；我們要發展進步國家的工業，而不再盤旋於落後國家的工業。這就是我們今後工業發展的大趨勢，載於我於一九七二年著作的〈今後工業發展的新形勢〉中。

那麼，我們有無能力順應這一世界發展大趨勢前進呢？當然有，因爲我們已累積了相當深厚的工業發展基礎，足以承受進一步的發展。第一、我們有足夠的企業家集團，並累積了相當的發展經驗；第二、我們的科技基礎雖嫌薄弱，但有進一步發展的能力；第三、我們的教育水準高而普及，勞工優秀；第四、我們有足夠的資本，可以發動任何資本密集的大型企業；第五、我們有適當的基本建設，作爲起點；第六、我們有足夠的國際經濟關係與國際市場知識，足以構成跨國性的企業。

現在的問題是如何利用這些條件，使我們向前推進，這需要：

一、政府的決心。建設之前，必先破壞一些舊的制度，淘汰一些舊的人物；建立一些新的制度，起用一些新的人物。這些都會打破社會的生態平衡，危害既得利益階級，而引起重大的阻力，這時便需要政府的決心來從事了。

二、建立法律秩序與社會紀律。建立現代國家的實質先決條件，不僅在於經濟發展，而尤在於建立法律秩序與社會紀律。缺乏這一條件，根本不能貫徹任何政策，及政府與民間有效地執行任何計畫。而在一個法律秩序與社會紀律已受到相當損害的社會，要想重建秩序與紀律，是一件非常艱巨與危險的事，這又需要政府的決心了。這一條包括貪污的整肅在內。

三、全面整理及革新行政系統。要想工業能升級，經濟能有更大更久的繁榮與成長，便得先檢查一下現行政府的組織結構、現有官員的才能與數量，是否足以勝任。如不能勝任，便當針對實際需要調整。於是機關如何裁併創設、人事如何汰舊用新，便需要全面的設計與行動，這又需要政府的決心。

四、建立各種必須的制度。要展開一個新的局面，便必然伴隨一套新的制度，否則新的局面便展不開。落後經濟有落後經濟的一套制度，進步經濟有進步經濟的一套制度，我們不能在落後制度中去追求及實施進步經濟。如果檢討我國當前一些有關經濟發展的制度，如金融、財稅、科技教育等等，便可發現不能適應經濟發展的需要，必須作全面的更新。

以上這四點看似與工業升級或經濟發展無直接的關係，其實這是建立一個現代國家與現代經濟的基本架構。這一架構愈完善，愈堅強，工業升級成功的機會便愈大。如果套用一句流行的話，這些都屬於工業升級或經濟發展的軟體；那些機器設備、基本建設與實用技術等，都可算是硬體。對一個亟求工業升級的國家來說，軟體要遠較硬體重要，有了軟體，不愁硬體不來；沒有軟體，即使有硬體也無用。

在這一套軟體架構建立了之後，民間力量便有了可以充分發揮的空間。但要民間力量能利用這一空間，還有待於幾項基本政策的確立：

一、承認自由競爭的重要，讓市場機能充分發揮作用，勿輕言管制與干涉。應讓民間充分自由地運用這個架構，自作決定，自擔風險，千萬不要代民間當家，代民間承擔後果。

二、尊重私有財產，因而尊重私人企業，及私人對其財富的累積與運用。只要是民間憑自己的努力與競爭，公平地取得財富，便當聽其自由累積，自由支配，千萬不要防阻大企業的形成與民間累積巨大財富。這樣才會有更多的努力，與更多的財富產生，而經濟就更爲發達，社會就會更爲富裕。至於財富分配平均問題，在一個健全架構之下，自會得到合理解決。

三、認清政府的調整功能。但是任何一個健全架構的運行，都未必能產生一個國家所需要的結果。何況經濟目標只是政府諸多政策目標之一，作爲一個國家，也許有較經濟目標更爲重要的目標要達成。在這種情形之下，如何使架構的運行，產生整個國家所需要的結果，如何使經濟目標能適合國家整體更重要的目標，便是政府的工作。這時，政府就需要採取若干政策及措施來完成工作，這即是我們所常見的獎勵、扶植、管制、保護、社會福利政策等等。在採取這些政策時，有兩點必須注意：一是必須將這些政策措施限制於最小範圍；一是盡可能不干擾市場機能，或透過市場機能實現。

以上種種，未曾提到一些時常見到的熱門政策爭論，和政府所採取的措施，如減免稅、策略性工業發展、科技發展、利率與匯率等等，因爲這些與前述架構比較，都是次要因素。前述意見發表於一九八二年的一篇文章〈我們工業再升級經濟再繁榮應有的做法〉。

第九章 財政金融

前面曾經提到，在一個自由市場經濟社會，亞當．斯密（Adam Smith）所謂「一隻看不見的手」，實在是一隻殘缺的手，必有賴於政府的干預校正，才能產生比較合於實際需要的結果。而所謂政府干預校正，除了非常原始的社會與非常非常極端的共產政治體制，或處於非常的政治與經濟狀態下的社會外，或多或少都要透過市場機能來運作，而這運作的最主要工具，便是財政政策與金融政策。無論是爲了維持經濟穩定，促進經濟發展及財富重新分配，都得利用這兩把巨鉗來完成，其重要性可想而知。

一般來說，財政政策比較直接有立即的效果，多用於對公經濟部門，當然也會影響私經濟部門。金融政策的效果則比較間接緩慢，多用於對私經濟部門，當然也會影響公經濟部門。而透過市場機能運作的程度，則金融遠多於財政。至於兩者的優劣比較，則須視經濟狀況與所想要達到的目的而定，並無定論。

對於這樣重要的兩把工具，我們始終處於相當落後與不健全的狀態，這對我們的經濟運作，自然有很大的妨礙，但迄今為止，似乎並沒有重大的改善。其所以如此，是因爲整個社會觀念落後。在一九五〇、一九六〇，甚至一九七〇年代，政府決策官員及部分經濟學者，都不知道有這兩把工具，更不知道如何運用。談到財政，唯一的政策目標就是預算收支平衡，或縮小赤字。談到金融，就是優惠存款，使通貨回籠，或是低利貸款，扶植工商業。既不知道如何運用這兩把工具，更不知道如何建立運用這兩把工具的制度架構，多半都是臨時構建，凌亂而不切實。由於這些原因，我早在一九六四年六月發表的〈台灣經濟發展之路〉一文中，便有如下的意見提出：（請參閱附錄四）

財政與金融是政府執行經濟政策，控制全國經濟活動的兩把巨鉗，這對於自由經濟國家固然如此，對於集權國家也是一樣……。這兩把工具不現代化，經濟絕不可能現代化。試想沒有現代的財政與金融工具，如何能夠保持經濟穩定，在蕭條的時候如何使它恢復繁榮，在過度繁榮時，又如何能阻止膨脹趨勢；在平時，如何能控制經濟活動的方向，使符合國家的經濟政策與計畫，如何能動員國內的人力物力，加速經濟的成長；在戰時，又如何能動員人力物力，去為戰事求取勝利，如何能做到為了爭取勝利而民窮財盡，但仍能保持經濟秩序；政府如何能平均社會財富的分配，防止財富的過度集中；如何能造成一個福利的國家，而從根本戰勝共產主義。或者總括一句吧，如何去實現民生主義。

於是我便在那一篇文章中提出我對財政與金融改革或者說現代化的構想。就財政方面來說，我建議：

本文所指的財政改造，當然包括預算在內，指政府一切收入與支出活動所涉及的制度與隱含的政策。既是如此，則現在的預算程序和方法，預算所及的範圍，支出的程序與稽核，以及財政活動與金融活動配合的機構與方式，都有重新檢討和設計的必要。尤其重要的，是如何使政策包含於預算之中，並透過預算實現政策，包括政府的經濟發展政策在內，這就得對目前編製預算的觀念作徹底的改變……。並提出財政改革應以租稅改革為前提，作了四點建議：

一、輕稅重罰。稅輕可誘使人民樂於繳納，重罰則迫使人民不得不納稅。納稅與服兵役為人民對國家的兩大義務，一個出錢，一個出力，不分輕重。因此對逃稅者應處以重刑，便利逃稅和妨礙納稅應與妨礙兵役同科。

二、仿照從前海關、郵政與鹽政，釐訂人事制度與待遇制度，提高待遇，並淘汰現有稅務人員中不適任者，嚴格招考新人員。

三、洽商美政府借調年齡在四十歲左右之實際從事稅務之人員若干，來台充當稅務主管或副主管或顧問，而予以實際之權力，派往各稅務單位工作一段時間，藉以建立實際徵稅之制度與方法，以提高效率，減少逃漏稅及貪污行為。

四、以上辦法如因牽涉太廣，一時不能全面進行，可先從所得稅做起。

在同一篇文章中，我也就金融方面提出了很多改進意見，首先是對短期資金的管理，重點放在中央銀行的任務上。

一、中央銀行應著手形成一套健全的金融機構，供作管理的對象，包括發展短期資金市場在內。

二、發展一套管理金融活動的工具，包括傳統的工具，及因應現實需要所發展的新工具，並要經常使用這些工具，以建立央行的權威。

三、建立央行精神上的領導地位。

四、建立最堅強的經濟研究機構。

其次，則是建立長期資金的融通機構，包括開發性銀行及以證券交易所爲核心的資本市場。我設想的長期金融機構應擔當下面的任務：

一、主動地發掘投資機會，安排投資計畫，包括財務、技術、市場、經濟利益等各方面。

二、協助組織新企業單位，或促使舊有單位採取此項投資計畫，使其實現。

三、融通資金，包括參加資本、貸款、組織銀行團、包銷股票或債券、擔保等等。

四、從事冒險性投資。

五、為與其有來往之企業單位之顧問，必要時並參加管理。

以上是我在一九六四年所提出的關於財政金融改革方面的意見，三十餘年後的今日，似乎仍可採行。我在以後的二十餘年間所提出的有關改革主張，也大致沿此路線進行。

先說財政改革。財政改革包括預算制度的改革在內，改革預算制度的觀念及內容在前面已經提到，此處不再重複。財政改革的另一重要項目爲賦稅制度，前面也約略提到，現在再就以後我曾經提出的一些想法陳述如下：

由於我們是處在由一個農業社會轉變爲工業社會的轉型期，一般社會人士及民意代表對於課稅總是以爲會加重人民的負擔，而持反對的態度，因此對於政府重要施政常發生阻礙作用。爲此，我曾撰文指出，在一個靜態的農業社會以及一個專制獨裁的政府，政府支出大部分都是用於維持政權及其統治階級，而很少用於公共設施與人民福利。這時政府多取一分，人民便多窮困一分，負擔也就苛重一分，於是社會及有良心的政治領袖，便喊出「藏富於民」與「苛政猛於虎」的口號。這證之中外歷史，確是如此。

但是在一個經濟快速發展的民主政治社會，情形便完全不同。第一、假如政府所課的稅是用在可以促進經濟發展，提高人民生產力的用途上，諸如公共設施、科技與教育發展等等，則人民所得會不斷上升，所加課之稅如果不是太重，其在個人所得中所占的比例便反而變小變輕。第二、在一個現代社會，政府所課之稅主要用在國防、治安、教育、衛生……等等上。這些都是爲了保障人民生命財產的安全與自由，以及提高他們的物質與精神福利。這種課稅只有增強人民的整體利益，而非減少。

基於以上的分析，可知稅負假如控制在適當範圍之內，則課稅從長遠的最後結果來看，不但不是加重人民的負擔，反而是減輕負擔，增進福利。

與上面這一觀念有密切關聯者，是我們常聽到而認為是政府應遵守的一個重要原則，便是「取之於民者，必須用之於民」。這誠然不錯，但更重要、更正確的一個觀念應該是「用之於民者，必須取之於民」。這是因為愈是一個有能力的現代政府，為人民所做的事便愈多；另一方面，愈是一個經濟進步的現代社會，人民需要政府為他們做的事也愈多。大而至於保衛國家的安全，維持社會的秩序，促進經濟的發展及人民生活的普遍改善；小而至於交通秩序的維持，環境衛生的改善，個別國際貿易糾紛的解決，無一不需要政府的出面。但政府從事這些工作無一不需要錢，而錢的唯一來源便是以課稅的方式取之於民。是以政府做事愈多，納稅便愈重；納稅愈重，做事便愈多。對於這一問題，政府所能做的事便只有兩點：一是稅可以重，但不能竭澤而漁，損及稅源；一是如何公平分配稅負，符合正義原則。

由於賦稅的重要，而我國賦稅制度又始終距離令人滿意的程度十分遙遠，因此除一九六四年那一次外，我又曾反覆提出賦稅改革的主張。最著名的一次是一九六七年九月，我自聯合國亞遠經會奉召返國晉見老總統，提出〈如何打開經濟發展的新局面〉報告，建議設立一租稅整理委員會，其主要任務有二：一、蒐集國內外有關稅制之資料，在本國與外籍專家協助下，針對台灣現實，策畫一稅制，包括稅務行政在內。二、根據前面策畫之初步結果，大量訓練新人，淘汰舊人。此一建議爲老總統所採納，並於一九六八年三月成立「行政院賦稅改革委員會」。由於其改革重點放在稅制上，而稅制又專注於所得稅，對於我所特別重視的稅務行政，則因關聯人事，困難度太高，而幾乎未曾涉及。我對此事曾有所評論。（請參閱附錄五）

我說：「賦稅改革的重點應放在稅務行政方面」，是因爲我國的租稅制度是抄自美國，而世界上各種租稅制度的好壞，都差不到哪裡去，幾個稅法條文文字的修改、幾個比例數字的修正，並不重要。而且一個十全十美的稅制若無良好的執行，也發生不了作用。因此謀求改革的重點，不在租稅制度，而應放在稅務行政上。我更進一步對稅務行政的改革作出下面的建議：

一、設立稅務學校，招考大學畢業或高中畢業的人來受訓，培養品質優良的高級稅務人員。

二、健全升遷制度。

三、建立全國調遷制度。

四、給與高待遇，但建立非常嚴厲的懲罰制度。

五、稅務人員應由中央派任，其人事支出列入中央政府預算，以免受地方惡勢力控制。

其後我於一九八三年三月曾撰一文——〈改革行政須先改革稅務，改革稅務須先改革稅法〉，重申我在前面所提出的這些主張。

財政在收入方面，除了課稅以外，現代政府理財的另一個特色，便是發行公債。這也是一個時常引起爭議的問題，我也有我的意見。

近代有許多進步國家，因發行公債而成爲財政上的一項沈重負擔，難以擺脫，例如美國。於是社會一般人士，甚至政府官員，便常對發行公債形成一種恐怖感，而加以反對。其實，發行公債幾乎已是所有現代政府所共有的舉動，避免不了，也不應該避免。這裡問題在於：

一、發行數量的大小。如果發行過量，則在任何情形之下，都是一種災難；如果不過量，則有時不但必須，而且有益。發行數量是否適當，通常以其占國民生產毛額的比例來測量，教科書上都有說明。

二、公債的性質。如果政府借債是用在消費與戰爭事項上，則基本上對整個社會是一種負擔，原則上應該儘量減少。不過遇到經濟衰退或戰爭等緊急需要，即使有害，也是要發行的。另一方面，是發行資本性的公債，這種公債通常有回償性，例如發行公債建造高速鐵路，一旦造成之後，不但有收入，甚至有盈利還本付息，不會構成人民負擔。而且由於其有促進經濟發展，提高國民所得的效果，從長期看，反而有減輕人民負擔的作用。

至於台灣目前是否適於發行公債，發行數額以多少爲宜，則應由：一、一般經濟及金融狀況；二、一般財政狀況；三、發行數額多少；四、發行公債的性質等而定，並無固定答案。

現在談到金融問題。這又可分爲金融體系或制度與貨幣政策兩方面。

先談金融體系。整個金融體系，除了最上層有一個中央銀行，居於領導金融決策，影響全國金融活動的總指揮地位外，下層再分爲兩個部分的金融機構。一個是銀行體系，除中央銀行外，包括發展產業、貿易及某些特殊經濟部門而設立的專業銀行，以及做一般存放款業務的商業銀行，與投資、信用、保險等可說是補助性的金融機構。另一部分則是包括股票、債券等證券交易爲中心的長期資本市場，及以期票、匯票、拆放款等爲主的短期資金市場。以上這些金融機構各自扮演不同的角色與功能，但必須在一個完整的體系內同時運作，才能發揮最大的作用。

就銀行體系來說，我曾在一篇文章中指出：「銀行爲所有事業中的領導者、發起者、扶植者。銀行家應爲企業家中之企業家，一國經濟發展中堅份子中之中堅。」足見其重要性。在銀行體系中，首先要提出的當然是中央銀行，而提到中央銀行，便立即會想到其定位問題，即中央銀行究竟應該保持完全獨立，或者仍是隸屬於行政部門，受其監督，而監督又要到什麼程度。

這是一個非常難以答覆的問題。在第一次世界大戰以前，談中央銀行多以英格蘭銀行爲藍本，雖然名義上受英國財政大臣監督，實際上則是完全獨立運作，保持超然的地位。這在當時的環境下，可以做得到。但第二次大戰期間及以後，情形便有重大改變。第一、自由放任的經濟思想已成過去，代之而起的是經濟現象愈來愈複雜，政府干預經濟活動的程度愈來愈大，而干預的重要工具之一便是中央銀行所主管的金融，故中央銀行勢必要配合行政部門而喪失其部分獨立性。第二、自由放任主義之下的金本位制度已由管理通貨制度代替，而由於其影響及於整個經濟活動，行政部門乃至中央銀行本身都必須要爲此對立法機構負責，於是又喪失一部分獨立性。故現在的問題不是中央銀行保持其完全超然獨立的地位，而是如何維持其與行政及立法部門的適當平衡關係，而不致喪失其金融決策的適當自主權。

我國中央銀行最初設計時，是採取超然獨立的原則，隸屬於國民政府及後來的總統府。但實際運作上則成爲行政院，或財政部的出納室，談不上獨立運作。政府遷台以後，仍然是形式上維持獨立，實際上其獨立的程度則視中央銀行總裁的人選而定，我對於這種情形自然不感滿意，曾多次爲文主張中央銀行要改隸行政院或甚至置於財政部的監督之下。我的理由很簡單。依照民主政治的原理，行政部門的決策與重要運作都要對立法部門負責，而金融決策及其運作影響整個經濟活動，必須要由行政部門對立法部門負責，因而中央銀行非改隸行政院或財政部不可。這也是國際間的大致趨勢。

在經過多次呼籲及其他學者響應後，中央銀行終於一九八一年改隸行政院。不過，中央銀行與行政院的關係仍是因人而異。如果是一強勢央行總裁及一弱勢行政院長，則中央銀行便是完全獨立，行政院管不著。反之，央行又只是聽命於行政院，而完全喪失其獨立運作的地位。現在是中央銀行總裁列席行政院院會，也列席立法院備質詢，象徵中央銀行已變成一個完全的行政機關了，這是非常危險的事。至於中央銀行與財政部的關係，則是紛爭不斷，金融決策權，甚至若干金融業務，如金融檢查，從未畫分清楚。

此種情形與我當初主張將中央銀行畫歸行政院的用意，有很大的差距。我主張仿二次大戰後許多國家設立中央銀行的例子，將中央銀行依行政系統畫歸財政部監督，另外組織一由財政部長與中央銀行總裁，及其他有關部門首長與民間金融業及一般企業代表合組的貨幣委員會，而由中央銀行總裁擔任主席，決定金融政策，包括利率、匯率、貨幣供應量等，或者由財政部與中央銀行合組貨幣委員會，民間企業僅擔任顧問諮詢任務。透過此一委員會，中央銀行仍保有適當金融決策權，而由財政部或行政院就金融政策對立法院負責，中央銀行總裁不必列席行政院院會及立法院，避免政治干預金融，使中央銀行保持適當的金融獨立性。至於貨幣委員會如何運作，如何在財政部與中央銀行之間取得平衡，使金融決策順利，則是技術問題了。

現在距離這種情況尚十分遙遠，不過遲早會走上這一條路。在釐清了中央銀行的地位之後，剩下來的便是日常業務問題，屬於內部的管理範圍，便簡單多了，不必贅述。

除了中央銀行以外的一般銀行體系，我也提出了很多的看法。我主張為了適應社會及企業各種不同的需要，應有一個完整的金融體系，並應以民營為主，特別是融通短期資金的商業銀行，更應全部民營。至於若干專業銀行，則有一部分係執行政府政策者，應該公營，其餘應民營。而無論公營或民營，均應有一套完備的管理辦法來監督其運作。政府管理當局不可直接或間接干預各金融機構的業務，但必須防阻其濫用金融權力為害社會及企業。此外，政府對於銀行家的培養亦應給與適當的注意。

在銀行體系中，我特別注意幾個專業銀行的設立及運作，這是因為這類銀行與一國的經濟發展息息相關。第一個特別提出的是開發銀行。遠在一九五〇年代開始，我即曾為交通銀行寫過一篇〈交通銀行復業後應如何營運〉的報告，當時尚無開發銀行的名稱，但其內容則是開發銀行的內容。亦曾約略提到我所謂的開發銀行的任務，可大致分為兩方面：

一、自行發掘投資機會，並進行可行性的研究，它有責任規畫出全面的工業發展藍圖，並協助資金不足的民間投資人。協助的方式，可以是平行投資或貸款融通，但都必須替民間承擔部分風險，而且從公司的發起、設計、資金籌措，一直到設立、事後監督、開發銀行都應該主動參與，並且嚴密稽核。

二、在金融方面執行政府工業政策的任務，例如政府所規畫的經濟計畫，如交通運輸、電力、個別產業投資計畫等。如需要民間投資，亦可由開發銀行出面洽商募集。

爲執行這兩大重要任務，我曾主張將交通銀行與中華開發信託投資公司合併，設立一新的開發銀行。資金來源，除原有資本及政府特別撥款外，應包括全部郵政儲金、中美基金、其他政府信託保險基金等。由於我的反覆主張，政府當局因兩單位合併事實上有困難，乃以交通銀行爲中心，於一九七七年前後，分期增撥資本額至一百億元，並修改該行章程，從事冒險性投資，以符合開發銀行業務的需要。但並未能充分發揮作用，仍是率由舊章的多。

第二個提出的專業銀行是中小企業銀行。開發銀行係從事大規模投資的機構，台灣對於中小企業融資，已有合作金庫、公私營的合會儲蓄公司、農會信用部。這些機構無論在組織形態、業務範圍及經營方式方面，都不能適應現代經濟社會中小企業的需要。因此政府在聽從包括我在內的建議下，將省營的台灣合會儲蓄公司自一九七六年七月起，改組爲台灣中小企業銀行。後聽從我的建議，將資本額與交通銀行、輸出入銀行同時提高爲一百億元。其主要任務有三：一、積極辦理各項中小企業專業貸款，並協調經濟部有關單位，給與經營管理方面的配合措施；二、配合經濟發展計畫及年度施政計畫，辦理中小企業行業別之集體輔導；三、建立中小企業關係銀行制度，斟酌各地分支機構所在地之實際狀況，每年選若干中小企業爲其關係客戶，予以協助。對於具有潛力的中小企業，亦主動發掘予以輔導。對照現有實況，以上三點也顯然未曾做到。

第三個提出的專業銀行是輸出入銀行，這應是我一手促成的。在一九七七年前後，外交頓挫，發展經濟爲政府奮發圖強，振奮人心的唯一途徑。對台灣當時情形而言，所謂發展經濟，實質上就是發展工業，而發展工業能否成功，關鍵則在貿易上，故融通貿易所需資金至爲重要。在過去以輕工業產品出口爲主，進口則大部分爲原料、零件及輕機械，融通進出口資金多屬於短期資金，一般商業銀行即可勝任。偶有分數年付款的機器設備進口，數額亦不大，現有銀行亦可勝任。

但在以後經濟發展會升級至資本及技術密集工業，例如重化工業。此時出口將以重化工業產品爲主，進口亦必然是重機器設備與昂貴的技術，融通此類進出口產品資金，概屬長期性質，動輒五年、十年或更長，數額亦龐大，自非一般商業銀行所能負擔，必得有一專業銀行作政策性融資不可。事實上，美國、日本、韓國均早已有此種專業銀行，對其經濟發展及繁榮有重大貢獻。因此，我幾次爲文極力主張，終爲決策階層所採納，並照我的建議放棄將舊有機構改制，另行設立一嶄新銀行，資本額與交通銀行、中小企業銀行相同，規定爲一百億元，分期撥款，這在當時是一筆大數字，足見當局的重視。我也建議起用新人，並提高待遇，結果其中基層人員待遇較一般公營銀行高出百分之二十以上。

除了對上述中央銀行及三專業銀行有具體建議外，對整個金融體系，包括農業專業機構、國民銀行、長短期資金市場等等，我都有整套的看法及建議。其中特別值得一提的是，證券交易所的設立。

約在一九五四年，當時財政廳長徐柏園曾函請尹仲容，對設立證券交易所表示意見，我擬覆稿表示不贊成，理由有二：一、沒有幾張股票上市，亦沒有幾家公司有資格上市股票，交易籌碼太少，不能構成一個活潑的市場；二、當時通貨膨脹問題還相當嚴重，唯恐股票市場成爲投機場所，帶動經濟波動。到了一九五〇年代末期，台灣經濟情況已有顯著改變，轉而支持設立證券交易所。不料證券交易所從籌備開始，就不斷犯下嚴重錯誤，迄今未止，以致始終未能正常營運，殊令人扼腕。其所犯錯誤有：

一、籌備及以後主持人多爲完全不懂證券交易性質者，如照其所訂規章辦法嚴格執行，則證券交易所根本不能發揮作用。反之，如不能嚴格執行，則必然是一片混亂。結果是後者，一片混亂。

二、對於證券上市的審核，交易過程的監督，或則法令不全，或則執行不嚴，以致成爲詐賭的場所，不知多少人藉此起家，騙取巨額財富，更不知多少人傾家蕩產，而政府威信則破壞無餘。

三、政府當局因不懂證券市場性質，動輒政策性干預，賠錢、賠威信，而徒貽笑柄。

四、預期證券市場的功能雖亦有發揮，然而所付代價甚大。

我曾於一九六五年證券市場大風暴之時，寫了一篇文章〈如何認識及改進證券市場〉，提出我的看法。首先，我指出我們的證券市場政策，從一九六二年開始到一九六五年，可說一無是處，並提出三項解決問題的原則：一、經濟問題有一定的解決途徑，路走得不對，反而製造更多的問題，這時便當回頭；二、現代經濟問題，必須要用現代的經濟知識與工具解決；三、政策有錯誤並不要緊，要緊的是要能接受教訓，勤求改進。隨即提出了三項建議：

一、建立管理證券市場的基本觀念。使發行公司的財務及經營狀況，完全而真實地公開，維持公平的，沒有操縱、虛僞和詐欺的買賣。由金融當局透過短期信用的控制，以調節證券市場的信用量。至於買賣行爲及投資風險，則由投資者自行負責。

二、在此一觀念之下，當前證管會的工作重心不在於證券價格的維持，而在於：㈠核對過去的缺失，廢止政策買進、套利，不准你賣，硬要你買等辦法。不要迷信證券金融公司。㈡調整人事，從上到下建立一套廉正而有效率的工作機構。㈢立即根據現行法令規章，建立公開發行公司資料，維持公正交易的制度和辦法。㈣沿中央銀行→商業銀行→證券商→客戶的控制路線，必須要立即設立，如有法令阻礙，應以最快方式修改法令。㈤強化研究單位。

三、著手證券市場長期發展的策畫：㈠由行政院指派調查研究小組，負責研究儲蓄、投資、調節證券市場信用等機構之設置，加強與改進證券發行及交易之程序、技術與監督，如能將範圍擴及整個金融系統，包括長短期資金市場，那是最好了。㈡請求世界銀行或聯合國給與技術援助，派遣專家指導上述小組工作。如不成功，自行出資向國外聘請。㈢預訂在一至二年內提出報告，一經採納，即行立法，付諸實施。㈣現在審議之證券交易法，不能對證券市場之建立與改善有重大幫助。

以上建議，都是建立一個健全的、現代化的證券市場基本之圖，但決策階層根本看不懂這些建議的意義與作用，也就從未採納，而台灣證券市場也就從未上軌道，而且愈演愈亂，以致變成一個世界著名的詐賭市場，現在還不知道如何善後。由此可見，政府推行一項新政，用人之重要，以及決策階層之無知誤國之深，此不過舉其一例而已。我對於證券市場的意見大致不脫此一範圍，惟每逢證券市場發生一次重大危機時，我必就當時危機發生的原因及應採取的對策，表達我的看法，而常為政府當局及那些盲從的所謂股友所極端不滿，後者幾次要對我採取不利行動，我未予置理。多少年後，我在《中央日報》副刊為我舉行的一次作者與讀者座談會上，遇見以前的一位股友，他說當年非常恨我，等到他錢被騙光後，才知道我說得對，對我十分佩服，而他此後就洗手不玩股票，做個守分的生意人了。

關於短期資金市場，因很少受到重視，亦未出現關係人民大眾立即利益的危機，我亦很少表示意見，只是強調商業銀行及相關金融機構應完全開放民營，及外匯管制與利率應自由化，蓋此兩者為一個活潑的短期資金市場的先決條件也。

現在，讓我們來看爭議不斷的貨幣政策問題。對於這一方面的問題，首先想到的便是貨幣供應量問題，特別是經歷過惡性通貨膨脹後，對此更是敏感，因敏感而常產生過度的反應，得出不正確的結論。我對於此一問題，也一如對其他問題，仍有我的持平之論。遠在一九五三年，我就曾指出：「銀行要有一個適度的貸放政策，大量增加銀行信用，造成通貨膨脹的局面，使發展工業得不償失，固不應該。但一味採取緊縮政策，使工業得不到金融方面的支持，則維持現有工業就很困難，更何能談發展。」我當然主張貨幣供應量是應當有所控制，我更知道貨幣供應量與通貨膨脹的關係，但是不能因噎廢食，盲目地控制貨幣供應量，而使整個經濟受到損害。

事實上，引起通貨膨脹或者物價連續上漲的原因很多，貨幣供應量增加太快不過其中原因之一而已。唯貨幣學派所說的「通貨膨脹必爲貨幣現象，是太多的貨幣追逐太少的商品的結果」，誠然不錯，但如進一步探討，便可發現有許多值得商討之處。

唯貨幣學派的基本理論根據是貨幣數量說，其公式爲：

$$MV = PQ$$

Ｍ代表貨幣供給量，Ｖ代表貨幣的所得流通速度，Ｐ代表一般物價水準，Ｑ代表產出量。這是一個恆等式。舊貨幣學派假定Ｖ與Ｑ爲常數，Ｍ與Ｐ成正比例變動。新派承認Ｖ與Ｑ的變動，但認爲Ｍ爲主動，Ｐ爲被動，所以仍是Ｍ與Ｐ有一定的正比例關係。假定Ｖ不變，依唯貨幣學派的說法，Ｍ增加，Ｐ便上升。假如因成本推動而使Ｐ上升，而Ｍ不變，Ｐ仍上升不了。但是：

一、像台灣這種情形，進口占國民生產毛額的比例達百分之四十左右，如果進口生產設備、中間原料、民生物資的國際價格都大幅上升，一如一九七〇年代兩次石油危機的情形，則Ｐ必然上升。Ｐ上升後，如果Ｍ不變，則只有Ｑ減少，這就是停滯通貨膨脹。如果讓Ｍ隨Ｐ上升而調整，則Q還可不變，避免停滯。

二、上述恆等式應該是一個雙行道，M變動，固然影響P變動。但假如P因受國際價格影響而上升，則Q與M便必須隨之變動。所以，M變動是P變動的原因，也可以是P變動的結果。

三、物價是貨幣與商品的交換比率，不應是貨幣單獨一項來決定。貨幣變動固然影響物價，但因天災、戰爭等因素而使商品減少，也必然會影響物價上升。所以物價固然是貨幣現象，也是商品現象，通貨膨脹固然是太多的貨幣追逐太少的商品，但也何嘗不是太少的商品追逐太多的貨幣。

四、據說只有M上升，物價才會繼續不斷上漲，構成通貨膨脹。但假如M只上升一次或不變，而P不斷上升呢?如一九七九年國際油價上升四次，一九八○年上升五次，每次都影響國內物價上漲，這算不算通貨膨脹?

以上分析，均係假定V不變，實則V隨時間、地點與經濟結構的變動而在不斷地變動，則問題更是複雜了。

這僅是依據上述恆等式所作的分析，便知道通貨膨脹或物價波動的原因很複雜，不是純從貨幣因素所能完全解釋的。一般來說，影響物價波動的原因有下面幾項：

一、生產成本增加，這即是教科書上所說的成本推動的通貨膨脹。例如進口原料及生產設備漲價，工資因勞工缺乏上升，國內外運輸成本上升，農礦產品因報酬遞減而邊際成本上升等等。對於這種性質的通貨膨脹，如果用緊縮貨幣供應量來壓制，一定造成停滯性通貨膨脹。

二、生產結構變動所引起的漲價。一個落後經濟的快速發展，會使得許多物資與勞務的供求脫節，而導致物價的上漲。台灣最顯著的例證莫過於一九六〇年代的農產品價格幾次跳漲，所引起的一般物價上漲。正在開發中的國家，許多關鍵性的生產要素或物資，因供給缺乏彈性，形成瓶頸，一時難以突破，因而引起全面漲價。我曾說落後國家從事經濟發展是：「處處瓶頸，時時漲價」，實情確係如此。

三、季節性的波動。這是大家所熟悉的一種漲價，對整個經濟並無大礙。

四、因爲天災人禍所產生的臨時性物價波動。

五、需求過度增加，即通常所說的需求拉動的通貨膨脹。最常見的情形是貨幣供應量過度增加，引起公私消費與投資過度增加，因而引起物價上漲。

六、人爲操縱。人爲操縱的物價上漲，又可分爲兩方面：一是生產者聯合獨占市場所造成的漲價，這應屬於經濟結構不良的部分；另一是囤積居奇，則是物價上漲的結果，不是原因。

以上六種物價波動的情形，只有第五項需求過度增加，屬於純貨幣現象，其餘都不是貨幣供應量增加太多所引起。

與貨幣供應量及通貨膨脹問題關係密切的，是利率問題。從唯貨幣學派的觀點看，利率是平衡儲蓄與投資的決定因素，由市場的可貸資金的供求來決定，因此也是維持經濟穩定的一個槓桿，也有合理分配經濟資源的重要作用。由於這些重要功能，經濟學家，特別是唯貨幣學派非常喜歡談均衡利率，認爲利率達到均衡境界，經濟運作便也達到理想境界。這當然有其堅強理論依據，但在現實經濟環境中，則並不如此單純。

對於利率，至少有三點要認清：

一、利率與工資一樣，是價格，也是成本因素，這個成本也是加在產品價格上轉嫁出去，沒有什麼特別。因此利率常作為一個國家產業政策的工具，而既成了政策工具，就不會純由市場自由決定，反而是受政府決策者的控制，於是由自由市場決定的均衡利率便永難達到。

二、理論上，利率是在資本市場由對資金的供求所決定，而資本市場是最自由、最完全的市場。事實上，全世界的進步國家沒有一個不利用中央銀行的獨占權力來控制貨幣及利率的，設立中央銀行的目的就是在此，所以資金市場是一個最不自由的自由市場。

三、利率對阻止經濟波動是一個最無效率的政策工具。在極端衰退時，利率無用，這在一九三〇年代業經證實。在高度通貨膨脹時，利率的效率也不大，這在一九七〇至一九八〇年代初期也證實。利率對儲蓄總額的作用也是如此。

明白了以上三點，可以解答很多有關利率的問題。

一、抑制通貨膨脹，利率可以作為工具之一，但不是一個有力的工具。

二、只是在完全競爭的假定下，利率才對資源作最有效的分配，但利率不是在完全競爭下決定的。而且即使是最有效的分配，就整個國家的經濟目標來說，未必是最需要的。所以沒有一個國家不是有多種政策性的利率。

三、有個中央銀行在，永遠不要希望放款加投資等於儲蓄。

四、利率既是成本就會轉嫁，工資能轉嫁出去，利息就能轉嫁出去，這在英、美已是事實。

五、利息既是成本之一，而台灣企業界平均外借資本占百分之七十，則利率提高必然影響投資意願，除非預期利潤更大。至於高利率影響更新設備及發展資本密集工業，則更是自明之理。

六、在台灣的銀行制度、企業結構、財務結構之下，形成了兩個截然不同的資金市場，各自擁有一套資金的供求者。除非改變制度及結構，這兩者不能溝通。

對於利率問題。我從一九五三年起，便開始寫過不少的文章來表達我在理論上與實務上的看法，以上對利率的若干闡釋，可說是我對利率問題看法的總結。在這裡，我還要引述兩位美國諾貝爾經濟學獎得主的話，來支持我的觀點。

一、美國賓州大學克雷恩教授（L. Klein）於一九八二年訪華時，曾在幾次不同的場合談到他對貨幣與利率的看法。他認爲利率受政府機構——貨幣與財政當局行動的影響，因而何者爲當局適切的政策，值得深思。這與我一向所持的觀點完全相同。

二、美國耶魯大學杜賓教授（J. Tobin）於一九八三年應日本經濟新聞社、日本經濟研究中心的邀請，以「世界的繁榮能否再來」爲題，發表演講，他說：「高利率實在是一九七七年以來再度不景氣的主因。」他認爲美國的高利率「是美國中央銀行，亦即聯邦準備理事會的金融政策有意造成的結果，是中央銀行沒有充分供應放款資金給一般銀行所造成的結果。直至最近，中央銀行自己才猛然省悟，而使極爲惡劣的局面稍微改善，但其基本態度卻仍未改。」他又說：「事實上，石油輸出國家組織所引起的石油危機，會使能源及其他價格上漲，在平時也會造成社會的極端不安，這才是停滯膨脹的元凶。」「美國的經濟界、工會、農業團體等都有無論如何也要保護既得權益的趨勢，甚至有利用政府的規定來獲取私利的情事。因此，美國的企業家、工會，都應對生產力的極端惡化和長期持續的通貨膨脹負責任。」

以上杜賓教授所講的話，與我解析我國一九七〇年代至八〇年代初期，停滯通貨膨脹現象的原因，貨幣的過度緊縮政策與高利率之爲害，及不足以解決停滯膨脹問題的主張，可說如出一轍。

從以上兩位教授的言論，也可證明唯貨幣學派所經常說的：「利率是由自由資金市場，對資金的供求所決定」，以及「銀行只是將儲蓄輸送給投資者的中介機構，而中央銀行更不應該作任何干預」的不切實際。唯貨幣學派又常說：「無論如何，通貨膨脹是貨幣現象」，也爲前引杜賓教授的言論所否決。我頗有吾道不孤之感。

第十章 國際經濟

這裡所稱國際經濟，包括貿易、外匯及國際投資三大部分，應該稱爲我國對外經濟關係，稱國際經濟，係遵照教科書上的寫法。至於純粹的國際經濟現象與問題，例如國際貨幣制度問題、區域經濟合作組織問題等，則非本節的主題，不擬涉及。

一、貿易

二次大戰後，我在美國留學時聽到一位教授說：「人稱二次大戰前，國與國之前的關係是貿易隨國旗而至，二次大戰後則是國旗隨貿易而至。」意即以前是先有外交關係，或甚至用武力征服殖民地，然後才發生貿易；現在則是先發生貿易，由貿易而導致外交關係，藉以表明貿易在現代國際關係中的重要。這一說法完全印證了我國現狀。憶當年我國退出聯合國，繼而紛紛與許多主要國家斷交，我曾撰文指出我國現在貿易總額約爲四十億美元，假如有百億美元以上的實力，也許世界便會對我們刮目相看了。而我們目前受到國際社會的重視，貿易總額的大幅增加與民主政治應為兩個最重要的因素。尤其是在一九七〇、一九八〇年代，許多我們官方不能進入的地方，都有我們民間貿易的活動，終至官方也能進入，「歐洲聯盟」便是一例，正證明了「國旗隨貿易而至」的這句話。

貿易對我們的重要性當然遠不止於此，實際上它是我們經濟發展的命脈。主要是因為我國受地理環境及天然資源的限制，基本經濟結構為進口↓加工↓出口的形態。即使以後經濟有高度的發展，例如說完全是高科技與服務業，也還是脫離不了這一結構，只是進出口的內容有所改變，加工過程變得長而複雜而已。所以我們可以說，「沒有貿易，就沒有台灣經濟」。再進一步說，沒有出口，就沒有貿易。因此我才提出「出口第一」的口號。

這一口號在一九七〇至一九八〇年代，引起了部分人士的反對，特別是華裔美籍的經濟學者，如蔣碩傑等，他們認為一國經濟發展與貿易，都應該是為了國內經濟與本國人，怎可出口第一，將經濟成果送與外國人。再加上當時出超年年擴大，外匯累積不斷大幅增加，造成國內高度通貨膨脹壓力，這些人更是振振有詞，嚴厲指責出口第一的不當。其實，我主張出口第一只是要將出口當作領導部門，帶動整個經濟向前推動，而非是將國內生產結果供外國人使用，或為外國人而生產。

至於出超過多，以致外匯儲存過多，造成通貨膨脹壓力，則有很多因素：

㈠我們多年來習慣上獎勵出口，抑制進口，都做到難以令人接受的程度。一方面給與出口各種鼓勵與津貼，使得出口工業賺取額外利潤。另一方面，又在保護國內產業的口號下，嚴厲地限制進口，高關稅之外，再加上進口數量限制。這樣雙管齊下，自然會出現不正常的出超。

㈡在當年外匯嚴格管制之下，依規定出口外匯都應向中央銀行結匯，賣給中央銀行，故出超一定導致中央銀行外匯增加，貨幣發行量隨之增加。後來雖然放鬆管制，准許出口者持有外匯，但因出口企業需要台幣周轉，及國內利率水準通常都較高，故仍會慣性地將外匯售予中央銀行。於是我國外匯絕大部分都集中於中央銀行，不像其他國家分散於民間企業。如果分散於民間企業，則中央銀行外匯存底便要少得多。

㈢以前對國際資金流通也有限制。即匯出有相當程度的限制，匯入則給與鼓勵，這也使得中央銀行外匯累積快。

針對上面情形，我多次爲文主張減除出口補貼，降低進口障礙，開放國際資金自由進出，即是自由化與國際化，使此種現象自然消失。

現在這種情形已有大幅改善。貿易與國際資金流動都已大量自由化，貿易出超已大幅縮減，資金雖有流出，但流入更多，故中央銀行外匯累積仍在增加中，但速度已降低很多。

談到貿易，會立即令人想到自由貿易與保護貿易的爭論。對於這個問題，我與一般學院派的經濟學家看法不同。我當然了解自由與保護的理論依據及利弊得失，但我是務實派，我常說的一句話是：「自由有利則自由，保護有利則保護。」而放眼世界各進步國家，追溯他們的歷史，觀察他們的現狀，莫不如此，哪有什麼理論依據與原則可言。現在這些國家，特別是美國，天天在高唱自由貿易，實際上遵守的法則是：「當他們自信有能力吃你時，自由貿易政策；當他們認爲有被你吃的危險時，保護政策。」這是我在一九七一年寫的幾句話，當時美國正在紡織品設限，歐洲共同市場正在限制農產品輸入。

但是我也深知保護政策與任何保護方式，無論其爲關稅保護或管制進口保護，都會產生負面效果，時間愈久，保護愈深，流弊亦愈大。因此對任何一個產業的保護，必須要：㈠這個產業有發展的潛力，值得保護；㈡保護應有一定的期限，逾期即不再保護；㈢保護程度應有分寸，不能過度保護；㈣應有一套監督與扶植的辦法，讓被保護的產業在一定期限內能夠自立，脫離保護。

不幸，我們對以上幾點都不曾認真地去做，以致保護成災，對內則嚴重損害消費者的利益，並妨礙其自身的發展；對外則除部分例外，始終缺乏競爭能力，不能進入國際市場，汽車工業便是一個明顯的例證。除了爲保護國內產業而採取的保護措施外，我們還以各種理由，對進口採取直接管制措施，這更產生了官商勾結，貪污舞弊，敗壞行政及社會風氣，造成經濟、行政、社會三方面的損害。我遂於一九七九年寫了一篇文章，堅決主張取消管制貿易措施：

㈠所有以前因外匯及物資短缺所實施之管制一律取消，包括直接用戶在內。

㈡所有因保護國內工業所實施之管制亦一律取消，改爲以關稅代替。如發現有傾銷行爲或爲建立某一工業，則應針對實際情形採取個別措施，如進口設限之類。

㈢所有限由或主要由公營或半公營事業進口之物資，包括所謂大宗物資在內，一律開放自由進口。公營或半公營貿易機構，只負依市場法則調節物資之責，但不得壟斷進出口的物資。

㈣所有合法出口物資一律自由出口，品質管制依正常檢驗程序辦理。如爲穩定國內供應及物價而必須限制進口，應有明顯授權，並有一定期限。

到了一九八〇年代，以保護國內產業，維持國內物資正常供應，及其他種種理由，對於貿易的管制與高關稅政策，日益加重，明顯地產生了下列不良影響：㈠消費者受嚴重剝削；㈡受保護的企業獲取不正當的暴利；㈢培養許多寄生的企業，耗費國家資源；㈣官商勾結，官員貪污嚴重。我遂大聲疾呼要求貿易自由化。時美國正在對我方施壓，要求我方貿易及投資自由化，我立即爲文響應美國的此一要求。其時整個世界貿易都在推動自由化，對我國自由化壓力亦大。到了一九九〇年代初期，更由於要進入關稅暨貿易總協定，後來則改爲要進入世界貿易組織，我國貿易自由化遂推進了不少。在國際組織及美國監督之下，各種直接管制已大都取消，關稅亦已大幅降低，進口已大幅開放，外人投資限制亦在次第取消中。

至於貿易方向方面，如前所云，由於我們的基本經濟結構，是從日本進口較廉價的機器設備、原材料、零件等等，在國內加工，然後再出口至美國；更由於這種結構中，有許多是日本本國企業在台灣獨自設立，或與本地企業合作設立的企業，加強了這種結構的特性，遂造成長期的對日貿易入超，對美貿易出超，始終無法改善。我了解這一特性，所以我從不說要消除這種對日美貿易的不平衡狀態，只是主張要逐漸縮減不平衡的差距。目前對日入超依舊，對美出超則在縮減中，由對大陸貿易替代。展望未來，對美日的這種貿易狀態仍將持續，惟差額可望隨台灣的經濟發展程度而逐漸縮小。

除對美日貿易外，另外一個爲我們所忽略的重要貿易對象，應該是歐洲聯盟的市場，這是一個無論面積、人口以及國民所得總值各方面，實際上都已經超越美國，而在科技方面，許多現代的重大發明也都來自這個地區的市場。但多年以來，與這個地區的貿易量都不是很大，最近幾年才顯著增加，但對我國總貿易量所占的比例仍小。主要原因有二：一是我們犯了重美輕歐的毛病；另一是這個市場的對外封閉性遠較美國爲大，而又因無外交關係及缺乏歷史淵源，打入這一市場非常困難。所幸近來已有突破，將來或有可能成爲我們重要貿易地區之一。

東南亞方面，近數年我方盛唱南進政策，而成效不大，仍未受到我方民間企業的多大重視。現已有相當進步，但前途究竟如何，端賴這個地區的經濟發展進度及一般環境的改善而定，短期內不能寄以厚望。

二、外匯

第二次世界大戰期間及結束以後的約二十年，除美、加等少數國家外，其餘各國都有或多或少的外匯管制；管制的方法主要有兩種：一種是直接管制；另一種是當時普遍流行的所謂複式匯率，即是一國貨幣對外同時有多個外幣價格，多者如南美洲國家有一百多種匯率，據我當時的計算，我國亦達十餘種以上。這種複式匯率在本質上等於對出口給與不同程度的補貼，對進口給與不同程度的課稅。除適用何種匯率的商品由行政官員指定外，其運作仍透過市場機能，故無論從經濟理論的觀點看，或從實際運作的效果看，都優於直接外匯管制。

我國在一九五〇年代，雖然每年約有一億美元美援的支持，外匯短缺現象仍然十分嚴重。同時通貨膨脹亦未能完全控制，再加上對通貨膨脹的恐懼心理因素，外匯政策遂出現了下面三種現象：㈠複雜的直接外匯管制；㈡數量很多的複式匯率；㈢平均而言，匯價偏低，即新台幣對外價值高估。

這三種情形都對亟待起飛的台灣經濟造成嚴重的阻礙，非加以突破不可。但在恐怕引起難以收拾的惡性通貨膨脹的心理壓力下，決策當局始終不敢對當時的外匯管制結構作重大的改變。直到一九五七年，尹仲容先生看到我所提出的一個經濟平衡公式：

生產＋外援＝消費＋建設

供給　＝　需求

才產生了信心，提出一九五八年四月的外匯貿易改革。從此以後，複式匯率及直接管制在延續了一段短時間後，逐漸消失，而匯率亦漸趨於真實化。（請參閱附錄二）

約在一九六一年，匯率已單一化爲一美元對四十元新台幣，但法律上正式宣布廢止結匯證制度，確定一比四十的匯率，是在一九六三年。自此時至一九七三年，美元發生第二次危機，各主要國家紛採浮動匯率的十年間，新台幣對美元始終穩定地維持此一匯率，也是我國物價最穩定，經濟成長率最高的黃金十年，也可證明匯率適當而穩定，對一國經濟發展的重要性。

一九七一年，美元作爲國際貨幣本位，出現第一次重大危機。一九七三年再出現第二次更爲嚴重的危機，各主要進步國家均採浮動匯率以爲因應，實則所謂浮動，仍在各國中央銀行的嚴格操控之中，稱爲汚濁的浮動（dirty floating）。我國自必然有所反應，很多人士主張應採取浮動匯率，並使新台幣升值，尤以華裔美籍學人爲最。主要理由是可藉浮動匯率隔絕外來通貨膨脹，這是一個天真的理論推演：國際物價漲多少，新台幣匯率在浮動之下就升值多少，這樣國際通貨膨脹對國內經濟的影響就可隔絕，維持國內物價穩定。而不知當時像因石油危機與農產歉收所造成的物資缺乏的通貨膨脹，而且是世界性的，台灣是不能倖免的。如果能倖免，亦必造成嚴重的經濟衰退，得不償失，因此我堅決反對當時採取浮動匯率，其理由爲：

㈠新台幣不是一個自由兌換的貨幣，不能經由國際市場供求關係，決定與其他國家貨幣的平衡匯率。新台幣是一個孤立於國際外匯市場的貨幣，想以浮動來決定與其他國家貨幣的平衡匯率，並無意義。但不浮動並不表示匯率不能調整變動。

㈡我們是一個外匯與貿易受到嚴格管制的國家，而且是一個跛腳的管制，即是出口與資金流入受到補貼與鼓勵，進口與資金流出受到懲罰與限制。這樣一個外匯市場所決定的匯率不會是一個平衡匯率，而是一個新台幣價值偏高，或是一個扼殺出口的匯率。

㈢我們是一個未成熟的落後國家，目前出超是因爲我們不能突破技術瓶頸，從事大規模資本集約的投資與公共建設。如果能突破，則國內需要大量資金，便不會以出超方式將儲蓄投向國外，出超便可能縮小、消失或入超。

同理，我也不主張新台幣大幅升值，我認爲當時的出超，是外匯與貿易嚴格管制的結果，不是真正的出超。而即使是生產力大幅提升導致的真出超，也應先調整國內工資，讓勞工分享經濟進步的成果，而非新台幣升值。在當時國際經濟情勢混亂之際，我主張我們應冷靜地觀望一段時間，不必急著去追隨進步國家的做法。事實上，政府決策階層亦可能持同樣態度，因此未採納海外學人的意見來採取浮動匯率，新台幣亦僅小幅升值。

直到一九七九年，第二次石油危機發生，國際經濟再度淪於混亂與通貨膨脹中，於是政府終於宣布了採取浮動匯率。但由於嚴格的外匯管制並未解除，變相的抑制進口與補貼出口亦未見取消，根本沒有自由的外匯市場，匯率根本浮動不起來。事實上，外匯市場完全在中央銀行的操控之中，對美元匯率亦死硬釘住不變，所謂浮動匯率完全徒有其名而已。

到了一九八〇年代中期，國際經濟情勢已趨於穩定，以浮動匯率爲名，以各主要國家中央銀行協同干預外匯市場，維持適度穩定的國際貨幣制度逐漸形成穩固，操作亦頗順利。國內經濟情勢亦隨之有重大改進，一九八八年，外匯累積已達到了七百億美元，政經環境也相當穩定，各方面都可以說已經具備了很好的條件，要建立一個像進步國家的自由外匯市場，讓新台幣匯率確實由自由外匯市場決定，應該不會太難，這時採取浮動匯率政策，我認爲是對我國有利的外匯政策。但在此之前，仍應先儘速開放貿易自由化，將進口關稅與非關稅障礙、出口補貼等等一一清除，並開放外匯資金在國內外自由流通，服務業市場也進一步開放，整個經濟也更爲自由化，以建立起一個真正的自由外匯市場。

在上述情形之下，我曾於一九八八年接受《工商時報》記者的訪問時，大膽預測今後一段時間新台幣對美元匯率的長期趨勢，應在二十六元至三十元之間對一美元。

約自一九五〇年代後期起，至一九八〇年代將結束，我完全離開經濟領域為止，我都在為貿易與外匯的自由化與國際化而努力。因經濟發展階段的不同，國內外經濟情勢的變化不同，我曾針對實際的需要，而提出不同的貿易與外匯政策主張，但從未離開自由化與國際化的原則。我看到太多因管制而產生的流弊，對政府與社會所造成的腐化，培養了無數不勞而獲的特權利益階級，也阻礙了經濟的順利發展。我知道我個人的努力未必產生了多少效果，所幸現在在國際自由化及美國的強大壓力之下，台灣的經濟，特別是貿易與外匯方面，已不得不大幅度地自由化與國際化了。我曾在政府官員、官商勾結之下，無理性的管制與壓制台灣經濟自由化的情形下，於一九八六年，激憤地寫過兩篇社論，一篇是〈為了我國經濟利益，歡迎美國壓力〉，另一篇是〈經濟自由化的最大障礙之一仍是經濟部〉。

三、國際投資

這裡所稱國際投資，係同時指外人（包括華僑）來華投資，及我們向外投資而言。此種投資通常應包括長期與短期資金，但此處多指長期投資而言。長期投資又分為購買證券與投資設廠、參與實際經營，此處則指投資設廠與實際經營。

先談外人來華投資。政府對於外人來華投資，一向都採取獎勵政策，遠在一九五〇年代開始，政府就頒布「獎勵外人投資條例」與「獎勵華僑投資條例」。那時台灣經濟非常落後，政局又不是很穩，很少良好的投資機會，所以外人來華投資在最初幾年幾乎沒有。華僑雖有若干投資，然大都是利用獎勵辦法，進口管制物資出售圖取暴利，然後在黑市套購美匯將資金流出，反而成爲擾亂經濟的因素，真正投資者可說少之又少。因此，我對外人及華僑投資不抱希望，也不重視。

我受日、俄自力發展經濟，及日、英在台灣與印度投資設廠，一旦撤退後，這兩個地區仍是貧窮落後的影響，對外人投資是否能促進一國經濟的真正發展，持強烈懷疑態度，雖並不排斥外資，但認爲應以本國投資爲主。而由於過去在大陸時期，外人在華投資依恃其本國的國勢，享盡特權，使我國受盡壓迫與剝削，因此對外人來華投資，堅決主張平等互惠。即外人在華投資享有什麼待遇，我國在該國投資亦享有同等待遇。另一方面，外人在華投資所受的待遇應與本國人投資相同，不能有超國民待遇。

以後由於情勢的演變，對於外人來華投資，除仍堅持平等互惠原則外，逐漸轉爲完全開放歡迎外人投資。所謂情勢的演變，是因爲我們太不爭氣，太不長進了。自一九五〇年至現在，我們的工業水準始終盤旋在比較初級的勞力密集階段，無法大規模提升到資本及技術密集的工業，而後者才是我們真正需要的工業。現在即使有若干較高級的工業出現，但仍大部分脫離不了高級裝配的範圍。換句話說，我們不能走日、俄當年發展的路線，甚至連南韓都不如，實在令人氣餒。於是我們要想真正建立我們所需要的工業，奠立現代化經濟的基礎，便不得不仰仗外人來華投資了。

我曾於一九八四年爲《天下雜誌》寫過一篇文章〈經濟應自由化與國際化，因爲我們別無選擇〉，足以代表我在這一問題上的意見。

在那篇文章中，我指出我們過去的經濟發展曾有很大的成就，但卻遭遇到三個嚴重問題：

㈠儘管我們經濟成長率很高，但生產結構始終盤旋在傳統工業及新裝配工業上，科技基礎尚薄弱，距離進步國家尚十分遙遠。換句話說，我們仍是開發中國家。

㈡我們這種生產結構很容易被超越，也很快就可能被超越。韓國在輕工業方面可說已追上我們，在重工業方面則超越了我們，而韓國還不是最厲害可怕的競爭對手。

㈢我們的生產結構幾乎完全不能配合國防需要，而這一點卻關係著我們未來的生存。我在一九六〇年代前後極力主張發展重工業，建立自己的國防工業就是重要目標之一。

面對這種經濟及軍事的情勢，我們很難用過去循序漸進的方式來反應，必須要重新籌謀一種策略，這一點至爲明顯。但現在不能採用日本發展模式，因爲時間已來不及了。採用日本模式，必須具備一個先決條件——強有力的政府領導。而強有力的政府領導又有賴於一個具有高度效率的行政體系，包含合格的廉能行政官員在內。一望而知，我們不具備這個條件，而且距離甚遠。要具備這個條件，還得要從行政革新做起，這不是時間所許可的。

因此，我才想到自由化及國際化的策略。所謂自由化，就是政府儘量減少管制與干預，集中力量於維持法律秩序及經濟紀律，逐漸建立必須的制度，讓民間能在一個比較適宜的環境中自動發揮潛力。

但是僅是採取自由化並不能完全解決我們的問題。我們現在所需要的，是經濟發展的加速，是經濟結構的升級。那麼唯一的一條路便是借助外力了。敞開大門，讓外國的資金、人才、管理與技術進來，結合國內的民間力量，發展新工業，改良舊工業，讓技術迅速在國內生根，讓我們所需要的工業能迅速地發展起來，讓我們的人才迅速地培養起來。

從以上的敘述，我所謂的自由化與國際化，就是政府如果不能作強有力的領導發展，就大幅開放讓民間來發揮潛力，以求發展。如果我們民間不能在預定的時間內，達成國家當前情勢所需要的經濟發展，就敞開大門讓外國人來。而即使讓外國人來，也還是需要擬訂法令規章，建立必須的制度與條件。自一九八四年以來，我們並沒有做到這些，因此外國人並未大量來台投資，達成我們的願望。

現在再談我們對國外的投資，一個落後國家在開始發展經濟時，除極特殊的例外，一定是貿易入超，資金內流，這在經濟意義上即是外國的儲蓄供這個落後國家投資之用。但發展至相當成熟階段時，一定會是貿易出超，資金外流，這即是本國儲蓄在國內已消化不了，要外流到其他需要投資的國家去。這是極其自然的經濟現象。約在十年以前，台灣開始大規模地向外投資，正是一經濟成熟的現象，也是一種好現象，不料卻從日本借來一個名詞，說這會使台灣產業「空洞化」，真是不知所云。

台灣對外投資地區廣及美、英、東南亞及中國大陸，而尤集中於大陸。政府基於政治上的顧慮，並不希望集中於大陸，因而唱出南進的口號，希望分散至東南亞諸國。但經濟力量的運作有一定的法則，政府力量很難加以改變，特別在自由經濟體制下更是如此。因此南進政策並不十分成功，這是意料中的事，台灣資金仍然大量流向大陸，占大陸外來資金的前幾名。

其所以如此，當然不是所謂的血濃於水。而是由兩種原因造成：一是經濟因素。台灣與大陸在目前這個階段，經濟結構屬於互補性質，台灣在大陸所投資的項目，正適合大陸現階段的需要，而由於大陸經濟規模大，很容易便可吸納台灣去的資金；另一方面，這些投資項目在台灣生產已不經濟，很少發展前途，大陸市場正好提供了一個出路。另一個原因則是非經濟因素，包括語言、文字、文化、風俗、生活習慣等等，使得在商業的交往上，容易溝通，這是除香港、新加坡外，任何其他外來投資者所不能具備的條件。除此以外，大陸當局基於政治理由，給與台灣去的投資者以台胞待遇，有某種特殊優惠，但這不是重要的因素。

純從經濟觀點來看，這種投資對雙方都有利，即使不予獎勵，至少也應該不予妨礙。但如從政治的觀點看，則利害參半。利的方面，兩岸經濟的融合，可以消除一些敵意，將來情勢許可，會很自然地走向不一定是統一，但很可能是聯合的路上。害的方面，則是中共如果存心要吞滅台灣或中華民國，這是一條不流血而能達到的路。將來究竟如何演變，決定點在政治與軍事。

不過，無論我們願不願意，兩岸經濟的融合已為不可避免的趨勢，政治力量阻止不了經濟自然演變的力量，除非採取非常暴烈的手段，但這似乎又為目前及以後的情勢所不許。至於一般人所憂慮的，如果兩岸經濟關係太過密切，或我們在經濟上依賴大陸太深，則中共可隨時作為籌碼，來作政治上的勒索與威脅。我認爲中共不致如此愚笨，因爲兩岸經濟關係任何中斷，中共在經濟與政治上都會受到損害。而對我們而言，可能有一時的損害，但很快即可調適，不致危害到我們的生存。

四、太平洋世紀

許多人都在談論二十一世紀，將成爲太平洋國家的世紀，當然有很多理由支持他們的觀點。我對此一問題並無研究，僅憑我的經濟學及經濟發展史的背景，非常粗淺地表達我的看法。我於一九八八年接受《天下雜誌》林昭武的訪談，後來載在《走上現代化之路——王作榮的建國藍圖》一書中，大意如下：

我沒有那麼樂觀，這種說法有點自我誇大。大多數人有這種想法，主要還是看到日本經濟力的強大，認為日本可以帶動及領導太平洋國家，在二十一世紀的國際競爭中可以領先。但以人口、土地面積及資源來看，日本還不足以成為世界上一個大的經濟強國。即使就技術水準來說，日本在應用技術的領域也許有若干方面領先西方進步國家，但在基礎科技上還是落後很多，而國家技術發展的潛力還是得看基礎科技的。

從地域及規模來看，有資格成為經濟大國的，主要還是歐洲、美、加及中國大陸。當然，如果把美國也算做太平洋國家，還說得通，但那就沒有什麼意義了。大陸將來具有強大的經濟潛力，但它能不能在二十一世紀將政治穩定下來，讓自己的經濟有重大的改革，而成為國際上一個重要力量，則很難講。至少到目前（一九八八年）為止，不管是在政治穩定性或技術能力上，我們都還看不出有這個可能性。二十一世紀將是一個技術領先的世紀，我還看不出四小龍以及東南亞國家有哪些技術可以稱得上領先。

至於亞洲太平洋地區想仿照歐洲共同體（即今之歐洲聯盟），成立一個區域性的經濟組織，即使成功，也不會發生什麼作用。主要原因是因為這個地區國家的種族、語言、文化、宗教、政治制度、經濟發展程度及政策、經濟利益等等，都差異太大，無法聚在一起產生共識，同時彼此之間也缺乏互信，更無法在平等互惠的立場上得到合作，所以不可能有類似歐洲聯盟的組織出現。

二十一世紀將是另一次的科技爆炸與工業革命的世紀，將一如第一次工業革命以後的情形，會改變人類的生產組織、經濟關係、生活類型、價值觀念以及國與國之間的政治與經濟關係，我們且拭目以待。

第十一章 社會建設

社會建設與經濟發展乃是一個落後國家從事現代化工作，必須同時進行的工程，不能偏廢。正因如此，我於一九六四年負責編製中華民國「第四期四年計畫」時，便在計畫內列有社會建設專章，後決策當局認爲財力不能負荷，乃予刪除，殊爲可惜。由此亦可見我國決策者缺乏現代知識，以及對經濟發展與社會發展關係的不了解。今日社會的混亂，社會福利措施的雜亂無章，處處都是急就章，事事都是拼湊，實源於當時決策者的毫無遠見。

社會建設應該分爲兩大類：一是因經濟與社會發展，而產生的對經濟與社會在物質生活方面的衝擊，通常以社會福利措施謀求解決；一是對人民思想觀念、社會倫理、人際關係、個人行爲與價值準則等等的改變與重建，屬於文化層面。玆先談社會福利。

落後國家從事經濟發展，必然對社會產生某些重大衝擊：

一、改變人民對生活及對人際關係、社會倫理、價值準則的觀念及習慣。

二、改變社會，特別是家庭的組織與結構。

三、改變生產結構及生產方式，因而改變生產關係，大幅增加個人的經濟風險與不安全程度，需要社會及政府出面解決，亦唯有社會或政府才有能力解決。

四、財富及資源必然有集中趨勢，且會加速進行，而過度集中，或在人民之間分配得十分不平均，便是亂源，政府必須事先防範，或事後採取補救措施。

在上述情形之下，過去個人、家庭或以家族爲中心所組成的社區，對個人或家庭所負擔的社會責任，都要移轉給社會或政府，而且此種責任要遠較過去爲複雜、廣泛與沈重。我早在一九六〇年代初期即提出此項觀念，並向政府提出著手社會建設的建議。

當我在「第四期四年計畫」中提出社會建設建議的同時，中國國民黨亦曾在老總統的指示之下，於中常會通過「加強社會福利措施案」，並訂定「民生主義現階段社會政策」。一九六九年又在十全大會通過「現階段社會建設綱領」，政府並於一九六七、一九六八兩年，實施「中華民國第一期台灣社會建設計畫」，及於一九六九至一九七二年實施「中華民國第二期台灣社會建設四年計畫」，以後還不斷有類似的文件出現。從這裡可以看出主政者之缺乏現代知識，以及並無誠意要實施社會建設，只不過各有關機關喊口號，求表現而已。因爲如前所云，社會建設與經濟建設密不可分，應該由同一機關一同計畫，彼此配合。現在分成兩個機關，計畫起迄日期亦不相同，顯係負責社會建設之機關有意如此，藉以與經濟設計機關別苗頭，其無成效實非偶然。

社會建設中之社會福利措施，在我國已有兩千餘年歷史，並非新觀念。〈禮運大同篇〉對於失業、老年及幼年、鰥寡孤獨廢疾者的生活照料，均有提及。而歷代以家族爲中心的社會福利制度與設施遍及全國，且包括教育，甚至小本經營融資在內，十分完善。但一則社會結構改變，以家族爲中心的社區已隨都市化而解體；再則社會福利需要的規模與數量，已非一個家族所能負擔，而必須由國家或地方政府統籌負擔。

我國傳統式的社會福利制度至此事實上已告解體，國家或地方政府接手已爲必然趨勢。如果早爲之圖，在一九五〇至一九六〇年代即著手策畫，齊備法令，訓練人員，建立制度，有條不紊地逐步推進，則今日已是一個相當良好的社會福利國家，若干社會問題可以解決一大半了。正是「繞室莫謂秦無人，恨吾謀之不用耳」的又一例證。

建立社會福利措施，必須有兩大前提：一、必須顧及政府財力。或更進一步講，顧及整個社會負擔能力；二、必須不引起太大的負面作用，否則鼓勵人民懶惰及降低生產效率，如北歐等國之所謂福利大國，亦不適宜，應儘量避免。

本此原則，我除於一九六四年草擬「第四期四年計畫」時，將社會建設列入外，並於一九七二年發表〈逐步推行社會福利措施，全面實現民生主義〉一文，將我對此一問題的意見概括如下：

一、政府設立一社會福利委員會，起用年輕有爲之士主持，並徵聘考選大量知識青年充任幹部。

二、該委員會並不立即展開實際業務，主要任務應爲廣事蒐集國內外社會福利資料，針對我國需要及實況，設計一套完整之社會福利制度，並針對我國經濟及社會發展階段與財政負擔能力，分別輕重緩急，擬訂分期實施計畫。

三、在研究工作及分期實施計畫完成後，即將該委員會改組爲社會福利部。

四、社會福利部第一期工作，應就現有之社會福利措施加以整理、合併與改進。此將包括青年就業、勞工保險、公務人員保險、國民住宅、公共衛生、社會救助等項。在現有社會福利措施整理完竣後，再開始新項目的推動。

五、財政與預算必須早作配合行動。

在社會建設中，我特別注意國宅問題，曾寫過無數篇文章及提出過無數次建議。這是因爲一個落後國家和經濟發展到某種程度後，衣與食的問題大致都可得到適當的解決，剩下最急迫、最難解決的問題，便是住的問題。這對中國人尤其重要。中國人喜歡有自己的恆產，作爲心理上安全的保障。所謂有恆產，然後有恆心，而社會才得以安定。傳統上恆產一是房屋，一是田地。遠在一九七二年，我即提出下列意見與建議：

一、由於台灣幅員不廣，國民住宅的興建與管理，必須集中於中央政府，以便統籌財源，按全國各地需要情形作適當的分配。

二、堅決反對國宅由政府以出租方式租予民間。試想政府若成爲若干萬戶房客的房東，其所造成的問題與流弊，將難以控制，所以國宅應全部出售。將分期付款期限延長至二十五或三十年，政府予以低利之優待，使其各期所付的款項與所付的房租，相差不遠，容易爲住戶負擔。

三、政府出面興建廉價的國民住宅，誠然爲社會福利措施之一，但並非救濟行爲。政府出售價格必須要能收回成本，各住戶亦必須要照承購時的契約切實履行其義務。

四、政府興建國民住宅既非救濟行爲，而係一種正常的交易買賣，則對於承購對象及房屋的轉讓與處理，便不宜多所限制。但對於房租所得可考慮課以特殊較重之稅，減少以購買房屋作爲儲蓄及賺取經濟利益的工具，助長房屋價格。

五、政府應妥籌興建國宅專款來源，及設立基金，以便低利循環運用，降低興建成本及對購買者融資。

六、國民住宅所需資金甚巨，自非政府之力量所能單獨勝任，政府宜籌畫建立完善制度，以運用金融機構及民間本身共策進行。

以後即本上述原則，不斷爲文呼籲，並增加下列幾項主張：

一、邀請國內名建築師，參照國外情形，設計多種大小不一的國宅形式，在全省統一建築，必須堅固耐用、美觀便利，合於衛生及高尚條件，但價格適中。

二、爲興建國宅，所有公私土地均可徵收使用，但照徵收前之市價給與公平補償，不得有任何異數。對於廟產、祠產、祭祀公產等產權分散、無法利用之土地，尤當徵用。

三、停止「軍公教機關自建國宅辦法」，所有土地一律徵收作爲建造一般國宅之用，但被徵收土地之機關員工，有優先按一般辦法購買國宅的權利。

四、反對政府獎勵或補助民間興建國宅，這是因爲興建國宅是社會福利事業，而民間興建國宅則是以營利爲目的，兩者性質衝突，不能放在一起。

這對興建國宅的一套構想，我早在一九七〇年代初期即不斷提出，而主政者始終不予重視。假如當年如此實施，可說毫無困難，則我們現在早已一如新加坡，這個問題已經不存在了。

依我之見，就國土用於住宅興建的土地加以周密規畫及嚴格地監督使用。再加上由政府指定不動產金融機構如土地銀行，仿照美國預售房屋辦法經手及監督預售房屋，以避免買主受騙及建商獲取不當利益。再加上上文所述有關國宅興建辦法，則土地及房屋價格均不會飆漲，也就不會成爲囤積投機的對象，而一般人民都可以合理的價格購買自己所需要的房屋。另一個股票投機詐騙，也有一定方法解決。如果這兩者都獲得解決，台灣亂象要減少許多，物價也要平穩很多，一般人民生活水準及環境也會大幅改善。可以做到的事卻不做，實在是官員貪污與無能的結果。

現在，讓我來談一下我對於社會建設文化層面的意見，這包括藝術、音樂、舞蹈、體育、休閒、生活方式、社會倫理、公私分際等等，屬於規範人民日常行爲，培育人民優良品格，提升人民生活品質的範圍。凡此都是一個現代社會所不可缺少的。我國在過去農業社會，在這些方面，都自成一套，兩千多年來都賴以建立一個相當有秩序、有品質的生活環境與穩定的社會。但自經濟快速發展成爲工商業社會後，舊的社會架構被摧毀或不受重視，而新的架構則在政治與社會領導階層不重視的情形下，未曾建立起來。

我在一九七〇年代初期，即撰文促使領導階層注意及此，呼籲社會與經濟生活應維持平衡，無奈未引起任何回響。再在一九八一年三月以〈推行第二次新生活運動紀念先總統蔣公〉的社論中，曾有如下的發言：

多年以來，我們即痛感社會建設與經濟建設的差距愈來愈大，社會生活之落後與物質生活之進步成強烈對照。由此而引發許多嚴重的社會問題，如貪污、欺詐、搶劫、偷竊、髒亂、環境污染以及無窮無盡的違犯法律，違背善良風俗，破壞道德規範的行為，大幅降低生活品質，使經濟進步、物質生活改善的一點成就，為之抵消大部分。使人想念過去物質生活貧乏時代的安詳與寧靜，所帶來的滿足與愉快，懷疑經濟進步的價值。

不僅如此，這些社會問題還進一步阻礙了經濟與社會進步，使整個國家在現代物質生活享受之下，仍處於高度落後狀態，仍然被全世界看做是一個落後國家與落後人民，使國家、政府、與人民都為之蒙羞。因此主張繼先總統蔣公在一九三四年於南昌發動的新生活運動之後，來一個第二次新生活運動，性質更為基本，範圍更為擴大，日標更為深遠，其主要任務有二：

一、全面地、徹底地檢討農業經濟社會的傳統道德規範、行為準則與價值觀念。我們中華文化中自有許多優良的成分，應該予以保留和發揚，但對於那些不合現代工業社會需要，阻礙整個社會進步的成分，則應加拋棄。另一方面，針對一個新社會的需要，引進那些進步國家適合我們需要的成分，然後就二者加以揉合，塑造出一套嶄新的道德規範、行為準則與價值觀念來。透過政治、學校與社會教育傳播給大眾，使其在社會大眾中逐漸生根，成為一種風俗與習慣。

二、使這一套新的道德規範、行為準則與價值觀念，滲透於法律及各種典章制度中，逐步地法律化，制度化。

一九八九年，高雄縣居民時常發生圍廠堵路的風波，我便寫了一篇〈假如我是高雄縣人來當高雄縣長〉的社論，表達我對地方建設的看法：

一、教民稼穡，為農漁民引進新的生產技術，協助購買現代化的生產設備，與建農漁業生產所需要的公共設施，建立一個現代化的農漁業。

二、教民工藝。就全縣作一策畫，畫出若干工業區，建立良好的硬體投資設備，設立環境污染的標準，及解決環境糾紛的公正管道，設立勞資糾紛的公正仲裁管道，使高雄縣具有一流的投資環境，成為一個高度工業化的地區。

三、謹庠序之教。將中級以下的學校辦好，並吸引人來縣設立大學。也要設立圖書館、博物館、藝術館、音樂廳等，使高雄縣成為一個文化修養很高的地區。

四、要民生樂利。設立一套社會福利制度，使老有所終，幼有所長，壯有所用，鰥寡孤獨廢疾者皆有所養。

五、與民同樂。建設全縣的交通，設立全縣的休閒設備，包括運動設施在內，美化全縣的生活環境，提供全縣的公共設施，將高雄縣變成一個生活便利舒適衛生的大花園。

除一、二兩項屬於經濟建設外，其餘三項都屬於社會建設的範圍。雖然只是在說高雄縣，實際上就是在說我對經濟建設與社會建設的理想。這些社會建設，大則一個國家，小則一個省、縣、市、鄉鎮，都可視其財力，量力而爲。

最後，我還要簡略地提到我對環境與勞工運動的看法，這也是屬於社會建設的範圍。我寫了很多篇關於這一方面的文章，這裡只提出我於一九八九年寫的一篇〈政府應下定決心割掉兩個毒瘤——變質的環保與變質的勞運〉。在這篇文章中，我說：

過去將近四十年的經濟發展中，工商企業界太過於重視個人的私利，忽略了應有的環境保護，以致環境污染不堪，使全體人民都受到損害。也忽略了勞工大眾應得的利益及應有的工作環境，使得勞工大眾的權益受到了相當嚴重的剝削和損害。工商企業界應該對這種現象負責，政府更要對這種現象負責，而全社會竟能容忍這種現象的長期存在，也應負有責任。因此對於近兩年來，社會環保與勞運意識的覺醒，風起雲湧的各種環保與勞運的興起，我是感到欣慰，並抱著支持與鼓勵的態度的。

但是，我堅決反對環保與勞運為少數惡劣份子所操縱運用，來達到政治目的，來敲詐勒索工商企業界，來威逼政府，來欺騙社會大眾，沒有理性，踐踏法律，破壞社會秩序，侵害他人權益，成了一股橫行社會的強暴力量。

此外，我也不贊成為了不必要的環保與保存所謂的古蹟，而妨礙活人的生活，任何事都要權衡利弊得失，偏向一邊，做過了頭，都會產生嚴重的副作用。

第十二章 教育、科技與文化

教育、科技與文化有某種程度的關聯性，故放在一起來敘述我平日對這些問題的意見，教育尤其是我注意的焦點。

一、教育

我在一九六四年寫《台灣經濟發展之路》時，即將教育與長期科學發展列為專章，予以剖析，並強調其重要性，以後即不斷撰文強調此點。教育對一個國家或社會有兩項重大作用：㈠教育可以提高人民的品質，民強則國強；㈡教育可以提升人民的生活知識與科學技能，因而提高生產力，民富則國富。是以要想建立現代富強國家，教育實為根本，我在該文中曾提出六大建議。

㈠將國民教育延長至九年，老總統予以採納，並命令於一九六七年開始實施，是以現在的九年國民教育是出自我的建議。

㈡廣泛設立職業學校，職業學校的畢業年限不必一律硬性規定，應視不同性質及社會需要作不同規定，並隨時調整。

㈢減少普通高中的設立，以提高升學考試標準及學費，來限制升高中的人數，只有比較優秀的學生才能升入高中。另大量設置優厚的清寒獎學金，使優秀的清寒子弟亦可升入高中。其所以如此主張，是因爲高中僅爲升大學的預備學校，而太多大學生，在台灣當時生產與國民所得水準之下，實屬浪費，而且整個國家經濟力量也負擔不起。

㈣大學教育按高中教育辦法辦理。

㈤私立大學、中學須將負實際學校行政責任及教學的人，與基金保管的人嚴格畫分，嚴厲制裁學店，以保障前述建議之成功。

㈥撥相當數量經費，充實高級科學研究機構，加強少數具有規模之大學之科學教育，提高科學研究人員待遇，包括物質及榮譽。（請參閱附錄四）

以上是針對一九六四年的經濟及社會發展程度所提的建議，隨後於一九六七年八月發表〈從經濟發展觀點談我國教育制度〉一文，就前述幾點建議作一引申，呼籲決策當局就整個教育的制度、內容、精神與實質，作全盤的檢討，全盤的策畫，來一番徹底的改革，清楚明白地規定各類教育的目標，擬訂一套實現目標的有效政策，切實執行：

㈠先就國民教育來說，現在是從六年延長爲九年，將來應該延長爲十二年。其目標應該只有一個，那就是培育健全國民。全體國民健全，國家自然健全。其著眼點在整個國家的利益，而不在於個人前途與發展。亦即揚棄傳統的「窗前勤苦讀，馬上錦衣還」、「揚名聲，顯父母」純粹爲個人前途的教育目標。也不希望傳授謀生技能，那應是職業學校的事。所謂健全國民，係指身體健康、性情活潑、精神正常，有簡單推理能力，能透過文字接受別人意見，表達自己意見，具有遵守團體生活紀律及守法的習慣。國民學校的課程內容即應根據此項目標訂定。如此，則現在的課程項目及內容應作巨大的改變。

(二)緊接著國民教育而來的，便是職業教育。一個國民在接受完整的健全國民教育之後，接著來的便是個人前途問題，這可分爲三個途徑：(1)從事普通勞力的生產工作，如農人、一般工人之類，在經濟發展進步的國家，其所得並不比白領階級低，甚至過之；(2)進職業學校，接受相當的技術訓練後，成爲有技術的勞力或商人；(3)預備升大學。

關於第(1)條出路無需討論，至於第(2)條職業教育出路，則所有職業教育目標，均在於傳授個人謀生技能。在這一方面，觀念與制度上也要作重大變革。對此我一共提供了九點建議：

(1)對於所有接受過完整國民教育的國民，政府都有供應他們接受職業技術訓練的責任。所以進入各類職業學校，無需任何入學考試，憑國民學校畢業證書即可申請入學，而且不應有年齡限制。

(2)政府必須使所有職業學校的教學與設備，都達到一定的水準。

(3)職業學校設置的地點，應配合當地的需要。

(4)職業學校的設立必須具有充分的彈性。某類技術社會需要多，待遇必上升，請求接受這種訓練的國民必定加多，教育當局應立即擴充訓練設備，以應需要。反之，則收縮。

(5)各類訓練畢業期限應有充分彈性，其期限長短應視技術性質而定，六個月至三年不等。

(6)畢業證書即是工作執照，政府應對某些職業建立執照制度，因此職業學校不能有私立，以免濫發工作執照圖利。

(7)對於職業學校畢業的學生，政府宜有某種規定，使其中極優秀份子，有進入大學或者專門的高級技術學校深造的機會。

(8)職業教育有利於國家，亦有利於受教育的個人，政府應視財政狀況酌收學雜費。

(9)政府舉辦職業教育，在應社會一般需要，訓練一般性的技術人才。至於某一個別生產事業所需特殊人才，則因只關係個別事業利益，政府不能代其訓練，但職業學校可接受委託代其訓練。

㈢至於在國民教育未延長至十二年以前之畢業生，接受普通高中教育者，則由於其本身並無目標，僅爲進入大學之預備學校，同時在當時國民所得水準之下，對於大學教育之資源分配，宜有較嚴之限制，因此應採取前述之建議，對於升普通高中及大學採取較嚴格之標準。

以上都是對於國家全盤教育制度所持的看法與建議，雖然是從經濟發展的觀點出發，但目標仍是整體性的，是整個教育制度的改造。以後所撰寫關於教育方面的文字，除一部分涉及當時政策外，大致不脫離這一範圍。對於高等教育，因爲身歷其境，評論及建議尤多，我的觀點大致如下：

㈠應開放大學的設立，允許私人出資興學。不僅大學如此，國民學校與高中也都應開放民間設立。職業學校如不涉及執業執照制度，也應開放。

㈡大學學費應提高，學費多少由各校自定，但嚴防私立學校開學店。

㈢允許各校在收費、設系、開設課程及課程內容、招生、轉系、聘任教授等等，都應有自由決定權，教育部不必干涉。

以上這三點在其他進步國家都是當然的事，在我國則都不被採用，完全是政府全面控制的獨裁統治教育。不僅對高等教育是如此，對整個教育體系都是一樣。我們如果仔細觀察，便可發現這一教育體系具有三大特色：

㈠從小學到大學完全是統治教育。我常譏笑台灣雖然有一百多所大專院校，其實只有一個大學，即是國立教育部大學，而主持這個大學的重要人物，則是司長、科長、科員。各大學校長不過是教育部大學派在各學校的註冊組主任而已。這種情形現在也許有點改善。

㈡從國小、國中教育起，都是滿腦子的希聖希賢與忠黨愛國的教育，而對於如何培育一個健全國民，如何適應現代社會生活，如何能對國家社會盡一份責任，如何尊重別人的人格與權益及保護自己應有的權益，如何配合國家社會需要設立專業學科，如何培養各方面的領導人才及學者專家，則不是付之闕如，便是大而化之，不切實際。以致歷時四十餘年，花費教育經費無數，現在是基層人民不像現代文明國家的國民，而高層領導人才則要什麼人才，缺什麼人才。現在雖然有教改，多是仿效美國制度的皮毛，治絲益棼，利未見而弊先顯，前途未可樂觀。

㈢對於國小課程，我曾建議音樂、藝術、體育、課外活動與語文、算術及起碼的應對禮貌、基本常識等並重。對於國中課程，我曾建議要修簡單的簿記與法律知識，認爲這是作爲一個國民的起碼知識。對於大學教育，除前述開放措施外，我認爲要有嚴格的淘汰教授制度，及徹底改變教學方法。可惜所有這些都不曾受到注意，更遑論採納了。至於現在的教授治校，大學校院長、系主任選舉，我認爲是胡鬧；而所謂免試升大學，我認爲台灣尚不夠這樣的水準。

二、科技

關於科技發展，我幾乎完全反對政府的政策與做法：

㈠我反對「科學發展指導委員會」的設立，認爲這是不能發揮作用，徒然增加文書政治的一個機構。

㈡我反對行政院有了「國家科學委員會」（簡稱國科會），又要因人而設立什麼科技小組，疊床架屋，浪費國帑。我更反對該小組每年或每隔一年召開國際科技會議，花了筆金錢，請了一批外國過氣的科技及企業人物以壯國內聲勢，而毫不發生發展科技的作用。

㈢我反對「國科會」拿不出發展科技的有效辦法，而以大量公帑分配給各學校與研究機構，形成個人補貼，除極少數例外，很少收實際效果。

所有以上機構的花費，再加上中央研究院耗費巨資聘請所謂海外學人回國作短期研究，以及軍方所設立的研發武器的預算，總計起來，將是一個天文數字。歷時三十年，而軍方武器還是向國外採購，我們的工業及交通運輸建設技術，也是不是要由國外輸入，而且還要花高價，吃洋虧。便是由民間開發成功，從未聽到所有上述政府科技機構有什麼實質貢獻。而最令人痛心的是，政府花錢已成習慣，預算年年照列，而且年年擴大，從不下決心檢討改正或裁撤。這樣，花了大量民脂民膏，還阻礙了國家科技進步。

相對之下，大陸中共以封閉的研究體系（近十餘年才大量開放），有限的經費及微薄的科技人員待遇，除了能發展航太工業、原子彈等高級武器外，還能自力造大橋、建地下鐵。而我們的捷運系統，花費無數，徒貽笑柄給外人。但那些負責科技發展的官員，無一人表示負責，無一人有慚愧之意。

我除了不斷為文要求檢討科技發展的現狀，主張裁撤整合這些機構，改變政策及做法外，還提出一些具體做法的建議，這包括：

㈠建立完整的科技情報檔案，認為這是以最省錢、最快速的途徑發展科技，所必不可少的一個步驟。這要對科技發展的資料細密地分類，嚴格地選擇，廣泛周詳地蒐集、探求、收買，並且時間上要迅速，要接近最新的發展。這種情報檔案可以告訴我們前人已走的路，我們不必重複地走。也可以告訴我們全世界第一流專家所發展的研究結果，讓已公布的最新知識都供我們之用，節省不計其數的時間、金錢與人力，使我們得以迎頭趕上那些最進步的國家。

㈡實例研究發展。我們中國人做事最大的缺點是凡事尚空談，講原則，大而無當地喊口號，說些理論，而很少針對實際問題，一步一步地尋求解決。所謂實例研究，以汽車來說，政府可以指定一個廠，一組人，在一定的期限內，用一輛進口的汽車做模型，從頭到尾全部製造一輛汽車來，主要零件都要自製，再以此爲根據求改良、求進步、求大量生產。汽車如此，其他工業亦是如此。

再如建造捷運系統，應先召集國內有關人才，包括大學畢業生，以及從國外延攬留學生回國，組織龐大工作隊，分門別類進行技術研究，延請外籍專家指導，並派人至國外學習。俟有相當進展，再與外國承包商簽約承包，最重要條件之一是要技術移轉，在整個建造過程中，我方工程人員全程實際參與學習，所有設計與施工資料全部掌握。如此建造一條捷運系統後，我們便可自力發展建造其他捷運系統，甚至可以向其他落後國家承包類似工程。不致像現在這樣，負責台北捷運建造的馬特拉公司一撤退，我們便無法可施，更不必談自力建造其他捷運系統了。

㈢善用人才。在發展科技過程中，人才最重要。而人才不是叫出來的，是發掘、訓練、實用與獎掖出來的。

㈣花大筆錢買進技術，應該運用整廠進口及整體施工的辦法，買機器，就要買製造技術；發包工程，就要附帶工程技術，寧可花大筆錢買這些技術，而不要廉價僅買硬體。只要有一次建設經驗，下次就應有能力自己動手。

現在政府所做的科技發展工作，不脫中國傳統做事方法——文書政治，紙上談兵而已。錢花了很多，實效則很少。而最可惜的則是浪費了時間。

三、文化

中國文化對中國經濟與與社會現代化的影響，從我當學生知道閱讀當時流行讀物起，就是一個爭論不休的問題，而且是兩極化。保守派將中國文化形容得完美無缺，激進派則攻擊得體無完膚，但我則無甚感覺。直到在台灣從事經濟發展工作，才從廣泛接觸與發現問題及尋求問題的解決過程中，逐漸體會到中國文化與中國現代化之間的密切關係，這種關係對中國的現代化有利有弊，不可一概而論。

到了一九八〇年代，所謂亞洲四小龍在經濟發展上有了卓越成就，由於這四小龍中，有三小龍——台灣、香港、新加坡，都直接具有儒家思想的傳統；另一小龍韓國——則感染儒家思想甚深，於是一些中西學者便對儒家思想對經濟發展究竟有什麼影響，發生了興趣，幾乎一致肯定儒家思想對經濟發展有利。而所謂中國文化是以儒家思想為主體，並由其代表的，於是便要進一步對中國文化對中國現代化的影響重新定位了。

為此，我曾於一九八九年寫了一篇〈台灣經濟發展與中國傳統文化〉，就我多年來對中國文化與中國現代化的關係，所讀到的、所觀察到的、所親身體會到的，作了一個總結。

我在該文中說，台灣經濟發展所受的影響是多方面的，不能單獨歸因於中國文化。中國傳統文化有兩大支柱：在經濟方面，是農業經濟；在社會方面，是以家為社會的基層組織。這與十八世紀以來西方國家的工商業經濟及個人主義恰好相反。中國文化的這兩大特質，早在孔子以前即已形成，孔子集其大成而成爲儒家思想。由於源於農業經濟，因此特別強調自然法則，主張法天地。由於源於家的社會組織，因此特別重視以家之內的人際關係爲出發點的社會人際關係，即倫理。再由此進一步而發展爲下列幾個有利於經濟發展的文化因素：

㈠法天地，尊祖先，但敬鬼神而遠之，因而不迷信，無禁忌、無特殊宗教信仰，成爲一個理性的社會，無其他落後民族阻礙經濟發展的一些信仰與禁忌或宗教。

㈡有是非、善惡、好壞、尊卑、長幼之分，但無嚴格的階級觀念，並將貴族專享的教育予以平民化，使社會各種不同身分的人可以交流移動，成爲一個開放的社會。

㈢強調個人道德修養，特別是仁愛、孝悌、忠義、誠信，以維持人與人之間的良好關係，及建立和諧的社會秩序。政府則與民休息，輕稅薄斂，少干預，具有自由放任色彩。

㈣主張敬事愛物，亦即負責、勤勞而節儉，作爲工作及生活的標準。重視生產行爲及資源利用，不反對追求財富的各種經濟行爲，包括商業與工業，並注重市場買賣機能，但反對特權獨占及不公平行爲，亦反對奢侈浪費。

㈤重視就業、分工、守分、社會福利及所得分配，要做到老有所終，壯有所用，幼有所長，鰥寡孤獨廢疾者皆有所養。

從以上各點看，可知這些因素雖係針對農業經濟社會而形成，但可適用於任何經濟社會，包括現代工商業社會。不過，另一方面，傳統文化中，亦有若干因素成爲經濟發展的阻礙。

㈠以家爲社會組織單位，爲個人生活及生存中心，於是一切個人的行爲準則與道德規範均以維持家的秩序與存在爲主，這顯然與當前工業化的現代社會需要不合。現代社會所需要的是家以外的團隊精神與團隊活動。

㈡以家爲生產單位及生產結果的分配對象，共同生產、共同持有、共同享受，因而個人貢獻與報酬、權利與義務關係不清楚，這非常影響現代社會的生產活動與追求進取的精神。在現代社會，個人爲生產單位，個人爲得到及享受生產結果之主體，因而貢獻與報酬，權利與義務關係十分清楚，這有利於個人從事生產行爲，及追求進取及成就，因而促進經濟及人類在其他方面的進步。

㈢由於以家爲生產及生活中心，於是缺乏家以外的共同生產與共同生活的觀念及經驗，表現出來的便是不合作，像一盤散沙。不知道如何處於團體生活中，缺乏公共紀律與公共道德，不知道公私分際。知道維護家的利益，但不知道維護甚或損害其他社會組織，特別是國家的利益。

㈣由於以家爲中心，於是在處理人際關係及物質生活方面，便偏重倫理、血緣、親情、人情，而忽視了法律、制度、契約、公平。而後者正是一個以個人爲主的現代工業社會所必須具備的要件。沒有這些要件，現代工業社會便不能有效地運作。

㈤由於以家爲生產中心，及以農業爲主要生產方式，生產效率低，物質生活經常貧乏，於是便消極地鼓勵節儉、刻苦、安貧與忍讓，而鄙視對財富的追逐與物質的享受。這在長期間妨礙了經濟及技術的進步，造成了經濟的停滯；在短期間，則在達到極限後，人民貧窮饑餓不堪，一旦爲野心家所利用，便爆發大亂。這與現代社會要求追求財富，追求物質享受，鼓勵公平競爭及積極冒險精神相反。

總之，在台灣經濟發展過程中，中國傳統文化最大的貢獻，是提供了一個理性的、開放的社會，與因教育平民化及歷史累積的較高文化水準。但是另一方面，由以農業經濟與家的社會組織爲主體所構成的傳統文化，其中有很多地方不適用於經濟的現代化，而成爲阻礙因素。部分中外學者以兩極說法，不是將中國的落後歸之於中國文化或儒家文化，便是將亞洲四小龍的經濟快速發展，完全歸因於儒家文化。其實，這都是未曾深入了解中國文化或儒家文化，也不了解經濟發展的說法。

第十三章　法治精神與文官制度

日本明治維新，有許多地方都值得我們學習。其中最重要者有三項：一、樹立法治精神；二、建立文官制度；三、普及教育。我認爲前兩者實爲構成一個現代化民主社會的支柱。缺乏法治精神而有民主，政治與社會必然是一片混亂；而民主政治終不能實現，最後常導致威權政府或公權力癱瘓兩種極端，是以法治實爲民主政治制度的基石及保障。

文官制度則爲建立廉能政府的必須條件。無健全文官制度，即無有效率的政府。且在民主政治之下，政府時常更替，若無健全文官制度，勢必影響行政的中立及繼續。

日本自明治維新以迄現在，其國家與政府無論遭遇何種情況，其行政運作始終有效進行，社會與人民生活始終安定與有秩序，即由於具備法治精神與文官制度。因此，我對於台灣經濟發展自一九五〇年代起，即反覆強調全面革新。而所謂全面革新，即包括法治與文官制度在內。

一、法治精神

我在一九七八年寫了一篇〈法治重於一切〉的文章，指出治理國家的工具雖有法治、宗教、風俗習慣、教育及武力等等，但自有人類信史以來，公正且有效的統治工具只有法治一項，也因此所有現代的民主國家莫不強調法治的重要。

要建立法治與維護法治這一工具，第一件要做的事，是政府凡百措施必須要有法律的根據，即必須要勤於立法，而立法必須要根據民意：「俗所欲，因予之；俗所否，因去之」、「與民同好醜」。這樣才能立出良法來，這樣立出來的法律才能爲人民大眾所歡迎，而政權乃得以堅強延續。故無論立法與行政機關，在立法時都要一秉大公，不能摻入私欲私利。

第二件要做的事是要公平執行法律。這有賴於執法的機關，最主要的執法機關當然是法院。法院能否公平執法又決定於兩點：㈠法官的品質；㈡外在的環境。先就法官的品質來說，法官必須要操守良好、能力卓越，兩者缺一不可。再就外在環境來說，法院必須要超然於法治之外，也即是司法維持獨立。如此，方能依法審判，做到「法律之前，人人平等」。但是我們所看到的，一方面是羣眾咆哮法庭、侮辱法官，不知法律尊嚴爲何物的現象層出不窮；另一方面，則是法官操守不良的風聞也不脛而走，使得法治這一工具的尊嚴與權威破壞無遺，當前社會之亂，這應是主因。

在一九九〇年代開始，我曾寫了一篇〈九〇年代政府要做的第一件大事〉的文章，指出這一件大事便是重振司法威信。司法威信之所以不彰，需要重振，追溯原因，一部分固然係由於刁狡之徒與反政府人士的故意扭曲誣衊，藉以破壞司法功能，以逞其私欲；另一原因則爲司法不能獨立所引起。而且是先有司法不能獨立，威信敗壞，然後才有扭曲誣衊現象發生。而影響司法不能獨立的因素，則有四大項：

㈠政治干預。位居黨政要津的人物，常不知法治與司法獨立爲何物，更不知道其對國家利益的重要性，公然喊出司法要配合國策的口號，動輒干預司法權的行使。

㈡人情干預。這包括法官個人關係的人情，與黨政要員及民意代表的人情。最影響司法獨立的人情爲黨政要員，特別是黨國元老，以及各級民意代表，經常出入公門。近年來，黨政要員關說已漸減少，而民意代表強行關說之風則正熾。

㈢法官貪污。多年來，年輕代法官頗有一部分用盡手段，肆意撈錢，公開明要或暗索，毫無羞恥之心。而老年代法官中亦有少數隨波逐流，於是司法界貪污之風遂告形成。

㈣暴力威脅。分爲兩種：一種是黑社會份子對承辦法官及其家屬所加諸之威脅；另一種則是聚眾包圍法院、咆哮法庭，使法官不能冷靜秉公審判及判案。

除此以外，近年來更發生一種非常不健全、不能容忍的破壞司法威信的現象，便是法院對某些特殊人物判刑後，這些人物自恃身分特殊，根本不予理會，而執法者亦遂聽之，踐踏司法，莫此爲甚。

上述這些因素不予消除，司法獨立便只能徒託空言。而司法不能獨立，法治不能建立，則一切改革都將無所憑藉，也都將落空。

這些因素中，最基本的因素還是法官貪汚，法官給人一個貪汚的印象，什麼法治、司法獨立、司法威信都完了。遠在一九六○年代，先室范馨香時任最高法院推事，即常對我抱怨年輕一代法官貪汚之風大盛，甚爲憤慨。因此，我在一九六七年奉召回國以〈如何打開經濟發展的新局面〉爲題，向老總統陳述國是時，提到三項優先辦理之工作，其中第二項即爲整頓司法。我指出如法律得不到尊重，政府尊嚴及權威亦必不被重視，則一切活動均將陷於混亂。如此，根本不可能成爲現代國家，經濟發展亦將事倍而功未必半。司法必須完整無瑕，其他施政及從業官員可以有瑕疵，唯獨司法不能。並作如下之建議：

㈠動用安全人員，就各級法院司法官員作徹底之祕密調查，對於操守不良之司法官，勒令其去職。

㈡對於能力太弱之司法官員，則命令其退休或假退休。

㈢然後改善待遇，使能維持適當之生活水準。（請參閱附錄五）

這是三十多年以前的建議，據我記憶所及，司法官之脫離公務人員單獨改善待遇，應從此開始。但司法官貪汚之風卻愈演愈烈。我又曾於一九八七年寫過一篇文章談如何整頓司法，重申我的建議：

㈠運用政府所有可以運用之有關人力，在三個月至半年之內，對三千餘司法人員背景資料作徹底清查，祕密存檔。對於清廉者予以不次之擢升，對於貪汚者予以左調，迫使其去職，腐肉不去，新肌不生，這一步不做，任何整頓都將無效。

㈡嚴格選任各級司法首長。司法之演變成今日情況，各級司法首長未能盡到責任，乃是最直接的原因。如談司法整頓而在這一方面沒有徹底改變，都屬空談。

㈢所謂司法人員終身職，應以六十五歲退休年齡爲止。

在做到以上三點後，然後再調整制度，提高待遇，庶幾司法方可步入正軌，目前之風氣乃可改變，司法獨立及尊嚴方能維持，而司法乃得以成爲政府有力的統治工具，其他辦法都屬空談。

問題是迄今爲止，法官貪污之風更甚於前，改革司法之聲亦更響於前，上述建議則無人採納。

二、文官制度

我於一九五三年進入「工業委員會」，負責經濟發展的設計與政策研擬工作。而經濟發展則涵蓋政府很多部門的職權，並不僅限於經濟部門，因此常與財政部、經濟部、內政部及以後的中央銀行等單位官員接觸。發現當時的這些單位，特別是經濟、內政兩部的官員，幾乎完全缺乏現代知識，而又態度頑強，不聽說理。但一些關係經濟發展的大權卻掌握在他們手上，他們不點頭，經濟發展工作便受到阻礙。因此，深深感到經濟發展必須要全面革新，方能有效推動，所謂全面革新，自然包括行政革新在內。

我在一九六四年所寫的《台灣經濟發展之路》中，即指出經濟發展需要規畫一個有效率的，具備現代知識與技術的行政系統，即是一個現代化的文官制度。我指出當時由於：㈠工作與報酬脫節；㈡任免及考績不合理；㈢很多公務員缺乏他所經辦業務的現代知識，於是造成行政效率極端低落的現象，因此建議：

㈠調整公務人員待遇。在調整待遇時，必須做到兩點：⑴待遇高低並無絕對標準，但必須能維持公務人員的社會階級身分和尊嚴；⑵要消除救濟意識，建立工作與報酬觀念。對於不適任者，強迫退休或假退休，按月付給退休金，維持其生活，再進用合格且能勝任的人員。

㈡提高公務人員素質。建議政府招考二十五歲以上，三十五歲以下之大學畢業生五百人，包含政府各部門所需要之各類人才，在國內予以一年之訓練，再送至國外接受專門教育與訓練三年，然後回國派充各機關中級主管，一方面服務，一方面訓練下級幹部，則整個行政機構便可現代化了。

不過，這僅是救急的辦法，應有常設的機構儲備與培養公務人才。因而建議將當時的「國防研究院」改成政府儲備公務人才的常設機構，以嚴格的高等考試招考政府所需各類人員，進入這個機構從事研究，研究期間無限制，並盡可能將成績優良者派往國外進修。政府如有高級職位出缺，即由這些人遞補，除此以外，別無用人來源。另在這個機構設立一個公務員進修部門，使服務若干年之公務員回來進修一年或兩年。除此以外，我還建議在立法院設龐大的研究機構。（請參閱附錄四）

一九六七年，我寫〈如何打開經濟發展的新局面〉時，又重提此議，建議政府要大量訓練行政人才，一共提出了八點之多，仍未被認真採納。

隨後我曾多次爲文強調文官制度的重要性。一九七六年，我再次爲文呼籲要建立完整的文官制度，指出政務官、事務官與學者從政擔任幕僚人員的差別，對於事務官要有一定的選拔、訓練、任用制度。

甚至在一九九四年，我在考試院工作多年，眼見政府與社會對文官制度及其重要性仍無清晰了解，又寫了一篇〈文官制度與國家前途〉的演講稿發表。指出所謂文官制度，係指對文官的考試、任用、銓敘、考績、級俸、訓練、升遷、保障、褒獎、撫卹、退休、養老等的一套法律規章，透過這一套法律規章，文官便具有下列特性：

㈠取得文官的任用，要有一定的資格及程序，不是任何人都可以做文官的。

㈡文官要有適當的訓練，使其知識日新又新，跟得上時代，不致成爲無能的文官。

㈢文官的俸給、退休、養老，都有適當的安排，足以過一個文官的生活，足以養廉，不致成爲貪污的文官。

㈣文官的考績、升遷、褒獎都有一定的標準和程序，不是亂來，不能中間插隊，使文官都有前途，以維持文官的工作士氣。

㈤文官都是終身職。所謂終身職，不能曲解爲占據位置到死爲止。而是在退休年齡之前，不得無故降職或免職，使文官可以依法獨立行使職權，抗拒政黨及民代、長官的關說。

所有以上五點，都用法律規定加以保障，這就是文官制度。這一套文官制度有三個作用：

㈠形成一個廉能政府。透過這樣一個制度，一方面可以將全國最優秀的人才吸收到文官系統裡面來，使都具備現代知識與良好能力。另一方面，使其從任職到死亡，都能維持一個中等以上的生活水準，不會貪污。

㈡行政中立。這個制度可使文官系統依法行政，依法律推行政務，不受各利益集團的影響，不受各黨派的操縱，中立地行使職權，這對一個多元化的社會與民主國家十分重要。沒有文官系統的行政中立，便不能使一個多元化的社會及民主國家，作有秩序的活動與運作。

㈢維持行政的連續性。在民主政治之下，執政黨可以隨時更換，重大政策可以隨時改變中斷，但處理一個國家日常事務的行政，則必須有連續性與穩定性，方不致對國家社會造成混亂，及對人民生活造成不便。而唯有在一個良好的、中立的文官制度之下，方能做到這一點。

我對文官制度應用於個別案例，也曾寫過一些意見，都因過於繁細，不在此提出。以上則是我對整體文官制度的性質與作用的具體意見，或許有供後人參考之處。

第十四章 政治思想與兩岸關係

我在一九九二年曾寫過一篇文章，談〈中華聯邦是中國未來的歸趨〉，文中曾將世界全人類社會的總潮流，歸納爲三個方向：

一、人類社會長期的、主要的總潮流，永遠歸向民主、自由、平等，雖間或發生逆流，但勢不可挽回。

二、人類社會的政治單位，將以歷史、地理、種族、文化等等因素爲依據，形成許多獨立自主的小政治實體，可以稱之爲國、州、省、區，隨便怎樣稱呼都可以。

三、人類社會的經濟單位將因爲生產技術、組織規模、市場需要，形成遠超過政治單位的經濟單位，而小的政治單位必須要讓出一部分主權或自治權，給這個大的經濟單位，我們可以稱之爲共同市場、共同體、聯盟、聯邦、聯省。這個大的經濟單位當然也構成一個國家的形式，有一個中央政府。

這些意見雖寫於一九九二年，但是我長期政治思想的表達，特別是民主政治，更是我在一九三〇年代讀政治系，一九四〇年代留學美國，所孕育出來的思想。在留學美國期間，目睹美國人民的富裕、民主、自由、平等的生活，我相信不僅我，任何一個留美的中國學生，都會感覺到民主政治與自由經濟之可貴，而心嚮往之。以後我在這些方面的立論與主張，從來未曾脫離這一範疇。

一、政治思想

我政治思想的基礎，一言以蔽之，就是民主政治。所謂民主，在教科書裡當然有各種不同的定義，我的定義則是一個國家的人民爲了共同利益，組織一個叫「政府」的機構，來爲人民管理有關的事務，而將這個政府的最高權力保留在人民自己手裡。

運用這個最高權力，人民可以控制政府的運作，包括決定政府組織的形成，政府應該及可以做的事務與做這些事務的程序，以及這個政府的重要人員的產生方式，與對這些人員的監督。簡單一句話，民主就是人民對自己的共同利益，有作主的權利與義務。

一個國家要做到真正民主，必須要有長期的民主修養，或者說是深厚的民主文化。例如西歐的民主文化要比美國深厚，美國的民主文化又比日本深厚。至於台灣的民主文化，則尚停留在打架、金權、暴力的起步階段，十分幼稚。這是因爲任何一個文化，都不是一天形成的，我們的純真民主恐怕還要培養個三、五十年。

構成民主政治的要件有二：㈠民意必有適當之管道充分反映給政府；㈡政府必須依據民意施政。實現前者在於有公平、公開、公正之選舉，使選民得以透過其所選出之代表及政府官員，充分實現民意；實現後者則在於政治權力的分工與制衡。此外，民主政治之推行，必須有嚴格之法治體制爲之規範，爲之匡護，方能有效運作而不亂。

基於上述觀念，我曾於一九八八年撰寫〈如何建立一個民主、繁榮、和諧的國家〉一文，爲台灣的民主政治提出了如下的意見：

㈠嚴格建立三權分立的制度，以便對最高政治權力作合理的分配與制衡，確定及落實民主政治。我國雖爲五權分立，就民主政治的運作而言，實際上監察權與考試權並不適合或不夠作爲一個獨立的主體，分享最高政治權力的分配與制衡，因此核心仍在行政、立法與司法三權。今後五權仍可分立，考試與監察權仍可照現狀行使，但另外三權的行使則必須要落實。

㈡目前情形是總統有權無責，內閣有責無權，立法不能制衡行政，行政亦不能制衡立法，喪失了民主政治精義。應回歸中華民國憲法，成爲總統擁有部分權力的內閣制，再增加倒閣權與解散國會權，求取平衡。或採取另一方式，即使總統有更大權力，內閣成爲行政權的執行者，但總統必須對立法院負責，亦可否決立法院通過的法案，或解散國會，收互相制衡之效。此或有違三權分立之總統制精神，但台灣民主不成熟，立法院幾乎完全失控，非如此不能使民主機器作有效運作。另一方面，亦可修憲使行政院成爲真正最高行政機關，對立法院負責，並可報請總統解散立法院，成爲純內閣制。無論是內閣制或總統制，亦無論總統的產生是直接選舉或委任直選，只要滿足下面兩個條件，就都是真正的民主：(1)公開公平的選舉；(2)權責相符的制衡機能。否則，就都是威權政治。

㈢以恢弘心胸制定健全政黨法。完善的民主政治，其基礎在於有完善的在野政黨與公開公正的選舉。缺乏這一條件，三權既無法分立，更無法制衡，因此，應廣事參酌先進民主國家的法律與成規，以為國家建立百年宏規的心胸，制定一套健全可行的政黨法及選罷法，並嚴格執行，使選民能真正選出他們所需要的官員與代表。

既然推行民主政治，則過去以黨治國之觀念便需要徹底改變，因此一九八八年國民黨十三全大會時，我便撰文指出國民黨為執政黨，應遵守政黨應有的分際，對於政務官人選與主要施政大計，雖有權決定，但不能干預事務官的任免，與一般性公共政策的釐訂，這即是所稱的行政中立。同時主張中央黨部之功能應以發展黨的組織、培養人才、規範黨員、輔選、研究重大問題，及進行黨政協調等業務為限，不必維持數目龐大之專職黨工、黨務機構，包括地方黨部，應力求精簡，選舉時可動員黨員義工。

二、兩岸關係

如我在前面曾經指出過，全人類在可預見的未來一百或兩百年，或更長的時間，政治方面將形成許多獨立自主的小政治實體，經濟方面則將形成少數跨國界的經濟共同體，我從不迷信什麼民族主義、血緣關係。兄弟相殺，父子相殘者多的是，哪有什麼民族、血緣，一切團體組合皆以實際利益需要爲準則。因此，我從不相信中共所說的民族大義，祖國統一。我也從不在乎台灣在一、兩百年後是否獨立。但是一個有責任的政治與社會領袖，在主持國政與領導社會時，卻不能不顧及現實，不能只遠看一、兩百年後的景象，而未曾看到眼前的實際情況，這樣將爲其國家與人民帶來難以估量的災難。我對兩岸關係的主張，即本諸我的這種看法。

我堅決反對現在實際推動台灣獨立，這必將爲台灣帶來立即的毀滅。我寫過多篇文章都曾指出：

(1)大陸是相當保守與封閉的一羣人民，而中共領導階層也很守舊，他們號稱思想前進，實際上則最受中國舊思想的束縛。他們所想的都是大中國，大統一，絕不會允許台灣從中國割裂。

(2)假如中共政權能允許台灣獨立，則這個政權在大陸將完全喪失民心，因而滅亡。假如中共政權中有任何人主張容許台灣獨立，這個人便會被指爲漢奸而遭全黨全民唾棄。

(3)在國防上，台灣是大陸東南半壁江山的屏障，當年割讓給日本，是爲勢所逼，而無日不思收復。現在國勢強盛，自然絕不容許台灣成爲一個獨立國家，萬一落入他國之手，或與他國結盟，將使中國安全受到威脅。

(4)中國本是由多民族構成的一個國家，雖其複雜性遠較俄國爲小，但一旦台灣獨立而引發其他地區民族的效應，則中共將窮於應付。

基於這些理由，如果台灣有實質的獨立行動，中共必將傾全國之力來攻打台灣，不會在乎國際干涉。一九九六年初，中共未曾攻台，是中共不認爲有動武的必要，事先並未充分準備動武，而非真的懼怕美國航空母艦的威脅，而放棄統一台灣。

我曾一再指出，中共意圖併吞台灣，未曾一日或忘。其併吞手段不外兩種：一是鯨吞，即是以武力一次攻占；一是蠶食，即是將台灣包圍在一定範圍之內，慢慢消化掉。中共權衡利弊得失，係採取後者，這對中共絕對有利。所謂一國兩制，中國人不打中國人，強迫三通，和平談判等等，都是蠶食政策下的戰略運用。

在這些了解之下，我曾於一九八九年寫過一篇〈試擬當前情勢下的大陸政策〉的文章，提出我對兩岸關係的構想：

㈠堅持台灣是中國的一部分，日後中國必歸統一，但在統一以前，我政府治權僅限於台、澎、金馬。在此一政策下，我們對大陸事務應採下列立場：

⑴中共內部的事務，我們原則上不干預，不介入，保持距離。

⑵大陸民間的事務，求合作，求互助，積極參與。

㈡堅持中國的統一必須在民主政治、自由經濟與法治社會之下完成。因為這是世界潮流，雖俄國、波蘭等國家亦復如此。我們深信中國不會例外，遲早必會走上同一道路，也就是遲早必會統一。

㈢在未來競爭激烈的世界中，任何小的競爭單位都難生存，必須放棄一部分主權，組織一個大的共同體，如歐洲聯盟。另一方面，一個中央集權的大帝國這種舊式組織，也不會為人類所接受。因此中國將來必然會採聯邦制。

㈣堅持大陸民主改革沒有成功以前，台灣應全力從事下列建設，一以確保台灣之安全，一以領導全中國之民主化與現代化：

⑴順著現在已經有的成規，更積極地推動台灣之民主政治、自由經濟與法治社會，藉以領導全中國向此一目標邁進，作爲在台灣的中國人對全中國之貢獻。

⑵經濟爲國力之基礎，必須有強大之經濟力量，方能有適應世局變化之國力，因此經濟建設與現代化之推動不可一日放鬆。

⑶進一步強化以防禦爲目的的國防力量，作爲台灣安全之更大保障。

在中國回歸民主、自由、平等的人類社會的大潮流中，各省、各自治區、政治上、至少內政上真正獨立自主終不可免，而一個大中國經濟體也必然出現，這時一個中華聯邦共和國便必然會形成，正如現在的美國。在形成的過程中，台灣由於特殊的情形，很可能先要經過一個短暫的邦聯形式，作爲過渡，但亦僅限於過渡而已。這是我在一九九二年所提出的觀點。

經過一九九六年初的對峙之後，相信兩岸當局都會了解，台灣絕不可能走上台獨之路，中共以武力統一台灣將付出重大代價，那麼唯一一條可走的路便是和解。和解對雙方都有利，僵持則雙方都受害。現在的問題是什麼時機，以什麼方式，什麼名義來進行和解，在什麼條件之下達成和解。這都是極其困難的問題，需要雙方當局具有高度的智慧，寬闊的胸襟，而尤其重要的，是要有國際性的視野與前瞻多少年的看法。兩岸具備這些條件的人不是很多，所以和解談判之路會很長，我希望在李登輝總統任期內能夠完成。如果在任期內不能完成，以後就更困難了，而吃虧的是台灣，台灣長期儑持的本錢不是很多。

從台灣較長期的利益觀點看，在現階段組成邦聯，等大陸民主化到某種程度後，再組成聯邦，對台灣最爲有利。因爲在聯邦之下，台灣有充分的自治權，除屬於中央政府的事務，如國防、外交、司法等外，其他屬於地方政府者，台灣人可以地方自治，達到台人治台的目的，所有省級以下官員及民意代表均可由台灣省人投票決定。而屬於全國性的事務及職位，台灣省人還可以聯邦一份子的身分參與，也有可能選出一位台籍人士當中國總統。

另一方面，台灣經濟納入大中國經濟體系中，對台灣所需原料、市場等，都可得到適當解決，一如現在所發生的情形。而如投資發展大規模的科技生產事業，則更是有利。

以上預測情形，至少在一百年即下一世紀很可能實現，至於更長時間會如何，到時台灣是否仍要成爲一個獨立國，或已經完全融入一個大中國體系中，根本不發生要獨立的思想，一如美國南部諸州，則是以後的事了。

第三部

餬口生涯

而使餬其口於四方。

左傳

回顧一生，
王作榮自歎為
「治世之能臣，亂世之棄才」。
（天下雜誌．曾明憲攝）

前言

如果就我的事業下一個總結論，則我是一個失敗者，這當然與我在第一部中所說的個性、天生的才智，與時代背景都有密切的關係。年輕時壯志難酬，不免有些許不平與怨憤；晚年倒參透人生，成功又如何，失敗又如何。王侯螻蟻，畢竟成塵。一旦大去，不留遺憾在人間。下面便是我這一生的餬口生涯。

第十五章 托缽歲月

我於一九四三年人學畢業，由前期學長朱壽庚介紹進入財政部專賣事業司，擔任委任四級科員，分到總務科管人事，司長是中央大學經濟系前任教授朱契，部長爲孔祥熙。這個工作頗違初衷。中央大學在當時頗負盛名，畢業生出路有多種選擇，起薪比其他學校要略高。我未曾選擇當時待遇最優厚的銀行，而選擇了待遇很差的財政部，因爲財政部是決策單位，大丈夫當然要參與決策。進了財政部以後，才發現待遇奇差，而工作與財政金融決策又相去甚遠，不免有求去之意。

隨即參加一九四三年第十一屆高等考試財政金融人員考試，以本組第二名及格，於次年去重慶南溫泉中央政治學校高等科第七期受訓，實際上就是黨化，強迫入黨。在受訓完畢，結業考試前一日，因與訓導員江觀綸發生衝突，他指著牆壁說：「我說這堵牆是白的就是白的，是黑的就是黑的，你沒資格跟我講理。」我聽後大怒，痛罵他一頓，遂被開除。江觀綸係中央政治學校畢業，國民黨的基本幹部，CC派的嫡系。於此可見當時國民黨幹部之囂張蠻橫，其不失敗者幾希。當時女友范馨香同期受訓，幸未株連。

離開以後，失業三個月，生活賴范馨香維持。在求職過程中，曾由師長甯嘉風介紹進見貨物稅局局長李銳，他見我衣服破舊，面有菜色，不但不錄用，反背後說我想進稅局貪污，真是看低人，我一生都被人看低。一九四四年九月進入中國國民黨中央設計局資金組工作，最高長官為老總統，祕書長為熊式輝。此工作對我一生學業有重大影響，已見前述。熊式輝為政學系首腦人物之一，生活腐敗，有公館三處，設計局辦公費三分之二用於公館，以致我們辦公用筆紙都不能供應。抗戰結束，政府派熊式輝為東北行政長官。我們設計大樓年輕研究人員同聲一歎，說東北完了，果然，足見當時用人之不當。設計局當時用了一批優秀年輕的大學畢業生，每天早上，設計大樓是一片讀書聲，一次留學考試，樓上樓下同事成羣地考上公費與自費留學。

一九四六年勝利還都，設計局面臨裁撤，為免再次失業，乃再度參加高考財政金融人員考試及特種考試高級稅務人員考試，均獲錄取。一九四七年在南京孝陵衛接受高考訓練完成，取得資格，未及分發任用，即往美國留學。

一九四九年初，大陸局勢逆轉，我自美返回上海。因先室范馨香發表為桂林廣西高等法院推事，我亦請求分發至桂林貨物稅局任職，乃全家遷至桂林。半年後復經廣州全家分兩批來台，時為一九四九年九月。我因先岳父關係，隨即進入最高法院檢察署任會計主任三年半，於一九五三年三月因爭取檢察署同仁罰鍰撥成津貼，與司法行政部次長徐世賢不和而去職，但後與徐世賢成爲好友，我們老一輩的人，都多少有點氣派風度。離開檢察署後，由中央大學學長李崇年介紹，曾追隨交通銀行總經理趙志[十二]，被派在台灣區棉紡織公會擔任總幹事。半年後轉任工業委員會，時爲一九五三年九月，我的餬口生涯自此開始。自大學畢業至此爲止，匆匆十年，生活與工作都十分不安定，中間有讀書、留學、考試與零星工作，始終都在失業恐懼與生活困難中度過。如果作一總結，則是學業有成，事業無功。僅就事業來說，十年光陰白白浪費，連餬口生涯都談不上，只能算是沿門托缽，討一口飯吃。

第十六章 初展抱負

我於一九五三年三月離開檢察署追隨趙志垚時，曾透過中央大學學長陳漢平介紹，參加徐柏園所主持之財金小組，擔任臨時專題研究工作，題目爲「外匯管制問題」，同時研究者尚有王景陽。三個月後，寫了一篇外匯管制的報告，可惜以後散失了。我另一篇散失的報告，前面說過，奉趙志垚之命草擬的關於交通銀行復業的報告，建議交通銀行成爲開發銀行，擔負起工業發展的責任。這是我初期的兩個政策性的研究報告，可惜都散失了，不然，也可追溯到我初到台灣時，對於一些經濟發展的看法。因爲我的大學畢業論文是〈計畫經濟之理論分析〉，因此對交通銀行復業所提的報告，多少含有用金融機關分配資源於經濟發展的各個部門，也含有德、日兩國工業銀行發展工業的功能，頗似日後的開發銀行。

徐柏園原有意留我在以後成立的外匯貿易審議委員會研究室擔任工作，所謂專題研究實係試用性質。我以徐柏園並未明言，且工作性質及職位亦不明確，遂轉往亦係新成立之工業委員會工作，此一轉折可說決定了我的一生。

行政院經濟安定委員會下面的工業委員會成立於一九五三年九月一日，我因徐柏園處工作未完，遲於九月十五日報到。該會於一九五八年九月併入美援運用委員會。後者復於一九六三年九月改組為行政院國際經濟合作與發展委員會，我連續任職至一九六七年元月一日去聯合國任職為止，除兩次去美深造外，未曾中斷。

我是尹仲容及其所主持的機構高級幕僚中，唯一受過學院正規基本經濟學訓練，透徹了解當時最新經濟理論及經濟發展理論，熟知當時台灣經濟問題，並能純熟自然地將理論應用到實際問題上，而時有創新觀念的幕僚人員。我所擔任的工作，是獨當一面，並直接對尹仲容先生負責。可分為如下數項：

一、新經濟知識的傳播與現代化的推動。就台灣當時發生經濟的與非經濟的問題，備尹先生諮詢，及提出建議或解決問題的政策。以為尹先生撰寫個人文稿、為政府撰寫公文書，及我本人參加各種政府與民間會議等方式，向政府官員及社會大眾灌輸最新經濟觀念，特別是總體經濟觀念，這在當時是十分陌生的一種新觀念。這些工作的內容廣及農業、工業、財政、金融物價、外匯貿易、人口、教育、文官制度、行政革新等等。這對當時一般新經濟知識的啓發與傳播，以及政府的實際決策，都有廣大的影響。

透過尹先生及撰寫美援會與經濟部有關重大經濟問題的公文書，我是當時現代經濟知識的傳播灌輸者，用現代經濟學語彙對政府政策的詮釋者，經濟問題與現象的分析解釋者，及新經濟政策的建議與推動者。

有關我當時的言論主張，請參閱本書第二部、尹仲容著之《我對台灣經濟的看法全集》，及王作榮著《王作榮全集》。

二、提供重大政策建議。提供政策建議為日常工作之一，難以記錄與追述。但有兩個重大政策建議，則可作較詳細之敘述。

㈠外匯貿易改革。一九五八年三月，尹仲容先生出任外匯貿易審議委員會主任委員，四月行政院公布「改進外匯貿易方案」及「外匯貿易管理辦法」，對當時外匯貿易制度作全面革新，其重點有四：⑴調整匯率，使之接近新台幣的真實價值；⑵初步實施單一匯率；⑶取消貿易商申請限額辦法，並簡化申請審核手續；⑷外貿會業務重心由進口管制變為出口發展。不要小看這項改革，這是一次改變台灣經濟前途，脫出困境，使台灣經濟有起飛，創造台灣經濟奇蹟的起跑點，可以媲美艾爾哈特對戰後西德經濟的改革，只是國人不了解而已。

當改革進行時，我不在國內。但我回國後，尹先生告訴我，當時因調整匯率，放寬管制，會造成通貨膨脹及國際收支赤字加大，政府決策官員大都持反對或懷疑態度，因此遲疑不決。是讀到我出國前寫的一篇報告，奠定了他的改革理論基礎，才毅然放手一搏的。這篇報告的題目為〈改善經濟現狀之基本途徑〉，其主要內容如下：（請參閱附錄二及本書第二部第十章）

目前台灣經濟上許多問題，均由於一個基本原因所引起，即國內物資之供給不足應付需求。

如用一個簡單公式表示，則為：

生產＋外援 ∧ 消費＋建設

供給 ∧ 需求

欲求經濟達到安全，必須公式左右兩方供給與需要之間能以平衡。否則，財政困難，通貨膨脹，物價波動等等均將接踵而來。

總之，台灣目前一切經濟問題，其基本原因在於國內物資需求超過供應能力，此後美援之增加，希望甚小。唯有求其在我，努力建設，擴大生產。藉增加稅收，鼓勵儲蓄，以抑低消費，並節省政府支出，以應建設之需要。但必須同時擴大外銷，否則整個經濟仍難開展。

以上兩段文字指明了幾點：⑴是否通貨膨脹不在於調整匯率，放寬外匯貿易管制，而在於如何增加物資供給，即增加生產；⑵增加生產又在於節約消費，增加儲蓄及投資；⑶而增加生產必須要有外銷市場，以增加出口；⑷而增加出口又必須調整匯率及放寬外匯貿易管制；⑸結果是必須放手改革外匯貿易管制及調整匯率，而不必顧慮通貨膨脹問題，以後一九六〇年代之獎勵投資，鼓勵出口政策，即由此而來，終於造成台灣經濟奇蹟之起跑點。

這一簡單公式與說明，實際上不過是總體經濟理論之最單純應用，但在當時可說無人有此認識，現在則已成為常識矣。

㈡一九五九年十二月之十九點財經改革措施。自一九六一年至一九六四年，應為第三期四年計畫期間。由於美援將要停止趨勢已十分明顯，美方一再催促我方迅速採取經濟改革措施，作為早日結束美援之準備，我遂奉命於一九五九年草擬加速經濟發展計畫大綱，即成為以後之第三期四年計畫之藍本。此一大綱就當時整個經濟情勢加以評估後，分別擬訂國民生產毛額、個人所得、就業人口、國際收支目標，及計算所需投資數額與美援需要，希望在此一計畫執行完成後，台灣經濟能夠自立，不再依賴美援。

為配合此一計畫之實施，俾能達成目標，同時草擬了十九點財經改革措施，由行政院院會決議交由各主管單位切實執行，並成立一小組監督，由行政院副院長王雲五主持。此一小組在美援會方面，原由我代表出席每次會議，我係原案起草人，了解每一條文之真實含意，自甚適當。但出席一、二次後，不知何故，未事先通知我，即改由陶聲洋出席，我遂未再過問。王雲五為一外行，對於現代經濟知識所知不多，而又自視甚高，每次開會時，由各機關代表報告執行進度已達百分之若干，王雲五即據以打執行成績分數，如九十五、九十八等等，如此監督，有如兒戲，自然是無成效可言。此一小組後來在無形中結束。

但十九點財經改革措施，在當時雖未認真執行，以後若干重大財經改革卻大多遵循此一路線進行。例如，投資小組於一九六〇年草擬並頒行之「獎勵投資條例」，實際上即是此一改革措施有關各點之條文化。（請參閱附錄三）

三、經濟計畫之設計工作。我進入工業委員會第一次指派的工作，即是評估及彙編第一期四年計畫中的工業計畫。由於我對工業技術外行，對於每一個別工業投資計畫中之技術部分無法評估，乃由尹仲容先生指派經濟部負責技術之張創協助。定稿時已到一九五三年年底，尹先生問我四年計畫應從何年算起，我以基期資料均截至一九五二年底止，各項計畫數字均係自一九五三年起算，故建議自一九五三年開始，尹先生即予同意，在經濟安定委員會（簡稱經安會）中提出被接受，此即以後屢次四年計畫之最初起算日期。

第二期四年計畫，由經安會祕書處負責，我奉命代表工業委員會參加。第三期四年計畫則係依據我負責草擬之加速經濟發展計畫爲藍本而編製的。

以上這三期的四年計畫，用的都是土法，即是將個別投資計畫加起來，得出產值多少，可出口多少，須進口多少，就業多少等等，缺乏總體經濟觀念，談不上現代經濟計畫設計技術，實在不夠國際水準。因此我便趁一九五七年至一九五八年在美國進修時，廣泛蒐集各國經濟計畫，及有關設計的技術與資料，預備回國後對經濟計畫設計技術，作徹底的改革與現代化。我的這一理念果然在第四期四年計畫的設計中實現。

這次計畫初稿應爲「中華民國十年長期經濟與社會發展計畫暨第四期四年計畫」，長期計畫自一九六五年至一九七四年，四年計畫則自一九六五年至一九六八年。二稿將「與社會」刪除，成爲「中華民國十年長期經濟發展計畫暨第四期四年計畫」，最後定稿爲「中華民國第四期台灣經濟建設四年計畫」。我以國際經濟合作發展委員會第三處處長職務，擔任總主持人工作。此一時期正是台灣脫離美援依賴，獨立起飛，高度成長，高度穩定的時期，也正是轉變爲現代經濟的大轉型期。配合這一時期，經濟設計作了如下的重大革新。

㈠第一次採用現代經濟設計技術。在正式擔任總主持人以前，我已做了差不多三年以上的預備工作。這又包括：

⑴借調謝慎初及任用劉泰英全面修正國民所得統計，作爲設計的基礎，此一工作後交由劉泰英負全責，順利完成。

⑵編製投入產出表，亦即產業關聯表。先與邢慕寰訂約，委由彼負責編製。因邢慕寰無工程人員相助，表編成後，送由本會第一處工程同仁審查，發覺不能採用，乃改由本處自行重新編製，亦交由劉泰英負責，雇用龐大人力，並借用交通大學電腦計算。投入產出表終於編成可用，成爲亞洲第一個採用投入產出表從事設計工作的國家，日本亦落後數年。此表並爲設在曼谷的亞洲理工學院採做教材。

劉泰英其在〈長憶恩師大中先生〉一文中，曾有如下的一段：

恩師在民國五十三年短短暑假中，不但對當時的國民所得編算工作提出了改進意見，並認為使總體計畫、部門計畫與個案計畫一致性及有效性，必須由經合會編算中華民國產業關聯表。由於恩師必須在暑假結束前返回美國康乃爾大學（以下簡稱康校）執教，所以當時參加經濟設計的工作同仁均不分週末假日，晝夜加班趕工，恩師亦每天隨工作人員加班。

這是一段不符合事實的文字。修改國民所得及編製產業關聯表遠在一九六〇年即已開始，爲了展開這些工作，即與邢慕寰訂約，曾有意自農復會借調李登輝未果，又自主計處調謝慎初，先後任用劉泰英、劉榮超、林海達，迄至一九六四年暑假，這兩項工作已大致完成，可能由劉泰英送請劉大中指教改正，但劉泰英當時並未向我報告，所以我將功績記在他的帳上。如何可以說劉大中「並認爲使總體計畫、部門計畫與個案計畫一致性及有效性，必須由經合會編算中華民國產業關聯表」，好像沒有劉大中的「認爲」，我們就不知道使總體計畫、部門計畫與個案計畫一致性及有效性，就不編產業關聯表了。我是當時計畫的總主持人，事實上，在三年以前，如何設計一個合於現代標準的經濟計畫我已經有整體的輪廓與規畫了，怎可說是劉大中的臨時起意，與我毫不相干呢？幸好當時參與工作的葉萬安及其他同仁尚在，可以爲證。

(3)編製資金流量表。在總體計畫模型中，包含有金融因素。爲了使金融與經濟計畫密切配合，一方面使計畫執行得到充分資金供應，另一方面則避免通貨膨脹與緊縮，於是決定編製全國資金流量表。乃與台灣銀行經濟研究室孟慶恩副主任（後調中央銀行經濟研究室主任）簽約，委託孟先生編製。由於時間上來不及，故在計畫中未曾採用，但孟先生仍繼續編製成功，由現在中央銀行定期發布，供各界參考的「中華民國台灣地區資金流量統計」，起自一九六五年，即起源於此。

(4)建立總體經濟計畫模型。所有上述項日，都屬預備工作，最後目的在建立一總體經濟計畫模型，根據此一模型，設計出個別發展計畫及評估其效果。但遍尋國內各方面無此人才，乃將此一情形向嚴家淦兼主任委員報告，嚴主委立即反應，何不請劉大中回國設計一個模型。隨即由經合會電商劉先生，獲得同意，於一九六四年暑假回國，負責總體模型設計事宜。第三處指派劉泰英爲其助理兼聯絡人，供應所需資料及人力。暑假結束時，建立模型工作亦告完成，據以設計第四期四年經濟計畫。此一模型係倉卒建立，一九六七年我去聯合國服務時，曾以之請教聯合國專家，指出缺失甚多，我以不在其位，未向經合會繼我之任者反應。以後是否有改進，不得而知。劉泰英因此受到劉大中賞識，推薦其至羅徹斯特大學，後轉至康乃爾大學攻讀博士學位，並取得獎學金，獲得學位。

㈡第一次編製十年長期發展計畫。這是第一次對台灣長期經濟發展作規畫，主要是因爲若干重大投資，特別是基本建設，以及人力投資等，都不是四年所能完成的。同時若干重大財經決策亦不能以四年爲目標，而必須看得更遠。計畫送到行政院後，立即受到各方面攻擊，說是十年之內早就應該反攻大陸成功，如何可以在台灣還要待上十年，什麼意思？這是一項我擔待不起的大帽子，於是十年長期計畫便刪掉了。

㈢第一次社會建設納入經濟計畫內。我早就說過，經濟發展是全面性的，不能單獨談經濟發展，否則經濟發展會受到阻礙。聯合國所設立的主管經濟事務的最高單位，就叫「經濟暨社會理事會」，簡稱「經社理事會」，是將經濟與社會連在一起的。所以我在這次能主導的經濟設計中，便毅然將社會建設納入。計畫送到行政院後，以社會建設費用龐大，非財政所能負荷，且歐洲國家因實施社會福利政策正陷於困境，乃將「社會」兩字予以刪除，但內容並無重大變更，故仍有部分社會發展計畫在內。

㈣涵蓋面遠較以前各期計畫為廣。此一計畫係從總體經濟及長期發展觀點出發著手設計，因此舉凡台灣日後所遇見及發生之經濟社會問題，及解決此類問題所能動員之資源與須建立之制度，均曾涉及。如果根據此一計畫作進一步之制度設計，並切實付諸實施，則台灣現在已經是一現代社會，許多亂象與問題都可避免，不勝惋惜之至。

整個計畫分為上、下兩篇。上篇為總論，計五章；下篇為部門及個別計畫，計三十二章。總計三十七章。

在總論方面，第一章列有四個經濟及社會發展目標，都是一個落後國家變為現代經濟社會的長期目標，現在仍可適用。㈠建立民生主義經濟制度，實即民主社會主義經濟制度，或戰後盛行的混合經濟制度；㈡促進經濟的現代化；㈢維持穩定而快速的成長；㈣提高生活水準。

下篇又分為農業部門、工業部門、交通運輸部門、社會建設部門、國外經濟部門。其中社會建設部門尤其值得特別一提。此一部門共有總述、人力資源的發展、社會福利計畫、都市及郊區發展計畫等四章。僅就標題言，即可知道目前所遭遇的社會問題，遠在三十年前的計畫中即包含在內。為便於了解當時設計社會建設的用意，特將總述全文抄錄如下：

社會建設的目的，一在便利經濟本身的發展，一在促進經濟與社會的均衡發展，以宏大經濟建設的成果。

由於人力是促進經濟進步的要素之一，所以在社會建設部門中，人力資源的開發與利用，是一件首要的工作。而人力資源開發與利用的基本任務之一，為如何培育經建所需的人才，故在未來四年之中，於國民教育方面，將全力促使國民學校志願升學方案付諸實施，以消弭惡性補習及增加國民就業能力；於科學發展方面，則除全面加強國民及中等學校的科學及工藝教學設備外，並提高各大學自然科學的教學及研究水準，以及充實各專設研究機構的設備，以逐步奠定堅實的發展基礎；同時藉發展職業教育及技藝訓練，培育經建所需的人才。因此，在未來四年內，各級學校都將作相當的擴充。

經濟發展的結果，國民生活水準必隨之提高，而國民生活的改善又為促進經濟進步的動力，它們好像一把剪刀的兩面，是相互為用的。國民生活的改善包括精神生活與物質生活兩方面，經濟建設多偏重於國民物質生活的改善，而社會建設的進步，國民的精神及物質生活都可以獲得提高。在一個工業發展的社會，人口必定逐漸向城市集中，工業愈發達，人口也愈向城市集中。台灣近年的人口動向就是向台北及高雄兩地區移徙的，而且流動的速率有日漸加劇的趨勢。所以政府將規畫新社區的開發，在未來四年間完成台北區域計畫、基隆區域計畫、台中區域計畫、新竹區域計畫及台南區域計畫的擬訂；擴大及修訂十二處都市計畫；擬訂二十四處新都市計畫；擬訂十二處新工業區計畫；此外並興辦各項公共設施，如改善及拓寬原有主要道路及新闢主要計畫道路，發展自來水，提高給水普及率及工業用水之供應量，改善及新建下水道，以及增建國民住宅等，俾使工業發展不致因人口的集中而受到妨礙。另方面也可以預防因人口集中可能造成生活上的諸般問題。因此，新社區開拓的結果，必可逐漸走向城市鄉村化，鄉村城市化的境界。

近代已開發或正在開發中的國家，他們的努力目標之一，為使國民的壽命不斷地提高。因為國民的健康狀況，小之可以影響工作效率，擴大來講，可以決定國家的盛衰；而健康的維護，除須推廣醫療保健工作外，還要有適當的康樂環境，供國民從事各種康樂活動，調節身心。所以在本計畫中，對於公共衛生及保健計畫，將作大量投資，希望在消極方面能夠逐漸根絕或降低各種傳染病的病患率，在積極方面，促進國民營養、家庭及工業衛生以及生育常識。另外輔以康樂環境的規畫及康樂設施的增設，使國民精神生活能夠得到合理的改善，而獲致身心平衡的發展。

此外，政府並將全面建立社會安全制度，在社會保險方面，將在現行勞保、公保以外，視社會的需要，逐步擴大保險範圍，分期分類實施，並改善勞保、公保的醫療服務。在國民就業方面，將擴充國民就業輔導機構及其業務，並視工商業發展情形，增設就業輔導中心或輔導站，加強實施職業介紹。在社會救助方面則將改善公私立救濟設施，擴大院外救濟，救助貧苦老幼人民，使維持最低生活，以及擴大貧民免費醫療等。在兒童福利方面，則將擴大學童營養午餐計畫，及充實各公私立育幼院及托兒所，尤其是農忙托兒所，因間接對農業增產有很大的助益，在今後四年內更將擴大辦理，以逐漸達到每一鄉鎮區設立中心農村托兒所一所，每一村里設立托兒班一班為目標。由於以上各項措施，當可使整個社會逐漸走向「老有所終，幼有所長，鰥寡孤獨廢疾者皆有所養」的境地。

請注意，這是一九六四年的構想，距離現在已是三十多年了，還是用得著，我們國家真是沒進步。

這本四年計畫即成爲以後各期四年計畫的範本。現在從事台灣經濟及社會發展工作者，仍值得一讀。這個計畫當然不是我一個人所能完成的，但整個架構、計畫方法的革新方向及前置準備工作的提出與推動，上篇總論部分，下篇社會建設部分，除第三十四章外，以及國外經濟部門，則是完全由我主稿。這是一個夠國際水準的經濟暨社會發展計畫。

四、整理及解釋經濟及社會統計資料工作。我國統計法中有一條非常霸道而荒謬的規定，即所有有關統計工作及統計資料的發布，規定由行政院主計處統計局獨家負責，其他使用統計資料的機關不能蒐集、編製、與發布與其業務有關的統計資料，因此縱令明知統計局的資料不實或不全，亦只有接受。這產生兩種不良影響：㈠過去在大陸，爲配合政府政策需要，經常發布不實的統計資料，以致無人相信，形同廢紙，並成爲使用者取笑的對象；㈡使用統計資料機關採用不實與不完全資料於業務上，將產生不正確的結果。以負責經濟設計工作的美援會爲例，如果以不實與不完全的統計資料作爲設計基礎，則此一計畫將毫無意義。

我有鑑於此，乃決定不管法令如何規定，爲了設計工作的完善，對統計局的統計資料在採用前先予過濾，如果發現不正確，即自行蒐集原始資料重編，國民所得統計即是如此。一方面由我所主持的單位全面改編，作爲設計之用；另一方面建議撥出美援資助統計局全面更新統計方法及資料蒐集過程，以期有一完整正確之國民所得統計系列。

除國民所得統計外，其他統計資料爲本單位所使用者，一定仔細檢核，本單位絕不發表或引用不實或不完全之統計資料，即使與政府政策要求不合，亦在所不顧。因此得罪了政府當權者，卻贏得了國內外人士的信任。特別是國際人士，只要是美援會所提供的統計資料及所作的解釋，他們都給與高度的信任。

尹仲容先生經常接見國際人士談台灣經濟問題，每次都臨時來電索取統計資料，且須英譯者，使我們手忙腳亂，難以應付，乃決定就常用之資料編印成冊，並譯成英文備用。適嚴演存委員亦蒐集有若干資料交予本單位，再加上國際資料，根據實際需要，加以重新組合及排列，編成英文統計手冊，在國內外廣爲流傳，尤其各國駐華大使館及來訪國際人士十分欣賞，紛紛索閱。美援安全分署並建議在機場入境處發售，俾國際人士一入境即可購置一冊，對台灣經濟及社會情況便可有大致了解，因涉及法律問題，未曾實現。韓國政府則模仿我們出了相同的手冊。因尹先生常在行政院院會引用手冊內統計數字，引起出席官員之注意，要求分送各官員。又因係英文，要求譯成中文。本單位遂應要求印發中文本，引起統計局抗議，說違反統計法，要求冠以統計局名稱或停印中文本，由統計局另行印行，我接受了後者，本單位遂停印中文本，改由統計局接手，可見在中國政府做事之難。

在那些年代，通貨膨脹及經濟景氣問題仍十分嚴重，尹先生常索取最近一、二週統計資料，作爲決策參考。我便決定仿照美國聯邦準備理事會辦法，編製每週重要經濟指標統計表，將若干重要商品生產、金融物價等統計資料列入，每週資料截至週二止，並列有本月、本年與上月、上年比較數字，週三編印妥當呈送尹先生，備週四行政院院會之用，亦得到院會出席官員之激賞。

此外，我尚預備編製敏感物價指數表，已擬妥計畫及籌好經費，與台灣銀行經濟研究室合作，借用該室人力，因尹先生逝世，計畫遂中止。

自一九五三至一九六四年，可以說是我爲政府服務的黃金十年。在此十年中，針對台灣從一個戰後凋敝及落後的經濟社會，轉變爲興盛及進步的經濟社會的巨大轉變期，所發生的各種問題，我一方面引進西方國家的進步觀念及政策制度；另一方面則憑一己的學識與經驗，提出自己的觀念與政策制度建議，幾乎每天都有新的觀念與構想提出，可謂得心應手。官階不高，權力沒有，但有重大影響力。我所主持的美援會資料室、經濟研究中心及經合會第三處，國內外聞名。我所主持的這些單位，可說是以最少的人力與經費，發揮了最大的效果，成爲真正美援會的智庫，當時的一些美援會同仁在當時及以後亦常以此相讚譽。現在回想起來，仍深感驕傲與滿足。

在此十年中，本單位的同仁，特別是葉萬安，與我一同工作，辛勞備至，貢獻甚大，特在此致感謝之意。我這個單位是美援會人才最多的一個單位，曾經出過兩位部長、一位次長、三位副主任委員、好幾個董事長、國內外大學著名教授、經濟專家、國際金融機構專家，以及自由職業者。每一位同仁都學有專長，都能自動自發認真工作，學以致用，效率高而紀律好。同仁間相處和諧，毫無官僚作風，好像是在學校一樣，迄今猶令人懷念不已。我也對人才蓄意網羅、栽培與提攜。只要有一技之長，我必定聞名親自拜訪羅致；只要工作有表現，我一定想盡辦法不次提升，或在法律許可下，給與金錢獎勵；同仁如有困難，我一定全力協助解決，所以人才輩出也非偶然之事。只可惜爲時過短，我的官階過低，不然我會培養出許多人才，蔚爲國用。所有這些，現在都已是往事不堪回首了。

我用人不問背景，不問學校，不問派系，不問省籍，也不問年齡，只要有專長爲本單位所需要者，即設法羅致；只要工作有表現者，即予以不次之擢升。因大量引用本省人，而受到批評；因大量引用學校剛畢業學生，而被會內其他單位譏爲童子軍隊長，但我們這一單位是效率最高，氣氛最和諧的一個單位。

我之所以對這一段工作有如此詳細的敘述，一則是因爲這是我初任主管職務，初次發揮我的個性與行政才能，展示了我的抱負，對國家社會有所貢獻，是我人生的一個重要里程碑，值得一記。再則也是因爲有些美援會同仁寫回憶錄，對我的這段工作隻字不寫，甚至連我的姓名都不提，一若美援會不曾有過我這樣的一個人，心中未免有些許的不平，不如我自己寫出來。

我說隻字不提，並非過分之詞，如劉泰英是我一手提拔栽培的人，隨我工作多年，竟然在前述紀念劉大中的文章中，將功績全歸之劉先生，不提我一個字。再如張駿寫《創造財經奇蹟的人》，李國鼎先生不准提我的名字。其實，提與不提我的名字，都已是成塵往事了，像我這樣的人，慿便如何提，都是與草木同腐，思之憫然。不過，既然寫自傳，就不得不帶上一筆了。

第十七章 流放國外

前章已言之，尹仲容先生逝世後，人事全非，事已不可爲，戀棧下去亦只能仰人鼻息。我遂於一九六四年底自動請調顧問職，預備專心教書及寫作。

不料於一九六六年中，在泰國曼谷聯合國亞洲暨遠東經濟委員會（Economic Commission for Asia and the Far East，ECAFE，UN）工作之前中央設計局長官方顯庭與李慶遠，自動介紹我去該會工作，擔任工業暨自然資源處工業研究組組長。我未加深思，即欣然答應。辦好一切手續後，於一九六七年元月經越南西貢，爲政府辦妥一件公事後，轉赴曼谷履新，負責二十二個本區域國家之工業發展問題之研究與推動事宜，成爲政府自大陸撤退後，第一個進入聯合國的正式高級職員。待遇甚高，年薪一萬八千美元，扣稅再加各項補助金額，實際待遇略超過此數，其時泰國總理年薪亦不過七千二百美元。我的薪水按台北黃金價格折合每日一兩金子，而辦公時間將各種假期計算在內，每週不過四天。除此以外，尚享有外交官待遇，所有進口物品如菸酒食物，一概免稅，進出泰國國境亦不受檢查，逕行通關。

由於我妻范馨香在最高法院擔任推事，不能隨同赴任，我遂隻身前往，時年齡已接近五十，英文又非母語，能寫而説話欠流暢，故工作稍感吃力，雖尚可應付，然實非我這個年齡所宜。事後思之，當時隨口應允，未免輕率。

聯合國爲求對世界各國經濟發展及經濟事務能平衡照顧，分別在歐洲、中南美洲、非洲及亞洲及遠東地區各設有一經濟委員會。爲聯合國直屬的分支機構。亞遠經會即爲四者之一。在設立時，由於中國爲聯合國創始國，並爲五常任理事國之一，故設置地點與最高負責人祕書長，由中國任選其一。中國選擇設置地點爲上海。中共取得政權後，該機構遂遷曼谷。

曼谷在當時已是一個相當現代化的國際都市，遠較台北進步，市區及郊區馬路修築得平坦堅固，路線很直，四通八達，機場設備及面積亦優於當時我國的松山機場。市區依我的分法，可分爲四大區，一爲現代繁華區，現代大建築及商店旅社很多；二爲皇室及廟宇區，都是古建築，輝煌莊嚴，皇宮用地很大，四周有護城河，從外面看不見皇宮建築；三爲華人聚居區，名耀華里，完全中國風味，中文招牌，國語可通；四爲一般平民住宅區，都很整潔，雖有的狹小擁擠，似乎未曾見到其他都市破爛不堪的貧民窟。郊外則古蹟名勝甚多，濱海有休假旅社及設施，亦有單戶住家或旅社，收費都很低廉公平，設施也很完備清潔，可説是一個現代國家的規模。現在事隔三十餘年，是否依舊，便不得而知了。

泰國本地人都比較矮小瘦黑，華裔泰人很多，泰北則爲雲南的白夷種，高大而膚白，是以參加選美的泰國小姐多為白夷人。皇室有華人血統，並鼓勵與華人通婚，以改良皇室血統。華裔血統泰人經濟與政治力量均甚強大。政治方面，高級職位如總理、部長、中央銀行總裁，常有華裔血統泰人出任。經濟方面，則重要商業如米糧、銀行、金店、珠寶店等亦多在華裔手中。自由職業如教授、醫師、律師亦多為華裔。窮鄉僻壤亦多華裔居住，大門上多漆有中國對聯。泰國政府平等對待各族，可說毫無歧視。而泰國本地人多因信佛教，性情平和，生活簡單，但很懶惰。幸物產豐富，物價人力低廉，謀生很易，故社會尚稱安定，治安雖不太好，但暴力不多。這都是三十幾年前的情形，現在可能有相當改變。

華人不僅在泰國力量很大，在整個東南亞，包括中南半島在內，華人力量都大。聯合國亞遠經會一年有大小會議無數次，出席人員除少數白人外，其餘大部分有華人血統，且多通國語，看起來就好像中國人在開會一樣。其時新加坡剛獨立不久，其出席會議人員均屬華裔，年輕而精幹，對業務均甚熟稔，操流利英語，充滿朝氣與自信，亦有幾分自傲，當時就可看出新加坡前途發展無限。我常想我們中國不但沒有殖民政策，而且是對外封鎖。如果像歐美國家作有系統的殖民，則今日之東南亞已盡是中國人之天下矣。

聯合國亞遠經會約有員工三百餘人，另有臨時約聘之各種專家甚多，總數大約五百人。由於使用英語為公務語言，故祕書長及高級職員多為舊英國殖民地之印度、緬甸等國人，尤以印度人最多。基層事務人員多為泰國人，中國人約十餘人，多屬高級職員。印度人英語發音難懂，但聽懂後，便會發現其英語十分優美，說話滔滔不絕，但很少動手做事。所以一小時可做完的事，他可用一天的時間來說明他何以不做這件事的理由，或推給別人做。而他不是不會做，只是懶於動手去做。我因擔任組長職務，經常要與印度籍組長打交道，領教太多這種情形了。

整個機構都效率不高，終日無所事事，同仁每日都在計算退休金若干，或想理由要求聯合國總部增加曼谷地區人員津貼，高級職員則找理由成立新單位以便升官，或設法延長任期，擴充職權。聯合國亞遠經會實在是相當腐敗的機構，與我在國內所見者相同。但是它具有較完善進步的人事制度，非台灣所能比擬，而仍不免於冗員充斥，效率低落，可見我們常說的「徒法不足以自行，徒人不足以爲政」，必須人與制度同時進步才能進步，確有道理。

在聯合國亞遠經會工作，既無效忠對象與歸屬感，亦無工作目標，毫無事業前途可言，浪費光陰而已，完全與我個性不合。人生如果僅爲區區數萬美元，不如早年即從商，何必浪費國家與家庭資源去讀書，有愧國家與父母，遂萌去志。

至於我這一組雖云工業研究組，實際連我及祕書小組只有五人：兩位緬甸人，一位錫蘭人，一位泰國小姐，後又來一位印尼人，係約聘人員。但要負責亞洲暨遠東二十二個國家的工業發展研究，及美國、歐洲等先進國家與聯合國有關機關聯繫，事實上根本不可能。實際所做之事，係準備每年召開有關工業與自然資源之大小會議文件籌畫工作，會議期間紀錄之整理與會後報告之撰寫。所謂會議文件，即是對某些專題討論所提出之論文，均係事先邀請各國在此一方面有研究之專家撰寫，但本組必須準備詳細大綱與追蹤進度，是以工作負擔並不很沈重，與工業研究亦完全名實不符。由於工作人員絕大多數來自本區域內之落後國家，故工作態度十分懈怠，效率很低，事情雖少，成效不彰。而且無論如何督促，均置之不理，除英文外，一般學識程度均甚差。

除這些例行工作外，亦時常奉派至區域內各國考察，或參加其他聯合國機構所召開的會議。正如國內政府機關一樣，出差機會爲大家所熱烈爭取。我以個性關係，不喜出門遠行，故樂得留在辦公室內。但仍奉派至菲律賓、韓國考察兩國出口工業，及至維也納參加聯合國工業組織所舉行的大會。

在曼谷三年，由於工作輕鬆，生活環境單純，精力尚未衰退，便一如我幾次去美國留學情形，儘量利用與各國代表交往所能接近之文獻，及亞遠經會倉庫中堆積無人過問之聯合國有關經濟與社會發展出版品，包括農業、工業、金融、財政、貿易、教育、人口、都市設計、社會福利等項目，予以有系統之蒐集，其中不乏國際著名學者專家所撰寫之研究報告，十分珍貴。我尤其注意日本與以色列兩國文獻。凡經過我手之有關日本經濟與社會發展文獻，我必留存一份。至於以色列，則文獻甚少，我曾特別宴請以色列駐泰國大使館經濟參事，請其向本國索取有關文獻，並無結果。我之如此熱心蒐集，目的仍在他日回國，可作爲我國策畫未來經濟與社會發展之重要參考資料。我辭職回國時，共帶回此類出版品二十餘紙箱，曾建一大儲藏室予以收藏，後被資遣離開政府，知已無利用機會，乃請士林紙廠用卡車運去做紙漿了。

除蒐集及閱讀上述出版品外，亦致力於經濟理論書籍之閱讀。我曾於一九五七年在英國B. H. Blackwell's書店開有帳戶，隨時可接到有關經濟、歷史等方面出版之新書名單，隨時郵購閱讀，故讀書亦不少，頗有心得，對以後工作亦有重大幫助。故僅就這一方面而言，在曼谷三年，收穫良多。

我情感豐富，寄身海外，宗國眷戀之情更隆，每遇見有國旗升起或唱國歌場合，輒爲之淚下，每有故舊自國內來曼谷探望我時，必請吃飯，依依不捨。對國內經濟情況及政情關心程度甚至超過在國內時，遇有國內重大經濟問題發生，必反覆思考，分析發生原因，構想解決之道，盤旋腦際，揮之不去，必須寫出方可釋然。因而亦常寫論述文章，刊登國內報紙，與國內經濟情況並未脫節。

儘管在聯合國工作，待遇優厚，工作清閒，我又於一九六九年通過試用階段，獲得永久任命，可工作至退休年齡爲止。而且退休待遇亦高，終生生活無虞。但終因與平生志趣不合，適經國先生二次邀請回國工作，乃於取得永久任命狀，並任滿三年後，於一九七〇年初辭職返國。事後證明，此又係一草率決定。當初便不該來，來了之後便應安心工作，不該又要走，以致進退均失據，對我的人生平添多少曲折與屈辱。不過，現在都已過去了。

第十八章 教學相長

我於一九七〇年元月返國，奉派在國內外考察及休息三個月後，奉經國先生之命仍以顧問之名義返回經合會工作。至一九七三年六月離開，整整三年半。在此期間，因經國先生始終未予適當位置，在經合會不但無公可辦，而且成了邊緣人，昔日同事每多輕侮，受盡折辱。向經國先生求去又不許，只好忍耐。幸好我的外務很多，教書、寫文章、參加經合會以外的會議，仍然忙碌異常，做到窮途而不失意。讀了一場書，就只發生了這一點作用，維持了我的人格與尊嚴，仍受到社會的重視與尊敬。一直到被資遣後，我才正式展開了我於一九六五年改任經合會顧問時，預備做的兩個工作：教書與寫作。前後共計經歷了九年，我又回到了原點，可謂命運作弄人。如九年前即堅持我的決定，該省卻多少周折與委曲。

在我正式從事教書工作以前，曾零零星星地教過幾次書。一九四九年春，全家遷至桂林時，因爲我曾讀過兩年政治系，曾在桂林一專科學校教授政治學一學期。同年十月，曾在強恕中學教英文一學期，均係代課性質，於今已印象模糊，談不上是生涯。真正開始此一生涯，應自一九四九年十二月，經中央大學老師張慶楨介紹給當時教育部長杭立武，進入新成立的台灣省行政專科學校，擔任財政科專任副教授起算。校長爲左潞生，科主任爲蔣默掀。我主授經濟學與統計學。由於我是新回國的留學生，教材新穎，頗受學生歡迎，應該算是最好的老師之一。兩年後，因人浮於事，杭先生已卸任教育部長，無人事背景，遂被擠掉。當時年輕不更事，曾去函教育廳長陳雪屏抗議，真是幼稚。

一九五三年，經劉南溟老師介紹進入台大，擔任法律系司法組兼任副教授，以後轉入商學系，再轉入經濟系。我與台大學生淵源，即從此時起，一九八九年離職，中間除出國外，未曾間斷。所授課程爲經濟學與國際貿易，後改爲國際經濟學，此兩課程一直到我離開教學工作，始終未改，僅中間曾一度講授「經濟發展」或與人合開「台灣經濟發展」課。

一九六三年文化學院（今之文化大學）成立，擔任經濟研究所教授，一個月後兼任所長，嗣後又兼任日夜間部經濟系主任，至一九六七年出國爲止。一九七〇年返國，復擔任該校教授兼所長職務及博士班主任，爲期甚短。以後即在台大任專任教授。一九五四至一九五七年曾兼任東吳大學商學系教授。此外，一九七〇年，政治大學校長劉季洪曾面請擔任商學院院長，輔仁大學曾欲聘請至該校兼課，均婉辭。

一九七〇年初，我自曼谷返國，台大法學院院長林霖隨即來訪，要我將經濟系兼任教授改爲專任教授，可外調至經合會工作，不在台大支薪，但必須要改爲專任。我以盛情難卻，於回拜時應允。不久林院長即去石牌受戰地訓練，在受訓前，曾關照經濟系主任華嚴教授辦理我的專任手續。正辦理間，林院長因急病去世，華嚴教授繼續辦理，完成聘任手續。

關於我的教授資格問題，也是一段很有趣的插曲。約在一九六六年，我擔任文化學院經濟研究所所長，聘請楊承厚擔任教席，同車自陽明山返回台北，談及彼已取得教育部教授證書，並勸我辦理申請手續。我一向憚於辦理此種麻煩事，連高考及格證書都懶得領，這一次忽然認真起來，返家後立即檢齊各種證件，透過文化學院向教育部申請教授證書，一請就准，於一九六七年我已出國後，頒發給我教授證書。我以有這張證書，在台大改爲專任遂得以順利通過，可説冥冥中自有定數。我常向楊承厚先生説我的教書工作就是他賞賜的，否則我離開政府職務後便會失業。雖是戲語，亦是實情。

從此台大便是我的安身落腳之處，直至一九八九年，我居齡辭職，系中再聘我爲兼任教授至一九九四年我滿七十五歲爲止。

我在美國華盛頓州立大學主修貨幣理論、國際貿易與金融。返國以後，因環境關係，未曾繼續深入研究，在台大及其他大學擔任的課程，均係前述之經濟學、國際經濟學與經濟發展。在政府擔任公職時，則以經濟設計及經濟發展政策工作爲主，而尤以經濟發展理論及實務接觸最多，出國進修亦著重此一方面。

教學生涯始終勝任愉快。政府遷台最初十餘年，台灣經濟學界十分貧乏，對於現代經濟理論所知不多。以我在出國前所奠定之現代經濟理論基礎，及在國外之心得，特別是關於凱恩斯理論有較深入之研習，故在教授經濟學時，能以較長時間講授總體經濟學，此在當時可稱爲一嶄新之教法，頗爲學生所接受。尤其因爲我同時在政府擔任經濟政策及設計工作，常用當時經濟問題作實例，用總體理論來加以剖析，爲學生所未曾聞，甚受歡迎。頗多系外學生因我之講授而轉系，系內學生則有提高其對經濟學知識之認識與興趣，日後從事此一方面之學術研究或實務者。

我可能是極少數能將理論與實務融合在一起，不僅使書本知識得以活用，且能從理論方面剖析現實問題，也能以現實問題印證理論的教授之一，將一門原本較爲艱深的課，使學生充分了解，且印象深刻，歷久不忘，因此頗受學生歡迎。由於我讀書多是靠自修，對於某一學科或某一本書重要部分在哪裡，最難讀的部分在哪裡，如何去了解這最難的一部分，我都有親身的經歷與了解。在授課時，我便運用我的這種特殊經驗，和了解這些困難問題的特殊方法，來向學生講解，每每將一個很難、很複雜的問題或概念或原理，很容易地使學生完全了解。因此當時由台大學生會所舉辦之全校調查，我成爲五位最熱門教授之一。一九八〇年四月《台大青年》八十三期曾將此事刊出，並對於我講授經濟學原理有如下的描述：

「王老師除了很有系統地講解基本經濟知識，並附上當前的經濟分析，使我們所學能與實際相配合。如上學期末王老師曾給我們分析石油漲價的問題，不但使我們得到許多寶貴的知識，更大大地提高了同學們上課的興致！」

「王老師講解亦很清楚，不僅使同學們在上課當時能了解，並能牢記在心，所以這門課對選修生而言，是不致構成太大的精神負擔的，但內容卻是很實用的，一般同學都可以獲得他們真正想得到的東西……。」

「王老師講課是從不點名的，但是同學們到的人數還是很踴躍的。因為少上一堂課，對我們每一個學生而言，都是一重大損失。這充分顯示只要教授講得好，是不必以點名來約束學生的。由於兩百三十餘人在一個教室上課，所以占位置的風氣特別盛行，兩點的課，十二點半過後就沒位置了，還有許多同學到隔壁教室搬椅子過來，把前後左右的走道都擠得滿滿的，剛開學時，更有許多同學是站在後面聽講的，其盛況可謂空前……。王老師講課非常有技巧，很能吸引同學們的注意力，同學們聽完課後，都能有很深刻的印象，很有概念，回家後看書，都有事半功倍之效……。」

國外的教科書，每三年必更新一次，我的講義也是每三年全面更新一次，參考二至三本美國流行的教科書，將講義重寫一遍，材料新穎淺顯易懂，但所有重要理論與基本概念都包含在內，這是一個很繁重的工作。可惜我未能有計畫地編寫一本教科書出來。

任教期間，始終與學生保持良好關係，關切學生，幫助學生，幾乎有求必應，甚至允許學生在家中開舞會。尤其對於導生，每學期必聚餐一次，或在家中，或在飯店。而對於畢業班，則必在家中以茶點招待歡聚，聽由學生自由談話交誼，可以無所不談。師生間其樂融融。

上課原則上不點名。對一年級本系學生分數從嚴，常有三分之一不及格者。對四年級及外系選修學生分數則從寬。尤其四年級學生幾乎全都及格，因我不願四年級學生爲一門課不及格而多留校一年。但部分四年級學生因此不上課，此種情形愈到後來愈盛。鑑於四年級學生如一學期或一年不上課，而成績仍然及格，則未免有辱校譽及系譽，因此訂一規則：凡一學期全勤而成績欠佳者，予以及格；凡不上課而考試成績及格者，也予以通過；但既不上課，考試成績又不及格者，則不予及格。爲執行此一規則，乃對四年級學生每學期抽點名四次。竟然因此發生一則故事：一位四年級學生經常不來上課，四次抽點名，四次都未到，期終考試成績亦差，乃予以不能補考之分數，即不能畢業。此生前來抗議說：我每次上課時老師不點名；老師點名時，正好我未上課，我只缺課四次便不能畢業，不公平。我乃接受其抗議，打六十分，但將其抗議理由於成績單上注明，結果學校給與零分。

我無論在任何機關學校工作，均嚴守分際，不逾越規範，但亦不接受不合理、不公平之待遇，遇有此種情形發生，不論對象爲誰，我必嚴重抗議及力爭。而當事者常不責自己之不公平與不合理，反而責我脾氣暴躁，不能合作，世事每多如此顛倒是非者。我在機關經歷此種情形甚多，但學校則究爲文化機關，人文薈萃之地，不公平、不合理之事甚少發生於教學方面。故我在台大前後三十餘年，從未與系院或校方任何教授及行政單位發生任何不愉快事件。教授同事之間，互相尊重，本無衝突之可言。行政單位則根本甚少接觸，偶有必須之接觸，亦爲教學公事，有一定規章可循，不致有爭執發生。

約在六十歲左右，漸感精力不如從前，吸收經濟學新知速度漸趨緩慢，記憶力亦見明顯衰退，授課離不開講稿，每三年修改講稿一次，亦感吃力，授課時速度及口齒用語亦大不如從前。深感時不我予，已漸老去。爲保持年輕時所建立之形象，亟思另求一謀生之路，從教學生涯中退下。於一九七八年，五十九歲時，進行考試委員職位失敗，一九八四年再度進行成功，立即停止授課。循系主任薛琦、陳博志兩教授之堅請，保留名義，不支薪，每學期作專題演講數小時而已。至一九八九年，七十歲時，完全退出教學工作。

在教學期間，本有意寫兩本書：一爲《通俗經濟學》，想用最淺顯的文字與經濟學用語，及最通俗常見的例子，解釋許多經濟基本理論及現象，讓未曾受過經濟學訓練的人亦能讀能懂，此對一些官員尤其重要，已蒐集了一些中外的說明例子及國外類似的書，而始終未曾著手撰寫。另一本想寫的書爲《台灣一九五〇年後的經濟發展史》。由於我曾親身參與或親身經歷，了解實情，亦有充分理論基礎，可能爲當時最有資格撰寫此一本書的人士之一，亦未著手撰寫。主要原因是我的老毛病——因循，不積極，未下決心。其次是忙於上課，撰寫社論及時論文章，以及無聊的開會與演講，將時間分割與浪費掉了。即使在一九九〇年擔任考選部長後，仍有意撰寫，但已力不從心了。

在我的教學生涯中，除了在文化學院曾擔任一陣子行政工作，係受張其昀的堅請外，在台大三十餘年的歲月中，從未想到要做行政工作，校方也不願意給我行政工作。是以始終是純教授的身分，不過有時有行政工作出缺，對我這個資深教授連禮貌上徵詢一下都沒有，有時不免有不受尊重的感覺。

一九八二年，母校中央大學校長出缺，校友會諸理事先推薦中央大學政治系畢業校友駐教廷大使周書楷接任，由李國鼎去電徵詢意見，周婉拒。余紀忠董事長曾徵詢我的意見，我記得余紀忠曾笑著對我說：「不去做官，做個大學校長也好。」我未積極回應，更未向有關方面進行，可說不聞不問。但有幾位校友仍熱心預備推薦我。在校友會理事開會時，李國鼎與金唯信事先得知可能有校友會推薦我出任中央大學校長，兩人遂在校友會上，以演雙簧方式，一唱一和，說是中央大學偏重自然科學，不宜由學社會科學者出任校長。其實周書楷不就是政治系畢業嗎？由會議開始至結束，始終爲兩人發言，其他與會者無機會開口，遂未推薦人選，結果由中央大學附中習農科之余傳韜出任。

第十九章 文章報國

所謂文章報國，是自己往臉上貼金之語，聊以解嘲，實際上只是賣文維生而已。在一九五三年以前甚少寫文章，僅將碩士論文譯成中文在《中國經濟月刊》上發表，不十分成熟。自一九五三年進入工業委員會工作，迄至一九六三年爲止，主要是爲政府官員寫演講稿及施政報告之類的文章，偶爾用筆名「方回」對當時經濟問題提一些意見，有時亦翻譯一些國外有關經濟發展的理論文章、會議報告與書籍之類的文獻，介紹給國內讀者。當時這類文獻十分缺乏，教授、學者與一般社會人士對這一方面的知識亦頗有限；事實上，進步國家對這方面的文獻及知識也是有限。因此，此種翻譯工作在當時十分有用，多由我主持之單位出版。

真正開始有目的地寫文章，應自一九六四年撰寫《台灣經濟發展之路》（請參閱附錄四）小册子開始。當時由於工作環境變動，覺得公務生涯已不可爲，於是一方面負責將第四期四年計畫設計工作完成；另一方面則就過去十年參與台灣經濟發展工作作一總結，爲告別公務生涯留一紀錄。內容除了首先說明我寫這本小册子的動機及分析台灣當時經濟發展的情況，作爲背景資料外，包括的範圍甚廣，不僅涉及財政、金融、經濟的本身，更涉及領導階層及行政改革等等。換句話說，是整個國家現代化的一個藍圖。

一、首先說明「經濟發展需要政治家。我們需要少數的政治家，本身能擺脫文化傳統的約束，了解世界潮流，構成一個集團，一方面移轉社會風氣，一方面建立必要的典章制度，規畫一個有效率的、具備現代知識與技術的行政系統，日本明治維新就是這樣成功的……。」

二、其次建議先從行政改革做起。坦白指出當時的行政方面有三大缺失：㈠效率低；㈡操守不好；㈢公務員缺乏現代知識。隨即提出如何改革的建議。這即是我以後一再主張要建立文官制度，及我在考選部長任內大力革新國家考試制度的起源。可惜到現在爲止，不僅沒有改善，至少在操守方面比以前更壞。

三、強調財政與金融是政府執行經濟政策，控制全國經濟活動的兩把巨鉗。不能運用這兩把巨鉗，就只有用直接行政管制。而直接行政管制，一方面缺乏彈性，損害市場機能；另一方面則官員上下其手，產生的弊害更大。因而提出財政與金融的改革建議。

四、指出過去的經濟發展，實在缺乏長遠目標，缺乏理想，因而也就缺乏計畫。並舉實例說明農工業發展缺乏長遠計畫的實例，隨即提出發展的方向建議，強調發展重工業的重要性，也就是多用資本的工業。

五、要求徹底改變外匯貿易政策。我並不是像那些所謂的自由經濟學派，盲目地反對管制，但卻反對盲目的管制，如經濟情勢有必要，雖典型的自由經濟國家如英、美，仍有非常嚴格的管制。因而提出四大管制的原則：㈠情勢有必要；㈡必須不違背基本經濟法則或經濟常識；㈢只要可能，仍應儘量讓正常的經濟因素發生作用；㈣在情勢改變後，應立即取消管制。隨即提出外匯貿易改革的五點建議。

六、教育與長期科學發展。所謂經濟發展，最狹窄的說法，就是將落後的生產技術改變為現代的生產技術，使每一個生產要素的生產力都較未改變前為高，而這就有賴於教育與長期的科學發展。唯有高度的科學研究，才能使生產技術不斷地提高；唯有良好的教育，才能使高級技術容易為社會大眾所接受而普及全社會，並據以提出改革建議。（請參閱附錄四）

由於與媒體不熟，不知道哪一家報紙願意刊載，乃以六千元之代價自費印成小冊子分送給各方面人士。因封面印有經合會字樣，受到李國鼎先生責難，打電話到我家說我稱英雄，我乃臨時將封面撕掉。

此文發表後，甚受各方面之重視，紛紛來函對內容表示贊同之意。尤其立法委員王新衡至為欣賞，除來函表達意見及以後曾請吃飯外，並將小冊子轉送經國先生。經國先生逐字圈點閱讀後，又送給老總統閱讀。據老總統左右告知，老總統亦仔細圈點閱讀，並加批語。所提建議可說都蒙採納，這在後面還會提到。

自從寫了這篇文章後，寫文章便成了我的常業。我經常在各種場合發表演講，及在報紙雜誌具名發表文章，對台灣經濟、政治及社會問題有所闡述及提出意見，並時常引起熱烈爭論。下面是幾個較爲社會大眾及政府所重視，而由我的文章所引起的爭論問題。

一、第二次土地改革。一九六八年下半年，我仍在曼谷工作，台灣發生農產品及工資劇烈上漲現象，一般人士弄不清楚上漲性質。我乃於十一月發表一篇題爲〈今年物價上漲的原因與解決途徑——兼論農業發展問題〉的文章，認爲這次價格上漲是農業發展落後，成爲整個經濟發展的瓶頸的關係，因而主張台灣農業要機械化與現代化。此文發表後，引起台灣社會，特別是政界極大的震動，因爲在他們的印象中，台灣農業發展是最進步的，而且受到國際的重視與肯定，如何可以說是落後。

農業界人士尤其不滿。由農復會沈宗瀚主任委員具名發表了一篇反駁的文章，我也作了很謹慎的回應，說明我寫文章的本意在指出事實真相及問題本質，無意於攻擊他人。爲進一步闡述我對台灣農業發展的看法，隨後於一九六九年十二月發表了〈宜著手籌畫第二次土地改革——農業發展的新方向〉，就我對台灣農業未來發展構想作一完整的敘述，並將第二次土地改革的特質與第一次土地改革列出八點作對比（請見本書第二部第七章）。此文也引起社會的普遍注意及爭論，特別是地政學界，出一專刊對我之文章有所爭論。由於其主要論點爲平均地權之解釋，不是我寫文章的重點，故未予反應。但我的這篇文章實值得從事經濟發展者一讀。

二、王蔣大戰。自一九五〇年代初開始，財經當局以尹仲容爲首，頗看重海外學人蔣碩傑、劉大中兩人，每隔一段時間必請他們回國一次，並由他們引進其他海外經濟學人，以後這些學人全部成爲中央研究院院士，我因職務關係，奉命提供資料，配合他們寫報告的需要。

這兩位學人雖然學識不錯，但對國內經濟實況十分隔膜，而又非常偏向於其專長。劉大中專長爲計量經濟模型之應用，對基本經濟理論及經濟發展知識非常不足，遇有重大政策問題，必須依賴蔣碩傑；蔣碩傑則專長外匯理論，外匯理論與貨幣理論本是一體，只是貨幣的對外價值問題，故蔣碩傑可稱爲貨幣學專家。當然，蔣碩傑也具備嚴謹的基本經濟理論的訓練，其學識應遠在劉大中之上。但劉長於行政與自我推銷，蔣則爲一純粹學人，對人際關係與行政則毫無處理能力，因此劉之聲譽在國內遠在蔣之上。但二人對於經濟發展史、經濟發展理論、經濟現實及他們專長以外的非經濟知識都十分欠缺，因之對於如何使一個落後國家轉變爲現代國家，及在經濟與非經濟方面所遭遇之困難與解決途徑，二人都甚少了解。

蔣碩傑對於所有台灣經濟發展問題，都是從貨幣政策觀點及維持經濟穩定著眼，殊不知落後國家在現代化過程中，物價波動乃是常態，問題在如何運用貨幣政策使波動控制於一定的幅度內，貨幣政策僅是經濟發展的一種工具而已。因此蔣碩傑的見解與我格格不入。再加上所謂海外學人對國內學人有濃厚的優越感，不將國內學人放在眼裡，對其所提意見常有不值一顧的態度。而我對台灣經濟發展，無論在理論及實務方面均有一套看法，對若干現實問題也有透徹的了解。我在國內有一定的地位與聲譽，我的個性是對任何人都平等視之，不會刻意結納，更不會奉承附和，以圖附驥尾而名益彰，於是爲劉、蔣等人所不喜，劉尤其一再當眾惡意攻擊。

在一九七〇年代末及一九八〇年代初。台灣又經歷一次石油危機，物價又大漲了一次。這是屬於國際性、輸入性的物價上漲，與由國內因素所造成的上漲性質有別，更與因財政或信用膨脹而引起的上漲不同，不能以單純的貨幣政策，即大幅提高利率，緊縮信用來解決，也不能大幅地使台幣升值來解決。如果這樣做，縱使可以使物價不上漲或漲幅較小，但必然引起經濟衰退，同時國際收支將出現逆差，這將使整個經濟情況更爲惡化。

但蔣碩傑堅持唯貨幣理論，認爲物價上漲爲不能容許的現象，而控制物價不上漲，唯一的辦法便是控制貨幣供應量增加率於一定範圍之內，利率宜作大幅上升，新台幣宜作大幅升值，剛好與我的觀點相反。

由於進口成本巨幅增加，爲維持國內生產，企業界所需資金大量增加，紛紛感到頭寸緊縮。而若利率上升，新台幣升值，再加以進口成本增加，則國內企業必面臨重大危機，因此頗同意我的主張；貨幣供應量作適度增加，利率不宜大幅上升，新台幣不宜升值或僅作小幅度升值。

此種情形激怒了蔣碩傑，先在《中央日報》以〈穩定中求成長的經濟政策〉爲題，於一九八一年三月五、六日發表一文，公開對我提出批評，我未置理。不料隨後不久，蔣碩傑又受楊家麟之邀，在國家安全會議國家計畫委員會開會中作專題演講時，對我有所攻擊，我仍一笑置之。再後不久，在工商界早餐會報中，在我未被邀參加的情形下，蔣碩傑再對我批評十餘分鐘，當時有《中國時報》余紀忠董事長在場，曾爲我辯護。至此我便非答覆不可了。乃寫了一篇〈經濟學說與經濟現實〉，刊在《中國時報》四月十七、十八日，予以答辯。這兩篇文章尚能純從學術觀點，作比較理性的批判，雖然用語有欠圓融。隨後蔣碩傑又寫了一篇〈貨幣理論與金融政策〉專論，發表於一九八一年六月二日的《中國時報》，我又回了一篇〈敬答蔣碩傑先生〉的文章，載於六月三日的

《中國時報》。這兩篇文章雙方都動了一點真氣，用語已稍逾越了學術辯論的範圍，有失風度，現在回想真不應該，缺乏修養。

雙方爭論時，國內學者在政府從事實際經濟金融業務的專欄作家，與一般社會人士，紛紛加入辯論，工商企業界亦表示意見，引起全國廣泛重視。支持蔣碩傑一方自命爲學院派，若干學校教授都歸於這一派。蔣碩傑將我及我的支持者貶抑爲專欄派、社論派，表示不具有學術地位，予以輕視之意，亦有稱我爲凱恩斯學派者。我的支持者主要爲從事實務工作者，亦有若干教授加入。

我與蔣碩傑的基本差異，在於經濟思想。蔣碩傑在英國接受純自由經濟思想的訓練，終生奉行。在一九八○年代前後，又正值英、美經濟自由主義復古，反對凱恩斯學說的高峯期，故其言必稱自由市場機能。在其專長領域貨幣理論方面，很自然地便是唯貨幣學派。我雖在大學畢業後的研究生階段，正是凱恩斯學說盛行時期，曾對此一學說下過工夫，我的總體經濟理論知識都是從這裡得來，但我並不拘泥於一個學派。尤其在從事經濟發展工作及進入經濟發展領域後，深知一個落後國家從事現代化工作，不能限於一個或兩個框框，主張視實際環境需要，活用經濟知識，所以有些對現實問題的解決政策，與古典的自由經濟理論不合，而深爲蔣碩傑所不滿，爭辯由此而起。在蔣碩傑的心目中，凡不合於自由經濟理論與唯貨幣學說的，都不能算是經濟學家，只能算是專欄或社論家，而不問專欄或社論有無理論依據，誠屬褊狹之見。其實，西方著名經濟學家寫專欄或社論的多的是，而且還未必寫得好，例如唯貨幣學派的宗師傅利曼便曾寫過專欄。

至於前述彼此撰寫的四篇辯論文章，則焦點集中在下列幾個問題：

㈠物價上漲是否是純貨幣現象。唯貨幣學派有句名言：「任何物價變動都是貨幣現象。」蔣碩傑認爲物價升降是由貨幣供應量決定的，只要控制住貨幣供應量，就能控制住物價，而且其效果如響斯應，這裡貨幣供應量一動，那裡物價就跟著動。並舉一九五〇年代前後幾年，台灣在惡性通貨膨脹時，台灣銀行以空前的高利率舉辦優惠利率存款爲例，來作爲其主張的實證。說是利率一提高，通貨即回籠，物價即停止上漲；反之，則過程亦相反，簡直是神妙極了。殊不知當時物價變動形態另有其他重要原因。

我完全不能同意唯貨幣學派這種機械式的說法。我舉貨幣數量說的基本公式MV＝PQ來加以說明。我說這個公式不是單行道，是可以倒回來的。M與P固然可以成正比例變動，但反過來，P與M也可以成正比例變動。這次因石油危機使進口成本上升，即是供給曲線向左上方移動，亦即產生供給減少效果，P勢必向上移動。如果M不成比例地向上移動，假定V不變，則Q勢必下降，這即是經濟衰退，道理非常明顯，事實也是如此。所以，不僅如蔣碩傑所說的，M變動，一定會引起P變動；事實上，P也可先變動，而引起M非變動不可，當時經濟情形正是如此，所以物價上漲並非純貨幣現象。這些我在前面第二部第九章中也曾經提到過。我最近讀一本英國人寫的經濟學教科書，其對貨幣數量說所持的觀點與我的分析完全一樣。

㈡利率由自由市場決定。蔣碩傑認爲利率是價格，應由資金市場的供需決定。這樣決定的利率才能使資源分配作最有效的利用，因此中央銀行不應干擾利率。在理論上，蔣碩傑這一說法完全正確，我也完全同意。

但是我認爲自從各國有了中央銀行後，利率已成爲一種政策工具，中央銀行可以視國家整體利益而公開操縱利率，所謂由資金自由市場決定，其實資金市場是一個很不自由的市場。並舉二次大戰時，美國聯邦準備理事會爲配合戰時公債之發行，長期壓低利率爲證。因此我認爲利率固然應由自由市場決定，但亦可由中央銀行視實際需要作政策性的操作，這已是各國中央銀行的日常決策之一。這我也在第二部第九章中提到。

㈢貨幣供應量增加率應維持在一〇％以下。蔣碩傑認爲當時欲將物價穩定在一〇％以下，則貨幣供應量增加率亦應維持在一〇％以下，這仍是唯貨幣學派的機械論。我則認爲貨幣供應量增加率與物價變動率兩者之間並無這種機械關係，並舉出台灣過去的若干實例爲證。因而主張貨幣供應量增加率應視實際情況決定，不能硬性規定在一〇％以下。

㈣新台幣升值問題。當時對外貿易已明顯出超，而且呈急遽增加趨勢，新台幣已在升值。因國際物價大幅上升，蔣碩傑及其擁護者乃主張新台幣應大幅升值，以阻斷國際物價上漲壓力。我認爲國內物價上漲幅度較國際物價爲大，新台幣若再升值，則出口及國內經濟景氣將受嚴重打擊，而且國際物價上漲壓力也不能用貨幣升值來抵銷。因而主張不升值，或僅作微幅升值，於是又呈對立局面。事實上，在爭論期間，新台幣是貶值的。

如前所云，以上這幾項爭論看似屬於技術層面或最多政策路線之爭，實際上則涉及雙方的經濟思想、國家的經濟發展基本政策，以及當時美國流行的經濟思潮等問題，是十分重大的爭論。

此次爭論的主要論文雖均發表於一九八一年的春、夏之交，但卻延續至一九八二年，而由於當時經濟不十分景氣，更引人注意。政府當局爲廓清這些爭論的觀點，闡釋政府的政策路線，對社會大眾有所交代，並獲得社會大眾對政府政策的支持，乃囑經濟建設委員會舉辦一次辯論會。我原本答應參加，後來發現舉辦單位完全站在蔣碩傑一邊，所有參加的人及辯論題目全由蔣碩傑事先決定，而我則一無所知，從無人來徵詢我的意見，所謂辯論有如我去接受審判，我乃斷然拒絕。隨後改由《工商時報》舉辦，雙方立於同等地位，我才應允參加。

辯論會定名爲「台灣經濟問題與對策討論會」，時間爲一九八二年八月十五日下午二至六時半，地點在時報文化事業大樓，總主席爲儲京之，主席徐鼐、金克和。參與辯論者，企業界有王永慶、徐有庠、陳茂榜、楊日明、趙廷箴、趙常恕；蔣方爲蔣碩傑、費景漢、陳昭南、許嘉棟；我方爲王作榮、陸民仁、陳文龍、柯飛樂。

由於發言內容甚長而且涉及範圍太廣，無法在此摘錄。會後由蔣碩傑與我共同發表一項「我們對經濟問題與對策的共同看法」聲明，雙方均承認：㈠長期經濟發展較短期經濟波動問題更爲重要。㈡穩定與成長並不衝突，亦無優先順序，視當時情形決定何者優先。如果穩定受到嚴重威脅，應先解決穩定問題；否則當全力追求快速發展。㈢財政政策應以提高生產力爲依歸，但目前經濟衰退相當嚴重，政府應採適當措施協助工商業度過難關。㈣引用經國先生的話：「不過，我想絕不可能以任何一個理論來解決一切的經濟問題，重要的在於經濟政策的抉擇和實施，首先必須適合國情，一切總以符合民眾利益爲前提……。」以脫出雙方理論框框。再分別就產業政策、財政政策與金融政策，提出雙方共同的看法。最後結語則提及三項非經濟因素：㈠建立法律秩序與社會紀律；㈡全面整理及革新行政系統；㈢建立各種必須的現代制度。

辯論進行激烈而有秩序，約至七時許始結束，為台灣最大一次的學術與政策辯論。由台灣電視公司全程錄影，播出約三小時，並創非常高的收視率，可見民間反應之熱烈，這當然與當時的經濟不景氣有很大的關係。所謂王蔣大戰至此告一結束，以後雙方均儘量避免引發爭論，於是盛況也就不再了。

此次辯論在學理上，一般都定位為凱恩斯學派與唯貨幣學派，或更廣泛的自由主義學派之爭。適在同一時期，美國亦有凱恩斯學派與復古的自由主義學派間的爭論，性質相近。而大陸在經濟開放後，亦遭遇類似的問題。故此次辯論廣受國內外及大陸學者的注意，尤其是大陸方面，對此次辯論的興趣，可說歷久不衰。

蔣碩傑與先室范馨香為湖北應城同鄉，兩家上一代且有來往，蔣碩傑每次應政府邀請返國，我均奉命支援提供資料，告知最近的經濟情況與問題所在。官方宴請蔣碩傑，我有時亦應邀作陪，故頗熟識。後雖因意見不同而略有芥蒂，然均保持君子風度，以禮相待。尤其我不宿怨的個性，更少介意。以後由於雙方均逐漸年老，已無昔日英銳之氣，而蔣碩傑健康更不斷惡化，遂未再有爭論，我亦刻意避免爭論。事實上，如果不帶偏見，有些問題基本理論會使雙方看法趨於一致。蔣碩傑於見面時就常說：「我們的看法愈來愈接近了。」蔣碩傑為人敦厚溫和，學力深厚，中國典型讀書人也。以後擔任中華經濟研究院院長及董事長，常住國內，見面敘談機會甚多。晚年健康欠佳，爲病所苦，不良於行。他長我一歲，不幸於一九九三年在美去世，老友凋零，我亦垂垂老去，回首前塵，深感人生之無常，備增傷感。

在蔣碩傑噩耗傳來前數日，中央研究院莫寄屏送來一本《蔣碩傑先生訪問紀錄》，内容竟對我有甚深之誤解，將我説成毫無經濟知識狀態，讀後不免有所不快，頗欲一吐。於是寫了一篇文章在《工商時報》發表，題目爲〈一部貨幣學治天下——蔣碩傑先生訪問紀錄讀後有感〉，將其中對我的誤解與曲解，引述我過去寫的文章，逐條加以辯解。幾十年前白紙黑字印出來的東西，當有足夠的證據力證明我不是訪問紀錄中的那個樣子。因事關我的學術地位，不容許我不辯解，不知者還以爲我器量狹小，竟與逝去之老友爭一日之短長也。

三、擔任《中國時報》報系總主筆。我自一九六四年七月起，應當時《徵信新聞》（即《中國時報》前身）負責人余紀忠之邀，勉強擔任該報主筆，每月撰寫有關財經方面社論四篇，是爲我以「文章報國」的開始。自此以後，我便就當時財經問題與政策，藉社論提出我的看法，這看法包括我的支持、批評與建議。當時係財經問題掛帥，各方面對財經社論相當重視。更由於我的理論背景及對實務的了解，我寫的社論都有堅強的理論根據及對經濟現實的透徹分析，提出的建議亦屬切實可行，再加以文筆銳利，具有強烈的感情與説服力，故甚受各方面的重視。進入該報不久，即成爲財經政策社論的主要撰寫者，該報有關財經政策方面的社論，在我任職期間，幾乎全出自我的手筆。亦因此每遇重大財經問題發生，或政府有什麼重大財經政策措施，我必然奉命撰寫社論或專欄，而社會各界亦常以看《中國時報》怎麼説，來作爲他們觀點或判斷的依據。

而這也正是我寫社論的抱負。我常私下自我期許，我一定要做到台灣發生什麼重大財經問題，社會各方面必須要看《中國時報》社論或我的專欄怎麼說。我被迫離開了公職，不能參與財經決策，但我一定要以我的文章來公開地影響及引導政府的財經決策，甚至造成社會輿論壓力，迫使政府走我所指的路線，這些我都做到了。財經當局當然不服氣，對於某一政策，我愈寫，他們便愈不採行，我也便愈寫。最後情勢逼人，他們非採行不可，因此對我銜恨愈深，對我的封殺也就愈嚴密。

茲舉一個非常有趣的例子。自一九七九年起，我就知道中央銀行必然會發行千元大鈔，因爲事實需要，非發行不可。我於是搶先寫文章力主立刻發行大鈔，面額應高至一萬元。在一九八〇年二月二十五日，中央銀行奉准發行千元及五百元大鈔以前一週，中央銀行俞國華總裁夫婦邀宴《中國時報》董事長余紀忠夫婦於圓山飯店，特別說明近期不會發行大鈔。次日，我主張發行大鈔的社論即送至報社，余紀忠打電話給我堅持不發表，我堅持發表。余紀忠說俞總裁昨天才說不發行，今天就主張發行，不妥。我說，中央銀行一定會在這幾天發行。結果當然是余先生勝利，不料不到一週，中央銀行公布了發行命令，連余夫人都覺得不可思議。在發布命令當晚，我正在過生日與友人打牌，余紀忠來電話要我寫社論評此事，我堅不答應，最後仍是余紀忠勝利，我停下牌，花了一小時寫了一篇社論。於此可見財經當局對我防範之深。

我在《中國時報》撰寫社論的範圍逐漸擴大，包含社會、教育等各方面。約自一九八〇年以後，國內施政重心逐漸移至政治方面，余紀忠遂要求我嘗試撰寫此一方面社論。由於我曾在大學讀過政治系，對於政治學方面若干基本概念尚能把握，特別是關於民主國家政府組織與運作，可說記憶猶新，對於我國憲政體制及運作，平日即有接觸與留心，故撰寫頗能得心應手。嗣後遇有重大政治問題，涉及制度及決策者，亦有很大一部分由我執筆，或大家討論後由我執筆。對於經國先生晚年開放黨禁，取消戒嚴令，逐步使政權本土化等民主政治措施，皆有一定的影響力。

其中最著名，對經國先生影響最大的一篇社論，發表於一九八六年三月二十九日，題目叫做〈在憲法架構下調整政治權力結構〉，這是爲國民黨十二屆三中全會而作。經國先生曾當面向余紀忠董事長表示，這篇社論寫得很好，他同意其中的若干觀點。事實上，他以後採用了很多其中的觀點，此爲當時中央黨部若干高級幕僚人員所共知之事。在此一社論中，我曾分析當時的國家形勢：（請參閱附錄八）

㈠以國內言，人民生活富足，教育普及，在國內外接受高等教育者以十、百萬計。而且社會開放，國際交往頻繁，一個具有高度現代知識水準之廣大中產階級業經形成。此爲政治社會之安定力量，亦爲要求革新、進步及參與政治權力之壓迫力量。載舟覆舟，正指此種情形而言，與先總統蔣公領導時期截然不同，不能忽視。

㈡以國際言，戰後冷戰期間意識型態之強烈對抗已逐漸消失，而趨於互相容忍及接受，已爲存在之事實。國家本位利益觀念及國際強權政治之傳統變本加厲，更有甚於往昔；此對我國處境之肆應自將日趨困難。

㈢以敵人言，無論其未來演變如何，就目前情形看，其政治秩序似已在控制之中，經濟改革及發展似已有部分之成果，並已引起國際之注視，從而其國際地位及國際政治之參與亦逐漸威脅到我們之安全與生存。

以上三點，簡單明白地說，就是：㈠國內政治與社會情形已有重大改變，威權統治已行不通，政權如不開放，將會出亂子；㈡我們以後希望在共產與反共產國家陣容的夾縫中，依賴國際均勢求生存，已不可能，應自謀新出路；㈢中共已強大，其國際影響力將不斷提升，我們必會受到威脅，對大陸政策亦應有所改變。這是一九八六年對國家內外形勢的分析，現在仍然適用。接著我便提出下列建議：

㈠關於黨的方面：

(1)「承續三十餘年來的政治領導，不僅是名位的繼承問題，而是政治權威、人民信賴，尤其是執政黨內部親和力的傳遞問題。因此，我們建議，在黨中央成立一核心決策小組，其成員若干人，由年富力強，具有發展潛能，現在或預備未來擔負國家重任者組成，並考慮籍貫之合理分配……。」這即是說，黨內不要搞鬥爭，多起用年輕有爲之士，而且多用本省人，預備和平移轉政權或交棒。

(2)強化中央幕僚機構。建議「吸納黨內第一流人才入幕，組成堅強之陣容，以便隨時注意及研究國內外情勢，了解民意趨向，考核施政成果，適時提出具體建議，以供決策採行。」

(3)重塑形象，整飭黨紀。「我們深信使執政黨之機能作強有力之運用，及長保執政黨之活潑生機，不在於免疫之安全措施，而在於抗疫之強壯力量，因此重新塑造形象，俾能吸收社會菁英份子，乃有必要。」這即是說，國民黨要長期執政，不在於禁止他人組黨或造反，而在於本身開放，廣納社會菁英份子，使天下英雄盡入彀中，自然就少人造反了。

㈡關於強化行政機構及人才儲備方面：

「閣員人選之遴選，必須擴大範圍及於學術界、企業界、民意代表及非國民黨員，平均年齡應大幅降低。內閣閣員遴選範圍愈廣，政治基礎便愈穩定；愈多負有時譽的才智之士入閣，內閣聲望及威信便愈高；此為增強人民對政府信心及團結力量應付未來艱巨之必備條件。」這即是說，擴大政府基礎，不要以特定黨籍及族羣搞小圈圈。

㈢關於充實中央民代機構：

「目前由大陸時代選出之中央民意代表，正日趨衰老凋謝，為無法避免之事實。即使能維持現狀，對於肆應劇烈變化之環境，作迅速有力之反應，以充分發揮國會之功能，亦時有力不從心之感。因此無論困難如何，此時必須面對事實，尋求解決途徑。」這即是說，資深民代已難以勝任其職務，必須退職或予以適當處理。

「我們認為增加中央民代的名額，以補可能發生之缺額，並在此多元的社會中，容納更多賢俊之士，共同參與國是，為事勢所必趨。在法理上，自可於憲法及臨時條款中尋求途徑；在實施上，唯有在台灣地區由選舉產生……。我們認為此次執政黨三中全會，應秉持此種精神，以恢弘開拓的胸襟，一勞永逸的做法，不但再度擴充增選名額，同時對三個中央民代機構之建制，作整體徹底之解決……。」這即是說，大量在台灣地區選舉民代，以顯示真正民意。同時不必拘泥於五權憲法，就國民大會、立法院、監察院體制予以調整，使其更適合現在的要求。

「當前最重要的，是確保政治領導之持續加強，以維國脈於不墜。因而主張在憲法架構下，對政治權力結構作適時適度之調整。所謂政治權力結構，我們認爲主要的是指執政的國民黨中央，負責政務的行政院，及發生制衡作用之中央民代機構三方面而言。在此三方面，如能作適當之突破，必可立即在國內外產生良好之反應……。」這即是說，不要再搞以黨治國或以黨領政，回歸到行政與立法制衡的真正民主政治制度，必可一新國內外耳目，得到一致支持。

由於當時戒嚴令尚未取消，黨禁尚未開放，故措辭比較謹慎婉轉，但注意當時政治情勢發展者及屬於此一方面之學者專家，一讀便知道其含意爲何。而經國先生爲一極聰明，反應極機敏之人，讀此文後，不僅表示接納，並且隨即採納了一些行動。可惜天不假年，健康不斷惡化，不到兩年便已去世了。不然，如果健康良好，必會在其終結生命以前，有一連串之重大改革出現。茲就其此後採取之若干重大行動臚列於下：

㈠一九八六年十二屆三中全會，強調現行憲政體制不變，全面推動民主憲政，及以黨的革新帶動全面革新，並指定十二位中常委主持革新之策畫事宜。

㈡一九八六年五月，經國先生在中常會指示中央政策委員會，要誠心誠意與民間組織進行意見溝通，以促進政治和諧，隨即指派三人擔任溝通工作。

㈢一九八六年六月，十二位中常委集會，通過六大政治議題：⑴中央民意代表機構問題；⑵地方自治法制化問題；⑶國家安全法令問題；⑷民間社會組織制度問題；⑸強化社會治安問題；

(6)加強黨務工作問題。

從以上各點可以看出，威權體制已在開始解體，政治民主化已在進行，人民政治參與將會不斷擴大，而政權將循憲政體制移轉。隨之而來的便是默許一九八六年九月民進黨的組黨，一九八七年七月的宣布解除戒嚴令，次年元月解除報禁，一九八七年開放外省籍人士赴大陸探親等等措施。經國先生並說了一句名言：「時代在變，環境在變，潮流也在變。」向國人，特別是外省籍人士表明他作此重大改變的心路歷程，期能減少反對者的疑慮與阻力。據我的記憶，當時國民黨反對者的聲音相當大，迫使經國先生不得不表態。

我當然不會說經國先生作如此重大的政策改變，完全是受了我的那篇社論的影響，但至少是重大的影響因素之一。也許他早就有此改革壓力與意圖，那篇社論堅定了他的決心。

自我於一九六四年加入《中國時報》主筆羣，至一九九〇年完全退出，曾擔任《中國時報》主筆之人士可說不計其數，每隔半年或一年，忽然增加了一羣新主筆，不久又消失了。以後余紀忠聘任新主筆乾脆不讓我們老主筆知道，老主筆與新主筆分開聚會，以免影響老主筆的情緒。雖然不斷聘請新主筆，在一九八〇年代，最後總是剩下七個人：李廉（曾任總主筆）、王作榮、汪彝定（曾任總主筆）、邱楠、沈宗琳、夏期岳、楊乃藩（曾任總主筆）。這七人中，以汪彝定、夏期岳年資最深，其次就是我，而以我所擔負的撰寫責任最重。但余紀忠怕我不聽指揮，從未請我擔任總主筆，我亦從無意要擔任總主筆，蓋保持單純客卿地位，不願因行政工作而與報社方面有不協調情事發生，處境尷尬也。這七人當中，現在只剩下我與楊乃藩兩人，其餘均歸道山，回想往日歡聚暢談，意氣風發，運筆如飛的盛況，備覺人生之無常，不禁悽然。

楊乃藩總主筆曾寫過一篇〈回憶中時主筆團〉的文章，關於我的部分，我認爲足以說明我的情形，玆摘錄於下：

我國退出聯合國後，政府以「莊敬自強，處變不驚」相號召。朝野乃致力於經濟建設。對於經濟理論和實務都擅勝場的王作公，就成為社論的主力。作公的文筆犀利，對於政府經濟政策及措施，毫不容情地繩愆糾繆，並提出具體而有前瞻性、突破性的建言。政府主管部門憚於作公社論的威力，往往接納讜論，對於我國的經濟發展，實具有深遠影響。不過作公除了經濟領域外，對國家政治動態，憲政運作，也有深入的觀察。因此他的寫作範疇，也逐漸廣泛，不少有關國運前途的力作，多出自他手。（載於一九九四年元月《中央日報》海外版，原載《新聞鏡週刊》。）

同屬《中國時報》系統的《工商時報》於一九七八年十二月發刊，我即自動要求擔任總主筆，至一九八八年八月卸職，差三個月即滿十年。我在擔任總主筆期間，決定了三大工作方針，並即刻切實執行：

㈠耐心培養人才。一如我在美援會任職時，不拘一格延攬人才，不問背景及個人關係，只要知道其爲可造之社論人才或已成熟之人才，均親自拜訪延攬。既來之後，則聽其自由發揮，並耐心修改其文字技巧與結構布局，有時也修改不甚得體之內容。如此繼續半年、一年或更長時間，生手就會變成好手。由於我年長且爲社論界知名之士，許多年輕人都頗能接受我的作風，並無不愉快事情發生。在此一方式下，出了好幾位寫社論的高手。

㈡我要仿效《華爾街日報》及倫敦《經濟學人週刊》。《工商時報》雖然爲專業性報紙，但社論範圍並不以經濟爲限，廣及所有當時國內外所發生的重大事件。這種非經濟性的社論，多由我執筆。

㈢我要做到對日作戰以前及作戰期間的《大公報》社論的權威地位。在那一段時間，國內每發生重大事件，一般社會人士，特別是高級知識份子與政府決策階層官員，第一個要問的便是「《大公報》的社論怎麼說」，我也要使《工商時報》的社論達到這種標準，要使讀者羣，特別是具有影響力的讀者，遇有國家重大問題難以解決時，先看《工商時報》的社論怎麼說。

以上這三點工作方針都在某種程度内做到了。

㈠大約經過二、三年後，《工商時報》社論即廣泛受到社會的重視，自經國先生起，重要決策官員及工商企業界的領導人物，必看《工商時報》的社論。尤其經國先生，據說每晨讀報，第一個就是讀《工商時報》社論，並指出哪篇社論又是王作榮寫的。

㈡亦爲社會大眾所廣泛重視與閱讀，有讀者親自向報社同仁說，花五元買一份《工商時報》，僅是讀一篇社論就值回票價了。我亦常接到讀者來信指明哪篇社論如何切中時弊，所提建議如何切實可行，頗令人鼓舞。

㈢美國大使館新聞處每天都將台灣報紙重要社論譯成英文，送回華盛頓的國務院。在幾次美新處的酒會上，我都遇到該處職員當面稱讚《工商時報》社論寫得好，是他們譯成英文最多的一份報紙社論。

㈣大約在《工商時報》發刊二、三年後，即開始有金鼎獎，本報社論即連續多年得到評論獎，或是吳舜文新聞評論獎。

在我任總主筆期間，曾爲報社網羅及培養了一批長期任職陣容整齊的主筆羣，包括彭垂銘、傅棟成、汪彝定、石齊平、王建煊、柯飛樂等先生，除汪彝定已逝世，柯飛樂已停寫外，其他諸人仍在爲報社執筆。以後加入的鍾俊文、康復明，均是一時俊彥，但都已是我離開之後了。

我擔任《工商時報》總主筆是相當辛苦的。主要是因爲，第一，我們的主筆羣多爲中高級公務員，都很忙，有時因公忙或出國，便必須由我代寫。尤其有些主筆出國事先並不告訴我，臨時發現出國不能寫，我便必須接下來，而無論我有多忙或有多麼不方便。記得有一次，除了我及另一位外，所有主筆都同時出國去了，而這另一位主筆也因公忙不能多寫，於是我便天天寫，一個月連續寫了二十多篇，真是令人厭倦，這也是我想辭總主筆的重要原因之一。第二，我既要仿效《華爾街日報》及倫敦《經濟學人週刊》，寫非經濟社論，其他主筆都是經濟專才，便只有由我一個人來寫非經濟性社論，這也是一件非常吃力的事。十年時間夠長，我離開總主筆職位，不免有點依戀，但卻有非常大的輕鬆感與成就感，可謂感想複雜了。

㈤除以上所述各節外，尚有幾篇傳誦一時，對當時社論與政局頗有影響的文章，值得一提。

⑴高新武事件。一九八九年元月，新竹地方法院檢察處檢察官高新武，以司法院第四廳廳長

吳天惠涉嫌關説爲由，違法越區拘提，在公開場所公開開偵查庭，因並無任何具體犯罪證據，偵訊後即開釋。然後向新聞媒體及社會大眾渲染吳之犯罪行爲如何如何，新聞及社會大眾隨之起鬨。於是高檢察官更進一步幾乎每天上電視或演講，成爲英雄人物，社會幾乎無人敢持異議。

我認爲這種做法違法、違紀，殊不足取。而更爲嚴重的，是政府公權力、公務員法紀、法院形象、社會風氣都將受到嚴重不良影響。乃於三月間在《工商時報》發表一篇題名〈高新武檢察官的作風不值得鼓勵〉的專欄文章，中華電視公司某一節目並予播出，是引起社會大眾廣泛抗議，發表文章反駁及寫信辱罵者不計其數，一場文字風波又因之而起。於此亦足見我們這個社會之缺乏理性，所謂知識份子，既少知識，更少責任感，國家不惜以巨額財力養士，竟然養出這種士來，真令人爲之扼腕。於是我又寫了〈這是一個缺乏理性與法治觀念的社會〉（載於一九八九年四月三日《工商時報》）及〈評四推事辭職事件兼談整頓司法的途徑〉（載於一九八九年三月三十一日《中國時報》）兩文，以闡述我的理念，作爲回應。

此一爭論在熱潮過後即歸於沈寂，吳天惠經新竹地院判決無罪。

(2)勸資深民代退職。我曾在一九八八年十一月在《中國時報》發表一文，題目爲〈談資深民代退職與大陸代表問題〉，強調資深民代過去對國家之貢獻，不應抹煞，尤其不應侮辱。但資深民代亦應了解現實處境，潔身引退，國家應給與退職酬勞，以免其晚年生活無著。堅決主張只有中國統一，沒有台灣獨立，資深民代退下後，國會仍應有適當大陸代表。呼籲全台灣居民團結，心繫台灣前途。這是一篇很感人而沒有引起爭論的文章，發表後傳誦甚廣，影響亦大。日後資深民代之能順利退職，給與退職金等等，雖不一定受本文影響，但至少政府政策與本文相合，我對此甚感滿意。

(3)談香港問題。一九八八年九月，我以中國人權協會常務理事長身分，陪同理事長杭立武等人去香港參加「一九八八年看一九九七年座談會」，發表了一篇演講，題爲〈各國如何協助香港以確保未來安定繁榮〉。主要內容爲九七後香港現行體制應予維護，台灣存在有助香港安定，台灣駐港機構不應撤退，但不可介入香港政爭，確保港民經濟生活自由。總結地說，就是經濟及文化上不撤退，政治上不干擾。

此等主張與國民黨撤退大陸時，留在香港的一批黨工人員意願完全相反，於是羣起而攻之。他們希望香港亂，香港愈亂，他們便愈有事可做，我的這種安定主張與他們的利益衝突。他們除了具名攻擊外，還向國內發黑函栽誣我，這是國民黨不肖黨工的作風，我因杭立武關係，未予理會。

現在政府對香港的政策，幾乎完全與我當年的主張相符。這當然不是說政府政策受我的影響，而是指出有些政策的決定，如果是理性的，都有一定的軌跡可循，可以預先測知。

總結我的寫作生涯，一如我的其他事業，有些小成，而無大功，這就是平庸。無論我寫的社論或署名的專欄，對社會都有一定的影響力。主要是我具備所論述問題的充分現代知識，持論公正，不避權貴，亦從不因個人利害得失或私人恩怨而作偏頗之論。我曾寫過一篇如何寫財經評論的文章，認爲大眾傳播工具爲公器，「所有公器應用於公共目的上，不應該用以達到個人的目的。所以作爲一個成功的對社會有貢獻的評論家，便必須要具備足以使用這種公器的一定品格」，這包括「公正無私」，「道德勇氣」，「知識良知」，我自信具備這些條件。我有時因恨鐵不成鋼心理，用字遣詞較爲激烈，常被人認爲是不得志的激憤之言，牢騷之語，或是私下有所報復，這實是不了解我的爲人，亦不知道我的品格的緣故。

第二十章 也算智囊

一九七二年盛夏，我在經合會顧問辦公室接到一通電話，自稱某某人，說是要來看我。我誤聽爲我的一位朋友，便回說我現在有空，現在就可以來。過了一會，杭立武先生推門進來了，我嚇了一跳，立即發現是聽錯了電話，連忙向杭先生道歉，說是應該我來看杭先生，因爲誤爲某某人，非常不敬。杭先生笑說無妨，他之來，係請我擔任一個職務，原來杭先生已奉命接掌了國際關係研究所主任，想在該所體制外設立經濟、外交兩小組，負責研究當時的經濟及外交問題，並對行政院長經國先生提供政策建議，請我參加經濟小組，我欣然同意。

最先參加經濟小組的人有劉大中、蔣碩傑、李登輝、邢慕寰、郭婉容、孫震、梁國樹、陳昭南、王作榮。張繼正則代表經合會參加。後來加入的則有歐陽勛。李洪鰲代表行政院祕書處參加，陳元代表國研所參加。劉、蔣二人不常在國內，邢慕寰不久即去香港中文大學任教。外交組有周書楷、陶百川、端木愷、朱建民、連戰、王紀五、李廉、許紹棣等人，許後外放越南大使，連戰亦外放至南美宏都拉斯任大使。兩組每兩週開一次會，會議由杭先生主持，王愷擔任祕書工作。外交組由周書楷擔任召集人，經濟組由我負責。外交組開會時，我代表經濟組列席；經濟組開會時，周書楷代表外交組列席。是以我每週都要到國關所開會一次，用掉一個上午。其時我無交通工具，來回都搭周書楷便車，方便但不安心。

經濟組每兩週開會一次時，都要討論一個當時的重大經濟問題，在上一次會議時即決定，並指定一位在這一方面有專長的人撰寫背景報告，於開會時根據這個報告討論，並根據討論結果對報告內容予以修改。討論時十分認真熱烈，有時且相持不下，多半由我提出折衷意見，最後報告也是經由我裁剪增刪定稿，亦有時由我重新撰寫，直接送交杭先生，不再送回小組審議。所以我的工作十分吃重，除了每週要用半天時間參加會議及照應會議進行外，還得事先研擬討論題目，安排撰寫報告人，事後還得修改、編輯或重寫報告。實際上，等於每兩週寫一篇報告。周書楷與我都一再要求杭先生減少開會及寫報告次數，最好改爲每月甚至每兩月寫一次報告，不爲杭先生所接受。我實在做得很辛苦。

經濟組在開會時，所討論的題目如與某政府機關業務有關，即請該機關首長或主管單位負責人列席，提供資料並說明實際情形。記得爲討論石油價格問題，請中國石油公司總經理胡新南列席時，我問他怎麼能抽出時間，他說：「看了你們討論會這份出席人員名單，我還敢不來嗎？」足見經濟組陣容之強。

由於時間久了，愈到後來愈少人願意提供背景資料，更不要說寫背景資料了。最後一年多，人才。

差不多我一個人包辦一大部分報告撰寫，得到杭先生的稱讚，說是寫得又快又好，從此到處爲我宣揚。遇有政府改組或有機會時，常不告訴我便逕自爲我推薦說項。雖然沒有成功，但我衷心感激。老一輩人之唯恐人才埋沒與爲國舉才之用心，著實令人感佩。可惜杭先生本人也是被壓抑的人才。

外交組由周書楷擔任召集人，連戰爲祕書。連戰出任大使後，由王紀五繼任。王紀五也是一位多才多藝的人物，見多識廣，中英文俱佳，記憶力特強。外交組一如經濟組，說話的人多，動筆的人少，十之八、九都是王紀五撰寫報告，正如我在經濟組的情形。以王紀五這樣一個人才，不多久即傳出患糖尿病甚重，漸至喪失記憶，拖延相當時日後即病逝，時年約在六十歲左右，實令人悼念惋惜不已。

外交組撰寫的報告，一方面由於當時已退出聯合國，日本及許多重要國家均紛紛承認中共政權，外交空間已有限，施展不易；再則當時外交當局對於杭先生這種體制外的外交活動頗不以爲然，故不但未曾受到重視，且爲國際關係研究所改組之主要原因。

經濟組報告則多爲當時熱門問題，經國先生亟欲知道問題性質及內容，故十分重視，有時並請杭先生親自送報告去當面討論。據杭先生說，經國先生告訴他，報告內容百分之九十五都獲採納。儘管如此，當時財政部李國鼎部長、中央銀行俞國華總裁，及行政院費驊祕書長，對於小組報告都十分敏感，多方打聽報告內容，唯恐對他們有妨礙。我推測他們知道我是經濟組的主幹人物，會更感到不安。其實是他們過慮了，我處理國家事一向公正無私，可以有錯，但絕對公正，不過他們是不會放心的。

即是在此種種壓力之下，終於導致國關所改組。爲顧及杭先生顏面，於一九七五年七月將該所改爲國際關係研究中心，改隸政治大學，使杭先生自然去職。據杭先生告訴我，曾安排其出任考試院副院長，未爲杭先生所接受。此後，杭先生即主持或組織若干民間團體，如人權協會、港澳協會等，繼續奔走於國內外，爲國家社會效力，以迄逝世爲止。杭先生實在是中國知識份子以身許國的典型人物，而未能有所發揮，惜哉。

對於杭先生之去職，周書楷也許早有風聲，曾反覆請杭先生不要寫太多報告，並告訴我繼續下去，必會引起問題，約我聯手請求，杭先生未能警覺。改組後，周書楷也對我說過幾次，這對杭先生是一打擊，晚年非其所宜。而政治之無情亦於此可見，其對杭先生之愛護與惋惜溢於言表。

當時所寫報告，本組曾有人提議出版，杭先生堅決不同意，即使改組後仍不同意。我現在仍有全套報告，已是歷史了，無出版價值。

國際關係研究所改爲中心後，由前外交部次長蔡維屏接任主任，立即將兩小組解散，經濟組同仁仍獲續聘爲研究員，唯獨我一人被解聘，原因何在，迄未明白，也許是經國先生授意，也許是其他方面壓力。

第二十一章 情報之外

國家安全局第四處爲負責研究大陸「匪」情、國際情勢之單位，包括政治、經濟、外交等各方面，爲聽取學者專家意見，設有一研究小組，聘請局外學者專家約十二、三人組成，每週一上午開會一次，由副局長主持。在前一週五由專人送來須研究之專題及相關資料，利用星期六、日閱讀及撰寫報告。星期一上午在安全局開會，由各執筆人作口頭報告並提出書面文件。通常很少討論，僅偶一有之，最後由一固定人士作類似之總結。開會時，第四處較高級之同仁均列席，偶爾亦提出問題，其他有關同仁則可旁聽。

大約在一九七九年，由陳明介紹我擔任研究大陸經濟方面工作，我即予同意。後來擴及到國際經濟問題，遇有重大國內經濟問題，亦須表示意見，有幾次還安排我對全局重要研究人員作專題演講。對於此一工作，我一如對待其他工作，總是盡力而爲，認真研究及撰寫報告。與主持會議的副局長及第四處同仁相處亦頗融洽，甚受安全局禮遇，可謂勝任愉快。尤其汪奉曾副局長相處時間最長，相知亦深，對我頗爲尊重。可惜彼於退休後不到二、三年即去世。歷任局長中，以最後二任局長汪敬煦、宋心濂與我較熟，尤其宋局長，以後成好友。

我們所寫的報告，由第四處作爲資料，再經過處內同仁分析、選擇、加工，以安全局特有之報告模式與語彙寫出，送呈總統參考，故十分重要。惟聘請之學者專家水準，初期頗不整齊，思想觀念都很迂腐陳舊，缺乏現代知識，以後漸有改善，年齡亦愈來愈輕，報告內容亦愈來愈精采。參加此一研討會者，除陳明、陳森文等資深人士外，有名人物先後有關中、邵玉銘、胡志強、丁守中等人。這些人後來因升官事忙，多中途離去，新增加者有劉必榮、陳一新等人，我離開後，推薦馬凱接替。

我因在安全局經常接觸當時外界不能看到之大陸經濟資料，而該時正值大陸經濟改革開放期間，故研究興趣極大，很快就弄清楚大陸開放改革係從制度與政策兩方面著手進行，在政治制度及馬克斯思想籠罩之下，走上資本主義市場經濟之路的大方向。我應爲當時研究大陸經濟問題，在制度與政策等大綱方面最有成就者。這是因爲我具有下列條件：一、我本來自大陸，曾參與大陸戰後經濟重建設計工作中之資金估計工作，對大陸一般經濟環境及想法有相當了解。其雖經過中共之重大變革，但基本環境及想法仍有部分保存；二、我大學畢業論文係討論蘇俄計畫經濟制度，故對共產經濟制度有粗淺了解；三、我對落後國家從事經濟發展所遭遇之困難，及必然會產生之現象，有深入之研究與了解。大陸在一九七九年經濟開放改革後之路線及所遭遇之問題，採取之解決途徑，我都能整理出一套脈絡，成爲有系統的大陸經濟知識。

我於一九九〇年九月接任考選部長後，即辭去安全局的工作，在職期間約有十年以上。幾任安全局局長、副局長、第四處處長及同仁都對我十分友善，我亦與他們相處和諧，備受尊敬與重視。在安全局的這一工作，是我生平最愉快，最有收穫，令人感到滿意的工作之一。

第二十二章 玉尺量才

一九八四年夏天，第七屆考試委員提名，由吳大宇監察委員負責策畫，邀約另外幾位監察委員王文光、王澍霖、馬慶瑞、劉延濤、酆景福諸先生連同吳大宇本人，聯名向黨主席經國先生推薦我。鑑於前次失敗的經驗，同時也知道了提名的過程，於是請由張導民審計長向嚴前總統疏通，嚴欣然承諾，並笑說這是特任官，不是輕易許人的。在提名小組開會審查時，有人提出我已過了六十五歲，似乎不合慣例。嚴即答以依照西方算法，未滿六十五歲以前仍算六十五歲，於是獲得通過，出任七屆考試委員。我的餬口生涯又進入了一個新的旅程。

在敘述我任職考試院十二年的實際情形以前，先說明一下我對文官制度的看法，這些看法實際上即是我後來任職考選部長，從事強烈改革的理論依據。我在前面曾經說過，早在一九五〇年代後期，即注意到我國文官品質低落，行政效率不彰，將阻礙經濟發展與國家的現代化，在一九六四年所發表的《台灣經濟發展之路》小冊子中，即有詳細的剖析與建議。嗣後即不斷地寫文章鼓吹建立良好文官制度的重要性，並將之與司法改革列爲國家現代化的兩大重點。在一九九四年十一月的一篇題名〈文官制度與國家前途〉的演講稿中，我又曾對文官制度及其功能作詳細的剖析，請參閱第二部第十三章。

約在一九九一年八月，奉李登輝總統之命，草擬了一份〈改革文官制度芻議〉的報告呈閱，這是一份未找尋參考資料，未與他人研究過，純屬個人意見的簡單建議，但充分反應了我個人對我國當時文官制度的改革意見。茲摘錄要點如下：

一、關於考試院部分：

㈠一方面爲顧及行政部門具有用人權之需要，另一方面則顧及人事權應有適當獨立性，確保文官中立，以免爲行政部門所濫用，應採取雙軌制：即對負責人事政策、制度及保障之機構，賦予適當獨立性，而實際用人權則歸之於行政部門。準此，考試院可以存在，但其職掌僅限於人事政策之擬定，人事制度之建立，對執行政策與制度之監督，以及對公務人員權益之保障。

至於對於文官之訓練進修，則在另一文件〈對考試院建立訓練進修體制之意見〉中有所建議：在考試院設立國家行政學院，對負責協助政務官制定政策及執行政策之主幹文官，實施分階段、分專業之訓練。

㈡考試委員減爲七人。其中兩人由考選、銓敘兩部部長兼任（其時尚無保訓會），其餘委員中至少有兩人應具備十二職等以上人事官經歷，至少有一人爲擔任「政府人事行政」課程之大學教授。

二、關於考選部分：

㈠政府進用文官，以高、普考試爲主，而尤以高等文官考試，應爲國家選拔文官骨幹之唯一途徑。

㈡所有目前舉行之各種特種考試，部分併入高、普考試，或舉行單科高、普考；部分予以廢止；另部分可保留，甚至增加新的特種考試，但堅守特考特用原則，即考取之人員限在申請特考之機關服務，不能轉調其他機關。

㈢對於高科技人才及特殊技能人才，循正常高、普考及特種考試途徑無法羅致者，則不定期以檢覈或其他考試方式延攬，但錄取者之任職及升遷限定於該特殊職位，不得轉任其他職位。

㈣對於各機關最基層人員之進用，得授權各機關依有關考試法規，自行舉辦考試錄用。

㈤對於特殊優秀人才，如著名學者專家，政府欲延攬其進入政府部門工作者，則在各機關設立一、二個特殊職位予以安置，如部長特別助理或政治祕書之類，與首長共進退，不能進入文官系統。

㈥所有考試均必須以公開、公平競爭方式行之，不得以其他理由要求加分或特惠優待。

㈦恢復任用考試爲資格考試，加成錄取人數，備用人機關依法選用。

㈧全面檢討現有考試種類、科目，重新調整簡化，以適合用人機關需要。

㈨嘗試改變考試程序，對主要大型考試如高、普考，分爲初試、複試及口試，藉以認真選拔真才實學之士。

(十)對於命題閱卷方式，宜作改進，擴大建立題庫。

三、關於銓敘部分：

(一)各機關組織法對於職等、職稱等名額限制，在總名額不變之條件下，宜予放寬，俾用人機關可以視實際需要調整人事。

(二)在同一機關之內，應放寬職名、職位之限制，俾人員可以互調，有利人才之靈活運用及適才適所。

(三)各機關間人員之互調宜嚴加限制，以避免跳槽、挖角、關說、空降等等不能安於其位的情形。

(四)厲行同工、同級職同酬原則，同一職稱、職等在不同機關應有相同之待遇，待遇種類應簡化，福利應統一，不宜隨機關不同而有異。

(五)依考試等級不同而限制及格人員之職等、職稱。高等文官必須高等考試及格，不能以升等考試代替。

(六)高等考試及格一律以薦任六職等任用，薦任升簡任，非主管改調主管，必須接受在職訓練半年以上及訓練成績及格。普考以下及格者任委任職，升薦任必須高考及格。

(七)對於受考試等級限制不能升官等之人員，宜增加年功俸以爲補償，或優給退休待遇鼓勵其退休。公務人員退休年齡宜提早五年，以加速新陳代謝，並給下一代服公職之機會。

(八)現在之考績制度有名無實，等於分贓，宜予廢棄，每年每人自動升一級，不發考績獎金。

對於無法升官等之人員，宜同時以強迫及鼓勵方式使其退休，以加強淘汰，及促進公務人員之服務精神。

㈨薦任六職等以上之任用資格審查與銓敘，由銓敘部辦理。委任五職等以下由各用人機關自行任審，報銓敘部核備。

㈩中央與地方公務人員之受理及任審應予分開，中央由銓敘部負責，地方則由地方人事機關負責，依中央所頒布之人事法令辦理。中央與地方公務人員不能互調，以免人才集中中央。

以上這些意見，有些見於兩次的憲法修改條文中，當然不一定是受我建議的影響。但關於考選部分，則因是我主管，所以絕大部分都已付諸實施。如前所云，這並不是一個完整的文官改革方案，僅是針對當時情形的一個改革大綱而已。

考試院職權原係由行政權分出，本無獨立成為一權之必要，因遵循國父遺教，遂得成為五權之一。因常與行政權衝突，決策者遂在行政院設立一人事行政局，將考試權中一大部分移轉至行政院。考試院原本即不受重視，至此更不受重視。自院長以下，考試委員及考試、銓敘兩部部長，幾乎全為酬庸安插性質，以致考試權功能不能發揮。初去考試院報到，連委員辦公室都沒有，僅在會議室後面一小房間內，擺了三、五張椅子，象徵委員辦公室而已。我立即向院方建議編列預算，建造委員辦公室，得到主計處同意。殆至辦公室興建完工，距離任期居滿已僅有五個月了，我仍遷至新辦公室辦了五個月的公。

考試院為合議制，院會由正副院長、考試委員十九人，及考試、銓敘兩部部長組成，而以考試委員爲主幹。決策階層誤以爲考試委員係辦考試、出題目及閱卷，於是在各系所中找尋學者擔任，主要仍爲酬庸與派系分贓性質。於是新聞、建築、畜牧、獸醫、地質、化學、動物、國文、電機、政治、經濟等各種學科的教授，都被遴選爲考試委員。僅有很小一部分具有人事管理實務經驗或專業知識。殊不知考試委員的主要職責爲建立及改進文官制度，與專技人員考選培育制度，制定人事政策，及監督制度之運作與政策之執行。各委員專業背景與其行使職權所需要之知識，可說完全不相干，在這種情形之下，在任職的最初幾年，院會時可說是各說各話。任期快滿時，亦僅粗具共識，但仍多憑常識說話，再加以幾乎所有考試委員都仍在學校授課，不授課時則忙於考試命題閱卷，甚少有時間及興趣進修，這自然談不上建立制度與制定政策，或對文官與專技人才之選拔與培養有重大改進了。

我在前面說過，早在一九五〇年代末期，即注意到文官制度的重要性，並有改革的強烈意願，希望能建立完善之文官制度。原以爲到考試院可以有所發揮，不料竟是如此景象，即欲有所建樹，亦無著力處。平日院會發言，甚少得到支持及了解，後來便甚少發言。但如涉及重大人事制度及政策，則一定發言。此外，我絕不干涉兩部行政，亦從不接受外界請託向兩部關說，獨善其身而已。幸而我仍保持我的讀書及寫作習慣，使我無浪費生命之感。

我的考試委員任期到一九九〇年八月底止。在此以前一個多月，李登輝總統安排邱創煥出任考試院院長，我出任副院長。後因邱堅拒，孔德成院長、林金生副院長乃得留任正、副院長，我遂出任考選部長，於九月十日到任。

考選部所辦的所有考試，都是國家考試。而國家考試應該是很莊嚴的，具有絕對的公信力，不容許有人爲的瑕疵，諸如舞弊之類；也不容許在法律上開後門，對某些特定集團予以優惠，使考試結果不公平。但事實上，這兩種情形都大量存在，而且既得利益者力量巨大，革除不易。

考試技術亦極爲落後，全部沿用古老方法，大量使用人力，命題、閱卷，及遴聘典試、命題、閱卷委員亦極爲草率，此自必影響考試品質，因而影響錄取人員的品質。

在行政方面，考選部爲一相當腐敗之機關，缺乏紀律與行政倫理，員工多不按時上、下班，甚至有上班時間在家打麻將、在家買菜燒飯帶小孩、在辦公室玩股票及賭博的情況。黑函滿天飛，甚至長官與部屬在辦公室拍桌大罵，互揭對方考試舞弊。辦理考試時，則想盡名目索取額外待遇，錢多者爭著去，錢少者互相推託，請部外人士去做。同時各級主管也儘量雇用臨時人員，安置親朋好友，甚至家人。

用人浮濫而水準不齊，能辦事而又肯辦事的人不是很多。少數高級人員自命爲特權階級，爭權、爭利、爭地位、爭待遇，不受法令規章約束，還要動輒指責別人，經辦公事一拖數月。各單位各自爲政，辦公方式及公文流程各行其是，時常失落公文或抽換擋案，或根本不歸檔，發生錯誤則互相掩蓋。各級主管及首長無威信可言。我初到任時，甚至有人威脅要丟我汽油彈。實在不像一個辦國家考試的機關，考試院內同仁傳言，請蔣經國來都無辦法改善。

至於硬體方面，則辦公房舍分散、陳舊、擁擠，辦公室內雜亂無章，辦公用具品質數量均差。雖有資訊室，電腦數量不但很少，而且大都棄置不用，成爲一種擺設。

我接事之日，未帶一人，原以爲部內同仁應該各就各位工作，無須任用親信，嚴格遵守文官制度。殊不知至辦公室後，除工友張義興一人外，即剩下我部長一人。賀客接待及禮物登記，均賴該工友先生忙進忙出支應。有事請同仁相商，大都出之以輕視，甚至敵意，可說無人可用。至此方悟中國官場，新官上任必帶自己班底之說，頗有道理。日後很長一段時間，都因無自己班底而吃虧不少，但我仍堅持文官制度，除任用一位通英文者爲機要祕書外，未曾進用一個私人。

我接事後，對考選部分爲三方面加以改革：

一、考試制度方面。考選部所辦的國家考試，大致可分爲兩大類：一類爲公務人員考試，主要爲高、普考，再輔以各用人機關因特殊需要而請求申辦之特種考試。特種考試又分爲甲、乙、丙、丁四種。甲等特考及格後，即可取得簡任十職等以上任官資格，乙等則相當於高考，丙等相當於普考，丁等則爲委任一至三職等之書記職。

另一類重要考試爲專門職業及技術人員考試。目的在經由考試錄取合格之醫師、律師、建築師、工程師等等，取得自由執業之資格，以保障人民之生命財產安全，其重要性與公務人員考試相等。

公務人員考試在制度方面，有四項重大缺失：

㈠對軍人之優待。爲優待軍人，除有加分優待辦法外，並有退除役軍人轉任公務人員考試規則，及國軍上校以上軍官外職停役轉任公務人員檢覈規則。所有這些優待之法源，均爲後備軍人轉任公職考試比敘條例。此一條例將憲法第八十五條「公務人員之選拔，應實行公開競爭之考試制度」之精神完全破壞，故爲一違憲之條例。也與公務人員考試法第二條「公務人員之考試，應本爲事擇人，考用合一之旨，以公開競爭方式行之」，及第七條所規定之考試方法並無檢覈辦法相衝突，而公務人員考試法則爲考試之基本大法。其中尤以上校以上軍官檢覈規則，將公務人員考試制度徹底破壞。

㈡特考問題。由於公務人員考試法第三條規定，「爲適應特殊需要，得舉行特種考試」，因此各用人機關或特殊利益集團，常要求舉辦特種考試。而各種特種考試難易程度、錄取標準及比例，相差十分懸殊，應考人即利用此種差距投考試題容易、錄取率高之特考。錄取後，即再利用人事關係，轉入經難度最高之高、普考錄取始可進入之一般文官系統，此不僅不公平，且嚴重影響文官品質。

㈢對新成立之臨時機關與舊有機關所任用之無任用資格人員，所舉行之封閉性考試。新成立的機關常不按照法律規定，進用具有考試及格人員，而任意用人，此尤以工程單位爲然。等到新機關改組成爲常設機關或併入其他常設機關，此等人員即發生任用資格問題。依法應予資遣，但又恐造成事端；而當事人亦多半強力集體抗爭，並運用民意代表施壓，要求舉辦專爲此等人員舉辦封閉性的考試，或由立法機關不徵詢或不尊重主管機關意見，逕行立法舉辦考試。另有些舊有機關，在新人事法規未頒布前，大舉進用未具任用資格之人員，等到新人事法規實施後，此等人員即面臨任用資格問題，於是亦要求舉辦封閉性任用資格考試。亦有少數機關，明顯違法任用未具資格人員，造成既成事實，而要求舉辦封閉性考試。

所謂封閉性任用資格考試，即是專爲此等無任用資格人員所舉辦之考試，對外不公開招考。所考科目甚少，命題十分容易，錄取率常在百分之五十以上，最高者曾達到百分之九十六。較之高普考公開招考，投考人數達到十餘萬人，科目多達六至八科，命題甚難，錄取率常在百分之二、三至七、八之間，難易相差甚遠，而錄取後任用資格及待遇則可說完全相同。此種考試弊端顯而易見：⑴爲非公開性之考試，違反憲法及考試法；⑵不公平；⑶爲國家考試開一後門，供此類機關及關係人投機取巧；⑷大幅降低公務人員品質。

此種封閉性考試，起始於一九八六年行政院經濟建設委員會，與聯合農村復興委員會，改組成爲正式機關，立法院法制委員會在資深委員把關之下，堅決反對舉辦此種公然違反憲法之考試，經當時經建會主任委員趙耀東強力運作之下，始勉強通過所謂銓定資格考試，但在相關組織法中規定下不爲例。孰知此例一開，以後即源源不斷，成爲國家公務人員考試一大漏洞。爲了一個機關的利益，而不惜踐踏憲法，破壞國家考試制度，造成無窮後患，然而中央決策官員及民意代表往往如此，在他們眼光中，根本沒有法律制度，更無所謂長遠整體考量，此中國之所以始終落後，也是我常說的不如清朝。

㈣甲等特考。此一考試曾引起重大風波，我幾乎因之去職。雖在李總統支持之下仍然留任，然影響我的前途甚巨。而在我國考選史上及我爲堅持公平考試之決策上，亦將留下紀錄。茲將經過情形簡述於下：

一九五三年，美國成立第二次胡佛委員會，建議就政府各機關現有才能卓越，成績優異官員中，甄選部分人選，以應高級職務需要。由機關首長提名，經二黨組成之高級文官委員會根據個別情形任用。此一制度仍為低層文官內升制度，而且由二黨組成委員會遴選，過程亦十分嚴謹。

一九五八年，考試院副院長王雲五主持總統府行政改革委員會，仿胡佛委員會辦法，建議「建立高於高等考試之考試制度」，考試院據以擬定「公務人員最高考試條例」，為立法院擱置。一九六二年於修改考試法時，將特種考試分為甲、乙、丙、丁四種，將王雲五之建議偷渡成為甲等特考，完成立法程序後，即於一九六六年首次舉辦。考試資格及科目遷就現實需要迭有變革，而愈變革，弊端即愈盛，愈違背文官制度基本精神。

一九八四年，我出任第七屆考試委員，即向院會提出「甲等考試宜予廢止，另擬新考選辦法，以解決當前高級文官任用問題」，提出六大過渡辦法，規定新辦法在五年內舉辦一次。如仍有需要，則再在五年內舉辦一次，即十年舉辦兩次後，永久廢止，以後即循正常文官考試途徑用人。

此案經過院審查後，報院會決定：甲等特考分為一、二兩試，第一試為筆試及著作發明審查，成績各占百分之五十，筆試考專業科目一科，一試不及格者，不得參加二試。第二試為口試。第一試占總成績百分之七十，二試占百分之三十。口試不及格者，總成績雖達錄取標準，仍不得錄取。送審之專門學術著作須與應考類科性質相同，並以最近五年內公開發表者為限。辦法訂定後，曾於一九八六年、一九八七年、一九八八年舉辦三次，弊端頻傳。以後人事行政局於一九八九、一九九〇年二次申請舉辦，均為考選部拒絕。

所謂甲等特考弊端，包括下列各點：

⑴違背文官制度基本精神。健全文官之產生，在於公開競爭之考試制度，不斷歷練進修之訓練過程，對於品格操守能力之長期觀察，以及獎有功、懲不肖之升遷淘汰辦法。而甲等特考則僅憑一簡單之考試，便取得簡任高階官位，擔負重大責任，賢愚莫知，完全違背文官制度精神。

⑵一般公務人員皆從基層做起，往往歷時十餘至二十餘年，始可望得一簡任職，且有終生難以得到者。茲年輕後進憑一簡單考試，便可立即超越無數資深人員，阻斷後者升遷之路，破壞倫理，打擊士氣，引起公務人員之普遍怨憤。

⑶由於報考資格及考試類科，常針對特定應考人而設；更由於報考者人數不多，考試關防設施多形同虛設，憑真才實學考取者固有，所謂黑官漂白及倖進者亦不少。事實上，自最上層考試首長至經辦人員，以及用人機關均可操縱運用，人人均可舞弊，國家考試尊嚴蕩然無存，而憑真才實學考取者往往不得分發，或分發而不得其位，迫使其放棄，等於白考，更引起憤恨不平。

基於以上原因，我於一九九二年二月循例宴請記者春酒，答覆記者時，即聲言不擬舉辦甲等特考。部分考試委員認爲舉辦甲等特考與否，事屬考試委員或院會職權，考選部長無權作答，堅決主張非辦不可。更越過考選部，逕向人事行政局索取舉辦甲等特考申請公文，在院會逕予通過，意在使我難堪，迫使我去位，以提高考試委員權威。我當即於一九九二年四月，在院會發表四點聲明後退席。

此事見報後，立法院朝野立委多人紛紛爲我抱不平。法制委員會於五月四日召我及人事行政局長卜達海備詢。大多數立委均支持我的立場，並於六月三日再度備詢後作成決議：「現行考試法有關甲等特考之規定，有違考試公平，破壞文官制度，且歷居甲等特考之舉辦，其公平性迭遭社會各界詬病，於相關法令修改前，應暫停舉辦甲等特考。行政院各機關所需人才，應由現職合格公務人員任用。」國民黨中央黨部宋楚瑜祕書長，隨後於六月二十九日在黨部召集行政、考試兩院有關人員協調，決定一九九三年度不舉辦甲等特考。

考試院少數委員不服，發表〈考試院研議從嚴舉辦八十二年度甲等特考經過〉，我隨即於十一月發表〈對於是否舉辦甲等特考之聲明〉，就有關法律部分指出九點，隨後復於一九九二年十二月再次就法律部分加以聲明，內容大致如下：

(1)依照公務人員考試法之規定，考選部爲該法之主管及執行機關。依該法規定，凡由考試院主管者，均採列舉主義立法，逐條列舉。未經列舉者，即爲概括授權由考選部主管，此爲立法授權。關於甲等特考之規定，並無由考試院定之字樣，顯係立法授權由考選部主管。用人機關依法申請舉辦甲等特考，乃一事實問題，非關政策。

(2)考選部依考試法行使行政權，對該項申請得審查其是否依法，有無「特殊需要」，然後再決定得或不得舉辦，考試院院會無權干預。

(3)審查有無需要，純屬行政技術問題，無關政策，考試院院會不能以政策作爲理由出面干預。

(4)事實上，此申請法案業經本部審查完畢，認定並無此種特殊需要，並已回復人事行政局，故此案已告結束。院會越過考選部逕行決定舉辦甲等特考，爲一種越權行爲，無法律依據，本部不予接受。

舉辦甲等特考案，考試委員自知無望，以後即有默契不再提起。至一九九四年十二月，立法院二屆四會期三十一次會議，由委員盧修一、謝長廷等七十三人擬具「公務人員考試法第三條及第十七條條文修正草案」，經院會決議「公務人員考試法刪除第十七條，並將第三條條文修正通過」。三條修正條文爲：「……爲適應特殊需要，得舉辦特種考試，分乙、丙、丁三等。」甲等刪除，至此舉辦甲等特考即無法源，甲等特考風波也告一結束。

在整個風波過程中，立法委員在法制委員會及院會仗義執言，並主導修法，使此一破壞文官制度，弊端層出不窮之考試制度得以廢除者，有吳梓、林鈺祥、李慶雄、盧修一、彭百顯、林濁水、劉光華諸先生，盧修一委員幫助最大，特在此申謝。

欲對上述考試制度中之各種缺失加以改革，最根本辦法當然是修改公務人員考試法。但是修法談何容易，不僅曠日費時，而且爭論頗多，協調不易，故決定在本部行政權範圍之內，作技術性之塞漏及關後門或縮小後門的工作，歷年來計有下列諸端：

㈠推行「特考特用限制轉調」政策。特種考試種類甚多，程度高低及錄取率相差懸殊。很多應考人於考取後，均紛紛轉往申請辦理考試之用人機關以外發展。例如外交官特考，應考人於取得及格資格後，常被民間單位以高薪挖走。警察人員特考，及格之應考人則想盡辦法轉往非警察界之一般文官系統發展。此不僅影響申辦考試之用人機關常感缺人，抑且使一般文官系統品質受嚴重影響，且極不公平。爲使此種不健全現象有立即之改善，乃會商銓敘部於院會中提案限制轉調。有規定轉調限於某些特定職系者，有規定請求轉調須服務滿若干年者。受此限制者，除警察人員外，尚有外交領事、外交行政暨國防新聞、國防經濟商務、調查、政風、公平交易、基層公務人員等，均規定五年內不得轉任。國軍上校以上軍官外職停役轉任檢覈，更規定十年內不得轉調。

對於原委託用人機關辦理考試之特考，亦先後收回自辦，以求過程公平完善。

㈡嚴格限制任用資格考試。在前面曾經指出，自一九八六年經建會與農復會因納入正式編制，立法舉辦所謂詮定資格考試，使絕大部分未具任用資格人員，得以輕易取得考試及格資格後，便爲國家考試開了一個新的後門，各改制機關、新成立之臨時機關改制正式機關，以及各正式機關未具任用資格之人員，均紛紛找尋藉口，關說立法委員，或立法，或直接向考試院及本部施加壓力，要求舉辦所謂之任用資格考試，此等考試均爲封閉性考試，考試科目甚少，命題容易，錄取率有高達百分之九十六以上者。

爲杜絕此一漏洞，考選部乃主動向考試院院會提議，經院會決定作政策性之宣示，其要點爲：對於新成立之臨時機關，應儘量派用有任用資格之人員。凡進用未具任用資格者，應在暫行組織規程及進用契約中明定，自機關裁撤之日起予以資遣。現已成立之臨時機關改制爲正式機關，於制定或修正組織法律時，不宜訂定任何任用資格考試之法源。如立法機關逕行立法規定舉辦考試，則考選部將從嚴辦理。

以上各項措施，均屬運用行政權所採取之枝節性堵漏措施，要想建立一套完整的文官考試制度，仍須從修法以建立制度著手。

於是到任後，第一件事便是展開公務人員考試法修正草案的進行，我累積了多少年的經驗與知識，本有一套改進的觀念與想法，全部納入我的修正初稿中，但未出考選部大門，即為部內同仁提出各種理由刪掉了一部分。提送到考試院院會後，經過退回再提及修改，總算定案，但內容已離我當初的構想很遠了，不過若干基本改革之點仍在。送至立法院審查，經法制委員會通過後，再送大會，由於軍系立委強烈反對，遂被擱置。修改的主要內容如下：

(1)貫徹憲法第八十五條之規定，明定公務人員考試，以公開競爭方式行之；考試成績之計算，不得因身分而有特別規定。其他法律與本法不同時，適用本法。

(2)兼採任用、資格考試方式。規定在按年度任用需求決定正額錄取依序分發任用之外，並得視考試成績酌增錄取名額，列入候用名冊，在正額人員分發完畢後，由用人機關報經分發機關同意自行遴用。經列入候用名冊人員，於下次該項考試放榜之日前未獲遴用者，即喪失考試錄取資格。

(3)考試等級調整為高等、普通、初等考試，高等考試又分為一、二、三級。為因應特殊性質機關之需要，得比照前項考試之等級舉行一、二、三、四、五等之特種考試。錄取人員僅取得中請舉辦特種考試機關及其所屬機關有關職務任用資格。

(4)高科技或稀少性工作類科之技術人員，經公開競爭考試，取才仍有困難者，得另定考試辦法辦理之。前項考試錄取人員，僅取得申請考試機關有關職務任用資格，不得調任。

(5)刪除檢定考試，修改消極資格條款，彈性規定體格檢查，增列成績複查及報名費、證書費之法源。

以上各項修正要點，均係針對現有缺失而來，如前所云，目的在使國家文官考試制度稍趨完備，符合憲法規定，還談不上大幅改革。但已受到強烈反彈。由於對軍人轉任文職方面限制較多，軍系立委反彈最爲強烈。在剛開始草擬修正案時，退伍軍人協會即在各報刊登廣告，大肆中傷栽誣，令人遺憾。由此可見落後國家從事改革，可說寸步難移。我的做法是先用行政權力堵塞一部分漏洞，能堵多少就堵多少，再循修法途徑作根本的改進，能改多少就改多少。最後時機許可，則作全盤變革，使文官考試制度達到進步國家水準，完成我的理想。

現在本案已於一九九五年十二月二十六日完成立法程序，內容有若干修正，主要係對軍方之讓步，但尚不致損害原送立法院修正案的基本精神，仍能保持一完整文官考試制度，過去漏洞可說百分之九十幾被消除，符合憲法第八十五條的立法精神。

茲抄錄《台灣日報》十二月二十七日所載中興大學張世賢教授之評論文章〈邁向公平合理的公務人員考試制度〉，此一評論足以代表此次修改之精神：

立法院院會於十二月二十六日三讀通過「公務人員考試法部分條文修正案」，使得我國公務人員考試制度更為公平合理。

一、依修正通過的第三條規定，今後公務人員的考試分為高等考試、普通考試、初等考試。比以往多了初等考試的制度，並且廢除檢定考試，讓沒有學歷的人，可以循級考上，不必再經檢定考試。

二、高等考試又按學歷分為一、二、三級。原條文（第三條）只規定高等考試必要時，得按學歷分級舉行。目前分級的情形為大專得應考高考二級，碩士得應考高考一級。至於博士並未有規定，現在明定博士得應考高考一級，碩士得應考高考二級、大專得應考高考三級。可以容易引進高學歷者在政府機關做事。得有博士學位者不必與得有碩士學位者同樣擠在同一等級應考，究竟得有博士學位者，其所攻讀學位年限相當長，四年至八年，不宜與碩士放在一起應考。

三、特考特用，杜絕投機取巧。特種考試為因應特殊性質機關的需要及照顧殘障者的就業機會，可以舉行一、二、三、四、五等的特種考試，而不是原條文（第三條）的分乙、丙、丁三等。錄取人員只可以在申請舉行特考的機關工作，不得轉調其他機關。

四、強調公平競爭。在第二條修正內容中規定公務人員的考試，以公開競爭方式進行，考試成績不得因身分而有特別規定。亦即公務人員一開始選任便以「能力」取向，以後升遷、調動、才可能以「功績」取向，或「成就」取向。如此，方能健全「用人唯才」的人事政策。

五、對於現役軍人仍有保障。現役軍人經正額錄取，法定役期尚未屆滿者，錄取資格可准予保留，等退伍後再行申請分發任用，不過不能超過公務人員退休的年限。

六、對軍人轉任文職亦有合理規定。特種考試退役軍人轉任公務人員考試，及格人員只能分發與軍事有關之部門，如國防部、行政院國軍退除役官兵輔導委員會及所屬單位。而上校以上軍官轉職，除上述兩單位外，還可以任中央及省、市政府役政、軍訓單位。屬專才專用性質。

七、貫徹考用合一政策。考試及格錄取人員在下年度舉行同一性質考試未能分發任用者，視為未錄取，不再分發任用。避免累積太多錄取人員，考而未用。應以需要多少人員，方錄取多少人員，以免錄取浮濫。

公務人員為國家行政的礎石，因此要先健全公平合理的考試制度，才有優良的公務人員為民服務。

㈢專門職業及技術人員考試制度。如前所云，另一類重要國家考試爲專門職業及技術人員考試，其目的在透過嚴格公正的國家考試，篩選優秀專技人才，如醫師、律師、會計師、建築師、各類工程師等等，爲社會服務，以保障人民生命財產之安全。這樣一種重要的考試，其制度也是支離破碎，流弊甚多，同受社會詬病。我也極希望仿照進步國家建立完整的公平考試制度。一如對公務人員考試，除以行政權力改正專技考試若干偏差外，仍從修法根本著手。修法主要內容爲：

(1)將專門職業及技術人員考試等級分爲高等、普通、初等考試三種。

(2)取消檢覈，將原檢覈精神融入考試。即規定應考人僅具學歷條件者，應考全部科目；學歷條件外另有相當資歷者，視其條件之不同減免應試科目，使得專門職業及技術人員執業資格之取得，能在同一命題、閱卷標準之下完成，以齊一專技人員之素質。

(3)錄取方式視情形採「科別及格制」、「平均成績滿六十分及格」，或「錄取各類科全程到考人數一定比例爲及格」三種方式。

(4)爲配合高等教育發展及實務，增列研究所畢業者，得應專門職業及技術人員高等考試之規定。

(5)爲建立專門職業及技術人員應經正規教育養成，以確保執業水準，刪除高、普檢定考試。本修正案經考試院院會通過後，已於一九九四年十二月送立法院，初審通過。

除此以外，尚在進行公務人員高、普考分階段考試，修改典試法等工作。並擬在考試院建立完整之公務人員培訓制度後，廢除升等考試，務期建立一較完整及現代化的國家考試制度。

(四)大幅度調整簡併考試類科及放寬應考資格。文官除具有某些專業知識外，尤應具有通識，而專業知識部分可於進入工作後予以培訓，只要有一定水準的基礎，即可培訓出優良專業公務人員，如日本之高級警官。所以我一方面要求簡併考試類科，只考比較一般性的知識科目，另一方面則放寬資格，讓比較非專業人員亦可應考。

二、考試技術方面。在考試技術方面，過去多少年來，經常受到社會詬病，也是弊端叢生的兩大弊端：一爲典試、命題、閱卷委員浮濫，甚至爲少數人所把持，常有人連任數十年不變動；另一爲所命之題目品質低劣陳舊，有些命題竟成爲命題委員出賣其教科書之工具。而命題偏向某一學校或某一學派者，則比比皆是，形成顯然不公平，甚且發生明顯之舞弊或爲補習班所利用的情形。亦有各方面關説及本部職員安置不適當人選的情形。因此，我下定決心予以徹底改革。考試是否公平，是否能拔擢真才，關鍵就在命題是否適當，閱卷是否認真，而這兩者又繫於典試、命題、閱卷委員人選是否適當。所以改革即從命題與選聘委員著手。

㈠建立題庫。在以前，所有國家考試除極少數測驗題外，餘均採取臨時命題方式。即在舉行第一次典試會議時，由經辦人員或召集人就某一科目，臨場就典試委員中商請一人命題，於一定時間內密封寄交考選部轉典試委員長收，在入闈後拆封。此種命題方式有如下缺點：⑴召集人或經辦人可以徇情聘請不適當人選命題；⑵某一科目命題長期由某一人或某一集團所把持；⑶命題人爲出售其私著之教科書或祕密在補習班授課，而使命題有偏差；⑷某一科常偏向於命題人的偏好及學派或其授課的學校；⑸命題品質普遍欠佳。至於測驗題雖名爲題庫，亦難避免前述弊端。而由於關防不嚴，經辦人甚至可以上下其手，流弊更多。

我於接任後，立即著手普遍建立題庫。就某一科目請三個不同學校有關學院院長分別推薦一人，共三人爲召集人候選人，由本部經辦人員就各種條件選擇一人爲召集人。再由召集人邀請三個以上學校教授、副教授，或不同來源之專家共五人，連同召集人爲六人，組成一個命題小組，共同命題三十套上下，共同審查，然後密封存庫，要用時即抽出一套。如此可以解決以上諸弊端。

但仍有不如理想的命題出現。問題在命題人無責任心，粗製濫造，而又常存派系偏見。召集人不負責任，敷衍了事，甚至其所遴選之命題人表面上雖來自三個不同學校，實際上多爲其學生或再傳弟子，仍是一家人，命題仍有嚴重偏頗。此蓋由於中國人或者說中國學術界的劣根性，無論制度如何完善，都會任意被破壞蹧蹋掉；而私心自用，毫無責任感及學術良心，實令人痛心。不過，儘管如此，較之以前，已有很大改善。

在我離職前，正進一步試擬將典試與審查分爲兩組，以期命題者不敢隨便，審查者可放手審查，無所顧慮。同時，將命題就其難易程度分爲一、二、三、四、五等，輸入電腦，視考試性質及程度，從電腦中挑出適當程度之題目，臨時編成一套。如此可更具彈性，亦可更適合考試需要，而命題品質亦可更爲提高。

㈡建立典試、命題、閱卷委員資料檔案。過去此類人員長期爲少數人所把持，以致品質參差不齊，尤其年輕具有較新知識者難以進入。我於是想出建立資料檔辦法，先設計一種調查表，普遍發函給各大學與研究機構，請將調查表轉給講師以上人員填寫，寄回本部，然後分類登記，並輸入電腦。以後需聘請此類人員，即在電腦中順序挑出，而且除極少數優異人員外，必須輪流聘用。對於命題閱卷認真者，及不十分負責者，均記錄在檔案資料中，逐步淘劣存優，以提升此類人員之品質。

以上兩項考試方面技術性的改進，較以前自然進步很多。但據我所了解，在實際執行方面，並未能全令人滿意。不過，改進基礎已經建立，以後循此方向前進，當可日臻完善。

三、行政革新方面。曾在前面提到，考選部內部的腐敗情形，非作徹底整頓不可，然而公務人員都受有法律保障，惡惡而不能去；另一方面，在堅守文官制度的原則下，我也不願意隨意自外面引進新人，於是採取就地取材、就地整頓的辦法，收到非常令人滿意的效果。

㈠派人出國考察。如前所言，考選部是一個非常閉塞的機關，同仁缺乏活力、眼光、氣概與現代知識，我的第一步改造計畫就是改造人。爲此，我特地就預算許可範圍之內，派人出國考察，雖指派有考察項目，但主要目的在讓考察人員到國外去看看進步國家究竟是個什麼樣子，這些國家的公務員究竟在怎樣辦公，文官制度，特別是文官考試制度如何，藉此擴大他們的視野，開展他們的心胸，提升他們的品質。第一年派了十人出國，由於事先預備工作做得十分完善，故考察成果十分令我滿意，其所寫的報告我都仔細閱讀，許多建議也都採納了。以後再連續兩年，每年各派十人出國，便一年不如一年。第三年始終未交報告，令人失望之至。以後由於無適當人選可派，經費亦不允許，再加上最後兩年失敗經驗，這一計畫便告停止了。後來我又進用了約三十幾位大學畢業，高考及格人員，再加上原有人員中也有一些優秀的，設想如果經費許可，或者可以再恢復這一計畫。

㈡厲行人事整頓。這又可分爲三方面：

⑴嚴格遵守文官制度，絕不任用私人及接受外界人事關說。終我之任，只用了一位懂英文文書的機要祕書。人事升遷完全公開，對於工作表現優秀之人員予以不次之拔擢，有由科員升科長者，科長升到副司長或司長者。遇有高級缺出，一律由部內同仁升遷，而升遷一人，常可帶動一連串的升遷，包括四任常務次長在內。因此考選部爲升遷最快的機關。同時也是唯一實行常務次長由部內資深優秀人員調升，不引進外人的機關。

另一方面，對於工作表現欠佳者，則壓抑不予升遷。對於品行惡劣，桀驁不馴者，如犯有過失，則予嚴懲，甚至迫使其去職或提早退休。

⑵慎用新人。初到任時，因實施分層負責制，爲人事主管所蒙蔽，在不告知我的情形下，用進十幾個不合格人員。我於是立即收回人事權，由我親自處理人事，兩年之內引進大專畢業，高考及格人員約三十餘人，占總員額百分之十五以上，藉以提升平均品質，希望經過五年以上訓練後，能成爲考選部的主幹。

⑶整頓紀律。嚴格管制出勤，不准有遲到早退、溜班、在外超過時限修習課程等情事發生，如被發現有違紀情形，立予嚴懲。曾對拒絕入闈之人員十二人，均予記過的紀錄。亦有因爲辦理職務不能奉公盡職，將全科予以打散的紀錄。也有因集體不服從長官命令，而全部調職的紀錄。還有降職的紀錄。

我在考選部所推行的人事政策，可用下面幾句話概括：「嚴格遵守文官制度，信賞必罰，絕不任用私人，高級人員出缺，必由部內人員遞升，新進人員必須大專以上、高考及格。」即是在這一政策之下，經過六年的努力與調適，使部內紀律士氣爲之一振。自一九九六年元月起，考選部應是中華民國政府機關中第一個上、下班不用刷卡，採取榮譽制的機關。與我初到考選部的情形恰好相反。

㈢推行分層負責制度。我一接任後，即宣布自我開始，實施分層負責制度，我只管簡任人員的升調，經費必須達到一百萬元以上始送我核准，除院會、院審查會、部務會議、各種典試委員會第一次會外，我不出席或主持會議，全部交由兩位次長，特別是政務次長處理及代爲判行。我只批閱極少數的公文，出席院會及立法院重要會議。餘下時間便思考如何改進考試制度，如何釐定每年的考選政策，及如何改造考選部等重大事項。後來因人事較爲複雜，收回了一部分人事權。此項授權制度使我作了許多重大革新，而工作仍然清閒，不久運作即十分圓熟。

㈣推動試務與行政全面電腦化工作。我一到部裡，鑑於電腦化爲日後工作的大勢所趨，即全力推動。一方面將資訊室加以改組，延攬專業人員主持，並在部內培養人才，予以重任。再進一步將室擴大爲處，以提升主管人位階，並加重其責任，我離職時已漸入正軌，假以時日，當可長期發揮正常功能。

另一方面則不惜編列大筆預算，與資策會合作規畫考選部整個資訊系統及相關程式，僅文書系統由出售電腦之公司提供程式。我要求在試務方面，從報名、資格審查、彌封、選題、配題、排列座次、登錄分數、發榜、查榜、册報等等工作全部電腦化，儘量減少人工操作。在行政方面，則自收文至發文至歸檔亦全部電腦化，一方面提高辦事效率，另一方面尤在操控公文流程，防阻積壓及舞弊，徹底消除過去私藏檔案、消毀檔案、抽換檔案等膽大妄爲的舞弊。此外，人事、會計、統計、政風等工作亦納入電腦系統。

㈤興建辦公大樓。前面曾提到，我初接任時，辦公房舍陳舊偪仄，且分散四處辦公，到處都堆滿公文紙張，破爛用具。同仁在辦公室內摩肩接踵，擁擠不堪。我立即編列預算，興建行政大樓，作爲辦公之用，現已啓用，煥然一新。我到任前，已編列有考場大樓預算，惟進度嚴重落後，我也嚴加督促，親自指揮趕工及運用人際關係，加速各種執照之取得。現早已完工啓用，可容納考生五千餘人，小型考試不必向外借用教室。闈場雖建造不久，但已陳舊狹小，設備亦不夠現代化。隨即編列預算，建造試務大樓，作爲闈場、命題、閱卷場所。而將舊闈場改裝成爲辦理報名、彌封等試務工作的場所。如此，則考選部辦公、考場、闈場、命題、閱卷、試務等均有固定場所，且均設有電腦系統，構成一完整之國家考試硬體設施系統，估計當在一九九八或一九九九年全部完成。

改革並無止境，以上種種改革現仍在進行中。就考選部而言，無論風氣、紀律、效率，乃至辦公環境，不僅較以前進步甚多，而且我敢說，我離去的考選部，應爲中央各級政府機關中最現代化、最有紀律的機關之一。

我的願望在爲中華民國建立一完全現代化的文官制度，組成一廉能政府，帶動整個國家的現代化。這當然不是區區一考選部長所能完成的，而必有賴於整個政府，乃至整個社會的共識與支持。這距離當前的政府與社會的識見太遠了，他們甚至想都沒有想到這一點。

我只能在考選部長的職權範圍之內行事，而因位微言輕，不能受到應有的重視，即使考選部分的改革，也阻礙重重，不能放手推動，考選改革只能算是完成了一部分而已。

第二十三章 掌理柏台

一九九六年七、八月，國民大會開會時，須行使兩項人事同意權：一爲第八屆考試院正、副院長及委員任期屆滿，須行使第九任人選的同意權；一爲原任第二屆監察院院長陳履安因競選總統辭職，另有兩位監察委員出缺，須補選，補選任期爲二年五個月。一九九六年六月，考試院院長競爭激烈，監察院院長似乎無人過問。但有傳聞我將被提名爲監察院院長。六月十一日考試院院長邱創煥告訴我，李總統召見他，順便提及我將被提名爲監察院院長候選人。十二日上午李總統召見我，正式告知此事，我雖然覺得監察院院長不能有太多作爲，對我一向重視的台灣現代化工作更無多少關聯，但也別無選擇，當即表示接受。

七月十日李登輝主席向國民黨中常會提名許水德、關中爲考試院正、副院長，及十八位考試委員，我爲監察委員並爲院長，江鵬堅、葉耀鵬爲監察委員。隨即展開向國大代表的拜票活動。這是我七十七歲以來，第一次向人打躬作揖拜託惠賜一票，我認爲這是民主政治下應有的舉動，故頗能適應，也很努力以赴。對國民黨、民進黨、新黨國代及黨團，我都同等重視，同等禮貌地拜票。國民黨是我所屬的政黨，都禮遇有加，李主席公開推薦，並在宴請黨籍國代時，稱讚我對台灣經濟發展的貢獻；民進黨對我亦頗示好感，主席許信良也公開談話表示支持；新黨則有極嚴厲之批評，我以這是政黨政治的常態，也能泰然接受。

在拜票、資格審查及投票過程中，我得到國民黨主席、祕書長、組織單位、國大黨團、國大代表，及不屬於上述系統的國民黨組織及個人的誠意支持。也得到民進黨主席、國大黨團、國大代表的部分支持，很多不屬於上述系統的民進黨人士，如立法委員，也熱心地幫助我。其他許多無黨派的國大代表與人士也表示對我的支持。新黨雖持反對的態度，但我確實知道也有不少國大代表投我的票。由於人數太多，我不能列舉他們的芳名，因爲怕記憶不周，掛一漏萬，使我不安。我將終生感謝他們。

在整個過程中，有兩件令我非常感動的事。一是沒有人對我有省籍的歧視。熱心支持我的人當中，可說百分之九十以上是本省人。另一件是這些支持我的人士中，很大一部分都是十分樸質的基層政治人物。所有這些人士大都是初次見面，他們也無求於我，事實上，我也沒有什麼可供他們求的。他們不僅熱情地表示支持我，還告訴我如何應付場面，千叮萬囑教我不要生氣，甚至在臨審查前還一再叮囑，審查中還做手勢要我不能生氣。在我拜訪他們時，他們都親切地接待，有如老友。我這一生，獨來獨往，求人不多，很少欠下人情債。不料到了晚年，竟然一下子欠下這許多人情債。雖然說人情債難還，但卻使我備感溫暖，覺得好人並不寂寞。我無省籍觀念，無黨派觀念，立身行事總以國家社會總體利益爲前提，但我種下的因畢竟很小，而此次所收穫的成果則又何其大，上天真的待我不薄。

一九九六年八月二十二、二十三日，國民大會對我進行資格審查，雖然受到部分新黨國大代表猛烈言辭攻擊，但大體尚稱理性，得以順利通過。二十六日投票，出席國大代表三百三十二人，我得到同意票二百五十二票，占七六％；不同意票七十三票，無效票七票。這應算是高票通過。對我投同意票的代表，我表示由衷的感謝之忱；對於投不同意票與無效票的代表，我會諒解他們的立場。

一九九六年九月一日，我接任監察委員並爲院長的職務，由俞國華資政監交，開始我另一段，也是我人生最後一段的公職生涯。

監察院在制度設計上是一個位高權弱，發生不了多少實際作用的機關。再加以人事及組織上的安排不當，更加重了這種情形。是以我在國民大會行使同意權的質答席上，及對媒體發表的公開談話中，都說監察院是一個沒有牙齒的老虎。而社會一般評論則認爲監察院只能拍蒼蠅，不能打老虎。李總統更公開說監察院是一個捉蚊子的院，表示無事可做，其所以要我來接任監察院長，酬庸之意十分明顯，並非真期望我有什麼作爲。而我亦明知情勢如此，仍欣然接任，則是不服輸，仍希望有番作爲的個性。我的哲學是我在任何位置上，都會盡力而爲，而只要盡力而爲，必定會對國家社會有所貢獻。

監察院係根據國父孫中山先生的遺教而設置的，而遺教又係根據中國兩千多年的良好制度而來，可謂源遠流長。根據遺教，監察權爲五大治權之一，設監察院以司其事，並爲五院之一，位階不可謂不高。一九四七年行憲，憲法規定監察委員由各省市議會、蒙古西藏地方議會及華僑團體選出，含有監察院與立法院並列爲議會結構之一的意思，而大法官會議亦作如此解釋。一九九二年修憲，委員及正、副院長改由總統提名，國民大會通過任命之，又恢復爲官派。其職權則變更不大，不過較易受政治干擾而已。事實上，選舉產生亦脫離不了政治干擾，或且更甚。是否能獨立行使職權，減少政治干擾，關鍵在於整個政治風氣及委員人選。

一九九六年舉行國家發展會議，決定將監察院之審計權、彈劾總統、副總統權、調查權均移交給立法院；修憲結果，彈劾總統、副總統權移交立法院，其餘保留下次國民大會再議。國發會之所以作此決議，目的顯然在使監察院空洞化，然後廢除監察院，再廢除考試院，徹底瓦解五權憲法，亦即使中華民國憲法名存實亡，或名實兩亡，藉此剪斷台灣與中國臍帶，落實台獨之路。此點，國發會主角之一的民進黨主席許信良，及其他人士並不避諱。

我是外省籍國民黨員，但對五權憲法並無迷思。我的知識良知告訴我，在一個民主政治體制下，行政、立法、司法三權分立，而作政治上的制衡就夠了，用不著五權。考試與監察兩權是行政上的制衡，位階應較低。但現代國家的發展趨勢，這兩種行政上的制衡權，都在逐漸獨立於行政之外，發揮制衡行政部門的力量。是以無論是三權或五權制，這兩權都仍然會存在，問題只是定位而已。至於藉廢監察院而搞台灣獨立，則未免過於迂迴無力了，我所不取。

現在回到我爲什麼說監察院是一隻無牙齒的老虎的問題。依照中華民國憲法一九九七年七月之增修條文第七條：「監察院爲國家最高監察機關，行使彈劾、糾舉及審計權……。」監察院還擁有調查及糾正權，對中央及地方文武百官，除總統、副總統以外，遇有違法失職情事，均在監察院行使職權範圍之內。從表面文字看，監察院似乎權力很大，實際上則不然，這是因爲：

一、監察院沒有懲戒權。對於違法失職之公務員，監察院經審查決定彈劾案成立後，須向公務員懲戒委員會提出，其涉及刑責者，則就刑責部分移送司法及軍法機關辦理。至於是否懲戒，如何懲戒，則權在懲戒機關。糾舉案成立，須將被糾舉人移送其主管長官或上級長官處理。糾正案成立，則移送行政院或有關部會改善。調查權則有時必須委託其他機關，多半爲被調查者之上級機關調查。

其中特別重要的是，彈劾權的行使常與懲戒機關有嚴重的落差，在時間上亦常拖延數年。是以有些當事人在監察院關說不成，便會留下一句標準狠話：「咱們公懲會見。」其意思非常明顯，監察院無權作最後的決定，彈劾權可以不算數。

由上所述，可知監察院雖名爲全國最高監察機關，實際上對於監察結果並無掌控權力，是非對錯，俯仰由人，是個不折不扣沒有牙齒的老虎，看起來很怕人，吼起來也很驚人，但亦僅止於此而已。

二、監察院有調查權，但因無懲戒權作後盾，經常受到被調查對象或相關機關或個人的不合作，而無法得到可以得到的必須資料與證據，使得調查工作進行常遭遇困難，而且不完整。這自然影響辦案品質，進而影響辦案結果的權威性與監察院的信譽。

三、監察院所辦理的案件主要來源，一是人民陳情，一是自動調查。所謂自動調查，也多半是根據媒體的報導。兩者都是事後的、被動的作爲，即是在違法失職的案件已經形成，對國家及人民已經造成損害之後，監察院再來發揮監察權的功能，常被譏爲跟著媒體走。而在監察院調查處理過程中，又常與檢、警、調等單位重複，給人以監察院多此一舉的印象。是以監察權的行使在國家整個制度設計上都有問題。

四、我國歷代對監察權的行使都很尊重，有所謂御史可以「風聞奏事」的傳統，即是御史有言論及行動的免責權。但是我們在一九九二年的修憲中竟被修掉了，這更使得監察權的行使不得不瞻前顧後，受到限制。

基於以上種種原因，特別是第一項原因，使得監察院的職權及地位不能受到應有的尊重。尤其在這樣一個政府官員及社會大眾對於國家體制及法律，都缺少認識及遵守觀念的情形下，監察院處境更是惡劣。對於某些重大事件，監察院如無動作，則被認爲只拍蒼蠅，不打老虎，甚至說成是捉蚊子院。監察院如有動作，又被認爲多管閒事，有權力者根本不予理會。茲僅就我寫此文時的一九九七年三月至八月所發生的幾件事來舉例說明：

一、一九九七年三月發生豬隻口蹄疫事件，蔓延甚廣，災情甚重，普受社會大眾重視，監察院乃依據職權，對此事加以調查，看有關官員有無違法失職情事。調查發現「政府農政單位長久以來掩耳盜鈴，隱瞞法定傳染病情，以規避責任」，事後又「幾乎沒有危機處理能力，沒有絲毫危機感」，乃對前任及現任農業發展委員會主任委員孫明賢與邱茂英提出彈劾，依法送公懲會。

在西方進步國家，政務官受到彈劾，是件了不起的大事，更何況邱主委亦已因負政治責任而辭職，更顯出彈劾不無理由。我們如是一個尊重國家體制及法律的政府，自當靜候公懲會對彈劾審議的結果，再對邱主委的出路作安排。然而不然，行政院隨即發表邱爲中央信託局理事主席，即使監察院去電行政院請其暫緩，靜候彈劾結果再作處理，顧全監察院監察權的尊嚴，仍不予理會。是以在最高行政機關的眼裡，監察權是可以不予理會的，你有權彈劾，我有權發表新職，叫你的彈劾變成空包彈。

二、自一九九六年十一月至次年四月，台灣連續發生三件重大刑案，而尤以藝人白冰冰之女白曉燕被綁架撕票案影響甚大。社會震動，羣情憤激，民眾甚至遊行示威，要求閣揆下台。其中有無官員違法失職，監察院本於職責所在，乃約談最高治安首長內政部長林豐正與警政署長姚高橋，以查明真相，不料在李總統召開的第一次最高治安會議上，林豐正部長竟在會議中很生氣地公開說：「正當我們忙於處理這一刑案時，監察院竟然也來湊熱鬧要約談我們。」我聽了也很生氣，回答他：「監察院根據憲法及監察法的規定，有權對涉嫌違法失職的官員約談，這是本於職責之所爲，如何是湊熱鬧，你當監察院真的是捉蚊子院嗎？」原來在這些官員的心目中，監察院是湊熱鬧的。不過最高治安會議以後就不再通知我開會了。我一生都在做這種事：開會時直言無隱，下一次開會就不讓我參加了，老而未改，悲乎。

三、根據監察院民國八十六年度（一九九七）劾字第十四號彈劾案文所載：「公務員懲戒委員會委員黃金瑞於任職台中地方法院院長期間，利用其法院院長之身分與職權，連續多次向案件繫屬於台中地方法院之公民營銀行及合作社以信貸方式，由該管法院之部屬爲連帶保證人貸得巨款，累計達一億二千萬元之多，以分散貸款集中使用之方式，變相投資房地產，謀取暴利，並從事珍貴古（骨）董買賣以爲掩飾；三年中其財產遽增四千四百餘萬元，明知應依法申報財產，故意不據實申報。」因而提出彈劾案。先是在調查過程中，司法院在提供資料時不予合作；隨後得知將提彈劾案時，司法院又迅即核准其退休，又使彈劾成爲空包彈。這是最高司法機關，竟然在玩弄監察權。

以上三例，一是最高行政機關根本無視監察權的存在，一是最高治安首長認爲監察權是湊熱鬧，一是最高司法機關玩弄監察權。三者發生的時間距離，不過半年。從此三例，即可知道政府最高級官員都不知道國家體制與法律爲何物，而卻天天侈談法治，要老百姓如何守法。台灣社會秩序之亂，人民缺乏守法觀念，豈是偶然的事，上行下效而已。

這是外在環境，然則監察院內部的情形又是如何呢？監察院內部分爲兩個系統：一個系統由監察委員二十七人組成，主辦監察業務；另一系統由祕書長以下的行政人員所構成，主要在配合監察委員辦理監察業務。院長、副院長的身分係監察委員並爲院長、副院長，但並不辦案。亦不得干預監察委員辦案，主要工作爲總攬院務，實際上爲行政工作。重大決策雖由院長作決定，但須經過以監察委員爲主體的院會通過。

依憲法及監察法的規定，監察委員獨立行使職權，院長不能過問。而委員們的來源、出身背景、個性各自不同，作風自然差異很大，院長通常只有尊重各委員的行事而已。

行政部門依法律規定，則應完全屬於院長的職權範圍。監察院的行政之不理想與缺乏效率，尤在我接掌考選部初期的情形之上。原來監察院爲一民意機關，院長、副院長由委員選舉產生，而委員即以此爲要挾，向行政部門要求許多特權。其中最大的特權之一，便是介紹不合格及沒有任用資格，或任用資格甚差的人進來工作。平均來說，這些人大都能力不強，而行事作風亦差，且都因有委員作後台，不受紀律約束，日久便成爲積習風氣，以後雖非民意機關，亦難以改正過來。

而於一九九三年二月改制以後，短時間情形亦難獲改善，冗員仍然充斥，不但編制內員額用滿，連院長應該有的機要人員名額都占滿了，使我在人事上動彈不得，這應是其他機關所少見的。至於所謂編制外的約聘、約雇人員亦超過規定，高、普考及格者則不過占二一％。其他合法與不合法考試及格者占四九％，其浮濫可知。相對於我於一九九六年九月離開考選部時，在總員額兩百人中，高、普考及格者占五八％，其中高考及格者占總員額四九％，普考九％，其他考試及格者爲四二％。編制外約聘人員僅十二人，其中部分屬於技術人員。大學以上畢業者占六六％，專科二三％，兩者合計占八九％。兩相比較，人員素質相差太遠了，監察院用人實在是浮濫，我一想到監察院還要去糾彈其他機關及人員違法失職，就覺得羞愧。而更令人不可思議的爲所謂「低階高用」，即是給與較低級職位者占較高級缺，或濫設主管職位，目的在使這些人多拿錢。

我就是在這樣的內在環境之下，從考選部帶了一位機要祕書來接掌監察院的。當然也帶著一份改革的理想規畫，儘管任期只有兩年五個月，仍有雄心壯圖去完成，這是我的個性之一——要做就認真去做。

一、對於發揮監察院的職權方面，我的構想是：

㈠修改憲法，將懲戒權畫歸監察院，及廢除監察院各委員會的設立，統一事權，剔除浮濫單位。將監察委員依職掌分爲三類：⑴一部分委員專主調查彈劾；⑵一部分委員專主懲戒權；⑶一部分委員專主懲戒覆議權。三者各自依法獨立運作，互不牽連，以求客觀公平。

㈡設立廉政單位，主動調查公務員貪汚瀆職行爲，改變現在僅在案發之後或媒體披露之後才採取調查彈劾的被動方式，期能對阻遏貪汚有所幫助。

㈢徹底強化財產申報功能。從制定法律著手，要求稅務與金融機關合作，實行公務員財產總歸戶，納入電腦系統。申報者於到任申報之財產，申報處必須對每一申報者予以核實，以後於卸任時再申報一次，亦予核實，如發現到任與卸任之財產有不合理之差距，即查明原因，如申報人提不出合理解釋，即逕行移送監察委員調查或移送司法機關處理，如申報（任期太長，則可規定，每三年或四年申報一次），對於申報不實者，除予以巨款之罰鍰外，應科以刑責，使財產申報制度比較能落實，不致於像現在不能發揮多大作用。

我相信假如能從這幾方面著手加強監察院的職權，如內部配合得宜，則監察院的功能必可充分發揮，而設置監察院，列爲五權之一，方有意義。否則，像現在這樣，聊備一格，不如廢置。

二、對於內部調整方面：

㈠嚴格畫分委員之助理人員、監察業務之行政人員，與一般事務人員之職權，各守本分，各盡職責。

㈡將重點放在監察業務之行政人員上，大量增加員額，限高考一、二、三級及格者，分法律、會計、財務、工程、環保、調查等等專業，予以嚴格之訓練及淘汰，俾能在三、五年之後，監察院有足夠合格之專業行政人員，配合監察委員執行職務，一以減輕監察委員之負擔，一以徹底提高監察業務之品質。至於現有不合格人員，則調任閒職或不重要職務，逐漸淘汰。期以十年，可望達到考選部之組合比例及水準。

㈢行政部門將嚴格訓練、監督監察業務之行政人員，養成其依法執行職務之觀念，藉以平衡監察委員之執行職權。遇有重大案件，即組成專案小組，涵蓋所需要之專業人員，配合監察委員執行職權。

㈣關於會計、事務等部分，亦逐步進用高考及格人員，並使其年輕化。採用現代管理方法，精簡人員，整飭紀律，提高效率。

㈤無論監察業務及行政，均全面電腦化。

三、聘請院外各類專家，特別是法律專家，組成顧問性質委員會，均爲無給職。遇有重大案件，需高度專業知識者，即以專案報支經費致送酬勞，請此類專家配合本院之專家人員，處理此類案件。尤其對於不合理之檢察官起訴書與法官判決書，一經訴訟當事人檢舉或本院察覺者，即俟訴訟程序結束後，委請院外法律專家審查，如有重大瑕疵，即由監委調查處理，藉以徹底整飭司法風紀，淘汰不肖司法人員。

四、關於審計權部分。審計權係由監察權所屬之審計部管理，獨立行使職權，監察院並不過問。但為能使審計權充分發揮作用，亦擬請審計部針對其業務目標與需要，參酌外國情形，對其功能、業務項目、組織、人事與經費配備，作全面之檢討，提出革新方案，完成立法，俾能使審計權真正有效運作。據我私自估計，審計權欲勝任目前任務，僅各類專家人員將達千人以上。

以上為我接任監察院長時之改革構想。接任後，立即委請五位有法律素養背景之監察委員成立一研究小組，就這些問題加以研究，俟提出報告。經過院會同意後，再著手修訂監察法與監察院組織法，及草擬憲法修正條文，將來循法律途徑向國民大會提出。

不料天不從人願，上任不久，即發生兩件非我個人所能控制的事情，使改革構想完全陷於停頓。一是我於九月中旬去榮民總醫院作例行檢查，發現初期胃癌，因生長部位在賁門，須將胃全部切除。於十月二日動手術，過程雖稱順利，癒合情形亦稱良好，但因進食困難，身體日趨衰弱，拖延經年，猶不能全時間工作，根本無精力推動任何改革計畫。

另一件事是一九九六年十二月召開的國家發展會議，及隨後於一九九七年六月召開的國大修憲會議，其召開過程、進行程序、討論及決議內容，均違背民主政治應有之規範與精神，使我對國家前途無限失望，更對官場生涯產生厭倦，每日均期待任期早日屆滿，好讓晚年平靜度過，自然談不上什麼雄心壯圖去搞革新了。

但一則五人小組已提出監察院組織法草案，經行政部門商酌修改後，已有定稿；再則我也必須做一天和尚撞一天鐘，所以仍向院會提出監察院組織法修正案，通過後，於九月一日，我就任恰滿一年時，向立法院提出。該案主要內容如下：

一、設立廉政調查處（經立法院修正為監察調查處）。這是預備與院內、外有關單位配合，全面地、主動地查緝公務員的貪瀆行爲，希望對目前的貪瀆風氣有所遏止，並進而予以徹底掃除，一如香港廉政公署之所爲。

二、設立監察業務處。其目的在配置大量專業行政人員，協助監察委員巡視、調查、接受陳情，及提糾舉、糾正、彈劾案等工作。遇有重大案件，並可隨時組成包含各類專業人員的小組來協助監察委員。

三、設置公職人員財產申報。係將現有之申報中心予以法制化，並加強其功能，充分發揮財產申報的作用。

四、將監察院其他輔佐監察業務之單位，予以合併或簡化，因此而省出之人力經費，移往三個監察業務單位。另行增加員額若干人，均係增強監察業務之用。

五、設立祕書處，擴大職權，統一監察院事務行政事權，以提高效率。

以上四個單位，或係新設，或係原有單位改組擴大，彼此在業務上有密切關聯與互補性，希望藉此構成一監察網，讓此一最高監察機關真正發揮對違法失職公務員的糾彈作用，特別是掃除貪污，使此一危害中國政府與老百姓數千年，並使中國在現代國家社會蒙羞的貪污現象，從台灣開始，縱使不能宣告絕跡，亦當限制在可以容忍的範圍之內。

監察院組織法修正案於一九九七年九月向立法院提出後，久無動靜，經我親自向李總統請求支持，李總統欣然應允，立即關照國民黨政策會饒穎奇執行長請立法院黨團支持。我亦親自拜訪饒執行長、三黨黨團負責人，及部分立法委員，獲得一致支持，所以於同年十二月順利通過。其中劉光華（國）、陳瓊讚（國）、盧修一（民）、賴來焜（新）諸位委員鼎助尤多，特此致謝。

但此一修正案距離前述我接任院長職務時之改革構想，相去甚遠，非我所能滿意。無奈體力及心情均不容許我作大幅度改革行動，只有接受。監察法亦有修改草案，將提院會通過後，送立法院，立法院通過恐在我卸任之後了。憲法修改則牽涉甚大，實非我任內所能完成。

監察院隨即根據新法修改處務規程。我堅持處務規程內容不得逾越組織法範圍，以免違法。因此刪除了過去許多違法虛設的職銜，使許多人員失去了不應有的待遇，這自然引起不快及所謂反彈，但我不做違反法律及破壞制度的事。我也堅持依照立法院通過修正案時之附帶決議，在處務規程中列入調查人員須經：一、公開徵選有任用資格之高考或專技人員考試及格人員；二、請求高考設監察調查人員類科，經過高考及格分發；三、請求考選部舉辦特考。我也要求列入本院新進人員一律須經過高、普考及格分發，不得再雇用所謂約聘約雇人員。凡此均在杜絕進用不合格之私人，用以提高監察院行政人員品質，使監察權得以有效發揮。不過，此類規定只能夠約束我自己，人去政息，我於一年後卸職，繼任者未必不改弦更張，我做事盡其在我而已。

我於接事時，一如當年在考選部，實行充分授權，我只負責政策決定與制度規畫，關於人事、經費等行政事項則擬請副院長負責。後傳言副院長只願主持各委員會議，亦不願主持行政。

我遂全權授給幕僚人員，但結果十分不理想，又重蹈我於一九八〇年初至考選部時，授權常務次長之覆轍，可說故事重演一次，用人較之以前更爲浮濫。我於不得已的情形下，只好親自處理人事，同時商得副院長同意負部分責任，一如在考選部時。我的用人標準，依優先順序爲：

一、品格：必須奉公守法，盡忠職守，這是公務員的起碼要求。

二、能力：包括其所擔任的工作所必須具備的知識與技能。

三、學識：這是兼指專業知識與一般知識的素養與識見，用以測知其發展潛力及對現有業務的開創能力。

四、資歷：列在最後，必須在上述三個條件之後，才考慮資歷深淺的問題，絕不因爲資歷深就升遷。

在我接任後，曾先後透過四個不同管道，就行政部門全體人員分爲甲、乙、丙三等作過評估。修法改組後，一級正、副主管人事安排，即係大略按照上述標準及評估決定，結果兩位男士及女士分任四個新設處的處長。至於二級主管則由各處長推薦，由我根據上述標準作最後選擇，亦有相當更動。各委員會簡任祕書則由副院長與各委員會召集人會商決定。其餘人員則由副院長主持，與祕書長、副祕書長、人事室主任、各一級主管會商決定。所謂公平、公正、公開三原則雖不一定完全做到，但較之過去已有非常大的改進。可以想像得到，反彈在所難免，我只有接受。以我只有不到一年的任期，原可坐以待斃，不必多所更張改進，將任期混完，在同仁一批讚揚聲中離開，但我不願如此，所謂爾俸爾祿，民脂民膏，我不會做良心不安的事。

我接掌監察院，當然想重振明、清兩代「柏台雄風」，至少不要落在第一居監察委員早期積極行使職權，不避權貴的作風之後，希望藉此對目前貪污、腐化、奢侈的官場有所整頓。一九九八年初，我的健康已有相當改進，體力已允許我積極採取行動。我選擇的第一個目標便是司法。

司法界風氣之敗壞，前面曾經提到，早在一九六〇年代便是我向老總統建議要徹底整頓的目標之一。多年來，不僅未有改善，反而每況愈下，到了國人皆曰不可的地步。而司法當局爲求人和，從不認真整頓，反而百般迴護，對於劣跡彰著之法官，多是調職或調整地方了事。好像一個貪污的法官調職或換地方就不會貪污了。這就有如從這個床上捉到一個臭蟲放在那個床上，就不會咬人一樣地可笑。監察院歷年糾彈貪污不法的法官不少，然而得到應有的懲戒的不多，而且都是位階不高，是以並無多大成效可言。

我認爲這種只拍蒼蠅，不打老虎的做法，不足以轉移司法界的風氣。應該明令撤掉幾個司法首長，迫使這些司法首長嚴格監督其所屬的法官，一有貪污，立即採取行動。而不是閉著眼睛做濫好人，好官永遠由我做，壞結果則由國家社會人民承擔。假如一個司法首長不成材，再換一個；又不成材，又再換一個，直到換到能負責盡職的人爲止。如此多撤換幾次司法首長，司法風氣一定可以改變過來。於是我便在該年初召集了五位平日頗有擔當的監察委員談話，表明我要以監督不嚴、貪污案件層出不窮，有失職守爲由，彈劾司法首長，希望這五位委員共同提案調查，如有需要，我可帶頭領銜。假如有困難，則只要有一位委員願意出面，我可領銜與這位委員共同提案調查（依監察院規定，自動調查必須由兩位委員提案）。當時反應甚爲熱烈，我也很高興的等候他們採取行動。

在久等無下文之後，我又個別地去拜訪這五位委員中的兩位，得到的答覆是一堆窒礙難行的理由，至此我知道這五位委員都已商量好了不作爲。我一人無法唱獨腳戲，而且唱了，將來在審議會中也不會通過的。如果一個院長親自提案調查而不能通過，實在承擔不起，只好歎口氣作罷。也深感在當前環境之下，重振古代「柏台雄風」爲不可能的事，因爲人心不古了。這幾位委員態度的轉變，推測可能是有人運作的結果。我早就知道監察院有熱線通相關的重要機關，我只要有什麼特殊的舉措，立刻就會傳出，像這種舉措，也立刻會被運作掉。

經過這次教訓後，我便不再有奢望。在交通與國防頻生事端後，我只是在院會中表示希望成立專案小組，對司法、交通與國防案件作全面性地調查與處理。爲尊重監察委員獨立行使職權，我只能作建議，下文如何，我便未再過問。

但是我卻採取了另一種行使監察權的方式，即是公開接見媒體記者，對於交通、國防事件主管官員予以抨擊，對於只做官，不做事，敷衍鬼混的官員，要他們去職。對於交通部長蔡兆陽之應否對兩次航空事件負責，我並無成見。但是對於他運作立法委員的手法，及行政院長與交通部長隔空喊話的作爲，我認爲敗壞政風太大了，不得不予以嚴厲指責。不料他去職之後，又獲聘爲政務委員，仍是閣員。這又一次證明整個決策階層對於建立良好的政治風氣，及負責任的政治，未能給與應有的重視。其實，如果認爲蔡部長是一位了不起的人才，不妨一如一九五〇年代政府處置尹仲容一樣，讓他閒置一、二年，再復起予以重用，對整個政風，對蔡個人都好。當年尹仲容被寃枉自動辭職下台，一言不發，埋頭讀書自修，復起後全心爲國，以身相許，盡瘁國事而死，風範長存。

國防部方面，我知道蔣仲苓部長是一位難得的部長，他本人早就不想做這個部長了，留任只是爲了人情，上面找不到適當的接任人選。儘管如此，爲了建立政務官的責任政治，及良好的政風，同時也爲了振奮人心，塑造內閣形象，當局應讓蔣部長公開聲明爲弊案引咎辭職。如此，政府雖然失去了一個人才，國家卻贏得了一個良好的政治風氣與制度。所失者何其小，所得者何其大。然而蔣部長仍然留任，我也無力量再發言。

外界常批評監察院只拍蒼蠅，不打老虎，坦白地說，至少部分是正確的。我確實看到有些彈劾案可以向上發展，追出更高的負責人，而並未這樣做。基於院長不能干預委員辦案的法律規定，同時也基於我對委員的尊重，我都保持緘默，送來的彈劾公文，我都依樣畫葫蘆地簽字。

我深知監察院如果認真地、像古代一些著名的御史一樣來行使職權，可以發生一點移風易俗，轉移政風的作用。而另一方面，現時流行的政風也可影響監察院職權的認真行使，兩者互爲因果，互相循環。這個循環可以是向上的、善性的，也可以是向下的、惡性的。究竟是善性惡性或向上向下，決定的關鍵因素有二：現時一般的政治環境，與監察院長及監察委員的人選，而尤以政治環境具決定性的影響。因爲整個政治環境良好，自然會挑選出足堪風霜之任的監察院長與監察委員，同時也容許院長與委員充分發揮力量。這距離目前的實際情況太遠了。

我的任期於一九九九年一月三十一日屆滿，二月一日辦完移交，兩袖一揮離去。一如在考選部的情形，我未留一個私人在監察院，我仍然在建立制度方面作了若干貢獻，雖然我自認爲監察院長是我一生最無成就感的一個職務與工作。從此還我初服，結束了我這一生的餬口生涯。雖然無林下可供我優遊，但我的退休金及儲蓄可以供給我一個粗衣淡飯、足堪溫飽的生活，安度餘年。雖有志於讀書寫作，但已知無此能力，心嚮往之而已。其時距離我國曆八十歲生日只差六天，距離我大學畢業進入社會工作則有五十六年，也是應該退下來的時候了。

第二十四章 功名白頭

在結束本章之時，偶誦杜牧詩：「滿懷多少是恩酬，未見功名已白頭」句，雖不致於感傷得淚如雨下，也不免悽然。我這一生的事業，恰可用「碌碌無成」來形容。這當然不是說我沒有做事，只是所做之事，大都是餬口，未能對人類、對自己的國家、社會與人民，產生一些有長遠性的、廣大的、有利的影響。無論是在思想方面，事業方面，或道德行爲方面，都沒有什麼值得留下來，能夠垂諸後世的。也就是沒有功與名足以酬謝我的家人、師友、長官、國家、人民，乃至人類對我的期望、栽培、扶持、給我知識、供我生活的恩惠。如此歲月已逝，回首前塵，平生滿懷恩酬壯志，如今只餘白頭，白過了一生。

在我的整個事業生涯中，我從公務員開始，以公務員告終，中間穿插有教書工作與文章寫作。公務員、教書與寫作，構成我事業的三大主幹。在這三大領域中，我都很認真地在做，所以用世俗的眼光來看，或許都有些微的表現。但是都沒有專心地去做，所以用歷史的眼光來看，都是過眼雲煙，什麼有價值的東西都沒有留下來。假如我從一開始，或者說幼年就立志做其中的一件事，或者如現在流行的說法，有什麼生涯規畫，認真而且專心地去完成，或許會有些可以傳世的成就；再或者我的國家的大環境、家庭小環境、我個人的性格，能有利於我的發展，一如許多偉大的人物，我也可以有些傳世的成就。現在這些條件都不存在，我也就什麼都沒有，因果關係是再明顯也沒有了，夫復何憾。

第四部

知我罪我

知我者其唯春秋乎，罪我者其唯春秋乎。

孔子作春秋

台塑董事長王永慶（左）與《中國時報》董事長余紀忠（中），和王作榮淵源深厚。攝於一九八一年，《工商時報》三週年酒會。（王作榮提供）

前言

我這一生當然曾經遇見過很多人，有些人際關係。儘管我個性內向害羞，幾乎足不出戶，但既然要出外謀生，無論願意與否，也會建立一些人際關係。除家人外，包括親戚、朋友、師長、同學、同鄉、同事、長官、學生等等。我的思想行爲一定受到他們的影響，但在我倔強獨立的個性之下，很難說曾經受到哪些人的影響，正如我也讀了很多書，很難說哪些書對我有影響一樣。不過，我的事業前途則確實很明顯地曾經受到下列人物的影響。

我一生未曾春風得意，更未青雲直上，自然更談不上施展平生抱負。但也並未委委曲曲地討生活，仍然生活得有個性、有尊嚴，有我自己的一套求生方式；而這些方式都是被塑造出來的，都是在壓力之下的自然反應。我從未愁眉苦臉、悶悶不樂，一生雖然都在被排斥打壓中，但仍我行我素，行其所當行，止其所當止，怡然自得，不然，我早就抑鬱而死了。這點連內子都不了解我。我常寫些措詞激烈的社論或專欄，旁人以爲我是藉機發洩。余紀忠董事長就曾幾次說我：

「受壓抑這麼大、這麼久，也難怪寫出一些激烈的文章來。」這就是不了解我的個性。我的一生雖然不能說是多采多姿，有什麼偉大成就，但卻在熱鬧中度過，從不寂寞，而且是無意中得之，並非苦心經營而來。其所以如此，下面這些人物對我多少有決定性的作用。

我現在寫這些人物，可以說是心如明鏡止水。對於知我者，我都永遠感恩；對於罪我者，我只有反省，絕無任何怨懟不滿之情，在當時就不曾有；對於我曾經對他們盡過微勞的人，更無邀功求榮之意。一切在爲我個人的經歷際遇留真相，有些更是要爲歷史留真相。以我現在這個年齡，貴賤榮辱，一切都已是過眼雲煙，消散在無窮盡的宇宙中。所有發生的一切，我都歸之於命與緣。我相信命，也相信緣。

我之所以用「知我罪我」作爲本部標題，是因爲我雖年老記憶衰退，似乎記得有這麼一個故事：孔子著《春秋》畢，歎曰：「知我者其唯春秋乎，罪我者其唯春秋乎！」這表示評論一個人，常隨各人主觀所取的角度不同，而得到不同的結果，蓋棺都難有定論。本部所寫各種人物，有知我者，有罪我者，有先知我而後罪我者，有從未知我而只要一看到「王作榮」三個字，就生氣者。而王作榮只有一個，只是各人從自己的主觀角度看我而已。

第二十五章 尹仲容先生

遇見尹仲容先生是我事業的開始，對我日後的行事風格有很深的影響，我當然要首先提到他。

一九五二年，當時了解現代經濟理論的人不多，尹仲容先生時任台灣區生產事業管理委員會副主任委員兼中央信託局局長，急於求得經濟學理方面的專才，並希望有一民間經濟研究機構協助政府決策。於是囑咐任中央銀行經濟研究處專門委員的陳仲秀主辦其事，陳仲秀邀台糖公司我的大學同學邢慕寰參與，邢慕寰又介紹我加入，三人共同籌組「中國經濟研究所」。由尹先生囑棉紡織公會捐款新台幣六千元，鋁業公司捐出鋁製房屋一棟，中信局借信義路三段土地一塊，西螺大橋完工後工程單位的家具全套，一切齊全，連招牌都訂製好了，並在懷寧街租了一間房間作為臨時辦公室。我每天去上班，只等正式揭幕，不料，陳仲秀在一九五三年春出任我國駐聯合國代表團專門委員，邢慕寰又於是年夏季受聘為台大商學系教授，事遂中斷，退錢還屋結案。但尹先生已知有王作榮這個學經濟的人，我又曾在尹先生支持的《中國經濟月刊》發表過一篇論文，更加深了他的印象。

一九五三年，政府成立行政院經濟安定委員會，下設四組及一個工業發展委員會（Industrial Development Commission，簡稱ＩＤＣ），由尹仲容先生擔任召集人，接管生管會業務，於九月一日開始運作。工業委員會下又設祕書室，主任爲劉健人；一般工業組，李國鼎爲委員兼組長；交通運輸組，費驊爲委員兼組長；化學工業組，嚴演存爲委員兼組長；以及財經組，潘鋕甲任組長。尹仲容先生邀請邢慕寰參加財經組，邢慕寰原應允，後因去台大商學系任教，乃推薦我擔任專門委員。我去中信局局長辦公室拜訪尹先生，尹先生因早知有我這個人，並未客套及查詢履歷，僅說了三句話：「一、歡迎你來，二、這是一個新成立的機構，希望把它辦好，三、如需要資料，到這裡來拿（手指書櫥）。」語畢即不再說話，我遂辭出，事情就這樣決定了。我因當時還在爲徐柏園研究外匯問題，工作未完，遲至九月十五日才報到上班。徐柏園時任台灣省財政廳長，研究外匯問題，係爲該年七月成立台灣省政府外匯貿易審議小組，徐柏園兼任召集人作準備，我提出報告後始離職，爲時三個月。然報告遺失，殊爲可惜，不然可看出我早期對外匯貿易政策之觀點。

由於財經組開始時只有我一人是經濟系畢業，所以一切有關經濟方面的事務，由我一人包辦，也一人作主。具體地說，我的工作分爲四方面（參閱第三部第十六章）：一、工業計畫之設計與評估；二、當前經濟問題之分析與提出政策建議；三、撰寫文稿，包括尹仲容先生應各方面邀請發表的演說稿及文章，及有關經濟方面的公文，如答立法委員的質詢；四、提供及解釋經濟統計資料。自一九五三年九月起，至一九六三年一月尹先生逝世止，我的工作就是這四項，始終未變，只是內容愈來愈複雜，工作單位愈來愈擴大而已。

一九五四年六月，尹先生出任經濟部長，仍兼中信局局長及工業委員會召集人。我的工作更忙，所有經濟部有關經濟方面對外的重要文件，除例行公文外，幾乎全部由我負責。一九五五年十二月，尹先生因揚子木材公司案辭去本兼各職。一九五七年八月，他復出擔任經濟安定委員會委員兼祕書長。一九五八年三月，出任行政院外匯貿易審議委員會主任委員，仍兼原職。在此期間，我均在國外。一九五八年九月，我自美返國，正逢行政院經濟安定委員會被撤銷，工業委員會於九月一日併入美援運用委員會，陳誠以行政院長兼美援會主任委員；尹仲容先生為副主任委員，負實際責任，仍兼外貿會主任委員；李國鼎任祕書長。一九六〇年七月，尹先生復兼任台灣銀行董事長，他此時掌握美援外匯、台幣相對基金、國家外匯及新台幣發行權，於是整個國家金融、因掌握美援而掌握之經濟發展、外匯貿易，全在他的職權範圍之內，其在經濟方面之權力，可說僅次於行政院長，而行政院長則給與他完全信任。

我自一九五七年八月至一九五八年九月在美期間，尹仲容先生出任外貿會主任委員，據邢慕寰告訴我，原擬請我回國擔任主任祕書，後因顧及我係美援技術援助出國，中途解約須賠償損失，乃作罷。工業委員會併入美援會時，擬設一經濟研究處，由我擔任處長，為行政院副院長王雲五反對未果。王雲五不知道經濟研究與美援運用之密切關係，更不知道美援會之對等機構——

美援安全分署，亦沒有完善之經濟研究處蒐集台灣經濟統計資料並予改編，包括國民所得及物價指數在內，並分析台灣經濟問題，據以決定對我援助數量及用途。同時王雲五行爲守舊，不喜歡尹先生之洋派作風與勇於任事精神，以爲尹先生要擴權，遂堅決反對，事遂寢。尹先生乃任命我爲專門委員兼資料室主任。

在工業委員會時代，五個一級主管，李國鼎、費驊、嚴演存、潘鋕甲、劉健人，已如前述。劉健人爲一誠實守法之君子。嚴演存爲一專心工作，不問他事之化工專家，專業學養深厚，智慧與反應均優，推動台灣化學工業發展不遺餘力，台塑之創立，彼實爲首先推動及設計者，堪稱台灣石化工業之父，故表現成績最佳。其餘一般工業、交通、財經三組則依賴其下屬之專門委員：韋永寧、陳文魁及王作榮，時人稱之爲專門委員制，蓋均能獨當一面，自行處理及開拓業務，不必事事向上面請示也。李、費、潘三人不睦，誰也不服誰，誰都怕誰出頭，内鬥不已，而均無良好成績可言，專業素養亦差。

美援會原沒有祕書長一職，一九五八年九月改組後，有人極力希望出任此職，爲尹先生所堅拒，云有副主任委員，即不需再設祕書長。但此爲表面理由，真正理由可能是在改組期間，活動祕書長者太多太強，不但不好安排，且爲尹先生所深惡，不如不設。後有人託財政部長嚴家淦説服主任委員陳誠，由陳誠出面要尹先生設祕書長，仍爲尹先生所拒。陳誠再一次向尹先生表示，謂係爲尹先生分勞，實爲尹先生好。至此尹先生不得不接受，遂設祕書長一職。此一安排，對尹先生日後傷害甚大。但尹先生逝世後，陳誠還説：「當初我堅持要設祕書長，就是怕他過勞傷身，結果還是積勞成疾而死。」殊不知不設此職，尹先生也許可以多活一段時間，上下情形之隔閡竟有如此者。

美援會自從尹先生同意設祕書長一職後，便展開激烈的內鬥，而我卻成爲內鬥的一個籌碼，在內鬥者之間拋來擲去，這對我一生的思想行爲有很大的影響：

一、使我深覺在官場上無法獨善其身，必須拉黨結派，尋找靠山不可。否則即使循規蹈矩，埋頭工作，也會受到迫害。我的反應卻是更厭惡、更遠離拉黨結派，尋找靠山，因此我一生都是獨來獨往。

二、使我對於那些受民脂民膏奉養，不思盡心盡力爲國家工作、爲人民效力，卻將精力用在鬥爭同僚，壓制別人，以求自己出頭，毫無忠誠、正義、公平觀念的官僚，不免輕視，因而不願與他們接近。

從此以後，我就對這些人失去了信心，而這些人也不斷地對我圍堵與打壓，我在美援會及以後的經合會便完全陷於孤立了。

一九六〇年，美援會第二處處長費驊出任交通部次長，祕書處長張繼正接掌第二處。尹仲容先生告訴費驊，由我接任祕書處長。費驊將此事轉告我，同時消息外洩，美援會上下均知此事，結果名單發表由潘學彰任祕書處長。潘學彰係空軍機械學校出身，爲陳舜畊、錢昌祚之部屬。據說陳舜畊爲黃埔軍校時代之蔣（中正）師母陳潔如之內戚，時任鐵路局長，爲官邸紅人。錢昌祚爲外貿會副主任委員，尹先生之第一位副手。由彼二人推薦，尹先生不能不接受。但我處境困難，實無顏再留下去，遂堅請辭職，欲返台大教書。這一次的經驗又再一次告訴我，朝裡無人莫做官，沒有幫派，沒有靠山，孤獨一人，靠工作打拚之可憐。這也使得我日後有權用人時，絕不接受外面人情關說，升降黜陟完全依工作表現及品格而定，而且也絕不任用空降部隊，壓制原有人員的升遷。

尹仲容先生亦了解我的處境，遂在不告知我的情形下，再度向行政院提出美援會設立經濟研究處之議，並事先向行政院祕書長陳雪屏疏通，故在院會中通過，《大華晚報》亦有報導，金克和、周子陵均向我道賀，但久不見動靜，後得知次日即爲陳誠下令取消。美援會設立經濟研究處乃一小事，行政院長陳誠不惜取消院會決議，顯然有重量級人士阻撓。

尹先生爲解決問題，乃改派我爲參事，並將資料室擴大爲經濟研究小組，與李國鼎先生主持之投資小組相對應，李國鼎先生不願如此，認爲規模太大，乃在我不知情下改爲經濟研究中心，我以參事兼中心主任，時爲一九六〇年八月；同年九月，尹先生出任台灣銀行董事長，後聘我爲該行顧問，爲財政部長嚴家淦譏爲「尹高價收買文章」，現在回想，我當時實在不應該辭職求去，使尹先生爲難，我缺乏修養，慚愧不已，區區一處長有何可爭之處。

一九六一年十月至一九六二年三月，我奉派赴華府世界銀行經濟發展研究所接受爲期六個月之一般課程訓練。在一九六二年初，美援會四處處長袁則留出任台灣證券交易所總經理，尹仲容先生面告袁則留暫緩離職，等我返國接替後再走。此事又傳遍美援會，四處同仁范愛偉在華府接受其他訓練，亦接到國內來信告知此事，並請其轉告我。袁則留與我有私交，亦告訴我此事。但我返國時，袁則留已去證交所，而我之職務未見發表，袁則留感到奇怪，曾問我原因何在，我亦不知。一日，尹先生索取美援會職員名冊，找出四處副處長瞿永全名字，下條子發表瞿為四處處長，我又成為美援會同仁間之笑話，處境非常尷尬。而且這種尷尬並非我活動之結果，都是自動掉到頭上來的，不免又生氣。現在想來，還是不應該，任何位置都可為國家做事，何必爭一時之高下。

事後我完全了解內幕。美援會四處是財務處，管理美援財務，所有申請美援計畫，包括美援會內部直屬各單位的申請案，都得經過四處審核及簽具意見，報請尹仲容先生批示。當時美援會高級官員除尹先生外，都在大量浪費美援相對基金，甚至用以結交各地方官員及民間人士，收買媒體，以樹立私人勢力。財政部財政赤字賴美援支持，農復會之農村建設資金及其人員之待遇亦由美援會核定，所有這些都須經過四處審核簽報。另一方面，相對基金不受立法院、行政院主計處、監察院審計部等制衡機關管轄，只要美援安全分署同意即可，而安全分署則多尊重美援會意見，故權力極大。又公民營企業及其他中央與地方政府機關申請美援，亦須經四處審核，更是可以貪污舞弊、賣人情、圖私利的好機會。

上述種種浮濫情形，尹仲容先生已有所聞，知道我個性認真負責，且不貪污，亦不賣放人情，亟欲我出任此職，為其把關。

但消息洩露後，引起各有關方面，特別是美援會內部野心份子之強烈反對，因為這對他們的私利影響太大了。他們知道直接向尹先生反對，不會被接受，乃說動兼主任委員陳誠，提出李國鼎祕書長之親信，亦爲財政部長嚴家淦所信任之陶聲洋接任。

陳誠本來對我並無好感，而對陶聲洋則因辦理八七水災善後事宜，以及嚴家淦、李國鼎之揄揚，故印象良好，一說即合。向來不過問美援會處長以下人事的陳誠，如今竟爲一個小處長，推翻副主任委員已半公開宣布之人選，堅持另提人選，顯然背後有相當力量的推動。於是一個四處處長，主任委員要用陶聲洋，副主任委員則非常不喜歡陶聲洋，要用王作榮，相持不下有很長一段時間後，派瞿永全爲處長，自是折衷之結果。由於陳誠、尹仲容先生均不知瞿永全爲何許人，此一折衷方案係由美援會內部人員向嚴家淦建議，嚴家淦轉向陳誠、尹仲容兩人提出者。尹先生在無可奈何之下接受此一折衷案，上當了。瞿永全是個好人，很容易合作，亦因此事業順遂，先調待遇優厚之農復會會計長，再調台北市銀行董事長，是美援會除潘鋕甲外，歷任財務處長所未曾有的際遇，而潘鋕甲則係原工業委員會老人，關係不同。

這次未能出任四處處長，使我再度難堪，在美援會處境更難，已打算另謀出路，但未表明，仍暫任原職，約半年，尹仲容先生於一九六三年一月逝世。綜計自一九五三年九月至一九六三年一月，前後十個年頭，中間除尹先生停職三年，我出國二次一年半，有一年與尹先生停職重疊，實際追隨尹先生工作有七年，他曾一次想安排我出任外貿會主任祕書，四次安排我出任處長——其中兩次爲經濟研究處，一次爲祕書處，一次爲財務處，足見對我之重視。其所以未成功，祕書處長係尹先生接受外面人情壓力，財務處長係由於會內外重要人士怕我阻礙他們的利益，羣起反對，二次經濟研究處長是怕尹先生擴權，培養個人勢力，將來擔任行政院長。故終尹先生之任，我未出任處長。所謂「李廣不封緣數奇」，令人同慨，不過，我的不封只是一個小處長而已。

前面曾提到，在這漫長的十年中，我曾經二次奉派出國進修，都與尹仲容先生有關。一次是一九五七年八月至一九五八年九月，由美國技術援助會送至美國田納西州范登堡大學經濟發展計畫，接受為期十三個月之經濟發展研究課程，期滿考試及格授予碩士學位，待遇亦頗優厚。美援安全分署請我國保送一人，保送機關為經濟部，但其所定之被保送人員條件，則似乎是量我的身材而定。經濟部曾先後保送中央黨部、總統府及工業委員會等人，均不為美方所接受。經濟部曾遍查其本部及所屬國營事業職員名册，亦無一人合格。眼看限期已到，即將放棄此一機會。一日，潘鋕甲在辦公室輕描淡寫說有此一件事，我似乎合適，我即向經濟部打聽，經濟部立即命我填表申請，一請就准。事後聽說，美援安全分署原本就有意由我申請，經濟部也早已經決定我是人選，只是被人壓了下來，最後壓不住了，才不得不透點口風給我。

據說當時有一不成文規定，即在美援機關工作，為避嫌不得申請該技術援助出國，其實美方並無這種規定，即使我方有此規定，亦未嚴格執行。但我獲准後，即有人在工業委員會早晨會報上提出此一規定，謂我之申請與規定不合，必須免職，由經濟部長兼工業委員會召集人江杓裁定，免除我在工業委員會的職務。

我當時十分氣憤，曾上一簽呈給江杓說明三點理由：一、此一計畫係美方要我方保送負責經濟計畫及發展政策之官員出國受訓，返國後仍為政府所用，現在免職，我豈不失去了政府官員身分，亦即失去被保送資格；二、再說，我要到七月出國，現在才三月就免職，「未出國門，即告失業」，未免太不合情理；三、所謂在美援機關工作者，不得由TA保送出國進修，我方並無明文規定，而美方則更無此規定，否則，美方明知我在美援會工作，即不會授意及核准我去。簽呈上去後，未獲批覆，經濟部僅給我一個不能支領報酬的空頭專門委員名義，以符合政府官員要求。我將此事報告給賦閒家居的尹仲容先生知道，尹先生立即去電江杓，乃聘我為中國紡織公司顧問，月支一千元，至回國為止。我在工業委員會之薪水則為三千六百元。

另一次出國係一九六一年十月至次年三月。世界銀行請各落後會員國保送從事經濟發展工作之高級官員，至該行所設立的經濟發展研究所受訓半年，研究內容為一般課程，舉凡與經濟發展有關之項目均在內，全部費用由世界銀行負擔。保送機關為財政部，曾先後保送部內外多人均未被接受。在距期限屆滿只有一天的情形下，尹先生問我是否願意去，我應允，遂請財政部立即以電報向世界銀行報名，證件後補。世界銀行立即回電接受。

我兩次被保送出國進修，事先都不知道有此機會，都是在無合格人選下被提名，報名期限將屆，始通知我去一試，兩次都立即被接受，這就是沒有人事背景的悲哀，也就是倚賴美國人辦事的公平精神。我每次都盡心學習，勤奮用功，及留心蒐集各種對台灣經濟發展有實用的資料，是以每次都對我個人學識的增進與對國家的現代化有很大的幫助。

我追隨尹仲容先生歷時將近十年的期間，對我的一生有決定性的影響。其影響可分為兩方面：

一、事業方面。尹先生也許是為了日後更上層樓，預備擔任行政院長；也許是基於對國家的熱愛；也許是個性使然，對於當時的經濟、社會問題都有很大的興趣，而事實上，一個落後國家要從事現代化，必須要經濟社會各方面齊頭並進。尹先生對於他所關心的問題，如財政、金融、貿易、外匯、工業、農業、水利、教育、人口、行政等等，總是寫一張紙條、或電話、或當面要我提出意見。在他的觀念裡，既然做研究工作，就什麼都得研究。我無論知與不知，總是一口應允，然後請葉萬安蒐集資料，我於研究後便撰寫研究報告，內容必須簡單扼要，要他看得懂。他常說報告最好不要超過五百字，超過一千字，首長便無興趣看了。又說，報告寫得再好，也要別人看得懂，別人看不懂，報告便無用。我後來才知道，這是標準的美國總統看報告的原則。

在那一段漫長的歲月中，我像磨子一樣，隨著尹先生的思想與要求轉，而且隨時都會遇到新問題，進入一個新的領域去探索。每天從早上八時到晚上十時都在忙，沒有假期，沒有休息，我曾好想早日脫離苦海，離開此一工作。每次領來一疊一百張的十行稿紙，我都祝禱用完了不再領。每年雙十節我都希望自己有機會能自由自在地去看閱兵大典。儘管如此忙碌，我從未誤事，總是能按時交卷，並受到重視，得到尹先生的信賴。

因爲這樣的磨練，使我的知識廣博，對於與台灣經濟發展有關的問題，我都有所了解，出口能言，下筆能寫。在任何場所，只要是有關經濟發展的問題，我都能不假思索，立即發言，而且能深入問題，爲他人所不曾想到者。而下筆快捷，言簡意賅，內容豐富，明白易懂，便成爲我文章的特色。我離開公職，得以鬻文維生，薄有時譽，即得力於此一時期的鍛鍊。

在追隨尹先生前後十年的期間，我對他提出過無數的對策、意見，大部分是被動地應他之命，小部分是我主動提出；有些是長篇大論，有些則是簡短的陳述；大部分都公開發表，一部分則只是供尹先生個人參考。玆舉兩例，一爲公開發表的，一爲未公開發表的。

㈠〈台灣工業政策試擬〉。我於一九五三年加入工業委員會，開始從事台灣經濟發展工作，向尹先生提出的第一篇有關經濟發展的政策建議，便是這篇長文，形成以後若干年政府發展工業的具體政策。此一建議亦爲當時政府所宣布的唯一的、整套的工業政策。

讀者在閱讀此一建議時，必須要了解當時之時代背景。在第二次大戰期間及結束後一段時間，世界各重要國家除美國外，無論參戰與否，都是物資與外匯（即美元）奇缺，生產凋敝，通貨膨脹嚴重，人民生活與經濟建設均陷於極端困難中，不得不厲行外匯、貿易、物資及生產管制工作，重要物資如糧食、布匹、日用品等也實施定量配給及限價。而台灣以一經濟發展落後地區，原已貧窮，受二次大戰嚴重破壞及內戰影響，加以兩百萬軍民撤退來台，致使其經濟困難尤甚於其他國家，已瀕臨全面崩潰境地，不得不從事經濟發展，以謀從根解除此種困難。此一建議即係針對此種情況而在理論基礎上就實際問題謀求解決。

此一建議後以尹仲容先生名義在各報發表，收入尹仲容著《我對台灣經濟的看法》全集中（參閱附錄一）。

㈡〈改善經濟現狀之基本途徑〉。在第三部第十六章中曾經提到，一九五八年三月，尹仲容先生出任外匯貿易審議委員會主任委員，對於外貿改革及匯率調整，職責所在而亦難以作抉擇。時我正在美國進修，工業委員會同事乃遵尹先生之命在我所留下之檔案中找出本文，供其作決策之參考。本文係從總供給與總需求觀點，剖析通貨膨脹是否在於總供求之失調，而根本解決之道則在於如何增加生產及節約消費，使尹仲容先生了解放寬或解除外匯貿易管制無關通貨膨脹。尹先生於是決定於一九五八年四月進行外匯貿易改革，使新台幣貶值及大幅簡化管制手續，打開一九六〇年代經濟高度成長、高度穩定之路，奠定台灣經濟奇蹟之基礎（參閱附錄二）。

一九六七年夏，老總統蔣中正先生因中共擁有原子彈，見反攻無望，亟欲在台灣有所作爲，而只有經濟發展一途可以著力。乃邀集劉大中、蔣碩傑、費景漢、顧應昌等四位海外學人，在梨山舉行會議，徵詢經濟發展意見。四位學人乃提出〈改進經濟對策之要點〉建議，全部內容百分之八十爲總供給與總需求之分析，並據以提出設立專門機構編製全國總產量之供需預算，得到國家安全會議通過。一時全國傳揚，認爲是意義重大之貢獻。

殊不知國內早在一九五八年，即依據本文所提出之總供求理論改革外匯貿易。而在一九六四年，由我主持設計之第四期四年計畫，則係完全依據總供給與總需求原理設計，並曾因此而改編國民所得帳，編製投入產出表，請劉大中回國協助設計計量經濟模型，財經委員未曾有一言之獎勉，視若未見，實際上恐怕根本就不曾看一眼，社會及學術界人士亦無人重視。茲事隔多年，由幾位海外學人提出，便身價十倍。我乃撰寫了一篇〈設專門機構編製國民經濟預算的商榷〉一文予以說明。現在回想起來，年輕氣盛，不應該。

二、品格方面。在某種程度上，我與尹先生均出身於中產階級家庭，幼時接受中國傳統教育，及長期接受完整的新式教育，具有西方文化的洗禮與精神，乃至個性，均頗有相近之處，因此在品格及爲人方面，容易接受他的影響。尹先生的個性，特點如下：㈠剛直不阿，毫無保留地面責人過，使人難堪，但絕不背後罵人，更不會背後使手段整人。㈡熱愛國家，有犧牲奉獻精神，國家每有挫折，便憂心不已。㈢不搞派系，不用私人，唯才是用。㈣清廉自守，公私分明。在美擔任採購，外人給與之回扣照收，但全部繳庫，身後夫人難以維生。㈤節儉自奉。絕不浪費公家一文錢，而且能省則省。他曾身兼三要職，但至死爲止，坐的都是美援安全分署美國官員淘汰下來的二手車。經常掛在口頭上的一句話便是：「我們國家太窮了，沒辦法。」㈥工作認真，不計名位，大小職位都接受，而一旦接受之後，便全力以赴。㈦面容嚴肅，不容易與人接近，不理會人，甚至不與部屬打招呼，但卻熱心助人。㈧不苟言笑，召見部屬談公事，三言兩語即結束，部屬便必須退下去，非奉召不能進見。㈨穩重敦厚，有古大臣風。㈩喜愛讀書，學識淵博而不露，中英文俱佳。⑪有決斷力，勇於負責。我比對現在的一些決策大員，心中真是感慨。一個國家的強弱，一個朝代的興亡，就從這些人物的特質可以看出來。而任用這些人的人就要負全部責任，明朝亡國時，崇禎皇帝於上吊之前，歎曰：「君非亡國之君，臣乃亡國之臣」，可謂至死不悟，他不知道那些亡國之臣，正是他這個亡國之君任用的。所以亡國時，臣不一定是亡國之臣，君一定是亡國之君。大陸之失，亦復如此。

我當然不敢與尹仲容先生比，但熟知我的人，應該知道有些個性確實相近。毫無疑問，尹先生確實對我產生很大的影響。雖然我與生俱來的天性仍占重要成分。尹先生晚年雖有機會發揮，但爲時甚短，地位也不高。死時並非閣員，僅是部長級而已。他是一個做事的官，不是做官的官，做事的官常是位低而事繁，而做官的官常是位高而事簡。

我雖然追隨尹先生如此之久，工作關係如此密切，然由於雙方個性使然，公私接觸均甚少。尹先生有公事當面交代，或由我向他報告，次數並不多，均係書面往來。而面晤時，總是三言兩語即結束，然後退出。曾有傳言，向尹先生作報告，如果說話超過三句，他尚未了解，會要求報告人回去將問題弄清楚了再來。如果三句之內他已了解了，也叫報告人回去，因爲他認爲自己已了解整個報告了。這雖言過其實，但可形容他穎悟過人，不耐別人多話。但尹先生對我頗爲客氣，每次有事當面吩咐時，我習慣不記錄，他恐我忘記，總是在離去時，再一點、二點地歸納給我聽，而我仍然時常忘記，回去後再來猜他吩咐的內容。

他從不當面獎勉我。有兩次都是聽別人轉告的。一次他對別人講，他每次交代我的事，我都做得好好地覆命，從未誤事，內容與時間都合於他的要求。另一次是在車上對別人說，由其司機轉告我：「王作榮是美援會用錢最少，做事最多的人。」

至於私人之間，我們幾乎沒有來往。只是他在家中宴客時，偶爾請我作陪，我想這是酬勞方式之一。我從不自動到他家中拜訪，只有一次係其太夫人九十大壽，我與袁則留主動去拜了一次壽而已。過年從不拜年，也不送禮，送禮他也不會收。

尹先生復起之後，逝世的前幾年，雖然身兼美援運用委員會副主任委員、行政院外匯貿易審議委員會主任委員、台灣銀行董事長三要職，可說權重一時；但事實上，已走向人生盡頭，說句俗話，已走向死人運。在其他兩個機關的情形我不知道，在美援會則是一片衰象，幾乎無可信託之人，亦無可使用之人。上有主任委員陳誠，不明實際情形，動輒干預會內人事，而自以爲是；下面重要幹部則彼此內鬥不已，馴至擅權自大。這些都是走衰運的特徵，老年人最爲不宜。我即是懍於尹先生這個教訓，在我年老時，遇有欺負我的情形，立即強烈反彈。所謂時衰鬼弄人，我要活下去，就絕不受鬼欺負，這是我從尹先生經驗中得到的迷信。

美援會主要幹部欺騙尹仲容先生之作風，可從下面幾個例子看出來：

一、美援會與財政部關係密切，不僅政府預算赤字需要大量相對基金補貼，若干財政與預算政策，美援安全分署基於美援運用目的及效率，亦常有意見透過美援會傳達給中國政府與財政部，雙方常發生激烈爭執。此時美援會居於舉足輕重地位，美方對尹先生亦極爲敬重。每遇到美方與財政部爭論頗爲激烈，相持不下時，尹先生便先與美援安全分署人員取得協調，再由美援會去函財政部說明立場，與解決辦法。美援會某高階人員爲日後前程鋪路，便將內幕全部告訴財政部長嚴家淦，並代財政部擬好反駁文，而且譯成英文。是以美援會公文尚未出門，嚴家淦部長及財政部之英文答覆已經備妥。此種內幕均屬高度機密，一次尚可，尹先生也許會認爲是巧合。次數多了，便會知道是怎麼一回事。尤其答覆之英文與美援會某英文祕書之筆調完全一樣，尹先生豈有看不出來之理。從此遂命令與美援安全分署有關重要會議不許某些人參加，公文在美援會外處理，甚至連尹先生之日程亦列爲最高機密，只有兩位機要祕書知道。

二、民間企業如貸到美援，僅匯率及利率差額即可發一筆大財。那時貪污之風雖沒有現在嚴重，美援會人員素質比較整齊，但據我所知，仍有不少官商密切來往以圖私利者，亦有所謂民間企業申請到一美元之美援，必須額外付出一元新台幣之賄款者。有一美援申請案，依規定不能過關，於是管財務的主管人便以一小張日曆紙，在背面簡單敘明案由，隨意摘幾點不重要之內容，附在申請文卷上呈核。尹先生以爲不重要，未及細看，即在簽條上簽一洋文簽字。但這一簽字作用可大了，這表示尹先生已經看到了，沒有意見，等於批准，下面便得照辦。一件弊案就此完成，將來如發生問題，尹先生便得負全責。

三、我常有些本單位的經費人事等事項，須經過祕書處簽報尹先生核示。祕書處多半爲壓抑我而不同意，但又怕我理直氣壯地反彈，於是常在我簽呈上附上一張小簽條紙，將全紙寫滿字，表示反對。尹先生依官場慣例總是同意祕書處意見，應該在祕書處簽呈上批如擬，但因爲紙都寫滿了，無處可批，只好批在我的簽呈上。在我的簽呈上又不能批如擬，便批暫緩之類的文字，表示否決掉了。文件發下後，經過祕書處，便將祕書處的簽條抽下，將我的簽呈交給我，看起來是尹先生直接批的不准，與祕書處無關。惡人留給尹先生做，我要怪只能怪尹先生。後來我知道了，便凡事都直接送尹先生批，不再遵守官場慣例了。

一九六〇年陳誠謀取得總統職位，由胡適帶頭，一再公開宣稱老總統應遵守憲法下台，不應第二次連任，最後由陶希聖發表談話：「蔣總統的總統位置無人可以取代。」明白告訴陳誠不要想當總統了，總統地位之爭遂寢。但知道內幕的人士都知道陳誠不會久於其位了。接任的人除財政部長嚴家淦外，別無人選。於是美援會高層官員爲尹仲容先生所極端不喜者，知道追隨尹先生前途有限，更何況尹先生的年齡較長，人緣不是很好，前途亦受阻，便都倒向嚴部長。其他中高層官員或者倒向這些高層官員，成爲派系中一份子；或者腳踏兩條船觀望。所以我說尹先生死前幾年已在走死人運。

一九六三年一月，尹仲容先生因急性肝炎逝世，美援會副主任委員一職由財政部長嚴家淦兼任。嚴家淦對我十分客氣禮遇，似乎已忘記前嫌。是年九月，美援會改組爲國際經濟合作發展委員會，簡稱經合會。李國鼎任副主任委員，張繼正任祕書長，陶聲洋任副祕書長。設立第三處，負責經濟研究及經濟設計事宜，我被任爲處長，但已歷盡滄桑，興趣索然，會內外友人無一向我道賀者，都知道不值一賀。

前已言之，尹仲容先生在世時，美援會即已有明顯派系存在，自成一體，與尹先生非常不和。我生平痛恨派系，是未被收編者極少數人之一。處此環境，加上我之直來直往個性，應付十分吃力，我乃採取不介入態度。凡例行公事按程序須經過祕書處及祕書長者，我按程序處理。凡尹先生直接交辦事項，我直接送呈尹先生。而我所承辦之事，除經濟計畫之類外，其餘幾均爲交辦事項，故與祕書長甚少接觸。尹先生許多政策宣示或意見表達，祕書長均不知情。

尹仲容先生逝世後，我立即受到全面封殺。會內舉行重要會議，不通知我參加；分配預算時，三處無分文預算；人員亦不能增加，陷於無錢無人境地，但我相信，這並不是出於上層授意。幸好《自由中國之工業雜誌》每年有兩百餘萬元之預算，我乃利用此項預算，進用臨時人員，擔負起設計第四次四年計畫之責任。不足之數，承第一處處長韋永寧慨將該處未能用完之預算三十餘萬元撥交三處，始解決困難，特在此表示感謝之忱。儘管處境如此，我仍一本我之個性，領導三處同仁愉快工作，努力不懈。至一九六四年底計畫完成，爲我國第一次使用現代設計技術所設計之計畫，我遂毅然引退，擔任顧問職務。從此以後，除至一九九〇年出任考選部長外，我未曾在政府擔任有實權之工作。

在追隨尹仲容先生的十年，及以後我在社會謀生期間，當初工業委員會的少數同事就如影隨形，附在我的身上，窮追猛打，毫不放鬆，怎麼都抛不掉，直到他們的權力消失，無力打壓爲止，而我也已老去。我並不是尹先生的人，沒有派系，也從不與人鬥爭，更不背後傷人，與他們並無深仇大恨，不知道爲什麼要對我如此。有人說是因爲我是學經濟的，怕我出頭，他們沒得混；也有人說，是他們誤以爲我看不起他們；也有說我鋒芒太露，使他們妒嫉，我看都有幾分道理。如今，江山依舊在，幾度夕陽紅，他們得到了什麼，我又失去了什麼，一場夢而已。

尹仲容先生，名國墉，字仲固，改字仲容，以字行，湖南邵陽人。生於一九〇三年四月，逝於一九六三年一月，享年六十歲。迄今已逝世三十餘年，其事蹟與對國家的貢獻早已爲人所遺忘，其夫人亦窮困以終。我目睹其爲國家鞠躬盡瘁，而持身公正儉約之情形，及身後之很快被遺忘，頗生人生乏味之感。我深受尹先生的知遇之恩，雖屢次提升我而未果，使我處境難堪，當時不免有點怨懟；事後思之，是我未能了解尹先生的苦心與處境。而尹先生對我一生的事業與爲人影響深遠，終生感恩，而報答無門。迄今尹先生的音容言行仍長留我心中。我一生由於個性關係，一事無成，也辜負了他的栽培與期望。午夜夢迴，追思往事，愴懷不已。

尹先生逝世後，我奉治喪委員會之命，撰寫了他的生平事略。在他逝世一週年時，我又以

〈尹仲容先生在經濟方面的想法和做法〉爲題，寫了一篇紀念他的文章。特錄其中的一段作爲對尹先生的總評，也作爲本章的結束。

仲容先生是一個深受我國傳統文化洗禮的人，因此他的立朝、理事、待人和他個人日常生活氣質，都有古大臣風範。同時他又是接受現代教育，長期居留國外，與國際人士廣有交往，並不斷閱讀現代書籍的人，因此小則對於本身出處，公私分際，責任和榮譽；大則決策應變，都深合西方所謂政治家的軌轍。再加上他個人的智慧、勇敢、決斷和不自私的品格，便形成了所謂尹仲容作風。這樣的一個人，其所想的和所做的，自然會先人一步，自然會與現實環境有一段距離，而不容易為人所了解。其實，試翻閱中外史乘，歷代英雄豪傑之士，又有幾人能為當時人所了解呢？乃至千秋之下，又有幾人能被了解呢？仲容先生編《郭嵩燾年譜》，預備寫郭傳，就在同情和惋惜郭之見解與作風，不為當時人所了解，兼以自況。悲涼心情，可以想見。自古英雄皆寂寞，仲容先生何能例外。（本文收錄於《王作榮全集》）

尹仲容先生生前對我常說的幾句話，我終生不忘：一、「我們國家太窮了，沒辦法！」二、「美國對我國政策可能有變，要如何應付呢？」三、「我們國家沒有進步，幾十年前如此，幾十年後還是如此，都是這些老問題。」特錄於此，以示尹先生之愛國情操。

第二十六章 嚴家淦總統

嚴家淦總統是我生平所遇見的兩個最聰明的人之一（另一人為王永慶）。我對「最聰明」所下的定義是，我與他溝通，不管意見是否相同，都毫無困難，一說就懂，而且在我聽來很有道理。嚴先生也是最欣賞我的才能，很想栽培提攜我，而終於成爲我前途最大阻礙的人，然而卻也是我最感念的人之一。這看似很矛盾，但實情確是如此。

我說嚴先生最聰明，除了前面所說的定義外，尚有很多佐證。他的中英文俱佳，英文能說能寫，中文能填詞。寫一手好字，有手卷留在故宮博物院。他本行是化學，但對財經問題了解甚深，與他談問題毫無困難，只是意見可能不同，而非他不懂。我曾擔任過江杓部長的經濟學老師，那就差得很遠了。嚴先生親口告訴我，他年輕時頭腦像照相機，桌上一盆玫瑰，他只要一望，就能記住有幾支，以及花的位置與姿態。這個故事他一定也告訴過別人。

由於嚴先生絕頂聰明，所以對人情世故了解得最透徹，喜怒哀樂不見於外表，而胸中自有城府。也由於嚴先生的聰明，使他知識廣博，任何問題一聽就懂，一懂就能想出別人意想不到的解決辦法。兩代蔣總統與陳誠關係微妙，總統大位繼承之爭更是勢如水火，這是人盡皆知的事，嚴先生以陳儀的長期追隨者與親信，而同時為兩代蔣總統與陳誠所信任，其處理人際關係之圓融可想而知。蔣中正總統尤其喜歡嚴先生。因為許多經濟問題都常要用現代經濟學術語解釋，老總統不十分懂，別人愈解釋，便愈高深，只有嚴先生能用老總統所能聽得懂的話，三言兩語老總統就懂了，而解決問題的政策甚至人事，自然就會採納嚴先生的意見。

這當然不是貶抑嚴先生。一般人常認為嚴先生個性圓融，不會生氣，不肯負責做事，沒有主見，因此稱他「嚴推事」。這是完全為外表所誤。嚴先生有個性，有脾氣，有原則，有主見，也很堅持己見，也會發牢騷。只是他表達的方式不同，讓人不能真正了解而已。假如真的是「嚴推事」，以兩代蔣總統之識人，豈肯將副總統兼行政院長的位置給他。他不搞小派系，盡忠於兩代蔣總統而不諂媚，聽命於陳誠而不阿諛，我從未聽他言必稱總統、院長，自然更未聽過他喊總統萬歲了。

他沒有固定班底，隨處量才用人，而且兼容並蓄，各種人才都有，組成一個可以運作而不會出大錯的政府機器，維持國家社會的穩定，而這正是兩代蔣總統所需要的。在兩代蔣總統的威權領導之下，他也只能這樣做，這正是他的聰明處。也正因為如此，他用的人水準都不是很高，有些用人甚至使人失望。他圓融通達，協和人事，能取信於人，包括中國人與外國人。做事能顧大局，識大勢，雖常為己謀而不害公益。以上種種都是宰相之才，兩代蔣總統能提升其為副總統後，仍請其擔任行政院長，絕非偶然。

可惜嚴家淦先生器量不大，寬厚不足，容易記恨，別人偶有忤犯，必銜恨報復。這不僅是我個人的體驗，追隨過他的人大都有同樣的體驗，而且對他的此一特性曾有人向我提出警告，說我在尹仲容先生時代得罪了他，別想翻身。不過，我真正得罪他是後來的事。正由於此一缺點，使他的用人與事功都受到局限，不能成為一代名臣，只是一代顯宦而已，頗為可惜。

他的仕途真可謂一帆風順，扶搖直上，達到總統頂峯。我曾聽名命理家季伯年說嚴家淦先生的命是六合命，隨遇而變，逢凶化吉，無往不利，很有道理；說我的命土太多，固執不化，沒什麼前途，吃飯不成問題，與嚴先生的命恰好相反，也很有道理。這是嚴先生當副總統，我在聯合國亞遠經會工作時所算的命，以後事實證明很靈。

嚴先生負責財經決策大任，正是一九五〇年代國家處境最艱困的時候。尤其財政困難，赤字連年，更使中央政府一籌莫展。當時財政大權實際在台灣省政府吳國楨、任顯羣手上，他們都不是容易打交道的人物，而嚴先生在並無多大摩擦下，將財政權移轉中央。當時財政依賴美援很深，而以美援彌補財政赤字，最為美方所不喜，但嚴先生卻輕而易舉地每年都能爭取到相當數額的財政預算。在財政尚有巨額赤字時，經濟發展當局極力主張要減免稅金以獎勵投資，嚴先生慨然承諾。這些都可看出嚴先生的見解與彈性及理事的手腕。

我與嚴先生第一次見面便頗不尋常。大約是在一九五九年年初，正是政府編製下年度預算申請美援補助的時候，我奉實際負責美援的尹仲容先生召去辦公室見他，旁邊兩個沙發坐著財政部長嚴家淦與經濟部長楊繼曾，這便是當時決定國家財經大計的三巨頭。我記得我穿著長袍，一身土氣，未與他們兩位打招呼，便坐在尹先生辦公桌對面，聽尹先生吩咐。尹先生問我，我方有關總預算所依據的資料與美方的估計相差兩億元，原因何在。我對兩個數字的原始資料都未曾見過，實在無法答覆，只說兩億差額並非太大，待我將資料拿回去仔細看過後再答覆。嚴家淦先生當時即厲聲說：「什麼？兩億差額還不算大，要多少才算大？」其實嚴先生是怪我沒有禮貌，進門未曾向他們行禮。我的壞脾氣又來了，臉色爲之一變，正欲回答，嚴先生隨即改口說，事先未見到資料也難怪，自打圓場，於此可見嚴先生之機警，善於應付局面。尹先生即教我拿資料回去看過後再說，我遂退出。楊繼曾部長始終只是笑笑而已。如今三人均墓木已拱，此情此景恍如眼前，對這幾位前輩追念不已。

嚴家淦先生老早就知道有我這號人物，我從未去拜訪他。偶爾美援會請立法委員或安全分署官員吃飯，我也只是以小人物坐在一旁當沈默的陪客而已，也不向大官打招呼。嗣後，偶有在公共場所見面的機會，我都向他打招呼。

我常爲尹仲容先生撰寫公開發表的文稿，對當時的財經問題直言無隱，發表統計數字也求真求實，絕不作假，而尹先生亦從不顧忌更改，不免有侵犯嚴先生之處。我也略聞嚴先生頗不愉快，未以爲意。

尹仲容先生於接任台灣銀行董事長後，對《台灣銀行年報》僅列印資產負債表及損益計算書，未能將一年來的經濟情況作分析，一如外國銀行年報的情形，頗不滿意，乃囑我這個單位編寫，我寫了一期，尹先生甚爲滿意。一九六二年秋我赴美，年報由柳復起負責撰寫。關於財政一節，柳復起運用主計處國民所得資料與財政部稅收統計算出一比例，說是稅收占國民所得比例逐年降低，有違落後國家經濟發展常態，顯見稅收績效欠佳。《台灣銀行年報》出版後即分送各方面參考。

嚴家淦先生看了此年報後甚爲震怒，囑謝耿民次長打電話給我，責問我爲何如此，要我收回。時爲一九六二年四月，我剛從美國回來，無論事前事後我都不知情，但我又不能將責任推給部屬，也無法收回，只好一肩承擔。不料嚴家淦先生看得十分嚴重，向行政院長陳誠報告了此事，陳誠在院會中說政府官員竟然公開批評政府施政，要尹仲容先生交出人來，他要嚴辦，其實陳誠知道是我負責這件事。尹仲容當即回答：「此稿我事先看過，」即表示負責之意，陳誠未再追究，尹先生亦未對我說此事，我亦未對柳復起說此事，更未向尹先生解釋。從此嚴家淦先生與陳誠對我印象便很壞。現在回想，當時實在沒有官場經驗，加以年輕好勝，以爲沒有做錯什麼就不必理會。如果當時接到謝耿民次長電話後，立即去財政部向嚴家淦先生當面解釋並謝罪，說是以後設法更正，便可沒事了。

嚴家淦與陳誠兩人對我印象壞，還不只這一件事。我是一個不避任何嫌疑、盡心爲國家做事的人，當然也希望有點成績表現，讓自己有點成就感，但絕無爲個人謀前途的存心，我對升次長之類的官想都不曾想過。我鑑於一個落後國家要現代化，必須各方面同時進行改革及建立制度，特別是經濟計畫之設計及經濟政策分析方面，是我的職責所在。當時台灣具備一點現代經濟學知識，而且也了解一點經濟現實，並能將兩者融合成一體，提出一些解決台灣經濟問題的對策，或者從事制度及經濟發展計畫的人，可說少之又少。我一個人成不了事，於是運用《自由中國之工業雜誌》的一點剩餘款項，到處找尋具備前述資格的經濟學者，或請其來美援會工作，或與其簽約從事專題研究，這都是爲國家好。

結果非常不理想，也被有心人士渲染成我在爲尹仲容先生招兵買馬，預備他將來做行政院長之用。並且告到陳誠那裡，陳誠不察，在行政院院會上對我提出指責，意思是說我利用美援優厚待遇，四處向政府機關挖人搞私人利益。這當然是很嚴重的指責，尹先生並未告訴我經過情形，只是在美援會的主管會議中，說我不應該向其他政府機關挖人，將人才集中在美援會，美援會經濟研究單位的成績好，也要留幾個人才在其他政府機關來欣賞。這也是很重的話。我以一片爲國之心竟受到莫須有的誣謗，有點動氣，不免大聲說出了我的用意，尹先生未再發言，以後我也不再向外延攬人才，原來借調的人都歸建，改爲自行在內部培養人才。事後思之，能向陳誠說這種話而又使陳誠相信的人只有兩位：一位是嚴家淦先生，一位是法務委員余井塘受人之託，而以嚴先生最爲可能。

不過，嚴先生終是欣賞我的。一九六〇年三月，尹先生發表〈論經濟發展〉一文，嚴先生說了一句「尹仲容高價收買文章」，然後交印分發財政部同仁閱讀。約在一九六二年秋，他出席國際貨幣基金年會，指定要我寫中文演講稿，另找人譯成英文。返國後，即請我吃飯。偶有重要文稿亦請我寫，稿費多少均轉送給我，所得稅由他付。這並非是他沒有人寫稿，而是在與我建立一些關係。有一天，他在台灣銀行服務的快婿萬彥信來美援會看我，說是奉嚴家淦先生之命前來，希望能與我多接觸，進而多了解一些台灣的經濟問題，我當然熱忱接待。不過，萬彥信以後未曾再來，我亦未回拜，我根本想不到要回拜。不久以後，聽說萬彥信被派往美國，回國後在第一信託投資公司任副總經理，現在不知情況如何，但他一定記得這件事。

一九六三年一月，嚴家淦先生接任尹仲容先生遺缺，兼任美援會副主任委員，成了我的頂頭上司。後來美援會改組爲經合會，嚴先生以行政院長兼主任委員，仍是我的頂頭上司，對我十分禮遇，我有些與公事及職務無關的私事，例如沒有宿舍住之類，他有求必應，破例爲我解決。有時我也奉召至行政院長辦公室見他，名爲詢問當時財經問題意見，實則聽他講話，至下班都不停，備感親切。但我從未主動求見他，這不是高傲，而是怕見人的個性。

一九六七年，我去曼谷聯合國亞遠經會任職，也未向他辭行，實在不懂官場規矩，也沒禮貌。但有信件來往、交換聖誕卡，維持良好關係。一九六八年八月，讀國內報紙得知外匯貿易審議委員會將要撤銷，分別併入中央銀行及經濟部，因與當時行政院副院長經國先生偶有通信，即不假思索地寫了一封信給他，說明台灣經濟發展必然以工業爲核心，而工業與貿易不能分，建議仿日、韓之例，恢復民國初期設工商部，或仍沿現名設經濟部，只管理工業、貿易及有關事項，其他農礦、水利分出與農復會合併設農業部。經國先生立即回了一信說很有見解，已轉呈上峯，他所稱上峯即是嚴家淦先生。

我當時即感到有些不妥，這是我寫給經國先生的私函，怎麼會原函照轉給嚴先生呢？但我也未採取任何補救措施。果然，年底即不回寄聖誕卡了。這也不能怪他。因爲嚴先生是我的老長官，關係遠比我與經國先生密切，有什麼意見該直接向他陳述。何況他是行政院長，經國先生不過是副院長，有意見不向老長官陳述，卻去向一位並無關係的副院長陳述，顯然是輕視他，認爲有決策權的是經國先生，不是他嚴院長。正是「是可忍，孰不可忍」，對我非常不諒解也是人之常情。

其實，我完全沒有這個想法，提這個建議也是一時興起的神來之筆，沒有什麼特殊的含意。既不是看不起嚴先生，也不是討好經國先生，只是愛管閒事的個性而已。同年九月，外貿會撤銷，當然不會照我的建議去做。拖了若干年後，才將經濟部有關農業方面的業務與農復會合併，成立了農業委員會，現在正醞釀改組爲農業部，我當時的建議要二十多年後才實現，而我卻蒙受難以言喻的損失。一九六九年，經國先生在行政院院會上建議要我回國工作，爲嚴先生以時機不宜，並說明我的個性不佳而否決掉了。

一九六九年，經國先生曾二度邀請我返國任職，我已應允，同時我的家庭也不允許長期隔離，不是內子范馨香辭職赴曼谷就是我辭職返台北，必須作一選擇，於是向聯合國亞遠經會安排離職事宜，未待國內發表新職，即於一九七〇年一月辭職返國。晉謁嚴家淦先生，承當面告訴我，將爲我安排工作。晉見經國先生，則安排我在國內外考察。此時我又犯了一次嚴重的錯誤。經國先生安排我去日、韓考察，我以爲這只是經國先生與我之間的一件小事，所以行前未向任何人辭行請示，回來後也未向任何人報告，當然包括嚴先生在內。考察返國後，我只是寫了一份考察報告給經國先生，送了一份報告給嚴先生，內容對日本之經濟復興有所稱揚，反襯我國之落後。這對嚴先生而言，是徹底地輕視他，而且又批評他的政績，誤解更深，壓抑更甚。我仍一如往昔，因爲無事也不去請見他，他認爲我在恨他。其實，我對嚴先生尊敬如昔，毫無怨懟，而且從來沒有輕視他的念頭。

一九七八年，我因年事已大，不願再繼續教書，而又必須有一固定工作，適逢考試委員改任，在同鄉前輩袁雍策畫推動之下，進行考試委員工作。由立法委員鄧翔宇、監察委員吳大宇聯名寫了一封信給執政黨黨主席經國先生，我也拜託了組工會主任王任遠，以爲以我的情形，區區一名考試委員實在算不了什麼，只不過有個固定收入的職業而已，應該不會有問題。

但我又犯了一個大錯，竟未晉見或託人向提名小組召集人嚴家淦先生打招呼，我根本不清楚有提名小組，只知道要通過黨中央，而黨中央權力最大的是黨主席，所以只向黨主席打招呼。嚴先生實在無理由認爲我是不適當的人選，於是採取原班考試委員連任一屆，一個都不更換的提名原則，無人敢說他不公，我便輕易落選。事後，有人告知我此事，我去看他，還未開口，他便怪我：「你怎麼現在才來？」我笑說怕麻煩你，下次請你幫忙。賓主都十分融洽親切，一如往常，在嚴先生是修養到家，在我是胸無芥蒂的個性，我從不懷恨人。關於此事，王任遠告訴內子，說他從經國先生處得知我得罪了一位黨國大老，受到阻礙，還奇怪我怎麼會去得罪這樣一位大老的。王任遠所說的大老當然就是嚴家淦先生。

一九八四年，考試委員再度提名，這一次我很聰明，請張導民去向嚴先生打招呼，嚴先生欣然同意提名，這在第三部第二十二章曾經提到。

我對嚴先生衷心尊敬，也佩服他的聰明才智。雖然別人輕視他是嚴推事，只會做官，不肯做事，又說他過於圓通，不肯得罪人，我知道這都不正確，沒有真正了解嚴先生。我真的了解他，可惜他不知道。

雖然一直受到嚴先生的壓抑，我仍對他常懷感激之心。因爲他是真正知道我的能力，十分欣賞我而想要用我的人，人生得一知音是十分困難的。他壓抑我而不令人覺得邪惡，也不曾含有妒嫉心，怕我出頭超越了他，純粹是因爲認定我小看了他，不尊敬他。近讀《吳國楨傳》，說他因爲不熟悉官場情形，以致漢口市長的任命遲不發表。他得罪的是夏斗寅，一區區省主席而已，而支持他的是總司令蔣中正，所以仍做了市長。我得罪的是副總統兼行政院長，而並無有力人士全心支持我，則事之不成，毋寧是理所當然的事。

嚴先生因中風住院很久，在初入院時及住院期間，我曾兩度去探視他，未曾見面，簽名致敬而已。他未病前的幾年，我也曾幾次去他位在愛國西路旁的辦公室拜候他，每次他都親切地接待及交談，回憶過去的往事，我勸他寫回憶錄，財經部分我可代他執筆，他總是歎氣，有一種無奈的感覺。言談間也約略看出「江山是別人打出來的」，他不過是幫手而已的情懷。他逝世時，我去榮總臨時禮堂含淚致哀行禮，送別我的這位老長官，他是我自從尹仲容先生逝世之後第二位送別的老長官。我對他感恩而無怨，不過多增加我人生無常的感歎，以及對他的懷念。

第二十七章 蔣中正總統

無論老總統的出身如何，亦無論各方面對他的評價如何，而且我也知道他的許多缺點，但老總統在我的心目中，是民族英雄，始終受到我最高的崇敬。不是我這一代的大陸中國人，不會知道我們國家與人民受到日本帝國主義者的侵略、侮辱與屠殺之慘，也不會知道其他帝國主義者對我們的侵略與屠殺，使我們過的日子比亡國還不如。老總統一如我們那個時代的中國人，有強烈的愛國心與救國志願。他與我們不同的是，他有能力實現他的志願。

在老總統的領導之下，全國人民奮發圖強與日本人血戰八年，終於打敗了日本，得到最後勝利，雖然勝得很慘，勝得日本人不服氣，心中仍然看不起中國人；但無論如何，自一八四〇年鴉片戰爭以來，外國人所給與我們的屈辱，外國人所強行加諸我們的不平等條約，外國人所侵奪的我們的土地，全部得以洗清、取消與恢復。也使得中國得以在國際上列名大國，成爲聯合國的發起國家及五常任理事國之一，使我們夢寐以求的民族尊嚴得以恢復，真正地實現了民族主義。

一九四二年四月二十八日，美國羅斯福總統廣播：「我們要記得中國是第一個起來抵抗侵略的民族。這個打不倒的中國，在將來，不但對於東亞的和平與繁榮，並且對於全世界的和平與繁榮都要擔負相當的責任。」（摘自《傅安明先生紀念文集》）這是對久被帝國主義者，尤其是日本長久欺侮的中國，何等的讚揚與欽佩，而這個打不倒的中國正是老總統所領導的中國。這將使他在歷史上永垂不朽。那些爲個人與政黨的私怨而貶抑他的人，絕對無法剝去他的歷史地位；這些貶抑他的個人與政黨，實在無知到不足以了解老總統在中國歷史上的地位。

當然，我也知道老總統受到他的出身、教育、中國文化與傳統，以及時代背景等限制，脫離不了舊式軍人的專權作風，缺少對民主政治的了解，深受宗族家庭觀念的束縛，以及不知道如何建立一個現代化的政府與國家；以致專制獨裁，喜用同鄉、親戚及學生幹部，不能廣開賢路，不能建立一個有效率的、廉潔的行政及軍事系統，造成軍政兩方面的貪污腐化。再加以一念之私，蓄意製造派系互鬥，以便於控制；來台以後，更培養自己的兒子繼位。在大陸時期，終於因此種種而失去人心，爲共產黨所乘，失去了自己親手打下的江山，自己得之，自己失之，這在中國歷史上也是少見的。無論對國家，對他個人，都是一個悲劇。

但另一方面，他不愛錢，自奉儉樸，折節讀書，努力吸收新知，尊重專家意見。來台以後，更汲汲於行政革新及國家現代化，在歷史上也不失爲一賢明之主，可惜殘照餘暉，爲時已晚。但無論如何，他對台灣的貢獻是巨大而永久的。他應是自鄭成功開疆闢土以來，第二位對台灣貢獻最大的人。鄭成功當時率領大陸一批不願做亡國奴的軍民，來到台灣，開疆闢土，建造此一遺民世界，子孫繁衍，移民不斷，遂使台灣收入中國版圖。老總統也率領兩百萬不願接受中共統治的大陸軍民，播遷來台，一方面捍衛台灣，免受中共侵占統治；另一方面積極建設台灣，使台灣從二戰後破敗不堪、人民啼饑號寒的困境中，一變而爲富裕及逐漸現代化，成爲舉世稱讚的經濟奇蹟。一個開疆，一個再造，其貢獻同垂不朽。老總統對台灣的具體貢獻有如下述：

一、儘管少數本省籍人士不承認自己是中國人，與中國沒有關係，這是他們的自由，無人敢說他們對或不對。但有一點可以確定的是，老總統領導中國人與日本血戰八年，使得本省人由日本的三等國民、亡國奴的地位，變成了中華民國的一等國民，能自己當家作主，站在日本人面前可以抬頭挺胸，不再有自卑感。這點作爲一個人的尊嚴來說，特別是在國際社會場合是很重要的。

我所謂三等國民，係指日本人爲一等國民。日本政府特准皇民化的本省人爲二等國民，人數並不是很多，直到二次大戰後期，日本人爲利用本省人力及資源從事作戰，皇民化的人數才大量增加。其餘絕大多數本省人則爲三等國民。在日本統治台灣期間，三等國民不准與日本人同住一個地區，同上一所學校，同乘一節火車廂，上大學也有學系的限制，據說還不准吃蓬萊米與鯧魚，日本公司可以任意徵收土地經營糖業，日本警察更是任意打人耳光，開口就罵清國奴、支那人。我就有個已故的同事王孝崑，因個性倔強，做點小生意，常挨日本警察的耳光，對日本人恨之入骨。這些都是典型的亡國奴待遇。所有這些行爲都是對本省人在人格上的羞辱，對稍有志節的人來說，比殺頭還難過，所謂「士可殺，不可辱」，因此有志氣的本省世家子弟當然受不了，紛紛回歸大陸，如謝東閔、連震東諸位先生就是如此。

也許有人會說，光復初期來台的外省人對待本省人也好不到哪裡去，誠然。但那是不同性質的對待，與日本人歧視羞辱本省人，不以平等地位對待完全不同。政府在大陸時代，黨、政、軍、情四種公務人員品質參差不齊，尤以黨工與情治人員爲最，軍隊亦復如此，視一般無知百姓如土芥，尤其在較偏僻地區，對善良百姓更是生殺予奪，所謂下民易虐，爲所欲爲，百姓只有逆來順受。但這是普遍性的，不分省區，沒有等級。這些人來到台灣固然如此，在大陸各地區更是如此，其虐待百姓的程度遠遠超過對本省人的若干倍。換句話說，他們是普遍地欺壓老百姓，不像日本人專門欺壓台灣的三等國民，羞辱本省人的人格；當然還有韓國，是以韓國人迄今對日本人仍恨意未消，毫不假以顏色。而有一部分本省人卻對日本人懷念不已，真不知道爲什麼民族性有如此大的差別。

也許有人會說，假如當年老總統不在開羅會議上索回台灣，則台灣就會像琉球一樣，仍在日本人手中，日本人也一定會像對琉球人一樣，給與一等國民待遇，既可過著進步國家人民的生活，也不怕中共來統一。是耶？非耶？但有一點可以確定，假如台灣現仍由日本人統治，本省人必受到一等國民待遇，是日本國民，但不會變成日本人。在日本人心目中，日本人是優秀的大和民族，而本省人是低劣的支那種，在種族的優越感之下，這兩者是有很大差別的。寫到這裡，正巧一九九七年九月十五日《中央日報》副刊載了一則小消息，談在日朝鮮人作家柳美里受到種族歧視一事，作者韋振臺說：「在日本社會中，大多數老百姓仍然具有誇大妄想的心理，他們相信只有『純日本人』，才會有成就，至於境內的少數民族則不值一顧。」依此類推，本省人歸化為日本人或仍受日本人統治，最多只是在日支那人而已，說不定還是在日清國奴哩。英國人對香港中國人及對整個中國人也是同一心態，看不起中國人。

總之，沒有老總統率領中國人與日本血戰八年，就沒有資格出席開羅會議。沒有出席開羅會議，台灣就不一定會歸還中國，本省人也就沒有今天的當家作主，不受任何人或任何種族的輕視與歧視了。

二、一九四九年大陸撤守，老總統率領兩百萬軍民播遷來台，這兩百萬軍民都是効忠老總統，信任老總統，自願追隨的。他們在老總統的領導之下，經過數十年的努力，對台灣作了如下重大的貢獻：

㈠確保台灣的安全。兩百萬軍民中，有六十萬軍人，成為當時保衛台灣的長城。一九四九年十月金門古寧頭之戰，將來犯共軍全部殲滅，以及數十萬大軍布防全台灣島，日夜防守，阻止了共軍進一步攻擊台灣的計畫，延遲到一九五〇年六月韓戰爆發，美國第七艦隊巡防台灣海峽，台灣始轉危為安。以後即以來台的軍隊為基礎，在美國軍事顧問團的協助及中美共同防禦條約簽訂之下，訓練成防衛台灣的國防勁旅。一直到今天，中共不能像對香港一樣地取得台灣，這支勁旅是決定性的因素之一，而追源溯始，不能不歸功於老總統。

要附帶說明的，古寧頭之戰，我軍傷亡亦重，幾乎全部為外省籍，他們有些未曾踏上台灣本土一步，即為保衛台灣而戰死，埋骨他鄉。如果沒有他們的犧牲，及幾十萬外省籍軍人布防台灣，台灣早在一九四九或一九五〇年初就爲中共所占領了，但是現在誰還記得他們的犧牲與貢獻呢？

㈡帶領一批技術官僚與技術人員全力從事台灣經濟建設，打開台灣經濟繁榮之路，創造了台灣經濟奇蹟。

一九四五年十月二十五日，台灣正式光復，回歸中國。當時的台灣經濟，受到日本人戰時的壓榨，物資供應戰爭之用，人員抽調前線作戰。再加上美軍夜以繼日地毯式的轟炸，所有稍具規模的工廠與生產設備、鐵路、電力及大建築物均被炸毀，而賴以維持農業生產的灌溉系統，亦因無人維護而荒圮，肥料極端缺乏，是以農工生產及電力交通幾乎全部癱瘓，人民衣不蔽體，食不果腹，大部分居民賴番薯充饑，美援麵粉袋則搶著拿回家做衣料。物資奇缺，物價飛漲，事實上經濟已等於崩潰。一九四六年，即光復後的次年，米產量僅約九十萬公噸，棉紗四百一十噸，肥料五千噸，發電量四億七千萬度。

即是在這種情形之下，老總統帶來一批操守廉潔、現代知識豐富、忠愛國家人民、生活簡樸的高級技術官僚及中、高級技術人員，建立有效率而廉潔的行政系統，及在公民營企業中從事實際經濟建設，不僅使政治社會安定下來，並進一步從事有計畫的建設。一部分運用政府及民間帶來的黃金、美鈔，一部分運用美援，先修復被美軍炸毀的工廠及公共設施，如鐵路、電力等，迅速恢復生產，再在此一基礎上從事農工建設，很快就控制了通貨膨脹，大幅改善了人民的生活。

當時追隨老總統來台的高級技術官僚，如葉公超、俞大維、尹仲容、蔣夢麟、嚴家淦、楊繼曾、徐柏園等人及其大部分部屬，無一不是具備深厚的中國文化傳統與西方現代知識，中外文俱佳，雍容大度，而又愛國守分，操守廉潔，現在的官員與他們相比差得太遠了。那時我追隨他們之後，只聽到他們如何憂國憂民，如何盡忠職守，開闢新出路，從未聽說有卡位之爭，更未聽說官員一夕之宴，等於尋常百姓家一年之費的豪華生活。大戰殘破之後，日本人的物質建設全被摧毀，而且大軍初敗，能在短短幾年之內，造成中興之局，爲台灣建造經濟奇蹟，爲居住在台灣的全體國人創造了富裕生活，永遠脫離了貧窮，就是在這些人的領導之下完成的，而這些人都是追隨老總統而來的。

至於老總統本人，在經濟狀況緊急時，經常召開財經會議，親自主持，聽取財經首長的報告，詳細討論問題，然後作決定。宵旰勤憂，令人感動，我們背後常戲稱此種會議爲「御前會議」。

當時主持這些建設的，幾乎全爲老總統帶來的外省菁英，甚少本省人士參加，這當然不是排斥本省人，而是本省人當時缺乏這樣的人才。即使是現在，要找這樣品格、知識與氣度的人才，仍有才難之歎。這是因爲日本人長期壓制本省人，不培養本省籍人才。據說台灣光復時，本省籍官員達到簡任級的只有三位，又說只有一位，而做到一個鄉鎮長，或法院法官，已經是光耀祖宗幾代了。連大學教授、企業中級主管及技術人員都絕大部分是日本人，日本人被遣送回國後，遺下真空，只好由外省人暫時填補。而國家領導人物之培養歷練，需很長一段時間，故想要起用本省人士，亦一時無從著手。而由大陸返台的本省籍人士如黃國書、謝東閔、連震東、黃朝琴、吳三連、游彌堅等人，及原在台灣稍有地位的本省籍人士如蔣渭川、楊肇嘉、陳尚文等人，都曾得到政府重用。

㈢帶來了一批民間企業家與大量資金，成爲發展台灣經濟的主力。

有人說外省人是光著屁股來台灣的，這句話距離事實太遠了。除了人盡皆知，政府曾將在大陸匯集的大量黃金、白銀與外匯運來台灣外，追隨老總統來台的兩百萬軍民中，只有部分士兵們也許沒帶什麼錢來，其餘或多或少都會帶著一些儲蓄來台，全家來台者，很可能帶著全部的儲蓄。以我家爲例，全家來台，便帶有約一千五百美元的儲蓄，這在當時是很大一筆錢。可惜不會運用，每月在衡陽街黑市賣一、二十美元補貼九口之家用，就這樣貼光了。這些外省人帶來的儲蓄，很多都變成了建設台灣經濟的大小投資。

大陸撤守時，大資本家分成幾股應變。大部分留在大陸，結果都很慘。很少到國外。一部分到香港，成爲日後發展香港經濟最主要的資金與企業人才來源，香港經濟之有今日，這批人才與資金應居首功。美國《新聞週刊》曾有如下一段話：「當聯合國於一九五一年宣布對中國大陸禁運時，作爲大陸通往外界大門的香港立即面臨死亡，而香港的反應則是在無數由大陸逃往香港的上海工業家的領導之下，轉變成爲一個製造業的中心，在以後的四十年中，這個殖民地開了將近十五萬個工廠……。」（Special Commemorative Edition, Newsweek, May～July, 1997）同樣情形也適用於台灣，撤退當時，也有相當部分企業人才與資金隨老總統來到台灣，而成爲當時台灣發展經濟最主要民間資金與企業人才的來源。任何研究台灣經濟或那一段時期台灣史的人士，都應該知道當時最主要的產業是棉紡織業。這些紡織業在一九五〇年代供應台灣最缺乏的民生物資之一——布，也提供了大量的勞工就業機會。在一九六〇年至一九七〇年代，又變成台灣最主要的出口工業，直到一九八〇年代由電子業取代第一位出口業爲止，但迄今仍是最重要的出口工業之一。

當時幾家大紡織廠或公司，據我的記憶所及，有大秦、中國、雍興、遠東、台元、中一、六和、台北、工礦公司台北廠、台南等家。其中僅工礦公司台北廠爲接收日人之產業，設備小而陳舊，可能是本省企業經營的僅台南紡織廠，不過五千不到的破紗錠而已。其餘除中國係政府在大陸經營之廠遷來台灣外，全部爲大陸民間或銀行在大陸投資遷來台灣之紡織廠。這些廠除大秦、中國、雍興、台北等廠以後因經營不善而次第關閉外，其他如遠東、台元（裕隆集團）、六和（六和汽車集團）、中一等公司都以其盈餘轉投資於其他產業，而成爲大財團，亦有由其內部分出之股東自行經營企業，而成爲大小財團者。當然，外省人當初來台之企業不僅限於棉紡織業，還有其他大小企業，只是紡織工業太重要，太凸顯而已。所有這些大小企業，無論以後經營是成功或失敗，都對當時及以後台灣的經濟發展有重大的貢獻，正如外省人在香港所作之貢獻一樣，殆屬毫無疑問。

讀者也許要問，那麼本省的企業呢？我要坦白地指出，在日本人的統治之下，幾乎所有稍具規模的大企業都在日本人手中，中上層企業經理人才也都是日本人，本省所謂大財主，大都是大地主而已。日人所留下的工廠設備都被美軍炸毀，日人離去也帶走了技術與管理，留下一堆廢鐵，主要係由外省籍的技術與管理人員來修復生產。那時屬於本省籍有規模的企業，北有大同，南有唐榮，再加上幾家煤礦與金礦公司而已。政府爲求平衡，對本省稍有規模的企業都刻意予以扶植。大同與唐榮都是受扶植最多的本省籍企業，當時對他們的融資以千萬計，唐榮甚至以億計，這是一個天文數字。唐榮是個扶不起的阿斗，最後倒閉，欠台灣銀行巨額資金無法清償，乃改組成省營唐榮公司，苟延殘喘至今日。

在老總統領導之下的政府，爲平衡外省與本省籍企業的發展，在當時既少本省籍企業人才，又缺少資金的情形下，乃將有利的新投資計畫，配以銀行資金及美援，規定由本省籍人士經營。我還記得有兩個著名的例子：

㈠台灣塑膠公司。這一生產ＰＶＣ投資計畫，係由工業委員會委員嚴演存所推動主持的，生產方法、部分資金來源、設備規模等等都設計妥當，要找一本省籍企業家出面經營。先找到南部何家被拒絕，改由王永慶先生經營，王先生以其經營天才，在經歷一段艱苦日子後，終於成爲國際性的大企業，而王先生也成了台灣的經營之神。

㈡新竹玻璃廠。約在一九五一年前後，時任中央信託局局長的尹仲容先生爲美援物資到達基隆港口，倉庫容納不了，乃至基隆海關倉庫親自查看，發現倉庫一隅堆滿裝箱機器，問管理人是何物，答以係大陸耀華玻璃廠向美所訂購之製玻璃機器全套，裝船運至中途，上海失守，乃在基隆卸貨，堆放迄今，無人過問。時台灣因戰爭影響，公私房屋門窗均破損，而又無外匯進口玻璃，乃用紙糊，破布補，颱風來時則釘木板，故需玻璃十分迫切。尹仲容先生立即查詢台灣有無製玻璃原料，經查出新竹有，又查有無人知道製玻璃技術，經查溫步頤原爲製玻璃之工程師。於是設備、技術、原料、市場齊備，乃由中信局撥款兩百萬元籌設新竹玻璃廠，一切就緒。至於由何人經營，尹仲容先生堅持二點：一是民營，一是鑑於外省人經營的大企業太多，玻璃廠必須交由本省人經營。但因係新工業，遍覓不到本省企業界願意投資，最後乃看中剛卸任建設廳長職務的陳尚文出任董事長。不料陳尚文堅拒。據傳陳尚文躲在臥室牀上不接見來請他出任董事長的代表，最後係從牀上捉出來始應允的。結果新竹玻璃廠在當時是利潤最高、待遇最好的企業，曾送巨額酬勞金給尹仲容先生，被拒收；尹先生逝世，又送巨額奠儀，亦被拒收。

我舉出這兩例，足以說明當時本省資金及企業人才兩者皆缺乏的情形，新式大型企業絕大部分在外省人之手，哪裡是光著屁股來到台灣的？在政府刻意運用台銀資金及美援之下，本省籍大企業乃逐漸發展起來。今日有名的本省籍財團如台塑、大同、和信、新光等等，無一不是在政府強力扶植保護之下成長繁榮起來的。而政府的這種決策在當時都是在御前會議下決定的。

我這樣敘述當然不是輕視本省企業界的才能與努力，更不是輕視本省一般人民的勤儉與敬業所作的貢獻。相反的，我是在默默旁觀中，最能欣賞與佩服本省籍同胞的冒險犯難與創新去舊的企業精神的人。我常思索本省籍同胞如何會有這種企業精神，我的答案是一半由於血統；一半由於台灣的自然環境。所謂血統，是指他們的祖先都是從大陸移民過來的。這羣移民如果沒有冒險犯難與創新去舊的企業精神，就不會遠渡重洋到一座荒島上求新生路，就會留在老家窮苦一輩子。所以他們及他們的子孫都有著企業家所特有的天賦，以及勤苦耐勞的工作態度。換句話說，他們及其子孫有這種血統。所謂自然環境，係指台灣的天然資源並不豐富，專就環境而言，台灣是美麗而貧乏。走出大門，所見不是高山，就是大海。要謀生，就得靠智力、靠努力、靠冒險、靠吃苦。總之，靠愛拚才會贏，也因此而養成了好鬥的特性。我因為致力於台灣經濟發展的工作，對本省籍同胞這一方面性格的觀察，少有人比我更深入。

但是所有了解一點西方進步國家經濟發展史及經濟發展理論的人士，都會同意一個殘破不堪的落後經濟體，如果沒有政府領導，如果沒有外來的企業人才、技術與資金的輸入，儘管有勤勞的勞工與富有企業精神的本土企業人才，也很難在短時間內突破困境，創造新局。我希望在這一方面有學養而又態度公正持平的學者，對當年的經濟發展作一深入研究。

「日據時代與光復後重要農工產品產量比較表」（見下頁）說明了幾個關鍵年代，台灣經濟發展進步的情形，也最足以代表老總統領導台灣經濟發展所作的貢獻。

一九四六年，是台灣光復的次年，僅憑農工生產與電力運輸等統計數字，與日據時代最高產量相比，便可知道日本人交給我們的是一個如何破爛，實際上已經破產的經濟。那時所有重要硬體設施可說全被美軍炸毀，日人撤退後，管理與技術均呈真空，生產資金更是匱乏，甚至連果腹都難。即是在這樣一個基礎上開始台灣經濟重建的。

一九四九年，距離光復已有四年，由於台灣本身既缺乏重建資金與管理技術人才，而中央政府又因內戰自顧不暇，致台灣經濟復甦進程緩慢，人民生活仍在窮困不堪中，惡性通貨膨脹更日形惡化。這些也可從表列統計數字中看出來。

日據時代與光復後重要農工產品產量比較表

項目	單位	日據時代最高產量	一九四六年	一九四九年	一九五二年	一九七六年
米	千公噸	一、四〇二	八九四	一、二一五	一、五七〇	二、七一三
糖	千公噸	一、三七四	八六	六四七	五二八	七七九
漁	千公噸	一二〇	五一	八〇	一二二	八一〇
豬	千頭	一、八七三	七六八	一、三六二	二、〇七九	三、六七六
電	百萬度	一、一九五	四七二	八五四	一、四二〇	二六、八七七
煤	千噸	二、八五四	一、〇四九	一、六一四	二、二八六	三、二三六
棉紗	噸	五三九	四一〇	一、八〇五	一三、五七六	一四七、四七七
棉布	千公尺	二、六八二	二、五五八	二九、八〇五	八七、六三九	八一一、二三三
紙	千噸	二六	三	一〇	二八	五〇〇
肥料	千噸	三四	五	四六	一三〇	一、六三四
水泥	千噸	三〇三	九七	二九一	四四六	八、七四九
鋼條	千噸	一八	三	一一	一八	一、三〇九
一般機械	噸	八、二〇〇	九八〇	三、六六六	六、一五五	三一七、七四一

※糖產量較日據時代為少，係政府政策結果。

資料來源：根據各種官方資料編製。見王作榮著：《我們如何創造了經濟奇蹟》。

一九五二年，即中央政府遷台三年後，在政府攜來的政府人才與資金、外省籍民間所移來的企業人才與資金、本省籍的人才與資金，以及美援的協助之下，三年之內，就將農工生產與電力運輸等恢復到日據時代的最高產量，有些且遠遠超過，通貨膨脹也獲得控制。至此，台灣經濟才算從戰爭破壞中站起來，才能夠從事正常的經濟發展。

一九七六年，即是老總統逝世的次年，從表列數字中，可以很清楚地對比出來，台灣經濟已經起飛了，台灣經濟奇蹟已經形成了。這張表所涵蓋的期間，正好是老總統在台灣主政的期間。而且充分說明了台灣經濟之所以能迅速復興，得力於外來人才與資金至大。要不然，何以在一九四九年以前的四年，僅憑本省力量，經濟重建如此之慢呢？當然，美援也有重大幫助，但必須注意，美援的恢復雖是一九五〇年，大量到達則是一九五一年開始的事，至一九五二年，僅有二年。而美援中止是一九六五年，此處的統計數字要到一九七六年。

關於台灣經濟因戰時日本人的壓榨與戰爭破壞而陷於絕望境地，老總統及其所領導的政府，如何艱苦奮鬥，如何作正確的決策，如何發揮高度的廉能政府效率，終於打開一條生路，創造了台灣經濟奇蹟，以有今日的富裕社會，玆再引述兩位與台灣經濟發展有密切關係的美國高級官員的言論作爲佐證。

美國國務院助理援外執行官兼美國海外開發會議主席葛蘭特氏，於一九七二年五月三日，在眾院的亞洲暨太平洋事務外交小組委員會作證的言論，即可證明。葛氏從距今二十五年前台灣在險惡環境中開始重建成績說起，極讚佩台灣的經建政策，及其由此導致的高速度生產成長率、國際貿易年增率、人民就業率、國民所得額、儲蓄增加數與都市農村財富分配佳況、教育衛生普及情形、生育節制成績、空氣污染預防措施，以及運用美援特別有效的事實，認為其中若干的成就，遠不是一般開發中國家所能及，都是開發中國家的一面鏡子，並且是如何消弭社會革命的鏡子。最後指出在今後的年月中，開發中國家面臨的問題極大，在它們尋求有效辦法之際，無論其理論的根源為何，世界上的農業研究者，為了解決出現中的糧食危機，於六〇年代初頗借重台灣的經驗。世界上的經濟學家，於六〇年代中期，為了尋求成功的成長與輸出的類型，亦借重台灣的經驗。對於仍然試圖解決無法控制的失業、貧窮與人口問題的其他國家，台灣的經驗可能有更大的貢獻。以及美國駐華大使馬康衛祝我建國六十一年說及的，由於「彈性決心企業心，到一九七六年時，將可達成一個為數一百億美元的國民生產和一百億美元的對外貿易的新雙十」，「已使台灣人民深受其利的許多改進，都是一種富於想像的社會計畫，可以被用做其他國家的楷模，為其他人民提供仿效的實例」。（附注）

這些都是鐵的數字與事實證據，無人能加以否認。本省籍極少數人士動輒說日本人對台灣貢獻如何大，而感恩懷德不已，卻故意抹煞當時外省籍人士對台灣經濟的復興與起飛的重大貢獻，豈是持平之論。前面曾提到香港之有今日的發展繁榮，一九四九年大陸撤至香港的企業家、資金與勞力，有很大的貢獻。台灣也是同樣的情形，卻無人提及，爲什麼偏見至於此極。而且對老總統動輒謾罵污辱，以怨報德，令人遺憾不已。對於這種情形，無論本省人或外省人，尤其政治領導人物，也無人置一辭，更是令人遺憾。

在這裡，我還要特別指出兩點：

㈠日本人占據台灣五十年，確實對台灣的經濟與社會發展，有相當大的貢獻。這些貢獻雖然在戰時及撤退時大部分被摧毀與帶走，但有一部分無形的、軟體的珍貴貢獻卻留下來了，這對台灣日後的經濟與社會發展幫助至大。包括普及教育制度、全省交通運輸與電力網、治安制度、司法制度、農業組織與實驗推廣制度、金融制度，包括農會信用、中小企業信用、消費信用等，全省自然資源調查、全省水利灌溉制度等。我應是極少數注意日本人的這些貢獻，並公開寫文章予以承認的人士之一。

㈡自一九五一至一九六五年，共十五年間，美國給與台灣經濟援助約十五億美元，對台灣經濟穩定與經濟及社會發展的貢獻，當然很大，而處理這些美援的全部為外省籍官員，本省籍僅有比較基層的、純技術性的官員。當時站在第一線與美國駐華經援官員打交道的，包括尹仲容、嚴家淦、楊繼曾、王蓬、蔣夢麟、葉公超等人，都是精明能幹，操守廉潔，中英文俱佳，得到美方官員的信任與尊重。而我們運用美援的效率在全世界所有落後國家中，位居第一位。在亞洲，與進步國家日本並列為最不貪污、效率最高者。因此常成為美國向國際宣傳美援成功的櫥窗，也成為美國國會爭取撥款的舉證範例。亞洲國家如印度、東南亞諸國、韓國等等，都不能與我們相比。而我們因運用美援成績好，也是落後國家中最早結束美援的國家。所有這些第一線甚至第二線官員都是追隨老總統來台灣的。眼看今日情形，對照當年，真是感慨萬千。

三、在一九五〇年代，周至柔任台灣省主席時之祕書長郭澄，曾親口向我說，彼赴任時，老總統召見，命其在任上拔擢及培養本省籍菁英份子兩百人，備爲國用。而當時政府也確實一方面延攬擢升本省籍中生代，一方面注意培訓年輕一代，以致民間傳說當時是「崔苔菁」（諧音吹、台、青，即會吹牛的台籍青年）當紅的時代。可惜本省籍部分菁英份子沈潛能力不夠，急著冒出頭，不時演出走樣的劇本，我想老總統一定感到失望。

但也有極少數偏激的政治人物、思想狹窄的學者，與少不更事的知識青年，他們根本不知道在日人統治之下所受的亡國奴待遇，或是知道而不在乎。他們更不知道在大戰結束後，那一段艱苦歲月是怎麼過來的。也不知道老總統所領導的政府爲了台灣的安全、人民生活的改善，以及爲了求取省籍的平衡，付出了多少代價與心血。他們從不回溯過去那一段歷史，而竟然視老總統如寇讎，開口就罵，動手就侮辱他的銅像，以快個人恩仇。

他們所持的唯一理由，就是老總統實施白色恐怖的統治。但是他們卻不知道實施白色恐怖的背景與對象。在大陸撤守前一、二年，國民政府瀕臨崩潰前夕，中共滲透政府、軍隊、學校、工廠，乃致於國營事業，倒戈起義，遊行示威，此起彼落，人民一夕數驚，終至人心渙散，全面瓦解。遷台之後的二、三年，台灣與中共隔岸對峙，金馬前線砲聲不絕，沿海小島海陸戰鬥未斷，而一九五八年八二三砲戰規模之大，戰鬥之激烈，更是震動全世界，台灣實際上處在戰爭前線。台灣內部則人心浮動，共諜案層出不窮，大陸撤守前的內應與倒戈現象，隱隱然有再度出現的可能。爲求確保台灣的安全與安定，乃不得不採取嚴厲的管制措施，後來並宣布戒嚴令。實際上，此項戒嚴令與西方國家在交戰區所宣布的軍事戒嚴令相去甚遠，並沒有實施軍事統治，更沒有軍方人員接管民政。直至一九五四年十二月，中美簽訂「共同防禦條約」，大局始稍微穩定，但仍有一九五八年八月之砲戰，此即所謂白色恐怖之背景。

至於白色恐怖的對象，則絕大多數爲外省人。在一九五〇年前後數年，可說每年均有幾件牽連甚多的共諜案發生，被執行死刑者都爲外省人。本省人即使有之，亦百不得一、二。以後對於台獨人士，則多採取短期徒刑或放逐國外的辦法，基本原則是安撫重於處罰。所以所謂白色恐怖，犧牲最大者是外省人。

毋庸諱言，在執行這種政策時，執行人員不免有所偏差，而其中若干不肖之徒，亦常挾怨尋仇，致使許多無辜者蒙冤受屈，冤殺冤囚者頗多。但就整個社會而言，則得到相當的安定，得以集中力量於經濟建設及對抗中共，亦爲不爭之事實。在兩代蔣總統治理期中，台灣很少民主，但人民卻享有政治以外的充分自由。而政治只要不涉及中共、台獨、組黨、汚辱兩代蔣總統，其他則並無嚴苛限制，與中共毛澤東時代、蘇俄史達林時代及德國希特勒時代，甚至老總統在大陸時代，都要溫和很多，談不上是什麼白色恐怖。而比之日據時代，動輒殺人盈城，全村遭屠，則更是天壤之別。翻遍中外歷史，一個活在所謂「恐怖」中的人民，哪來如此的經濟繁榮？又哪來培養如此多的各類人才？

什麼叫做知識份子？就是衡情論理，有其客觀標準，不爲私心所蔽。但是，現在有些人在安定與富裕生活環境中，坐在舒適的辦公室或研究室中，口沫橫飛地指責當年的白色恐怖，並將其歸罪於老總統，完全蔑視了老總統對台灣的巨大貢獻，豈得謂之公平。何況沒有當年的安全措施，不幸爲中共所乘，則覆巢之下，焉有完卵。

在侮辱老總統的事例中，有兩件事我要在此一提：

一、有極少數的人想盡辦法要將老總統羅織到二二八事件中，翻箱倒櫃地找證據，是否當年係老總統下令派兵來台鎮壓，要藉此進一步加上老總統的罪名，還要鐫刻在二二八紀念碑上，迄未得逞。我要在此指出幾點：

㈠無論當年是否是老總統下令派兵來台，都不會構成老總統的罪行。二二八是一個偶發事件逐漸演變成武裝對抗，許多無辜外省人被屠殺，更多的外省人被武裝囚禁，任何當政者處在這種情形之下，都要派兵鎮壓，不然，如何解決問題。陳儀並非沒有試圖以談判安撫解決，無奈起事者節節進逼，走上絕路，當時紀錄俱在，豈是任何人可以湮滅栽誣的。

㈡當時國民政府所統轄的地區是一千萬平方公里的土地，六億的人口，而台灣不過三萬六千平方公里土地，人口不過六百萬，在整個中國的比重上不是很大。老總統一定是很重視台灣，不然他不會親自來台灣視察。但在整個國家施政的優先次序上，不會很前面，所以派兵一事，可能有人簽報核准，不一定是他下命令。

㈢當時台灣屬於邊疆地區，而中央政府對於邊疆地區，歷史上都是採安撫政策，儘量優容寬厚，不會嚴苛。二二八事件發生，不但中央決策機關一再譴責台灣當局者平日治理不善，而且閩浙監察使楊亮功立即冒險來台調查真相，老總統並派當時之國防部長白崇禧爲宣撫使，代表他來台安撫台灣人民。可見在老總統心目中，毫無濫殺無辜之意。

極少數本省籍政客及部分受難者家屬，這幾年可說年年都在二二八前後炒熱一陣子，唯恐族羣之間不分裂，唯恐團結起來一致對外，於此政府政策實有鼓勵作用。另一方面，對日據時代，日本人屠殺本省同胞則根本無人提及，甚至在所有的《認識台灣》的國中教科書中亦少提及，不知是何心態。根據日本官方統計，僅一八九八至一九〇二年的五年之間，本省同胞被殺者即已達一萬一千九百五十人（請參閱下頁表）。

又據同一資料來源第十二頁載：「又據台灣革命同盟會在一九四五年四月十七日發表『馬關條約』五十週年紀念宣言中估計，『五十年間，犧牲六十五萬人』（轉引自陳琵笙，《台灣地方史》，頁二三二，一九八二年八月，中國社會科學出版社。）」日本人屠殺「支那種人」是整村整鄉屠殺的，老弱婦孺一律殺光，日俄戰爭期間，日本人對旅順；中日戰爭期間，對南京，更是整城的殺，這都是有紀錄可查的。在中國大陸是如此，在據台期間，對台胞亦復如此。儘管有些本省同胞自認不是支那種，但日本人並不作如是想，當年殺起來照殺。我提這些往事，毫無意思要煽動與日本人之間的仇恨，尤其我是基督徒，而且本性就不記仇，希望忘記過去，人類都能和平相處。我好奇的是爲什麼現今的政府與極少數民間人士每年卻炒熱二二八，而絲毫無亡國之恨。

順帶一提的是，一九九七年《認識台灣》的國中教科書內容之爭。我對此事無興趣，也未讀該教科書，但從報上得知書內曾使用「終戰」二字。我必須要指出，太平洋戰爭是以日本無條件投

※日軍侵台，台胞被屠數字無法正確統計，「大坪頂事件」及「噍吧哖事件」若各三萬，即有六萬之多。即使台灣民間估算不論，據兒玉總督時代，民政長官後藤新平之《日本殖民政策一斑》所列如下：

年代	於被捕時段押送時抵抗被殺者	被判決死刑者	被日討伐隊所殺者	共計
一八九八年	一六六	八四	二、八五〇	三、一〇〇
一八九九年	三二四	五〇七	三	八三四
一九〇〇年	四六八	八七三	九	一、三五〇
一九〇一年	六八二	九九七	三一一	一、九九〇
一九〇二年	四、〇三三	五三七	一〇六	四、六七六
計	五、六七三	二、九九八	三、二七九	一一、九五〇

※此表所列僅限一八九八年至一九〇二年，而「大坪頂事件」及「噍吧哖事件」之屠殺亦在外，又現場被屠之無辜百姓未計在內。

※資料來源：王曉波著：《台灣抗日五十年》八～九頁，一九九七年，正中書局。

降（unconditional surrender）結束的。所謂無條件投降，就是日本直截了當投降，不能討價還價或有什麼條件。投降對象包括中國在內，老總統時任同盟國軍中國戰區最高統帥。日本人對其國內人民不承認是投降，說是終戰。終戰者，終止戰爭也，有兩種含意：一是並未投降，只是戰爭暫時終止；一是暫時終止，日後還會再戰。所以終戰是徹底隱瞞日本無條件投降這全世界都知道的事實的日本皇民用語。這些編教科書的人士有權將其子女皇民化，但絕無權編在教科書中，讓其他支那種人（日本人用語）的子女皇民化。我們可以原諒日本人屠殺支那人的暴行，但不會忘記被屠殺的恥辱，而認賊作父。

二、前台北市長陳水扁對老總統的侮辱。陳水扁就任市長伊始，便下令將介壽路改名爲凱達格蘭大道，其意謂老總統不如最早登陸宜蘭、最先進入台北盆地的凱達格蘭原始民族，藉以羞辱老總統。我在前面說過，我們外省人都是追隨老總統而來的，老總統永遠是我們外省人的精神領袖，羞辱老總統，對三百萬的外省人而言，是非常嚴重的事。好在外省人承平生活過得太久了，上層忙於爭權卡位，下層忙於攘利謀生，早已麻木不仁，醉生夢死，可能根本不知道老總統是在被羞辱，或者知道也懶得去過問，故都沈默以對，哀莫大於心死，誠然。

國人中有兩個人應該站出來爲這件事說話的，但都沒有：一位是李登輝總統，應以元首之尊爲故元首的受辱說幾句話，更何況身受經國先生栽培提攜之恩，方有今日；另一位是郝柏村，更受兩代蔣總統的栽培提攜之恩，躋於高位，既有興趣去選副總統，理該爲老長官受辱說幾句話。

我希望以後無論哪一任的市長，能將凱達格蘭大道路名改回來，須知介壽路是一個很典雅的名稱，有兩種含意：其一，當然是紀念老總統，因爲他字介石，介壽正好祝其長壽；其二，介壽典出《詩經》〈豳風．七月篇〉：「爲此春酒，以介眉壽」，用現代話來說，就是敬你一杯春酒，祝你活到眉毛長出白長毛來。眉毛長出白長毛大約年齡要到七十歲左右。古人平均壽命短，人生七十已是古來稀了。所以介壽路者，是祝全國人都長壽的意思，並不限於老總統介公。當然也可改成總統路、府前路等等。

我是堅決反對搞個人崇拜的。一個無論多麼偉大的人物，一旦逝世，便應讓他平靜地走入歷史，一生功過是非，百年之後，公正的歷史家也許會給他一個定論，留名青史。華盛頓爲美國開國國父，邱吉爾爲拯救英國於危亡的功臣，還不都是平靜地走入歷史，留下一坏黃土，幾頁青史，供人憑弔而已。所以我一向主張，除非是出自廣大人民的自動自發，千萬不要用公權力與公帑搞什麼銅像、中山路、中正路、中正大學、中山大學、國父紀念館、中正紀念堂。尤其不必在公共場所就要掛四幅像，國父、老總統、經國先生的遺像都應該取下，只掛現任元首的像，表示對國家的尊敬。我也不贊成放紀念假，搞什麼謁陵，以前皇帝都並未如此。坦白地說，民主國家政權可以隨時轉手，一夕之間，可以全面更換，有什麼意義。我們既然號稱民主國家，就應該有一個民主國家的模樣。我也主張國民黨或政府經由海基會透過海協會與中共高層密商，或派遣國民黨中常委去北京協調，將兩代蔣總統的靈柩運回其故鄉奉化安葬。兩代蔣總統靈柩之所以浮厝，就是要歸葬大陸的意思。狐死正首丘，此爲人情之常，應該幫他們完成這個心願，但必須低調處理，儀式簡單隆重，千萬不要搞什麼國葬，以致使中共不同意。

現在我要談一下我與老總統的個人關係。我第一次見到老總統，是一九三三年的夏季，我以漢口市立第一中學初中一年級學生代表身分，聆聽軍事委員會委員長兼豫鄂皖三省剿匪總司令蔣中正，在漢口明星電影院召集武漢教育界人士的訓話。他長得什麼樣子，說了一些什麼話，當場就沒弄清楚，只見到勤務兵提一個熱水瓶倒水給他喝。一九四三年，他兼任我的母校中央大學的校長，遠遠地見過幾次，我的畢業文憑署名的校長就是他。一九四四年，我進中央設計局任職，他是我的長官，爲了青年從軍被集體召見訓了一頓。一九六五年，我以績優公務員再被集體召見一次，我與他的關係如此而已，但我可以稱他一聲老師或校長。

一九六七年六月，老總統在國家安全會議上曾向出席的黨政大員提到我。大意是說：「有一個叫王作榮的，寫了一本書叫作《台灣經濟發展之路》，其中百分之八十我都同意，你們下去找一本讀一讀。」散會後，這些大員紛紛向我原來服務的機關經合會索取，報上說一時洛陽紙貴。一九六七年十一月國民黨九屆五中全會，他又在約八百人的黨政軍人員前介紹這本書，並宣讀，要大家下去讀，於是他們又向經合會索取了一次，經合會爲此印了好多版本，還有大字版。那時我遠在曼谷。後來，他告訴左右，說王作榮是個什麼樣的人，他要見見。這是他的祕書孫義宣告訴我的。

不久，經建會便打電報給我及聯合國亞遠經會，要我回來一趟，但並未告知我是老總統要見我，只是要我研究台灣經濟問題，提供意見給政府參考。我於一九六七年八月返國，便老老實實地坐在經合會給我的一間辦公室裡，埋頭做研究寫報告，除了被請吃飯外，沒有主動要求晉見任何人。我於九月十二日離台前夕，經合會才通知我要去見老總統。我晉見時，老總統連聲說好，並說《台灣經濟發展之路》他都看過，內容也很同意，只有兩點他有點意見：一、戰時中央銀行的運作，我不了解實際情形，有些誤會；二、交通建設很重要。但語氣十分溫和客氣，接見約十分鐘後我即辭出。當時接待的祕書是王正誼。自始至終，我都未被告知這次回來是因為老總統要見我，特別電召我回來的，而且一直拖延到我必須返任的前一日才安排晉見，這就是官場的險惡。

這次回來寫的報告〈如何打開經濟發展的新局面〉（參閱附錄五），我當面呈上一份摘要，以後又補送了一份全文，也送了經國先生全文，相信老總統都仔細看過了。這篇報告連同前面提到的《台灣經濟發展之路》中所提出的建議，大部分都被採納，舉其要者如下：

一、培養人才。本來設有國防研究院做幾個月短期訓練，來培養幹部，以後便延長為一年，並派往國外考察。

二、立即推行九年國民教育，並設立國科會等機構，發展高級科技。

三、發展資本密集重工業，如大煉鋼廠、造船廠，以後都納入經國先生的十大建設計畫中。

四、整頓司法，提高待遇，建立優遇制度，淘汰年老不能辦案之法官。

五、整頓稅收。設立行政院賦稅改革委員會，歷時二年，以求賦稅之改革。

六、改革金融。設立銀行改革小組，派專人出國考察，亦歷時數年，提出改革報告。

七、在行政院設立決策小組。

以上僅就記憶所及，簡單提出幾項，因年代久遠，並不齊全。請讀者參閱附錄四、五，當可有進一步的了解。這裡有幾點值得特別指出者：

一、所有採納之意見並付諸實施，從未有政府決策階層人士告知我，對我而言，可說毫無回應，當然更無一言半語嘉獎或因此而給我適當職位。換言之，建議可以採納，建議人則丟在一邊，連通知一聲都沒有，真不知道這究竟是什麼心態。

二、據說賦稅改革，財經當局怕老總統要我回來主持，搶先簽請老總統要海外學人劉大中回來主持，我連參與的資格都沒有。銀行改革則由張茲闓主持，我則被聘為小組委員。正如一九六〇年我提出十九點財經改革措施，被排除在改革小組之外，不能參與一樣。官場排擠打壓人，可說不擇手段，然而卻誤了國家大事。這些改革，包括司法改革在內，我都有一套如何推動的構想，可以使其落實，得到成果。現在連參與發言的機會都被剝奪，我也只有看著這些改革失敗而已。

三、早在一九六七年，我提出的三大優先改革工作中，就有司法改革一項，所見不為不早，對司法之重要性所知不為不深。現在三十年已經過去了，司法情況每下愈況，如果不從根拔起改革，很難有成功希望。一拖三十年，實在令人氣餒。

四、早在一九六四年及一九六七年，二度建議行政改革，培訓優秀文官，使政府行政現代化，迄今三十餘年，仍在喊提高行政效率，文官制度及文官品質仍是落後狀態。即使從現在開始全力改革，收效也將在十年以後，換句話說，半個世紀已經過去了。

五、除九年國教係老總統親自主導，卓有成效外，其餘各項建議雖都付諸實施，可說全都失敗。包括重工業的建立在內。唯一的理由是決策階層官員本身知識落後，又不願意屈尊下問，敷衍塞責，做些「紙面工夫」，騙過老總統仍可升官或占穩位置；以及可能已爲老總統所察覺，因此幾次在數百人的大會中痛罵「文書政治」誤國。然而老總統那時已是八十餘歲高齡，兼且國勢日下，有心無力，徒呼奈何而已，悲夫。

以上就是我與老總統的全部關係，但這是非比尋常的關係。以老總統當時威望之隆，閱歷之深，識人之多，而其一生所見到的提案、建議、文書何止千萬件，我那時的地位不過區區一處長而已，實在算不了什麼，但他一讀我的《台灣經濟發展之路》，便十分稱讚，要召見我。我想主要理由不外求治心切，認爲我的論點頗合於他求治的需要。據他的親信告訴我，他很少公開同意別人的意見。據他的祕書錢復告訴我，他曾吩咐左右人員，所有我在報紙上發表的文章、意見，片紙隻字都要剪呈給他看，可見他對人才的重視。而他之所以對我這樣地位的人如此重視，一定是他已厭煩他眼前所用的那些人不堪用，不足以執行他的任務，滿足他的需要，急於另覓人才。我返國後，曾有幾次在國民黨如全會之類的集會上聽他講話，他都是嚴峻地指責大官們不認真做事，也不認真讀書，搞文書政治。有一次他還說：「你們都不讀書，只好我這八十幾歲的老總裁去讀書了。」這該是多麼沈痛、多麼失望的話。我說他求治心切，是因爲他一生都在求中國富強，建設一個現代中國。現在既不可能，又值衰老殘年，來日無多，於是便想在台灣實現他的理想。英雄暮年，偏處台灣一隅之地，有志難展，令人無限同情。

一九七一年，我國被迫退出聯合國及所有與其相關的機構，老總統猶能支持，並公開露面。一九七二年，日本與中共建交，以怨報德，對他打擊太大，從此健康惡化，即未再露面。一九七五年四月逝世，萬民震悼。靈柩暫厝大溪，猶冀有返回大陸之一日，令人悲慟不已。

最後，我要特別在這裡指出的，便是老總統愈是看重我的文章，愈是提到我這個人，我便會愈被隔離中傷，愈不能接近他，不能爲他所用。事實上，他那時已年邁，也無精力去用新人、行新政了。我之不被用，毋寧是極其自然的事，過失並不完全在我。

附注：請參閱沈雲龍編著：《尹仲容先生年譜初稿》，張九如序，頁五五～五八，《傳記文學叢刊》，一九七二，十二。

第二十八章 蔣經國總統

我對經國先生印象不好，是因爲他的俄國作風；但我佩服他的智慧與機敏。他對我食言，使我處境難堪，但我對他仍心懷感激。他幼年失教，未曾讀過什麼書，十餘歲正當人格與知識形成之年，又被送往俄國，棄置不問。他在俄國那段時間，正是史達林掌權，對內清算鬥爭激烈進行的期間，耳濡目染，很自然便學會了蘇俄共產黨專政的那一套觀念與手段。回國以後，又從中國文化及小說中學到了包青天、打抱不平等一類的想法，以及零星的儒家觀念，而對於西方的民主政治、法治精神、人權觀念，可說一無所知。再加上他喜猜忌、神祕、虛假、陰狠而又聰明的個性，使得他的思想與行爲十分複雜奇特，叫人難測，這可從他在贛南及遷台以後的一些作爲與人事處理看出來。這本是梟雄之主所常有的特徵，不足爲病。

在大陸時期，羣雄並峙，還輪不到他有機會掌權執政，但老總統已在極力爲他培植幹部，預備他日接位之用。除了他在贛南蓄養了一批從龍之士外，老總統特在重慶設立中央幹部學校，命其主持。後又決定將幹校與中央政治學校合併，仍命其主持，然受阻於CC派而未果。但來台以後，贛南派及幹校派即成爲他的基本班底，再加上在台灣的中國青年反共救國團，便成爲他日後執政的主力部隊。

老總統懍於大陸之變，昔日貼身親信、倚爲長城者，一夕之間都變成降臣叛將；成羣的紅朝貳臣，幾乎全部都是昔日在他左右高呼萬歲的人物。驚怒之餘，更覺唯有兒子可靠，於是從遷台之日，便加速培養經國先生。先從掌握特情人員開始，逐漸及於軍與黨，尤其在軍中建立政工人員制度，形成監軍與雙重領導，全盤控制了軍隊，最後及於行政系統。所有妨礙經國先生接掌權力的人物，如吳國楨、孫立人、周至柔等人都逐步清除或閒置。一九六四年陳誠逝世，最後一個障礙消失，經國先生接位之勢便已水到渠成。

在一九五〇年至一九六〇年代，可說是政府的高壓威權時代，而主控這一段時期權力的便是經國先生，這可說是人盡皆知的事。一直要到一九七〇年代初期，我國退出聯合國，國家整個處境逆轉；同時國內大局已完全在經國先生控制之中，此一高壓威權政治才開始軟化。但是一直到一九八四年，經國先生還堅持不許開放黨禁，不許成立新政黨，不肯取消戒嚴令。他在某次國民黨中常會的名言是開放黨禁，等於在國民黨中央黨部大門口放一把火；戒嚴令則是一部救火車，可以備而不用，一旦有事，便靠它來滅火。至於大陸政策，則直至他逝世爲止，仍堅持三不政策：不接觸、不談判、不妥協。

但是如在第三部第十九章所指出的，到了一九八六年九月，便容忍民進黨成立。同年十月七日，經國先生接受《華盛頓郵報》及《新聞週刊》專訪，宣布近期將解嚴及開放黨禁，其態度與政策與以前比較，便有了一百八十度的轉變。十月十五日，國民黨中常會即通過解除戒嚴令及開放黨禁，政府隨即著手籌畫實施辦法。一九八七年七月十四日，經國先生發布命令，宣告台灣地區自十五日零時起解嚴，國家安全法同時實施。十二月一日，行政院新聞局宣布，自一九八八年一月一日起解除報禁，一九八七年七月，行政院會決定解除國人赴港澳地區觀光申請限制。同年十月十五日，在極嚴格限制下，准許外省籍人士赴大陸探親。

至於外交方面，自一九七九年一月一日中美斷交後，仍以對美外交爲主，始終採取不卑不亢態度，順應大勢，妥爲因應，得以度過最危疑震撼的局面，手腕亦與處理內政同樣靈活。

老總統與經國先生早就知道反攻無望，及預料到日後局勢之發展，外省籍人士不可能長期統治台灣，中華民國及中國國民黨想要在台灣生存下去，便必須本土化。一九七〇年代以後，更大量起用本省籍菁英，經國先生於一九七二年五月出任行政院長後，培植本省籍人士出任要職，更是不遺餘力。一九八四年提名比他年輕甚多的李登輝爲副總統，以他的健康與年齡，則接班之意至爲明顯。晚年甚至說出「我也是台灣人」、「政權正在移轉中，本省人士不必急」等語。

從以上之簡短敘述，可知經國先生一生之言行、思想轉折甚多，變化甚大。特別是遷台早期，簡直是恐怖統治，以後雖稍放鬆，仍是絕對威權統治，毫無民主氣息。而且爲求將來能繼承大位，不著痕跡地、但無情地、不擇手段地整肅對自己有妨礙者，甚至一再用冤獄羅織入罪，所以我對他的印象不佳。但無論從追求最高權力地位來說，及遷台初期動盪的情形來說，這種統治都是可以原諒的。換一個人，也可能採取同樣的手段與策略，甚至更為殘酷。其晚年採取較開明政策，並自稱台灣人，將政權逐漸移轉給台籍人士，與早年作風幾乎完全相反。這即顯示經國先生之智慧，在不同時代、不同環境，隨機應變，迅速採取不同之手腕與策略，他的名言：「時代在變，環境在變，潮流也在變。」一方面固在闡釋他的政策與態度轉變的原因；另一方面也在明白勸告外省籍人士，要早作應變之心理準備，不可僵固，自貽伊戚。無奈大部分外省籍人士狃於舊觀念及習慣成自然，以及戀棧權位，不肯放手，未能了解經國先生之苦衷及接受其勸告，以致國民黨內鬥不斷，一如在大陸時代之情形，殊令人惋惜。語云：「識時務者為俊傑」，經國先生足以當之，此所以我要欽佩他的智慧了，他夠得上是一代人才，其他外省籍人士相差太遠了。

自一九七一年退出聯合國，一九七二年與日斷交，一九七九年一月與美斷交，所有主要國家均紛紛與我斷交，承認中共。而國內則反對勢力運動此起彼落，且規模不斷擴大，手段不斷趨於激烈，向政府尊嚴及公權力挑戰日甚一日。另一方面，一九七三年及一九七九年的兩次石油危機，國際通貨膨脹與衰退，均嚴重影響國內經濟之成長與波動。當此之時，幸賴經國先生之彈性手腕與鎮靜態度得以度過危機，國家命脈得以維持不斷，此非有大智慧與大修養者不能做到，實在值得欽佩與感念。他也是對台灣的安定與繁榮有重大貢獻的總統，也開啓了台灣實施民主政治之門，台灣人民不應該忘記他。

還有一點也值得在此處指出的，是他將行政系統、黨務系統、軍事系統分得很清楚，在他正式出面掌權時，行政院的閣員除國防部長及退輔會主委外，便不用軍人，也不用黨工人員，唯一例外是用李煥當教育部長，但那是俞國華再三堅持才用的，這也可以看出他的識見不凡。

由於我的教育背景、個性，及對民主政治的認識，故對經國先生的作風不表欣賞，從未想到要去接近他，更不會想到要有所來往，背後都隨著別人稱他蔣太子或小蔣。我只埋頭做我的技術官僚——政府經濟學家，憑一己能力獲得一份工作，維持生活。即使受到不公平待遇，也只是寫寫文章，將我的理念宣達出來。

大約是在一九六四年的某日，那時我還是經合會的處長，忽然接到一通電話，說救國團主任經國先生（時任國防部副部長）要見我一談，地點就在松江路救國團團址。我如期前往，負責接待的是鍾湖濱上校，談話約十餘分鐘，只是問我工作性質、現況、家庭等等，十分客氣。以後一直到一九六七年一月我離開台灣爲止，大概一年召見一、二次，總是談那幾句話，我也未當一回事，連內子都不知道。到我離開台灣前夕，忽然想到要寫一封信向他辭行，他接到信後，即幾次與經合會聯絡要約我見面，但我已離台。經合會同事寫信告知此事，我遂寫信給他，以未事先向他辭行致歉，他立即回信。以後便偶有信件來往及寄聖誕卡，未曾間斷，但次數甚少。

我以後才知道，他在救國團有一社會人才檔，列入檔案的人事先都經過身世調查。不經意的約談，在於觀察受約談人的言行舉止是否合於選用的標準。我在財經界及經濟學界薄有聲譽，但不會有人向他推薦我。我之所以被注意到，並納入人才檔，還是由於他看到了我在一九六四年六月發表的《台灣經濟發展之路》一書。我曾將此書寄給所有立法委員，王新衡委員也得到一本，立即寫信給我，說他接到這類小冊子太多了，大都丟入字紙簍。這次因晚上家人去看電影，他一人在家無聊，隨手一看，竟一口氣看完。王新衡與經國先生為密友，多半是他送給經國先生。不過，後來內政部社會司司長劉修如告訴我，他曾送經國先生一本。經國先生是在看過這本書後才找我談話的，也是他將此書送給老總統的。一九六七年八月，我奉召返國，曾晉見他一次，他亦來光復南路我的新家看我一次。一九六九年三月，國民黨中央黨部大陸工作會主任葉翔之將我安排為大陸區代表，返國出席國民黨第十次全國代表大會，奉召在國防部晉見部長經國先生，他面邀我返國服務，我當時的答覆並不肯定。他乃告訴我即將訪泰，屆時再見面詳談。同年五月，他訪問泰國，我隨聯合國亞遠經會中國同仁迎於機場。他離泰前夕在賓館召見我，當時他正與駐泰大使沈昌煥談話，沈昌煥見我到，即離開房間，談一小時許，仍囑我返國服務，我即應允。依聯合國規定，辭職須於三個月前申請，我即著手辦理離開聯合國手續，於一九七〇年一月返回台北。在此期間，曾聽說經國先生在行政院院會提出我返國之事，受到院長嚴家淦阻止之事，但我已向亞遠經會表示回國之意，勢難收回。從此開始走我一生的霉運，如果不是我豁達堅強，另有寄託與出路，仍然我行我素，不在乎長期不斷的打擊，就會被擊倒了。郭婉容就曾說過應該氣得投太平洋。

返國以後，晉見嚴副總統兼院長，囑我等候他為我安排工作。晉見經國先生，囑我回經合會任顧問原職，並安排我在國內及往日、韓考察，送我可做鎮紙用的銅對聯一副：「失意事來，處之以忍；得意事來，處之以淡。」經合會副主任委員兼祕書長費驊派崔祖侃送來一個月薪水，我當下告以在國外三年，實在太累了，希望休息三個月再上班，不上班而拿錢非我所願。此係實情，以後發現為費驊所誤解，認為我不願意回經合會。

我奉經國先生之命後，便籌畫考察一事。在國內考察，邀請李登輝同行，並事先徵得農復會主任委員沈宗瀚同意，再面報經國先生核准，祕書長蔣彥士還特別提醒我這件事，隨即由經合會安排日程。赴日、韓考察則簽報了十餘人同行，所有國內外考察經費皆由經合會負擔。國內考察自四月六日至十一日，由經合會派李洪鰲同行，其他同行者尚有農復會農業經濟組組長王友釗，台大經濟系教授王師復。自台北至屏東，沿途參觀訪問農業單位、工農業企業等等，頗有收穫。

赴日、韓考察，以日本為主，預計同行十餘人，在日本停留三個月。其所以計畫這麼多人與這麼長時間，目的在於詳細觀察日本戰後復興之策略及實況，並蒐集所有有關法令及典章制度資料，返國後預備成立一研究小組作深入研究。另一方面還預備由我率領一批人至歐洲小國，如比利時、荷蘭、瑞士、瑞典等國，考察這些國家經濟發展之原因及制度等。然後針對台灣實況作全盤檢討、全盤規畫，使台灣一舉而現代化，實現我多年的夢想，毫無做大官或爭權之意圖。所以絕不是如一般官員之考察，走馬看花，觀光旅行，提出一些不知所云的報告了事。

日本明治維新，於一八七一年派了一個為數四十六人由岩倉具視率領的考察團，赴美歐作為時一年九個月之考察，成員包括伊藤博文、本戶孝允、大久保利通等維新名臣，日本政府有一半人都在裡面，考察結果即是日本明治維新的依據。我想仿效日本人，不過提出十餘人，為時三個月之日本考察，以及歐洲考察尚是腹案，竟被擱置，遲不批下，這個政府實在沒有出息，不，應該是中國人沒有出息，總是以小人之心度君子之腹，以為別人都像他們，只想做官，不想做事。

現在想起來，猶掩不住我的憤怒、失望與痛心，覺得這樣一個民族真差勁，簡直不讓人有認真做事的機會。

我知道事情有變，經打聽的結果，原來有人向經國先生告密，說我好大喜功，從來沒有如此龐大的考察團與如此長的時間，顯然是在培植私人勢力，預備將來組閣。我當即再上書經國先生，請將考察團縮小爲我與李登輝二人，時間爲韓國一週（一九七〇年四月十九日至二十六日），日本兩週（一九七〇年四月二十六日至五月十日）。後麻省理工學院博士、民間企業家陳清治以私人名義同行。其時我已意興闌珊，一如其他考察團觀光旅行而已。當時日本正在大阪舉行萬國博覽會，內子范馨香後來自費來日本，與我一同參觀了博覽會，由中國館館長楊乃藩接待，住在《中國時報》招待其員工所租的公寓裡。

返國以後，由我草擬一般報告，李登輝草擬農業報告，陳清治草擬石化工業報告。報告題目爲〈韓國日本與國內經濟考察報告〉，時爲一九七〇年六月。報告呈送經國先生後，余紀忠要我寫一篇訪問日本紀事，我以此行係因公考察，堅決拒絕在報上發表報告內容。他一再要求，我遂寫了一篇〈日本這個太陽是如何升起來的〉，文中頗有涉及落後國家經濟發展與日本對照之處，可能犯忌諱，經國先生立即召見我，告以：「你寫的報告我會看的。」意即少寫文章得罪人，他不好處理。但始終未提如何安置我的工作，我遂於考察後以顧問身分回經合會上班。至於報告亦無任何反應。

不久，經濟部長孫運璿邀我以參事名義去經濟部上班，我告以我原爲經濟部顧問，願以經濟部顧問名義去經濟部，仍在經合會支薪，不願專任參事。孫運璿部長甚為堅持，相持不下，結果仍以兼任顧問名義一週去經濟部數次。孫運璿部長對我十分禮遇，開部務會議堅持我坐在他旁邊，我則退坐次長旁，仍受到經濟部幾位主管譏嘲，可見做人之難。我事後回想，可能是經國先生覺得我在經合會處境尷尬，囑孫運璿部長要我去經濟部的。孫運璿部長是當時所有財經首長中，唯一未排斥我，且處處為我設想，禮遇有加的人，謹此表示感謝之意。

一九七二年，立法委員對汪彝定身兼經濟部常務次長與國貿局長兩職，攻擊甚烈，要求其辭去一職，結果辭次長職，由劉師誠繼任。立法委員事後告訴我，目的在安排我出任此職，不料卻派了劉師誠，以後我據非常正確的消息得知，原本係由趙聚鈺向經國先生推薦我接任常務次長，孫部長亦同意，經國先生亦已下手諭。未曾想到由當時財政部長李國鼎，聯合中央銀行總裁俞國華、行政院祕書長費驊、經合會祕書長張繼正等四人，面見經國先生表示反對。經國先生乃以呼叫器召見趙聚鈺告之此種情形，並說如果只有一、二人反對，還可以擔當，現在幾乎所有財經首長均表反對，不得不收回成命，由趙聚鈺推薦劉師誠接任。

一九七二年十一月，我已接受王永慶董事長的邀請，擔任《聯合報》系文化出版事業的常務董事兼代董事長職務，乃向經國先生表達辭去公職之意。經國先生立即阻止。我想他當然知道這個合作計畫在他的阻止之下，不會成功。我遂無言退出，並告知王董事長，不久即得知該事業不能設立。

一九七三年上半年，經合會要改組為經濟設計委員會。據余紀忠說，經國先生曾告訴他將安排我擔任財政部次長。不料我在此時寫了篇社論，談到改組事，刊在《中國時報》上，觸怒了他。第一篇題目是〈冷靜平實論經合會擴大組織事〉，發表於一九七三年四月（參閱附錄六）。茲摘錄兩段如下：

一、經合會在上述情形下，其人事配備自不以經濟專業人員為重。例如目前經合會三位副主任委員、一位兼祕書長、三位副祕書長，雖才華卓越，但全體為工程人員出身。十位處長及其他單位主管亦無一係專攻經濟學者。上層結構既係如此，中下層結構更是如此。所以雖有二十年之經濟設計紀錄及綜合性經濟機構，但始終未曾訓練出一批合格之經濟專業人員，此實是國家之重大損失。

二、如果真如報載將經合會擴大成為一經濟參謀機構，則在現有之人事結構下絕不能發生任何真實作用，一如軍事參謀本部之無軍事專業人員，絕不能有良好軍事參謀作業一樣……。

經國先生正是這個機構的主任委員，他認爲這篇社論是衝他而來，冒犯了他的尊嚴，而且還誤以爲我想在改組中謀取某種職位，他在看過社論後，只冷冷地說了一句「王作榮怎麼可以寫這樣的文章」，於是便採取了幾項行動：

一、由於我說得很有道理，他就採納我的意見，將經合會原來主管的龐大經濟業務，都歸還給各權責機關，經合會大幅縮小編制，只管經濟設計，由張繼正任主任委員。

二、任命孫震、郭婉容兩位經濟學教授為經設會的副主任委員，表示台灣經濟學家不只你王作榮一人，人才多的是，你沒什麼了不起。

三、由於我是銓敘合格的公務人員，依法不能免我的職，於是在經設會的組織規程中不設顧問職，由人事室通知我，或接受資遣，或將我的人事檔案送人事行政局，由該局安排我的職務。

我當然接受資遣。等我被資遣後，該會又立即修改組織規程，恢復顧問職，專任及兼任顧問聘了一大堆。這種手段卑鄙得令人難以相信。須知這是一個堂堂的政府機關，怎麼可以玩這種任意變更組織法，目的就在排擠一個人的手段呢？這當然不是經國先生的意思，他只是要我走路而已，不會想到用這種辦法叫我走路。這個新成立的所謂經濟設計委員會，後來被辦得奄奄一息，浪費了幾年寶貴的時光與國家的資源。終於再改組為經濟建設委員會，改由俞國華主持。

我在幾天前得到風聲，趕緊提出辭呈，以求挽回一點面子，未獲答覆。這有兩種可能：一是辭呈根本未轉到經國先生手裡；一是轉到經國先生手裡，硬要給我難堪。我在毫無遺憾及氣憤之下離開了經合會，這個我自一九五三年以來即服務的機關，也是貢獻了我一生的好年華，真正殫精竭慮，想為國家做點事，想使台灣現代化的一個機關。

我在臨離開經合會的前夕，又很善意地寫了一篇社論，題目叫作〈對經合會改組的感想與建議〉（參閱附錄七），對經合會作了一次客觀的總清算，使經國先生對我銜恨更深。茲摘錄數段如下：

……在不滿二十年中，眼見這一機構的建立，又眼見這一機構的沒落與解體……。在國家度過民國四〇年代的經濟難關，奠立五〇年代的發展基礎，以及形成今日經濟繁榮的局面，成為國家危疑震撼中的安定力量的整個歷程中，這一機構曾經有過最大貢獻。這一機構定大計、決大疑，對內推動重大發展計畫，對外洽商協調各種外資援款。這一機構在經濟方面曾經是新思想、新觀念的發源地；曾經是新政策、新制度的創始者。這一機構曾有思想深沈的策畫者，也有活力充沛的執行者。它的輝煌成就在國外為世界著名的倫敦《經濟學人週刊》譽為台灣經濟發展的兩大支柱之一，在國內則為全國人士所仰望。其實，它的貢獻何止於經濟而已，它實在是整個國家現代化的主要推動力量。然而由於人謀不臧，過度的擴充與權力的濫用，終於使它走上沒落之途而不自知，終於使它功能癱瘓而告解體。在國家多難，我們正需要這樣一個機構為國家盡力的時候，而竟告改組，我們的感慨實非言語所能形容。

由經合會改組一事，使我們體念到任何組織，無論有如何輝煌的歷史，無論有如何偉大的貢獻，如果不能朝夕惕勵，如果不能日新又新，如果不能自我約束，隨時檢討，則在一個不斷進步的社會，一個具有發展動力的社會中，終有被進步的浪潮沖刷而消逝的一天……。

隨後我又舉出了經合會沒落的四大原因：一、設立這個機構的目標不明；二、因爲目標不明，所以權責不清；三、目標不明，權責不清，就是因爲制度未立；四、前三項缺點的必然結果，一定是人事不調，不能達到適才適任的要求。

以上所述，都是鐵一般的事實，但因爲經國先生長期主持這一機構，他雖係兼任，無暇顧及，但仍要負全責。這對他的尊嚴有重大傷害，而威權體制下，領導者的尊嚴是不能碰的，誰碰了，誰倒楣；我碰了，我倒楣，而且倒楣了大半輩子。這種領導人物實在無涵容之量。

我拿了大約五十萬元的資遣費默然離去，轉到台大教書，維持一個知識份子應有的尊嚴。我拿資遣費時，正值全球性第一次石油危機，物價飛漲，不到半年，我放在銀行裡的那點資遣費，價值跌了一半還不止。這就是我將最好歲月奉獻給國家的報酬。好在我並沒有被擊倒，心情愉快地開闢我事業上的第二春。不過年齡已是五十過半，做什麼事都嫌遲，開闢第二春談何容易，但環境逼人，我還是做了，而且做得很成功。在這段期間，有的人感到痛快，有的人對我同情，我都置之不問，安時處順而已。

大約過了將近半年，經國先生向左右問起：「王作榮現在何處，怎麼沒有聽到他的聲音？我們以爲他會鬧事的。」他是以小人之心度君子之腹了。由他的這句話，我相信他們連假如我要鬧事會如何來對付我的一套手段都想好了。假如我鬧事，說不定會加上一個莫須有的通匪，或知匪不報的罪名，送往綠島。事實上，我在調查局的一位朱姓老友，就曾經警告我，我對國外的通信已受到檢查，要我不要亂寫，原來他們怕我真的通匪或與國外反政府人士勾結。

離開政府職務後，國家連續發生重大經濟問題，我曾忍不住寫了一、二次信給經國先生，向他提出建議，未獲覆信，亦未見採納，以後遂無來往。回溯過去一段交往，是他主動要接見我，主動要我回國，主動不許我離開政府，茲僅因爲寫了一篇就事論事的社論，而且內容他也採納了，卻換來如此嚴重的反擊。威權政治與威權人物之可怖，有如此者。因此我堅決擁護民主政治，只有在民主政治之下，才有免於恐懼及被壓迫的自由，個人的合法權益才能得到保障。

自一九七三年至一九七五年，因第一次能源危機，先是高度通貨膨脹，繼之以深度經濟衰退，經濟情勢十分緊張，劉大中公開批評說政府應付無方，手忙腳亂。經國先生乃於一九七五年三月二十四日至二十六日，親自主持舉辦了全國經濟會議，主要是安撫學者、產業界及輿論。會議的中心議題有二：一、增加農業生產，加速農村建設，以鞏固經濟基礎；二、發展工業，擴展外銷，以促進經濟成長。我受邀參加第二中心議題，分到第四分組，擔任三位召集人之一，其餘二位爲趙廷箴、孫運璿，分別代表學、產、官三方面。實際代表孫運璿部長主持者爲孫義宣。

二十四日下午，孫部長告訴我，閉幕總報告由我擔任報告人，因爲我熟悉台灣整個經濟情況，口齒清晰，我欣然同意。二十五日早晨，我親自聽見辜振甫對孫部長說，俞國華要他在下午召集人座談會上，提議由施建生擔任總報告人，孫部長當時告以已請王作榮擔任，因係經濟會議，孫部長自有相當大的發言權。下午召開召集人座談會，氣氛就有點不對，在討論到由誰擔任總報告人時，辜振甫不作聲，俞國華以座談會主席身分，親自提出施建生擔任總報告人，李國鼎立即附議，其餘幾位對我有成見的人士也立即附和，孫部長未發言，遂決定由施建生擔任總報告人，提議人及附和人臉上均頗有得意之色。

這羣人一向明裡暗裡打壓我，我十分清楚，但我心胸開闊，總保持一定的修養與風度，而且我自有我的出路，不是這些人所能阻止得了的，故從未動氣，或當面給人難堪。但這次我卻是真的生氣了。我哪在乎當什麼總報告人，當與不當，對我的聲譽地位可說毫無影響，但這種小事都不放過我，都要打壓我，不在乎推翻另一位會議的主角孫部長已經對我的邀請，悍然改提他人，唯恐我有出頭機會，實在太過分了！器量狹小，霸氣凌人，一至如此。在接著討論總報告草擬人選時，孫部長提議由我主稿時，我一再堅決拒絕。結果在舉行閉幕禮時，這一總報告從缺，以後亦未見提出來。

閉幕典禮的那一天，孫部長爲彌補我未能擔任總報告人，好意地要我講話，我仍然拒絕。因孫部長一再商請，我勉強應允。在致詞時，我有感而發地說，我們王家始終趕不上時代，先父經商，那時社會地位排名係士農工商，先父排名最後，乃下決心要我讀書。現在我在大學教書，是士了，社會地位排名變成商工農士，我家仍然排名最後。經國先生在最後致詞時，說現在社會沒有階級，大家都一樣。

在會餐時，安排我與經國先生同席，坐在他的對面。我不願與他面對面，彼此尷尬，趁他未到時，強行與于宗先換了一個位置，與他並排，隔著幾個人，所以終席未交一語。以後即未再與他有任何接觸。只偶爾聽人說，他每天早上必讀《工商時報》與《中國時報》社論，遇有重要問題，他會自言自語地說這又是王作榮寫的。有一次，余紀忠先生告訴我，經國先生與他談起我，經國先生說讓我的夫人多爲政府做點事，其意是以內子做官來補償他對我的食言，但他並未給與內子什麼好位置。而內子論能力、操守、在司法界的聲望及貢獻，做個大法官本來就是應該的，與我無涉。

平情而論，經國先生並非無用我之心，實緣阻力大而多，及對我之爲人行事與品格，未能確實了解，或缺乏管道溝通，致未能堅持。他也曾透過行政院研考會主任委員楊家麟傳話，要我不要寫社論。其意當然是寫社論得罪太多人，他不好用我，我默然未回楊家麟的話。我覺得寫與不寫自有分寸，給我適當的位置，我自會不寫。現在不在其位，就有寫的自由，這亦證明我個性的倔強與不容易接受勸告，即使是來自有絕對權力的人物。

不過，無論如何，君無戲言，即使有再大的壓力，他也應該安插我一個位置，即使是有名無實的位置，例如考試委員或經建會委員之類，亦是實踐了他的諾言，彼此均可有台階下。至於以經設會不設顧問理由，對我違法資遣，即使我呈請辭職，亦不予理會，硬要給我難堪，以逞一時之快，就不免於蘇俄共產黨的清算作風了。於此亦可見其器量之狹小，究非英雄豪傑之士，不能成大業，與老總統相比，便差得遠了。

我在前面曾經提到，他事後還說：「我們以爲他會鬧事的。」可見他已想好了我會鬧事的應付辦法了。我現在還很好奇，假如我真的會鬧事，不知結果如何。不過，我雖然沒有鬧事，文章可照寫，而且該怎麼寫就怎麼寫，根本未曾將打壓我的事及友人們的警告放在心上。我說的寫的，都是關係國家民生大計，從無挾私洩憤，問心無愧。現在經國先生已逝世多年，我也垂垂老去，是非恩怨早已隨風而逝。我之未爲國用，是國家的損失。再說，即使蔚爲國用，我一人也不能獨力回天，又能如何。造成一個國家，一個朝代的強盛，必須上有一位真正英明、器識宏遠、寬廣能容的領導者，尤其要有能識人、能用人、能恕人的本領；下面則要有一羣真能忠誠謀國、公正無私、不爲己謀、不嫉賢能，而又具有現代知識與能力，足以承擔重任的從龍之士。無論以前在大陸，以後在台灣，距離這些條件都太遠了，僅靠少數幾個人，甚或一個人在那裡呼喊、奔走、奮鬥，即使受到領導人的重視甚或重用，也還是無濟於事，說不定還落得一個身敗名裂。這種成功或不成功的例證，古今中外多的是。我這一生幾乎天天都在呼喊現代化，建議如何現代化，甚至想要跳進官場獨力肩負起現代化的使命，而且進到一個機關就要搞革新，只證明了一點：幼稚與無知。等到我覺醒，已是百年身了，更何況我一直都未覺醒。

最後，讓我再重複一句，我對經國先生仍心存感激，因爲他終是賞識我的人之一，只是不夠深入了解我而已。須知得一知己是很難的。

一九九八年一月，是經國先生逝世十週年，各方舉行盛大的追思紀念會，對他讚揚不已。尤其是當年追隨他的一羣人，借古諷今，將經國先生如何推行民主政治，如何勤政愛民，如何政績卓著，如何人格高尚，說成古今一完人，藉以對照當今領導者的不是，這當然不是持平之論，而且與事實相距甚遠。

我在前面提到過，經國先生實是俄國史達林文化與中國包青天文化的混合產物；而老總統則是中國傳統文化，加上一些富國強兵的思想，因而追求國家現代化的觀念與知識所形成的現代文化的混合產物。這種混合文化是自一八四〇年鴉片戰爭以來，至我這一代結束爲止的中國主流文化。愈是接近現代，後一種文化的成分便愈多；愈是高級知識份子，後一種文化也愈多，而老總統則是前一種文化所占的比重較大。

兩代蔣總統便是在這樣一類文化背景下所產生的人物，是以兩代蔣總統雖口不離民主憲政，心中則毫無民主憲政的概念；雖口不離法律制度，但本身很少遵守法律制度，而且不斷地爲了政治目的破壞法律制度，自然更談不上主動地、積極地，建立可大可久的法律制度，徹底走上現代化之路了。不僅兩代蔣總統如此，我所接觸的四任總統與所有的重量級決策官員，幾乎都缺乏從長遠利益、全盤規畫來爲國家建立健全的典章制度，奠定堅強的現代化基礎的意識與意願，這實是中國人的悲哀。其中老總統還比較有建立制度的意識。在南京的黃金十年，確實也建立了一些制度。遷台以後，則是年老勢衰，心有餘而力不足，很少有宏圖遠略的制度規畫了。

這種情形不僅比不上日本明治維新的君臣，也遠比不上中國歷代的開國之君。例如明太祖便爲明朝建立了一些清朝猶在採用的制度，雖然其本人及子孫不一定完全遵守這些制度。清朝則其開國之君如皇太極、開國之臣如多爾袞，竟是虛上席以待漢人降臣，如范文程、洪承疇、馮銓、謝陞等人，爲的就是要利用他們的學識與經驗，爲清朝建立可以統治中國的一套完整制度，以後順治、康熙更加發揮。順治初年，入閣的六大學士中就有四人是漢人。清朝歷代君主不僅能建立制度，也能遵守制度，故清朝有幼主、女主，但無昏君。

兩代蔣總統都有一點天縱英明，但比之歷代開國及嗣國之君，特別是清朝，便顯有不足，因此所展開的局面終究有限。但他們對台灣的貢獻則是不可磨滅的，沒有兩代蔣總統，就沒有今日的台灣，這我在前面已經寫得很清楚。本省籍的部分政治人物，及缺乏知識或缺乏知識良知的知識份子，爲了一己的政治利益、私人恩怨，或者竟是由於無知或譁眾取寵，而恣意侮辱兩代蔣總統，完全抹煞他們的貢獻，以怨報德，天將厭之。所幸本省老一代的百姓樸質可愛，兩代蔣總統的政績與遺愛猶留在民間，是以當他們逝世時，無論城鄉市井，那種國喪元首的哀慟之情，自然表露無遺，令人感動，歷史學家應當記下這幾幕。

第二十九章 余紀忠董事長

一九六四年，我已決定離開當時的工作職位，於六月發表《台灣經濟發展之路》小冊子，作爲告別，傳誦一時，余紀忠先生當然知道，也應該知道我曾長期擔任尹仲容先生記室工作（即祕書兼幕僚工作）。約在七月初的某一個星期日下午，一輛吉普車忽然開到我位在中山北路三段一一一巷的家門口，余紀忠先生從車上下來逕到我家，略談數語，即從口袋取出一張聘書，聘請我爲《中國時報》主筆。我實在厭倦寫文章的工作，表示不能勝任，余紀忠先生不容許我竟其辭，即說就這麼定了。我是個情面軟的人，無法堅持拒絕，就這樣糊裡糊塗地算是同意了。我有了這次的經歷，到了晚年，我就不再情面軟，應拒絕的就拒絕。

我就在這種情形下與《中國時報》產生關係，這張聘書也是我所接到的《中國時報》唯一的一張聘書。以後雖在名義上擔任過好幾種職務，都是閒話一句，有時候連閒話都沒有。甚至有時候我根本就不知情，例如經濟部的檔案中有我擔任過《中國時報》董事的登錄，我就不知道這件事，當然，《中國時報》也從未給我正式聘書或其他足以證明身分的文件。而這張聘書對我一生影響極大，可說斷送了我做官的前途，也使我寫了許多有影響力的文章。而文章千古事，我以文名換走了官名，無所謂得失，更從不後悔。

我從一九六四年七月至一九九〇年九月，除一九六七年至一九七〇年間因在聯合國服務外，為《中國時報》寫文章從未間斷。從一開始，我即堅守三個原則：一、只寫社論，絕不介入《中國時報》內部行政或其他任何事務，我稱之為「不介入政策」；二、尊重報社立場與總主筆的職權，社論可以修改，可以不用，但不接受報社授意，亦不能將社論原意改成相反的意見；三、謹守本分，不要求額外待遇，不爭取增加稿費，維持一個知識份子的格。所以無論與余紀忠先生及幾位總主筆，一直都相處和諧，從未發生不愉快的事，但最後仍有求全之毀，可見做人之難。

我在報社的主筆地位隨著社論的重要性，而逐漸地、自然地重要起來。擔任主筆不久，尤其自一九七〇年我回國以後，幾乎所有重要的財經政策及制度問題的社論，都出諸我之手。因為我對教育、社會問題，特別是勞工問題與社會福利問題，也有涉及與一定的見解，所以也常寫這一方面的社論。從一九八〇年代開始，至一九八七年先室去世為止，余紀忠先生不知如何知道我對政治問題也有廣泛的知識與意見，於是若干重大的政治問題也要我執筆。

自一九七〇年代起至一九八七年止，是我在《中國時報》最受重用與重視的時期。我們主筆的正常情形，是每月寫四篇社論，余紀忠先生每次聽到外面有人稱讚哪篇社論好，尤其經國先生稱讚，便打電話來，也不說明理由，只是要我一月寫八篇，這實在超出了我的負擔。我的標準答案是由總主筆決定，他叫我寫幾篇，我就寫幾篇，請余紀忠先生吩咐總主筆。我知道總主筆不會願意的，因爲他不能在其他主筆間擺平。

儘管如此重視，但我接受的待遇與其他主筆完全一樣。每位主筆每月有一固定基本數，即使不寫稿，這一基本數仍然給，然後再按件計酬，即每寫一篇給稿費多少。如果每月以寫四篇計，在當時公務員待遇偏低的情形下，合計相當於一個中級公務員的薪水。這個待遇不算多，也不算少，對我而言是一份輕鬆的兼差。

汪彝定與李廉都擔任過總主筆，他們都曾私下問我：「余老闆另外給你多少津貼？」我總是笑而不答，因爲我的洋規矩又來了，待遇是個人的祕密，他們問是不禮貌的，所以我不答。我的一些好友大都知道我爲了寫社論，誤了做官的前程，也常好奇地問我：「《中國時報》究竟出了多少價錢買了你，你一定要寫？」或者說：「一定是高價收買了你。」其實，我拿的待遇直到一九八五年四月，都與其他主筆完全一樣。我從不提報酬的事，安分守業而已。

一九八五年四月，余紀忠先生伉儷至我家，說他聽到立法委員張金鑑告訴他，遠在一九七三年，《聯合報》就願出月薪四萬元請我擔任《經濟日報》總主筆，社論稿酬另計，我婉拒了。張金鑑說竟有如此高的價碼，這比他們立法委員的待遇高多了，真令人羨慕，王作榮還拒絕。於是余紀忠先生要每月加我四萬元的基本數，我堅拒。主要原因是怕錢拿多了，余紀忠先生會要我做別的工作，我也怕錢愈拿愈多，就會愈陷愈深，不能自拔，這都有違我不介入的原則。後來余紀忠先生逕行派人送來，內子說我不能拒人於千里之外，應該收下，便收下了。從此我比別人多拿四萬元基本數，算是特別待遇。

一九七八年約八月間的一個下午，余紀忠先生到我家，告訴我要辦一份經濟性的專業報紙，取名《工商時報》，要請我擔任發行人，除一般待遇外，另外借給我一百萬元作爲買房子的錢。當時一百萬元是一筆很大的數目，足可買一戶三十幾坪的普通大樓住宅，我又堅決拒絕了。余紀忠先生唯恐我因爲是第二人選而不高興，其實，我根本不知道什麼人選，我也沒興趣去問誰是第一人選。余紀忠先生並未放棄，後來得知教授不能任報紙發行人（這也是威權統治下一個奇特的規定），而我的身分證上則寫明了是教授，他才未堅持下去。

我堅決拒絕的表面理由是我不懂辦報紙，怕誤了余紀忠先生的大事。在余紀忠先生一再要我擔任之下，我只好讓步說我願意擔任總主筆，這是我的「本行」，但這也非我所願，只是情勢逼人。我不願意擔任發行人的真正理由，仍是堅守不介入原則。因爲一旦擔任發行人，必然會有許多行政上、辦報方針上、財務上的接觸，以我與余先生的個性及行事風格相差之遠，特別是我不能通權達變的固執，一定會發生不愉快的爭執，而其結果總是夥計讓步或走路。假如我擔任發行人，而又放手讓我做事，我相信一定會成功。

在我應允擔任《工商時報》總主筆後，余紀忠先生又要送我一部汽車，連帶司機，我又堅拒。我拒絕去看汽車的廠牌與車型、顏色，也不提什麼人擔任司機。結果余紀忠先生派了一個司機將汽車開到我家，內子又說：「你如退回去，叫余先生如何下台，未免固執得太不近人情。」於是我又收下了。後來現在的時報新廈奠基典禮，我去道賀，余紀忠先生見我的車子太小太舊，又主動給我換了一部大一點的新車。

一九八六年五月，余紀忠先生請我去舊金山他的別墅拜訪，住在一家很舒適的旅社，招待周到，極盡禮遇。他要在美國成立一個基金會，獎勵在美華裔學人，不分台灣及大陸或其他地區。基金會的董事有余英時、許倬雲、費景漢等人，請我擔任副董事長兼執行祕書，每年致送報酬兩萬美元。余紀忠先生與他的二女公子親自到我旅社，邀我一同去銀行開戶頭，好將兩萬美元存入我的戶頭。我又堅決拒絕，只答應余紀忠先生要我做什麼事，我能力所及一定效勞，但絕不再收額外報酬，不過以後從《中國時報》退休後，希望有一點退休金，這是因爲我不善經營，老來並無多少積蓄，心理上有點怕老來窮；又因爲我有點洋頭腦，我自一九六四年即爲《中國時報》工作，至一九八六年，已經長達二十二年，《中國時報》應該給我退休金，我認爲這是我正當報酬的一部分。

余紀忠先生慨然允諾將來給退休金，並說當然會給。不過，退休金是退休金，兩萬美元報酬是兩萬美元報酬，不可混在一起，仍要我收下，我始終未答應。真正理由仍是不介入原則。得人錢財，便得爲人辦事，想要不介入也難。後來這件事便不了了之。但仍然給我一個《美洲時報週刊》發行人的頭銜，不支額外報酬。過了幾年之後，又變成了董事長，直到一九九〇年我擔任考選部長後，因爲法令所不許，方才辭去。

自舊金山返國後不久，余紀忠先生又成立了一個「時報文教基金會」，基金爲一億元，先撥付五千萬元。要我擔任董事長，我又堅拒，並提出折衷辦法，由余紀忠先生擔任董事長，我擔任副董事長。余紀忠先生堅持要我擔任董事長，此時我陷入《中國時報》已深，有身不由己的處境，乃勉強答應，但不支領董事長薪水或任何津貼，不過問執行祕書人事及實際業務與經費。每次舉辦大型座談會時，總是請余紀忠先生致開幕詞及具名宴客，我只是在閉幕時就討論議題作簡短結論。

一九八七年十一月，先室已病危，希望能去日本就醫。余紀忠先生及余範英大小姐熱心相助，安排《中國時報》駐日同仁接洽及照顧，並洽妥醫院，因病已無救，未成行。在病危期間，余紀忠先生及余大小姐數次至醫院探視安慰，逝世後又有意支付醫藥費用，及在《中國時報》安排房間供我暫時居住，以免在家中觸景傷情。我真是衷心感激，但未接受。因爲先室與我四十餘年同甘共苦，如果連她的醫藥喪葬費用都不負擔，她如地下有知，將不會諒解我，我亦良心不安。又因爲我是喪家，住在報社，多少有點忌諱不便，是以有拂余紀忠先生及大小姐盛意，良用歉疚，但實情確是如此。

余紀忠先生一向關心我的做官前途，曾多次向經國先生推薦，均未成功。一九八九年五月，李煥組閣，余紀忠先生主動爲我向李登輝總統及李煥院長謀求政務委員。我以年事已大，無意再進入行政界，曾一而再、再而三地表示不願接受推薦，有時余夫人還在座。余紀忠先生仍然進言，結果發表了張劍寒。一九九二年四、五月，曾傳說我將出任考試院長，余紀忠先生打電話來欲爲我進言，我知道情勢不許可，故未積極回應。對於余紀忠先生關心我的做官出路，我都十分感激。前面曾經提到，余先生曾一度想推薦我擔任中央大學校長，我也未回應。

一九八七年十一月，先室逝世，我受刺激頗深，半年之內幾乎不能動筆寫文章。後雖逐漸改善，究因年事已大，未能達到往日水準，撰寫社論已不能如往日之得心應手；同時興趣亦大不如前，甚至連整個人生觀亦有所改變。為《中國時報》撰寫社論已時有不用，或由余紀忠先生大幅修改之事，我遂有退下之打算，僅是從什麼時候開始及如何開始，方可不著痕跡的問題。

首先考慮退下的是《工商時報》總主筆一職，自該報創刊即擔任此職，至一九八八年十一月便足足十年。在此漫長歲月中，我對《工商時報》社論確有相當程度勞績，一方面培養了一個堅強的主筆陣容，另一方面我本人也寫了許多著名的社論，對於報紙聲譽的提升頗有幫助。但人應知所進退，所謂功成身退或見好就收，都是前人所累積的經驗，勸人在適當時機退下之意。《工商時報》總主筆對我而言，雖不是一個主要的位置，仍應適用同一原則，所以我預備做滿十年便退下來。但很擔心如要我繼續做下去，我該怎麼辦，或至少應想好一位繼任人選，可以卸責。

正在考慮如何開口，及萬一要我推薦繼任人選，我應推薦誰最適當等問題中，該年的八月，我接到時報總管理處副總經理鄭家鐘在余紀忠先生身邊打來的一通電話，話雖委婉，但意思卻很明白，就是要我辭去《工商時報》總主筆，我立即欣然應允。晚上，余紀忠先生在大雨之中來到我家，要我陪他去王昭明先生家拜訪，請王先生接任總主筆，我也欣然同意陪他前往。王先生因事先已答應出任《經濟日報》總主筆，不好失信，堅持不肯接受余紀忠先生之邀。最後，我向王先生說：「我們是將近四十年的老友，從不曾求你為我做任何一件事，現在是第一次求你。你如不答應余先生的敦聘，我就在《工商時報》進退失據，不能下台，你總不能為難我。」這話很清楚，我是因他而被動辭去總主筆的，他如不接任，我便留去兩難，這樣才逼使王昭明先生答應。我就這樣離開了《工商時報》總主筆的位置，還差三個月便滿十年，滿十年心願終未達成，真是人算不如天算。

我在《中國時報》與《工商時報》所受禮遇已不斷減退，繼續任職已是不識時務，故辭去《中國時報》與《工商時報》職務已在盤算之中，要等待恰當時機，不著痕跡，雙方都感愉快。我預料一九九〇年九月考試委員任期居滿，可能有新職務，居時是辭職的好時機。果然李登輝總統發表我任考選部長，我於接任前夕去看余紀忠先生，請求辭去《中國時報》、《工商時報》主筆，及《美洲時報週刊》董事長，僅保留不支薪、不管事之「時報文教基金會」董事長未辭。余紀忠先生立即應允。《中國時報》即日起停止寫稿，《工商時報》則因總主筆彭垂銘私誼，拖延了幾個月。《美洲時報週刊》董事長則因須辦繼任人手續，也拖至年底始告解除。事後想起來，我應同時辭去「時報文教基金會」董事長一職，可見我做事之缺乏決斷。

我在時報系統雖有許多職務，但只支一個總基數，係由兩個主筆、前任總主筆及額外主筆待遇四萬元構成。兩個董事長則不支薪。這個基數多年如此，不因職務變動而有增減。我於辭去上述職務後即交還座車，基數按《中國時報》慣例，在資深主筆離職後，仍然照送，時間自二年至三年或更長時間不等。我在國外工作三年，《中國時報》都照送基數未曾間斷，何況我還有「時報文教基金會」董事長一職，所以繼續接受基數，未曾覺得有何不妥。

至一九九二年初，我已感覺不宜繼續領此項基數，由於至九月方滿二年，我也預料居時職務也許再有變動（可能出任考試院長），我想九月應是一個適當時機，辭去「時報文教基金會」董事長，及不再接受致送基數。不料七月間在一個公共場所，余紀忠先生表示希望我不再擔任董事長，改為董事，我當即滿口應允辭董事長及停止致送基數，但不接受董事職務，立即生效。後來董事長改由汪彝定接任。自一九六四年七月起至一九九二年七月止，前後整整二十八年，我與《中國時報》的關係至此完全結束，天下無不散的筵席，緣起緣滅，皆有定數。

以上敘述看似平淡，其實影響我一生命運很大。如果當年仍堅持我的初衷，不以賣文維生，不去寫社論，我不會同時得罪許多財經要員，更不會得罪經國先生。我是一個守分敬業，在職權範圍之外並不多言的優秀公務員，也不會在其他方面得罪這些人，我的官場前途可能是另一番局面。但另一方面，二十幾年主筆生涯，也使我寫了許多膾炙人口的文章，普遍影響了政府決策及社會觀念。當年那些要員現在已不知何處去，而我的文章敝帚自珍，如今讀來，仍覺有值得一讀之處，所以說不上得失。不過，先室及許多好友都一致認為我不該寫社論，自誤前途，有些友人甚至一再提出警告，說太不值得，先室反感尤甚。

如前所云，我自接受為《中國時報》主筆起，即採取了三個原則，其中對於不介入原則尤其堅持。《中國時報》有幾次總主筆易人，余紀忠先生怕我爭取或反彈，都到我家委婉說明安撫，我頗感好笑。我從未有擔任《中國時報》總主筆的意思，因為這違反了我的不介入原則，即使堅持要我擔任，我也會堅決拒絕的。我不能接受每天有人指揮我如何做事，甚至違反我的意願去做事。不過，假如我擔任《中國時報》總主筆而又放手讓我自己作主，《中國時報》的社論會改觀，正如我為

《工商時報》所做的一樣。

余紀忠先生知道我的個性，對《工商時報》社論內容，差不多十年時間，從未過問一次。主筆人事也只在開始時的前半年過問過一次，以後即從不過問。實際上，《工商時報》社論聲譽雖不敢說超越《中國時報》，但卻聞名中外。而我在《中國時報》寫社論，余先生直接干預也不過二、三次，不是什麼重大問題，以應付過去了事。若我的社論與報社立場不一致而不刊登，則我尊重報社立場，從未表示不滿，這也是在我的三原則之內。故就寫社論及平時相處而言，因為我堅時三大原則，在我留在《中國時報》的那一段時間，從未發生很深的誤會。

我在離開《中國時報》去見余紀忠先生時，因其曾應允我有退休金，故提到退休金的事，並希望能領月退休金，數額不拘。這完全是為了我的安全感，我沒有什麼儲蓄，唯恐老來無依。余紀忠先生一口回絕，我默然而退。這是二十餘年來唯一一次向《中國時報》提及的待遇問題。因恐余紀忠先生誤會我隨意向他要錢，所以寫了一封信給他，提到在舊金山的承諾。余紀忠先生伉儷到我家送了我一筆退休金，我全數捐給了「范馨香法學文教基金會」。我來日無多，退休以後，國家也會給我可以過活的月退休金。雖然數額不大，能維持起碼生活就好，我生活本來就過得簡單。

余紀忠先生是智慧很高的人。手腕靈活，思慮周密，而處事謹慎小心，可說步步為營，立於不敗之地，也能應付變局。具有相當廣泛知識，對於大問題也有頗為正確的認知與見解。這些都遠非我所能及。余紀忠先生能識才、求才，但用才則用而不專，既不能完全信任人，更不能放手讓人才一展所長，常有牽掣。是以用才很多，留才很少。這點余紀忠先生就不及我了，只可惜我無機會一展所長。一個成功，一個失敗，終生爲人所役，天乎，命也。

順便寫一段插曲。在我離開《中國時報》後，有一次在簡靜惠女士的「洪建全文教基金會」的一個典禮上，遇到余範英大小姐。我很高興，向她祝賀《工商時報》業務蒸蒸日上，我說了一句：「連余先生都會妒嫉你。」不料余大小姐回了我一句：「我爸爸還是滿疼愛我的。」使我爲之語塞，默不作聲，正是話不投機半句多。我的原意是說余紀忠先生的報紙辦得好，余大小姐的報紙辦得更好，連最親的人都會妒嫉，是同時稱讚父女兩人的說法，在美國常用這種方式同時贊許兩人。大小姐留學美國多年，英語能力一流好，應該懂才對。其實，中國也有同樣稱讚父子兩人的說法，稱爲「跨竈之子」，表示父親行，兒子更行，使父子兩人皆大歡喜之意。

第三十章 王永慶董事長

王永慶董事長與工業委員會及美援會發生關係，推算應該在一九五五年至一九五六年之間。當時成立台灣塑膠公司製造PVC塑膠粉計畫，就是工業委員會委員兼化工組長嚴演存所策畫的。王永慶董事長在這兩個單位所接觸的人都是化工、財務及高層主管，而我是負責經濟研究及計畫工作的，個性又好靜，所以沒有接觸。一直到一九七〇年我辭退聯合國工作返國，邀請我夫婦至他家吃飯才開始認識，那時他已是有名的企業家及富豪了。以後每年都有幾次承他邀請到他家作客，次數多少不一，同席客人也不一定，但很多次都有楊兆麟副總經理及《工商時報》總編輯、後從商任董事長的阮登發伉儷參加。有時其女公子亦參加，其中一位還是我台大的學生。早年還有幾次與太夫人同席，備感親切。

自一九七〇年算起，迄今已將近三十年了，在這不算短的時間中，有幾件事特別值得一提：

一、一九七二年秋冬之際，王董事長投資五千萬元參加《聯合報》系，握有百分之五十股權，合組一文化出版公司，業務範圍至廣，聯合、經濟兩報僅係這家公司的一部分。這家公司的董事長由王永慶擔任，並負責財務部分，業務部分包括出版在內，則由王惕吾先生負責。請我擔任常務董事，兼代董事長職務。常務董事月薪爲三萬元，王永慶董事長的月薪三萬元亦由我支領，共計每月六萬元，折合美金一千五百元，正好是我在聯合國的待遇，另配有座車一部。除出版公司的事務外，還負責《經濟日報》的總主筆職務。條件均已談妥，只待簽約。

我那時仍是經合會顧問，禮貌上不能不向主任委員行政院長經國先生報告，並請求批准。不料爲經國先生一口拒絕，只簡單說我仍應留在政府工作，毫無商量餘地，我只好退出。隔不多久，便傳出經國先生不贊成王永慶董事長的事業涉及出版界，特別是報紙，其對《聯合報》之投資必須撤回。據傳經國先生曾說過，《聯合報》資金問題由徐有庠解決。王董事長乃不得不退出，五千萬元則借給《聯合報》系。〔編注：據《報人王惕吾——聯合報的故事》（天下文化出版）所述，王永慶董事長於一九七三年五月退出《聯合報》，將股權無條件交給王惕吾，股金則暫緩歸還。而《聯合報》則在五、六年間還清了這筆款項。〕

二、約在一九九三年的某一天，王董事長打電話給我，要我辭去考選部長職務，約幾個人爲他做點研究與文字工作，月薪一萬美元。我婉謝了，但答應爲他約人做研究與文字工作。我婉謝的理由是我年事太大了，當時且在病中，無論思想、文字運用、對問題的剖析與下結論，都遠不如年齡較輕時，估計絕對不能達成王董事長的願望，而待遇又如此之高，壓力將十分沈重，非老年人所宜。另外一個說不出的理由，便是我一生以文字依人作嫁，自傷淪落，晚年猶不能免，情難以堪。

但我仍然與幾位年輕而程度好的朋友陳博志、石齊平、傅棟成、鍾俊文諸先生商量，邀請他們參加。他們雖都應允，但我知道他們的工作都很忙，挪不出多少時間做這件事。而訓練年輕新人，不但時間上有問題，而且也非我這個老年人所能做好。於是將情形報告王董事長後，這件事便沒有再進行。歲月不饒人，我深覺對不起王董事長的好意與看重，我也自傷「衰朽惜殘年」。

三、在二十幾年的交往過程中，我曾經寫社論支持過王董事長的一些投資計畫，也曾向他建議過一些投資計畫，都是出於國家社會的利益，絕不涉及私交。例如：

㈠崇德工業區。王董事長在花蓮濱海地區購置整理有兩百甲土地，作爲水泥及其他工業投資的工業區，並預備修建自用碼頭。也在太魯閣國家公園附近地區購置有水泥原料山地，擬設立水泥廠，年產量預計在一千萬噸以上，由自設碼頭散裝船運至高雄等地，以供台灣水泥需要。

我是爲了國家利益極端贊成此一計畫的。除了這是一個龐大的民間投資計畫，對經濟成長有重大貢獻外，主要理由是這個計畫所生產的水泥等於已有生產量的一倍，足可打破現有水泥業者長期壟斷水泥市場，不斷哄抬水泥價格的局面。台灣水泥生產一直都操縱在少數幾家水泥業者手中，公開地阻止新廠設立，甚至舊廠擴充設備都受到限制。而市面上每隔一段時間便發生水泥缺貨現象，價格大幅上揚。這在任何一個進步國家都是不能容忍的現象，而我們政府竟能容忍。假如王董事長的水泥廠設立了，便可打破這種壟斷。

這個水泥廠及其他幾個工業如果能在崇德工業區設立成功，對經濟發展一向落後，人民生活較苦，勞力不斷外流的花蓮，也將有重大貢獻，是以花蓮行政首長及民間人士也表歡迎。

但是這樣一個無論就國家、就地方，及就水泥使用者而言，都是一個很完善的投資計畫，即就我們經濟學者而言，也是一個打破獨占最好的範例，竟然在水泥原料開採距離太魯閣大門只有五公里，破壞了環境及景觀的理由下，經過長期的拉鋸戰後，竟告否決。這個否決理由當然不成理由。據說原來距離是在十公里以上，後來在爭論中公園竟然擴大範圍，以致將距離縮短至五公里。而即使五公里，也不會妨礙國家公園的觀瞻，更何況在技術上還可從背面開採，更不會影響景觀。

真正被否決的理由有二：⑴台灣水泥業長期為本省當時最有勢力的財團及江浙財團所壟斷，這兩個財團都與政府決策階層有極密切的關係，甚至可以通到層峯。政府有些事還須依賴這兩大財團的支持，不是王董事長所能匹敵的。⑵經國先生對台塑企業的限制，他是不願意台塑勢力過於擴大的。如前所云，經國先生曾堅決反對王董事長加入《聯合報》系，即便資金已經投下，還要被逼退出。也反對王董事長接辦中興紙業公司，據傳也是在醞釀已經成熟時而被迫撤退的。即使在石化工業範圍內，也不許台塑辦輕油裂解工廠。

是以當時財經決策官員一面倒地反對王董事長的這個投資計畫，還舉出各種不實在的理由。只有嚴家淦總統曾經公開支持這個計畫一次，也曾對我說過一句話：「環保景觀重要，自然資源利用也重要。」但敵不過這兩大財團的背後力量。對於這個計畫，我曾寫過幾篇社論支持，也曾公開表示過意見，當然並無效果。至目前為止，台灣水泥生產及價格仍操在壟斷集團手中。這才是不顧國家及人民利益，真正的金權與政權掛鉤。

㈡宜蘭利津工業區。王董事長一直想使他的石化工業王國一貫作業化，早就曾提出設立輕油裂解廠計畫，爲經濟部所拒。一方面是怕中油公司競爭不過，另一方面則是其他石化業者怕上游原料受到台塑壟斷。我想更基本的原因，仍是經國先生不願見到王董事長的經濟力量太大。後來經濟部終於同意台塑設立第六輕油裂解工廠，選定設廠地址爲宜蘭利津工業區，但爲宜蘭縣政府以會造成環境汚染爲理由不准設廠，事遂擱置。後曾考慮桃園觀音鄉，未成。最後定案在雲林麥寮，塡海造地，時間拖延了若干年，成本也增加了很多，幸而台塑負擔得起。不過，宜蘭縣的開發將會受到重大影響，落後及貧窮狀態以及人口外流，一時恐難望改善，殊爲可惜。

㈢我曾建議王永慶董事長進軍石化工業以外的重工業，如汽車、機械等工業。我也曾贊成台塑在大陸海滄工業區及在大陸其他地方投資。也曾建議設立一個完整的大學，成爲一個國際一流大學，一如美國若干著名的私立大學，造福台灣子弟。我最近還希望王董事長辦一個完善的中醫學院，聘請大陸一流中醫學者任教，並翻印大陸全部有關中醫的著作，以大幅提升台灣中醫水準。總之，我總希望王永慶董事長能充分發揮其企業經營長才及雄厚的資金，多爲台灣的經濟及社會作貢獻，造福台灣人民，乃至全人類。我的基本哲學是有能力就應充分發揮，不虛此生。台塑在大陸海滄設廠未能成功，漳州電廠又受到阻礙而拖延，是一件令人惋惜的事，這不僅是個別企業獲利的事，以王董事長之聲望地位及投資規模，很可能對兩岸關係發生某種程度的正面影響。有一次他曾問我去大陸投資的意見，我的答覆是：「假如我是你，我早就去了。」

由於我內向拘謹的個性，以及對於品格行爲的自我規範，與大企業家的交往都採謹慎被動的態度。我幾乎認識所有台灣第一代的大企業家，特別是一九五〇、一九六〇年代著名的大企業家。我對大財團毫無偏見，我欣賞這些大企業家的才能，能夠虛心傾聽他們對台灣經濟問題的意見，我也衷心地讚美他們對台灣經濟發展的貢獻，以及他們個人的巨大成就，我從不以自己的專業知識來傲視他們，從不對他們高談闊論說應該如何；另一方面，我也絲毫不羨慕他們的財富，對他們始終保持尊敬而不親近的態度。

我對王永慶董事長也是採取相同的態度，從未主動拜訪他。除爲吾師吳幹的夫人蓋建教堂，及杭立武先生爲人權協會募款，被迫向他開口募捐而未被接受外，從未因個人利益對他有所求。於此，我還要向王永慶董事長建議，在他個人財富中或台塑集團的資產中，撥出兩、三億元，設立一個公益基金，以其孳息來應付這些募款的要求。先母常說：「家有千萬，神鬼一半。」應付這類募捐似乎仍有必要，不然，社會上許多公益事業就做不起來了。以我向王董事長募捐的這兩件事來說，吳幹老師是我的系主任，當時擔任立法委員，其夫人爲蓋教堂募捐。杭立武先生爲政治學家、教授，曾任教育部長、大使，爲國際著名人物，交遊遍天下，人權協會則是改善國內人權及對外提升我國人權形象的一個民間組織，他爲了這個組織的國際公信力，不能向政府大量申請輔助，不得不向民間募捐。這兩者都是單純的社會公益。再說，我也不是隨便開口的人。

王董事長伉儷對我夫婦都很禮遇，曾說喜歡讀我的文章及社論，而且能判斷出我所寫的社論，認爲我的文章會傳世，這些我相信都是出諸他的誠心，不是故意說好聽的話，他不是那樣的人。先室逝世，他率領台塑高級員工親來公祭，使我終生感激他的友誼與盛情。這些對王董事長而言，都是不容易的，尤其是對一個無權無勢、對他事業毫無幫助的書生如此，更是難得。他可算是我的知音之一。

而我對他也有同樣的尊敬與佩服。我在前面說過，他是我生平遇見的兩個絕頂聰明的人之一。他真的是一位天才。這並不是因爲他企業經營有成，而是我與他多年的交往與談話中得來的。我與他談話從無溝通上的困難，一說就懂，其中還涉及一些比較複雜需要若干經濟學理知識的經濟問題，這並不是件容易的事。我未曾發現他對這些問題說過不合理的話，雖然問題見仁見智。他對政治及許多社會問題也有精闢的見解及解決的構想。

王永慶董事長處理事情及待人接物，雖然顯得有些剛強，但通情達理，不爲已甚，而且自有格局與氣勢，並不是一個普通的企業家。尤其他在精明中寓有厚道，是很多成大事業者所難得具備的。早在十餘年前，我曾寫過一篇文章，說他可以當經濟部長，絕非過譽之辭。延攬成功的企業家進入政府部門服務，在外國是常見的事，因爲政府與企業都有決策與管理的問題，基本性質上沒有什麼不同。當然，我也知道，如果沒有強大的支持力量，他的經濟部長一職也會無功而退。

王董事長的事業當然是成功的，但以他的才能與抱負來說，我相信還是會有一點有志難伸的感覺。經國先生受俄國思想影響，不喜歡龐大企業或大財團，對王董事長個人可能還有點成見，因而對其發揮經營才能，擴大事業範圍，無論性質如何，均屢次加以否決，就國家社會利益來說，實在是很不幸的。一個有才能的人，爲什麼不讓他充分發揮才能呢？爲什麼不幫他發揮才能呢？爲什麼要讓人才浪費呢？發現一個真正的人才何其難，而浪費一個人才又何其容易。何況經國先生對於那些以違法聯合獨占，及投機詐欺而成爲龐大財團的，並無能力加以阻止，甚至並不想去阻止，而這些財團對國家社會，卻是損害多而幫助少。於此，可以看出國家出一個英明領袖何其難。

第三十一章 多少恩酬

以上幾位人士，除王永慶董事長以外，都對我的一生有重大影響。以下幾位則是我終生銘感應該酬恩的人──以對國家社會作重大貢獻，來酬謝他們對我的知遇之恩，但對我的一生影響不是很大，或者並無影響。這些人有些與我有淵源，有些則是素昧平生。無論是我做人的風格與做事的能力上，他們都給與我很高的評價，對我的期望也很殷切，不僅關心我的遭遇與前途，也在他們的能力範圍內主動給我幫助，無異於對待他們的親人好友。他們無求於我，只是希望我能爲國家社會做點有益的事，使這個國家社會更好起來，他們是無私的。可見這個世界上仍有許多人爲國家社會利益而惜才；或者他們也許不爲什麼，就是希望他們認定的人才能出頭。

下面這個名單也許有遺漏，還有些暗中幫助我、期許我，而爲我所不知的人士，這包括立、監兩院中許多資深委員及社會人士，我都衷心銘感，我實在辜負了他們的期望與幫助。

一、劉南溟、吳幹、張慶楨三位先生。他們都是我與先室的大學老師。劉南溟老師教我們兩人統計學。吳幹老師是我的系主任，教我們經濟學。張慶楨老師教我民法概要，也是先室的法律系老師，先室曾擔任過他的助教。

劉南溟老師是一位溫和敦厚、安貧樂道的學者，也有剛直不阿的一面。除短暫時間曾擔任江西省政府統計處長以外，一生都在教書中度過。他是北京大學畢業，留學法國，在中央大學任教很久，對中央大學學生有偏愛，來台以後仍然如此。我便是由劉南溟老師推薦進入台大任教的，我升等為教授也是他的亟力推薦。

吳幹老師是一位寬厚輕鬆，有「天下無難事」，亦有「天下無大事」的人，但也有認真的時候。他曾說過如中共膽敢犯台，他要拿起槍桿上前線保衛台灣。他在信奉基督教以前，先要將聖經研究一番才作決定是否要信奉，可見他的輕鬆是有選擇性的。他也熱愛學生，會在他的能力範圍內幫助學生；也在他有限的經濟能力之下，時常請我們學生餐聚，以與我們學生相聚為樂。對我尤其青睞有加，看見我有什麼發展，便喜不自勝；看見我有挫折，便抱不平。也逢人揄揚推銷我，說我是他的學生，頗有以我為榮的意思。我原讀政治系，他也說假如我不轉系，還是一樣會有成就。

張慶楨老師性格幾乎與吳幹老師相反，在學校教書時便極為嚴格認真，好學生、壞學生分得很清楚，評論時事及當時人物標準也很高，對於不喜歡的人不假以辭色。對於打壓我的人如果在電視上出現，他會將電視機關掉。他對先室助力很多，對我也十分照顧，教我如何應付高層人事，也喜歡讀我的文章。看見我在報刊發表文章，他便高興不已。

以上三位老師都接受過良好教育，一位留法，兩位留美，學識豐富，也都有傳統的道德修養，並熱愛學生。就我的體驗而言，他們堪稱一代師表。吳幹、張慶楨兩位老師都是立法委員，從未聽說他們利用職權圖私利。這三位老師都對我寄以很大的期望，並很看重我，希望我有一番作爲，他們也在能力範圍內主動幫助我。可惜我是扶不起的阿斗，碌碌終生，一無所成，辜負師恩。劉南溟、吳幹兩位老師已歸道山，張慶楨老師現居舊金山，回首往事，無限懷念與感激。

二、袁雍、張導民、吳大宇先生。這三位都是我同鄉前輩，而我是一個缺少同鄉觀念的人，是以在認識以前很少與他們接近，我也不記得是怎麼認識他們的。但在認識之後，他們都對我十分照顧，同鄉聚會，總是邀請我參加，認爲我是一個學者，頗爲禮遇。而他們在大陸時代，都已事業有成，在國民黨及政府單位都有相當高的地位，這樣禮遇一個後進，對他們而言，應該是破格的。

袁雍先生曾任立法院祕書長。我第一次想到要進行考試委員的職位，就是袁雍先生主動向我建議的，不然，我根本不會想到。他在建議以後，又主動爲我策畫奔走，雖未成功，但熱忱我永誌不忘。在他的心目中，我是一個具有現代知識，如果有適當職位，會對國家社會有所貢獻的學者。他總覺得我的不得其位甚爲可惜，並爲我抱不平。也是基於他的這一感受，而出來爲我推動爭取考試委員職位的。

張導民先生十分通達，有行政長才，年輕時即主宰湖北的首府——漢陽縣，在大陸曾任廣東省政府廳長，來台後又歷任主計長、審計長，政績斐然。對我亦十分看重，在主計長任內，曾有意邀請我出任統計局長，我以非我所長而婉謝。我第二次進行考試委員職務，是由張導民先生化解我與嚴家淦先生之間的誤會。張夫人蔡孝義女士是監察委員，在先室任大法官，我任考試委員期間，蔡孝義委員都很照顧。

吳大宇先生曾任監察委員，甚有才氣，亦頗自負，文筆、口才、謀略均臻上乘，應是鄂省人才，年輕即得志。在監察委員中，亦直聲滿天下，爲頂尖人物之一。我第二次進行考試委員一職時也曾盡力協助，尤其主導整個過程，終得成功。

以上三位同鄉前輩，均係在一九六〇年代後期始認識，都對我另眼相看，也都爲我的處境感到惋惜，認爲政府應該給我一個適當的職位，發揮我的才能。袁雍先生尤其希望我去考試院對文官制度有所改革，真是知我者。現在袁雍、吳大宇兩位先生均謝世，張導民先生亦已退休。撫今追昔，不禁人事滄桑之感，我也有負他們的期望。

三、杭立武先生。杭立武先生請我去參加國際關係研究所的經濟小組工作，對我並無了解，當然也不記得我來台的第一個教書工作是他交辦的，他只是慕名而已。在開過幾次會後，對於我在會議中協調不同意見的能力，及剖析問題的周延，下結論的適切，都有深刻的印象。以後幾年的時間，每次最後報告都交由我整理。他曾主動向經國先生推薦我，當然不會成功。趙耀東做經濟部長，他還曾對我說，他與趙耀東是舊識，願意爲我推薦，我婉謝了。以後每逢他成立一個新機構，就要請我擔任理事或常務理事。他臨終前我去看他，他還拉著我的手向護士說，我是他的好友，我是一個人才。

杭立武先生是學者從政，也是年輕得志。一九三七年南京淪陷時，他與國際人士合作拯救陷在南京的同胞，設立難民收容所，在外籍人士保護之下，活人無數。一九四九年南京再度淪陷時，周恩來曾託人傳話要他不要走，共產黨會用他。他未予理會，以教育部次長兼代部長身分，將故宮寶藏運來台灣，為中共列為一級戰犯。

來台以後，杭立武先生以屬於朱家驊派，未獲重用。很久以後，始外放泰國、菲律賓及希臘大使，均受到當地政府及華僑之尊敬。尤以在泰國及菲律賓大使任內，成就卓越，長留去思。據杭立武先生親自告訴我，他在希臘大使任內，經國先生曾親自寫信要他回國服務。結果他回國後，始終未發表一個重要職務給他。即使屈就一個國際關係研究所主任，也不能久於其位，三年以後，以改組為名，迫使杭立武先生去職。他的學生周書楷一再跟我說：「這對杭先生是一個打擊，晚年如此，實是不幸。」這我在前面曾經提到。但杭立武先生仍擔任一些民間組織的工作，及成立一些新的民間組織為國家效力，終年僕僕風塵於國際社會，與國際人士周旋，希望有助於我國國際關係之開展。如杭立武先生之為國奔勞，可謂鞠躬盡瘁，死而後已。我們國家多出幾個杭立武先生就好了，然國家對杭立武先生又何其寡情。

四、李煥、王昇兩位先生。他們兩位有一段時間都與我有相當密切的來往，也都關心我的處境。王昇先生曾告訴我經國先生的習性，教我如何適應，可見其對我之熱心關切。李煥先生曾主動要幫忙我進行考試委員職務，我都心存感激。有幾次機會可與李煥先生深談，但都在我的疏忽中錯過了。我原有機會成為他們較為密切的朋友，但由於我內向拘謹及不主動與人打交道的個性，給人以拒人於千里之外的不良印象，始終未能承受他們更多的教益，現在仍覺慚愧。其實，我內心並非如外表所表現者，我是一個與人相交十分誠懇、平易、毫無傲氣，而樂於助人的人，只是爲其他不良個性與外表所誤。

李煥、王昇兩位先生都對國家有相當大的貢獻，不應以環境改變而作不同的評價。他們都以畢生精力奉獻國家，而且不濫權，都能廉潔自守，是國家的好公民、好官員。我人微言輕，對他們對我的知遇無涓埃之報，內心長感不安。

五、趙聚鈺、鄭彥棻兩位先生。我在一九七〇年返國後，趙聚鈺先生立即聘我爲輔導委員會研究委員，十分親切，還時常找機會請我吃飯。他與經國先生關係甚爲密切，曾主動向經國先生推薦我出任經濟部次長，功敗垂成，但他並未告訴我；在他逝世後，是一位完全了解內情者告訴我的。趙聚鈺先生也是一位國家的能員大臣，他與經國先生是退輔會的共同奠基者，而他負的實際責任與推動業務的努力，則較經國先生尤爲大。他也因此始終陷於退輔會的工作，未能跨出其範圍有所伸展，經國先生找不出更適當的人接替他的位置是一原因，外在的阻力也是原因。趙聚鈺先生有志未展，令人扼腕。

鄭彥棻先生因擔任過司法行政部長，與先室頗熟識，亦頗看重先室在司法界之成就。也許基於愛屋及烏心理，對我也十分看重。他擔任總統府祕書長，在我潦倒的時候，曾請我在總統府動員月會上演講，這是我唯一的一次到總統府演講。演講以後，他也主動地要爲我向當局進言，當然也沒有結果，但是令人有知遇之感。

鄭彥棻先生是留法學統計的，曾長期從事黨務工作，後來出任司法行政部長，對內則建立制度、肅清貪污、嚴肅紀律、提高待遇；對外則嚴懲不法民意代表，不畏強權，樹立司法獨立形象，卒因此而丟官。但他是我認爲極少數最好的司法部長之一，若能久於其位，司法風氣不會像今天這種情形。

趙聚鈺、鄭彥棻兩先生均已謝世。

六、陳海澄、王新衡兩位先生都是立法委員，都與我並不認識，卻很看得起我。陳海澄先生曾在不告知我的情形下，爲我疏通人事關係，希望我能爲國家做點事，並幾次到我家勉勵我，勸我不要因挫折而氣餒。他也是一位安分守己的立法委員，早已仙逝。

王新衡先生與經國先生的關係是大家所知道的。是他將我的文章拿給經國先生看，幾次請我到他府上吃飯。每次吃飯都說是讀到了我的某篇文章，他深有同感，請吃飯是表示敬佩之意，我當然不敢當，不過他的誠意與關心國事，倒是令我敬佩。也由於我的個性，我從未主動到他府上拜見他，直到他逝世，才去靈堂向他行禮，我真是不懂人情世故。

順便要提一下的，是很多人都說經國先生不喜歡與工商界人士來往，王新衡先生在與企業界有關係後，經國先生即很少見王新衡先生。據我所知，事實似乎相反，是王新衡先生因經國先生位高權重，主動減少與經國先生來往的。

七、梁寒操先生。我與梁先生從未謀面，在重慶讀大學時，知道他的文名及書法，他是廣東才子。有一天，我忽然接到一個郵包，是梁先生寫的一副對聯：「乾坤許我具隻眼，名利真誰破兩闋。」這副對聯現在還掛在我家客廳中。我竟沒有去面謝他，只是寫了一封信道謝，附寄了一本書。不久他即去世，我曾去靈堂弔祭，但這有什麼用，我之不通人情，這又是一例。

第三十二章 時乎命乎

從以上的敘述，可知我這一生的命運不可謂不好。三任的總統對我都有認識與接觸，兩任的總統都有重用我的想法與打算，而且都對我的才能有所了解，正如古語所云：「簡在帝心」，除此以外，還有很多有影響力的人士爲我吹噓推轂，視我如他們的親人至交，而且對我一無所求，他們是在爲國舉才。在這樣的情形之下，應該很容易脫穎而出，爲國家人民做一番事業。然而卻陰錯陽差，因一封信、因一個偶然的行爲、因幾篇無關宏旨的文章、因幾個人的造謠中傷，便潦倒一生，有志難展。真是時運不濟，命途多舛，時也，命也。

然而什麼是時，什麼是命，實際上都不過是自己性格的總表現、總結果而已。我從不驕傲，從不看不起人，我常說的一句話是「天生我材必有用」，認爲每個人都有他的用處，但給人的印象卻是看不起人，這就是我不善於表達自己，招致打壓。我表面個性倔強，不容易折衷妥協，實際上我從善如流，只要有道理，我真正做到了聞過即改的境地。有時堅持己見，是因爲我未醒悟過來，或是無人指點，我時常想有人指點我一下就好了，而這也是我未被重用的致命傷。

這類性格的養成，一半由於天生，一半由於後天環境，我的養成環境太單純了，使我無法適應複雜多變的社會，尤其是官場。

當然，我周遭的人也有關係。前面提到有許多貴人相助，但也犯小人。這些小人沒有什麼理由，就是怕我出頭，不讓我出頭。這也許是出於嫉妒的心理，也許是怕我阻擋了他們的出路，妨礙了他們的前途。

現在，一切都過去了，我平靜地回想以前，假如三位總統都給我以重任，讓我做事，我是不是就可儘量發揮，使國家局面改觀呢？我的答案是存疑，說不定改革不成，一不小心，還會身敗名裂。這種事歷史上罄竹難書，我在前面曾一再提到。假如三位總統都給我改革重任，而上面不會對我有深入的了解與信任，下面又是光桿一個，則其結果，不是隨波逐流，弄個官做；便是徹底失敗，難以身免。每次想到這裡，我就覺得上天待我這個好人畢竟不薄，讓我不得重用，可以平安地度過一生。雖然不是無災無難到公卿，至少也是無災無難到白頭。

第五部

謂我何求

知我者謂我心憂，不知我者謂我何求。

詩經・王風・黍稷篇

王作榮（右二）與李登輝（右一）
論交四十載，
人生際遇卻大相逕庭。
攝於一九九〇年之前，
於李登輝寓所，左一為友人陳清治。
（王作榮提供）

前言

題解。〈詩經．王風．黍稷篇〉載：「周大夫過鎬京，見宗廟宮室故址，已夷成壠畝，黍稷離離，因悲周室之顛覆，感而作黍稷之篇。」其中有句「知我者謂我心憂，不知我者謂我何求」，頗能道出我遷台以來五十年之心境。一九四九年大陸撤守，作爲國府官員，雖位卑職小，然禾黍之悲則同。定居台員，五十年來，無日不希望台灣富強與現代化，足以維繫國脈與黨緒於不墜，以待他日能以平等地位重返故園。唯恐重蹈覆轍，衰病殘年，再睹覆亡之痛，憂心何已。我曾一再說過，大陸之失，我們都是待罪之身，復有何求。本章內容足以表明我內心感受，因以命題。

第三十三章 爲國舉才

大約在一九六〇年，我在行政院美援運用委員會主持經濟研究及設計工作，奉命著手籌畫設計第四期四年經濟建設計畫。爲了要徹底革新設計的方法而四處尋覓人才，特別是懂得計量經濟學，能設計計畫模型的人才，在台灣幾乎沒有。有人告訴我，中國農村復興聯合委員會農業經濟組有一位李登輝，對計量經濟學頗有研究，如果能夠延攬過來，必有幫助。我並不認識李登輝，也沒有請人介紹，便在七月左右，逕自到農復會造訪。

我當時已是處長級官員，在政府高層、外國駐華單位及學術界已薄負時譽。李登輝看到我的造訪，十分高興。當我說明來意，欲借調其至美援會我的工作單位，擔任建立設計模型的工作，李登輝欣然同意。回來後，我便向祕書長李國鼎報告，請其向農復會主任委員沈宗瀚商調。李國鼎先生很快就回信說沈宗瀚先生同意，不料後來爲該會農業經濟組組長謝森中所否決，事遂未成。這是我認識李總統的開始。以後很少接觸，但據當時在我這個單位擔任設計工作的劉泰英事後告訴別人，他與負責農業設計的李登輝在業務上常有來往。不過，從此雙方都知道有這一號人物，我也相信李登輝一定知道我已注意到他。

一九六七年，我去曼谷聯合國亞遠經會工作，與國內隔絕，彼此難得見面。大約是在一九六九年的夏季，李登輝在康乃爾大學取得學位後偕夫人經曼谷返國，前農復會農經組同事，時在聯合國糧農組織任職之崔永楫邀宴，請我作陪，異國相逢，備感高興。

我於一九七〇年元月自聯合國辭職返國，奉經國先生之命考察國內、韓國、日本經濟。我立即以我不了解農業爲理由，簽請經國先生核准派農復會技正李登輝一同考察，這應該是經國先生第一次見到李登輝這個名字，至於有無留下印象便不得而知了。其實，我對台灣農業也了解很多，以前也與農復會人員陪同雙方長官及美援會安全分署人員旅行全省考察過幾次，也寫過許多關於農業發展的文章，頗受政府當局及社會的重視。我之所以邀請李登輝同行，也是重視人才之意，因爲我那時在全國已具有相當聲望，一同考察，會引起社會注意。

國內考察由台北至屏東，考察完畢後，即著手籌備赴韓、日考察事宜。我在前面提過，先擬了一個長達十餘人，包含各類專家的名單，考察日本期間定爲三個月，希望徹底了解日本經濟是如何發展起來的，雄心很大，後因有人中傷我想組閣，遲未批下，我乃將人數縮減爲我與李登輝兩人，時間爲三週，立即獲得批准。我想這也會留給經國先生印象，爲什麼單留李登輝。（參閱第四部第二十八章）。

經國先生時任行政院副院長，兼國際經濟合作發展委員會主任委員，掌握實權，經其親自批准出國的人，辦理出國手續應無問題。然而不然，李登輝的出境受到阻礙，出境證發不下來，原因我早已知道一點。我之所以仍然推薦李登輝與我同行，是我一向知道部分情治人員會小題大作，時常冤枉好人，逼人造反，我願意承擔責任。我在經合會就曾經力保我單位的一位同仁李洪鰲出國，簽名蓋章負一切責任，結果這位同仁出國後回來，做到次長、董事長的職位。

我在得悉受阻後，立即寫了一封長信給經國先生，大意還記得一點：「歷代處非常時期，當局者對待真正人才只有兩個途徑：一個是重用；一個是殺掉。所以要殺掉，是因爲避免其爲敵人所用或他自己帶頭造反。現在政府對待本省籍稍有不同意見的人才，是既不敢重用，也不敢殺掉，只是限制其出境、入境，及在國內之活動範圍，這是自己製造敵人，而且愈造愈多，實非良策。李登輝品學兼優，其在康乃爾大學之博士論文，被選爲該年度美國農業經濟學會優良博士論文獎，爲國際知名農業經濟專家，爲人亦誠實厚道，爲一難得之本省籍人才，重用之不遑，如何又以限制其出境這種無用手法，製造敵人。」上書不到一週，李登輝出境事即獲批准。

我直到現在不曾將此事告知李總統，李總統還以爲係託農復會有力人士說項的結果。這種經國先生親自批准出國而不能出國，農復會人士不會亦不敢插手的，插手亦未必敢直接向經國先生報告，而不經經國先生特准，就不會有效。

我無留底稿的習慣，事後亦未告知李登輝，當然我也未曾料到李登輝後來會變成李總統。但行政院副院長辦公室或者救國團應有存檔，如不是被有心人取走或銷毀的話。據我所知，這種與人才有關的文件多半交給當時救國團的實際負責人處理及存檔。我在撰寫本文初稿時，曾去函詢問現任救國團主任李鍾桂女士，有無檔案可查，據函覆因時間太久，類似檔案都已散佚。茲將李鍾桂女士覆函附後。

作榮部長鈞鑒：

二十一日華翰敬悉。有關查詢事項，謹簽覆如下：

一、民國五十九年二、三月間，本團主任確為經國先生（四十一年五月三十一日至六十二年五月三十一日），副主任為李煥先生（五十二年九月十九日至六十二年五月三十一日），主任祕書為宋時選先生（五十六年五月一日至六十七年一月一日，自五十九年一月十六日起改稱執行長），括弧內數字為任期起迄日期。

二、有關「社會人才檔案」，因本團數度搬遷，承辦人員異動頻繁，早期團務資料泰半均已散佚，不復查考，本團現存檔案資料中經查並無任何有關該檔案之資料。

耑此，特覆，並頌

鈞祺

李鍾桂　敬啓

八十四年九月二十七日

不過，這封信除經國先生本人看到外，我確定還有兩個人看到。一位是副院長辦公室主任，當時是于振宇將軍，但于振宇將軍未必留意到這封信。

另一位則是當時救國團的副主任李煥。他在職務上不僅看到，而且還應該負有對李登輝訪查、評估及日後提醒經國先生延用的任務。這可從一件事上間接證明。李煥不久就出任國民黨台灣省黨部主任委員，曾延請時任農復會農經組組長的李登輝去省黨部演講，這是一件大事。如果李煥不曾看到這封信，經國先生不曾與他討論這個人，則李煥在當時情形下，根本就不會知道李登輝這個人，知道了也不會邀請去演講。我的高考同年游芳敏在省黨部主管這類事，幾次建議請我去省黨部演講，都被擋駕，便可知道請李登輝去演講的不尋常了。後來我又想到這封信很可能直接交情治單位併案存檔，後來奉命銷毀。但無論如何，李煥看過這封信。

此外，我推測經國先生在重用李登輝後，曾向李登輝出示過這封信。或在李登輝檔案中有這封信。

我之所以敢向經國先生寫這一封信，有幾個原因：一、我的個性好仗義勇爲，不知輕重，不計個人利害，看見不平就要說話，到現在還未改。二、李登輝是一個人才，爲國舉才也是我的個性之一，我在美援會的同仁都知道我這個性格，我後來在考選部任內也是唯才是用。三、本省籍人才尤其不應該放棄。四、知道那時經國先生對我尚有相當好感與信任，不會懷疑我的忠誠與公正，至少不會懷疑我的思想有問題。

這封信從兩方面影響了經國先生：一、使他知道有李登輝這個人，是個可用之材，應予重用。當然，以經國先生的個性，必然會從其他管道加以證實，然後逐步進用，仔細觀察測試，再決定是否能大用。二、對於進用人才，尤其本省籍人才，必須略去小節，放寬尺度，不能因言語行爲一時失當，便棄置不用，甚至扣上帽子，使其永難翻身。這封信對後來的李總統影響很大，不然以李登輝當時之身分地位及沈默少言，經國先生根本不可能知道有李登輝這個人，更不會知道是個本省籍的可用之材。

無論在國內外考察期間，我們朝夕相處，在日本住第一旅社，房間緊鄰。李登輝知道我過去擔任主管時，用人毫無省籍觀念，也知道我是一個開明的自由份子，也是一個可以爲友的忠實友人，不怕被我出賣，因此一路上無話不談。

就是在這種情形之下，李登輝會時常說出他對當時政局的感受，對政府、對國民黨、對領導人都有相當強烈的批評與不滿。我們用坦誠理性的態度討論一些有關的問題，沒有爭論，有些地方我也爲國民黨及政府作解釋。最後，我勸他加入國民黨，他當然有些猶豫，那時願意加入國民黨的人不是很多。我勸說的大意是：「無論國民黨及其所組織的政府是好是壞，我們都得接受一個事實，那就是在可預見的將來，台灣仍得由這個黨與這個政府來統治，無力從外面推翻它，而且從外面推翻的代價也太大了，台灣承擔不起，那麼，便只有從內部改革了。而要從內部改革，就要靠我們這樣的好人多一些加入國民黨，國民黨才有希望變好。如果我們這樣的好人都不加入，那麼國民黨及其所組織的政府便會愈來愈壞了。」結果李登輝在東京同意加入國民黨，相約回台北就辦手續。李登輝在出任總統後，有一次還問我：「你記得我們在東京的談話嗎？」可見，李登輝是一個很念舊的人，很念舊的人，就不會是壞人。

時間大約在一九七〇年六月，由我向國民黨中央黨部領取入黨申請表，轉送李登輝填寫，並由我與先室范馨香擔任介紹人。申請表送至中央黨部，隨後即通知宣誓入黨日期。屆時我與先室相偕至中央黨部一樓一個房間內舉行宣誓儀式，卻發現介紹人范馨香被畫掉，改爲宣誓經辦人林儆秋代替，他的理由是夫婦兩人介紹不相宜，這當然不成理由。我但求宣誓儀式能順利完成，未與其計較。至此李登輝完成入黨手續。我一生只介紹過兩個人入黨：一位是李登輝，一位是梁國樹。梁國樹當時未接受，後來由他人介紹其入黨。剩下李登輝是我唯一介紹入黨的，不料日後竟成了國民黨的主席。當時我還年輕，還很有幹勁，很想介紹一些有品德、有學識的人進入國民黨及政府，共同推動國家現代化的工作。未曾想到我壯志未酬，而李登輝卻擔負起改造國民黨與政府的重責大任，真是世事難料。

順帶要提到一件事。我們在東京考察期間，曾由李登輝提議，拜訪本省籍旅日農業經濟學家，後亦成爲歷史學家的戴國煇。戴國煇時爲我國情治人員列入不受歡迎的黑名單，不能回國。事後事實證明戴國煇爲一愛國者，長年旅居日本，並在日本立教大學任教，但仍持中華民國護照，與台獨毫不相干。戴國煇曾親睹二二八事件的發生，對於此一事件的立論也最爲公允可靠。我知道李登輝邀我同往的用意，有我同往，不怕情治人員打小報告，遂欣然同意前往戴府拜候，同行者還有陳清治，李登輝、陳清治兩位事先已告訴我戴國煇的背景。戴國煇還邀請了其他留日的學生參加，享受戴夫人的盛饌，放言高論，毫無顧忌，賓主盡歡。現戴國煇已回國，受聘爲國家安全會議的諮詢委員，相逢時常回憶這一段美好的往事。

約在一九七〇年的十二月，天氣已有寒意，我有早睡習慣，已入睡。忽然電話鈴響，我起床接電話，馨香拿件衣服披在我身上，據我記憶並非李登輝打給我，多半是梁國樹，告以農村復興委員會新設立之企畫處處長由農業經濟組組長王友釗接任，仍兼原組長職務，並未發表最資深、位階亦最高的李登輝接任組長，意即請我設法。我當時十分氣憤，將此事告訴馨香，並說這是明顯的歧視與不公平。剛說服李登輝加入國民黨，竟又發生如此不合理的事，叫我如何面對李登輝，此一情景我記憶猶新。

但是我為李登輝事已向經國先生進言一次，現在如再度進言，似有不妥，也未必能發生效力。立即想到楊家麟。那時楊家麟聖眷正隆（後來發表為經濟設計委員會主任委員），進言應該有效。於是電話楊家麟說明經過，請他向經國先生進言，楊家麟伉儷亦為我們之間的共同好友，當即滿口應允。次日晚楊家麟回電話，謂未能直接見到經國先生，但已拜託其辦公室主任（已記不清是千振宇或周應龍）向經國先生說明此事，並已接到回話已轉達。

在此事發生不到一週內，原先打電話給我之人，告以經國先生以行政院副院長身分下條子，要農復會派李登輝為農業經濟組組長。我聽到後，還說了一句「經國先生如何有資格向農復會下條子」的話，因為那時仍是中美聯合機構的中國農村復興委員會，名義上不屬行政院管轄。此事從頭到尾未向李登輝提及。但農復會當初不肯讓李登輝接任農經組長，後由經國先生下令始獲派任，則為事實。不隸屬於行政院的一個中美聯合機構，即是所謂三不管的半洋機構內的一個組長的任命，經國先生如何得知，又如何知道這個職位是應該給李登輝的，便可知道一定有人向經國先生報告了。

當時農復會人事決策權操在主任委員沈宗瀚及行政院祕書長兼農復會委員蔣彥士兩位先生手中，但未事先作妥善安排由李登輝繼任組長，而由王友釗兼任，顯然是因爲安全單位的阻止，無法克服。最後由經國先生下命令任用，則表明已注意到李登輝，並有重用之意。

一般人常好奇，以李登輝在農復會的職位，及其沈默的個性，經國先生是如何知道李登輝這個人的，又如何不次拔擢的。一般都推測是農復會長官的推薦。但李登輝在農復會工作多年，在農業經濟組資歷最深，位階最高，早就應該升任組長而不能升任，反而由資歷位階較次的人升任；甚至一人兼任兩職，亦不願或不敢升任李登輝，像這樣的長官，如何有那種氣度與格局向經國先生推薦人才；如有，農復會早就應該在內部升遷他了。更何況當時的李登輝，尚有這些長官不敢碰的背景問題。很顯然的，是因爲我的回國，邀請李登輝在國內外考察，及出國受阻，我向經國先生推薦，始受到注意。當然，在重用李登輝以前，經國先生必然會多方查詢，也一定會徵詢農復會長官的意見，這時他們的答覆當然對李登輝的起用有相當重大的分量。

以上這些經過，除介紹入黨一事外，其餘我從未向李總統提過，僅出任農經組長一事，向梁國樹伉儷提到。至目前爲止，我相信李總統並不知道經國先生是如何認識他的，也可能認爲組長一職是沈宗瀚主動派任的或是向經國先生推薦的。現在一切都已事過境遷，我重提這些往事，只是希望歷史存真，這是李登輝走上總統之路的起步，希望歷史有正確記載。

一般人也許更好奇，我與當時的李登輝非親非故，毫無淵源，爲何要對他如此示好。說得神祕一點，是緣，我是相信緣分的。說得通俗一點，是我愛才的個性使然，因愛才不免對當時的李登輝有惺惺相惜之意，希望他能出頭，爲國所用，我是真心誠意地爲國舉才，但絕沒有想到他一飛沖天，做了總統，當然更未想到因他而使我官至院長。這都是除了緣分以外，無法解釋的事。

李登輝之能走上總統之路，除了經國先生的特達之知，予以不次的拔擢及刻意的栽培，以及他個人的條件與努力外，尚得力於下面諸人的幫助：

一、王作榮。沒有我幾次強力的推薦，及向經國先生寫信抗議對李登輝的處置不公及不智，以當時李登輝的職位、工作性質與範圍以及特殊處境，經國先生根本不可能知道有李登輝這個人，他人不敢也想不到向經國先生推薦，則李登輝以後的發展便完全不同了。

二、嚴家淦、黃少谷、孫運璿。這三個人都是經國先生所最敬重與信任的人，重要人事必然會向這三個人徵詢意見，這三個人都有一言九鼎的力量。經國先生請李登輝擔任政務委員，也許不會徵詢別人意見，但提名台北市長及省主席，則一定會徵詢。而提名副總統更是一件國家大事，必然經過徵詢甚至會商與相當時間的討論。這三個人中只要有一個人對李登輝表示不同意見，經國先生就要慎重考慮。假如有兩個表示不同意見，李登輝就不可能被選中，也就無以後的發展。這其中孫運璿尤處關鍵地位，據我的了解，他不僅是消極地被諮詢，而是積極推薦支持的人，而以他當時行政院長的位置，也是經國先生所最重視的人。只不過以孫運璿先生的大臣之風，緘默不言，外人不知道而已。

三、余紀忠、宋楚瑜。這是外界所熟知，是他們兩人臨門一腳，將李登輝送上中國國民黨主席寶座的。據余紀忠先生告訴我，在政爭激烈的時候，李登輝曾有意放棄主席職位，爲余先生所勸阻。

四、蔣彥士。在一九九〇年政爭最激烈時，李登輝競選第八任總統受到嚴重威脅，幾於不保，賴所謂八大老出面調停，得以平安度過。而奔走於八大老之間及其他勢力之間，折衷調解，終致有成，最得力的人物即爲八大老之一的蔣彥士。我已不記得是李總統或其他人告訴我，在投票選舉總統時，李總統口袋裡裝有兩份演講稿，一份是當選用的，一份是落選用的，結果用了前一份講稿，可見當時情勢之緊張。

以上諸人都有下列兩個共同的特點：

一、他們都有各自的地位與事業，都無求於李登輝，也不會希望李登輝將來有什麼回報。特別是前四個人，在他們幫助李登輝的當時，地位都比李登輝高。

二、都是外省人。除宋楚瑜外，都是在大陸出生、成長、接受中國的現代教育，兼有儒家傳統文化，親身經歷對日本八年的血戰，具有強烈的國家民族觀念，對老總統有一份特別感情的人士。當然，也都是那個時代的菁英份子。

唯有像這樣的一批人，包括宋楚瑜在內，才具有公忠爲國的精神，因此也就不會有任何的省籍情結。反之，都希望有本省籍人士出來領導這個國家，共同建立一個富強和諧的社會，共同將這一個局面撐下去，等待將來形勢的演變。毫無問題，有這樣氣度與想法的外省籍人士，不止於這幾位。我相信大部分外省籍人士都會有同樣的胸襟與氣度。中國的讀書人或者說士，常以天下爲己任，就是這個意思與做法。他們所想到的是天下，是國家，不是族羣，更不是個人利益。中華民族幾千年來屢受分割與亡國之痛，而終能綿延不絕，融合各不同族羣，逐漸形成一個更強大、更有活力的民族，就是靠這種民族特性與修養，這就是中華民族的精神。假如有人不相信，不妨去讀中國歷史。

第三十四章　聖眷優渥

一九七二年六月，經國先生出任行政院長，特任李登輝爲政務委員。據我記憶所及，其時李登輝在澳、紐地區開會，不在國內。這可謂是特達之知，平步青雲了。

在其六年的政務委員期間，李登輝並未告訴我他任職的情形。他只告訴我，經國先生很看重他，要他辭去農復會工作，專任政務委員，李登輝遵命從農復會退休。但據別人告知，他深受經國先生的重視，常親自交代一些重要的農業問題或其他方面的問題要他研究，也帶他一同出外巡察。這當然是經國先生在觀察與歷練他，培養他日後能獨當一面，予以大用。這六年，李登輝看似擔任一個閒職，實則決定了他日後的仕途發展，是一段很重要的時間。

一九七八年五月，經國先生出任總統，孫運璿出任行政院長，李登輝出任台北市長。據李登輝告訴我，在新令發表前，經國先生曾面告李登輝：「你以後的工作會很辛苦忙碌，時常要在台北與台北以外地區來回地跑。」這即暗示要他擔任台灣省主席。結果發表的卻是台北市長，省主席一職由原台北市長林洋港出任，殊出李登輝與我們的意料之外。後來得悉是出任副總統的謝東閔向經國先生建議，認爲李登輝缺乏行政經驗，不如讓林洋港出任省主席，李登輝接任台北市長，磨練一段時間，經國先生採納了這一意見。但三年以後，林洋港調任內政部長，省主席仍由李登輝接任。可見早在一九七八年，在經國先生心目中，李登輝已超越了當時本省籍的中生代菁英份子，而迫不及待地要培養李登輝的歷練及聲望。其時，李登輝接班人的地位已現出雛形了。

一九八四年，經國先生連任總統，李登輝出任副總統，據他告訴我，黨國元老中似乎只有資政余井塘有不同意見，經國先生囑其前往拜訪一次後即告化解，故十分順利。至此，李登輝已被經國先生選定爲接班人，並擬加速將政權本土化，已是十分明顯。不然，請謝東閔繼續擔任副總統應是順理成章的事，不會在自知健康情況不佳，年事已大時，選擇一位遠比自己年輕的本省籍人士來接任這個儲貳的位置。

郝柏村、蔣孝勇先生都曾公開說過，李登輝不是經國先生所選中的繼承人。雖然他們兩人一爲近臣，一爲親子，所言應屬不虛；更何況李登輝也曾親口對司馬遼太郎說過，經國先生並未明言李登輝是他的繼承人。但我憑常理推斷，經國先生所選中的國家繼承人應該是李登輝。至於中國國民黨的繼承人，則因牽涉關係複雜，特別是蔣夫人宋美齡女士早年所顯示的傾向，使得經國先生不得不作審慎處理，因而明知本人已日薄西山，來日無多，但仍無顯著跡象指出何人是黨的繼承人。無人知曉他心目中黨的繼承人是否是李登輝，抑或另有其人。又，他至死未曾放鬆軍權與情治單位的掌握，所以也不知道他的國家繼承人權力有多大，統轄的範圍有多廣，或者是一個政、黨、軍情分權的布局，互相牽制。但以李登輝爲國家繼承人則應是毋庸置疑的。經國先生慮事周詳，而猜疑之心甚重，有決斷力而顧慮亦多，是他逝世前未能作妥善安排的主因。也許這是強人政治的必然現象，即強人至死也不會放棄權力的基礎——黨權、軍權。

我之所以相信李登輝是經國先生確定的國家繼承人，亦即接任總統的人，乃基於下列理由：

一、依照憲法規定：「總統缺位時，由副總統繼任，至總統任期居滿爲止。」是以副總統當然爲國家繼承人，此點在經國先生選擇李登輝爲副總統時，即已了然於心，他人何得再有懷疑。而且繼承人是繼承總統在憲法中規定的所有職權，三軍統帥權當然也包括在內，情治單位權力更是如此。事實上，經國先生生前每在答覆外籍記者詢問接班人爲誰時，他的標準答案都是依憲法規定自有繼承人，蔣家人不會接班。是以接班人在經國先生心目中已十分明確。經國先生唯一未曾明確表示的是黨權繼承人的問題。

二、我在前面曾經提到，在一九七八年內閣改組時，經國先生即擬任命李登輝爲省政府主席，可見在經國先生心目中，李登輝的地位已遠遠超過其他本省籍中生代人物。如欲將政權逐漸移轉至本省籍人士手中，則其所擇定的人選顯然爲李登輝，而非其他人。

三、在李登輝擔任副總統期間，據他親口告訴我，經國先生對其愛護培植，有如父之於子，無論應對進退、國計民生，都極盡耳提面命之責。地方人事已完全授權給李登輝，外交、大陸政策亦令其研究歷練。培養其爲繼承人已十分明顯。另據經國先生晚年最貼身之機要人員王家驊公開表示：「總統曾經命令國防部長、參謀總長、各軍種總司令向李副總統作簡報，有交出軍權之意。」是以軍權亦已打算交出。李登輝雖告訴司馬遼太郎，經國先生並未表明要他為繼承人，我想一則憲法有明文規定，再則李登輝應該體會到，經國先生是一位做事發言極端含蓄謹慎的人，不會明言。如果此一段報導正確，則李登輝便有負經國先生之苦心了。

郝柏村說經國先生心目中的繼承人是孫運璿，如以國家而非黨的繼承人來說，這是不正確的。在一九七八年，經國先生所選定的副總統便是謝東閔，即是本省籍，而一旦將此一職位給與本省人士，以後便不會有收回的打算，而這也是政權逐漸本土化的一大步驟。

傳說在一九八四年決定副總統人選時，經國先生曾召集黃少谷等核心人物舉行過一次會議，就本省籍中生代菁英份子作一比較，看誰的條件適合當副總統，也可能是未來的總統，結果李登輝以具備四個條件優先中選：一、具有博士學位的高學歷；二、具有外國語文能力；三、有宗教信仰，做事不會走樣；四、無子嗣，不會為子孫謀私。這一傳說可信可不信。但有一點可以確信，那就是在行政院經過六年的觀察與訓練，再經三年台北市長、三年省主席的表現，經國先生早已確定了李登輝為其國家繼承人。

以上兩章敘述了李登輝邁向總統之路的歷程，我只是從一個旁觀者的立場，就我所知忠實地寫出來，也許李登輝或其他傳記作者有不同紀錄，那只有等待公正的歷史家來判斷了。

第三十五章 君子之交

我與李登輝總統之間的關係，可以「君子之交淡如水」來形容。我們是長期的老友好友，但不是密友，更不是他的親信。當然，也不是什麼主流派。我一生不搞派系，做到了君子羣而不黨的境界。我寫文章，提主張，評論是非，月旦人物，都以國家社會利益爲前提，公理正義爲基準。從未想到個人利害得失，更不會顛倒是非黑白。我的是非黑白標準，別人不一定接受，更不一定會了解，但我自有尺寸，而且一以貫之，不會因人因事而異。也許礙於情面，也許覺得事無可爲，悲觀失望，對於某些事與人會默爾而息，不做聲，但只要出聲，便一定合於我的尺度，讀者只要一讀我的全集，便會了解。

我與李總統之所以成爲「君子之交」，主要是由於我的個性。我的個性特質之一，是內向、封閉，還帶點名士派的疏懶，很少主動拜訪朋友，甚至打電話給朋友也成了一件大事。這種不善與人交的作爲，當然不會成爲別人的親信或密友，包括李總統在內。但我待人以誠，熱心助人，從不欺騙出賣朋友，也不在背後罵朋友，受到朋友的信賴，也包括李總統在內，所以仍然交到一些好友。好友，同聲相應，同氣相求，羣而不黨，緩急相扶，這就是所謂的君子之交，其淡如水了。

李登輝在仕途逐漸顯達後，我們仍然維持適當的交往與友情。每年總會由他主動約集幾位老友見面餐敘。參加者有楊家麟伉儷、梁國樹伉儷、陳清治伉儷，及愚夫婦。他逢年過節，或出國訪問回來，必送點禮物給我們。我們相見，一如往常，談笑風生，毫無拘束，也沒有官位大小之分，真的是老友相聚。

我們開始交往時，我的官比他大，官場歷練比他豐富，人脈比他多。後來他扶搖直上，官愈做愈大，而我則宦途多舛，愈來愈黯淡，最後被迫退出了官場。前後不過十幾年的時間，消長浮沈，竟有如此之大。是以我們的一位已故的共同老友華嚴教授，對此曾當我的面不勝感慨系之，想安慰我都不知道如何措詞。但是我內心並沒有什麼感受，除了爲老友的升官而感到高興外，我自有我的一片發展天地，自適其適，毫不覺得不得意或委曲。我有很深厚的安時處順的修養，這得自於我的讀書。

自李登輝晉位總統以後，尤其我出任考選部長，變成他的部屬以後，見面的機會自然就少了。見面以後，他雖然一如往昔地親切，但我這個拘謹個性的人就不同了。我的中國修養加上洋脾氣，使我做此官，行此禮，必須在職務上尊重他是我的長官外，更必須尊敬他是國家的元首，而尊敬元首就等於尊敬自己的國家。作爲一個現代國民與文明社會的一份子，尊敬自己的國家是最起碼的要求。因此之故，他不召見，我不會主動請見；他不徵詢我的意見，我不會主動表示意見，更不會主動上萬言書。見面時必遵守應有的禮節。這是尊敬元首，也是尊重我自己。我必須保持我的尊嚴與風格，也顯示我知識份子的修養。我對之前的幾位總統也都是如此。民主，並不是在國家元首面前撒野，並不是侮辱謾罵。我們常可在電視上看到，美國總統每到一個地方，包括到國會發表國情咨文，羣眾都必然肅然起立鼓掌致敬。這些羣眾中也許有少部分人或甚至很多人不喜歡，也不想尊敬這位總統，但是他們會愛自己的國家，因而也就必然尊敬代表他們國家的元首。對於民選國家元首，不一定要愛戴，但必須要尊敬，這就是民主文化，這就是文明社會。對於一位元首，動輒破口大罵，造謠污衊，這是野蠻社會行徑，我十分看不慣，也看不起。

自一九七〇年我回國與李登輝取得聯繫起，以後即未曾中斷，同時雙方家庭亦有來往。自一九七二年六月起，李登輝擔任政務委員六年，由於彼此工作都不是很忙，是我們來往最密切的時期。幾乎每週或每兩週聚會一次，打高爾夫，吃小館，還在我家打過牌，輸了很多錢。吃小館是大家平均分攤費用，誰也不請誰，那時誰也請不起誰，還被立法委員楊寶琳說我們是小孩子做事。同遊者有梁國樹夫婦、陳清治夫婦，楊家麟與楊寶琳夫婦、陳朝亨則偶爾參加。遇有美國或日本來的朋友拜訪李登輝或梁國樹，亦請我夫婦參加他們的邀宴。記憶中我幾乎沒有請過這些客人，不是吝嗇，而是不知道如何請，現在仍不會請客。那時李登輝人脈不是很廣，與其同遊者之中，我是比較知道官場情形，有些經驗，同時也是他信賴的人，因此遇有問題，也常問我的意見，來往也較親切，毫無省籍問題。一九七二年農曆十一月，李登輝五十歲生日，在家中請客，有沈宗瀚夫婦、林金生夫婦與我夫婦。飯後，參觀李登輝伉儷臥室新鋪地毯，客廳也鋪了地毯，李登輝甚爲高興。但卻發現子女的臥室未鋪，李夫人低聲告訴內子，說李登輝說的，他們要鋪地毯，須自己賺錢，足見李府的家教是十分西方化的。李家是標準的中產階級與公務員家庭生活，子女都很有教養、很守本分，現在仍是如此。

在李登輝擔任政務委員期間，有一天王昇將軍告訴我，說當局想遴選一位台籍人士當大學校長，問我有無適當人選可以推薦。我當即在家中請了一桌客。客人除王昇將軍伉儷外，尚有李登輝伉儷、梁國樹、孫震，還有幾位年輕博士學人，我已記不清了。我向王昇將軍介紹，說他們都是學識豐富的博士，都有資格擔任大學校長。這是李登輝第一次與王昇將軍見面。事後聽說有關方面確曾徵詢李登輝擔任大學校長的意願，但李登輝志不在此，予以婉拒。自一九七二至一九七五年，我們曾在杭立武所主持的國際關係研究所經濟組共事。

一九七八年六月與一九八一年十一月，李登輝先後出任台北市長與台灣省主席，我們便很少來往，主要原因是李登輝局面大爲開展，工作太忙。我從未到過台北市長與省主席辦公室，但他從未忘記我。不時派人送水果、食物、酒給我。出國回來帶禮物也有我一份。有一次還派衛生人員來我家噴灑藥物，爲住宅四周環境消毒。差不多每年總有一、二次請我夫婦吃飯，可見李登輝伉儷是很念舊的人。

附帶提一件很有趣的事。李登輝在省主席任內，送給我的水果不是爛的，就是很難吃的，啃吃起來像木屑的梨之類，我們十分納悶，怎麼省主席送出這樣難吃的水果。我照樣寫信道謝，說承送之水果如何甜美，如何多汁。每次送水果來的人都是在大門口按一下鈴，管家開門時，一箱水果已放在門口，送禮人已不知去向。有一次管家正在大門口內，一聽按鈴，即刻開門，發現送貨的車子漆著台灣省農產運銷公司的牌號。我們才恍然大悟，原來是該公司送貨人調了包。後來，也許有人向省府檢舉了，送的禮改為公賣局的酒。由此可見整治貪汚舞弊之難。

李登輝在台北市長任內，台北市銀行（現改為台北銀行）出了點事，市長要整頓，想調走市銀行董事長，請我接任。李大人很高興地打電話給內子，報告好消息。結果這件事並未成功，原因是當時中央銀行與財政部權力很大，調走市銀行董事長必須要中央銀行總裁與財政部長同意，否則就別想動。而新董事長也是由這兩位中央首長決定，市長不過禮貌性地被諮詢一下而已。當時中央銀行總裁俞國華與財政部長張繼正聯手反對，態度堅決，李市長親自疏通無效，俞總裁還說：「現任董事長是你的農復會老同事，為何一定要換。」對於這件事，我也是一笑置之，所謂逆來順受，正好用來形容。不過，從這裡亦可看出李登輝伉儷之忠厚與念舊。而當時財經當局之封殺我，可謂滴水不漏，我則無怨無悔，我行我素。

一九八四年經國先生連任總統，李登輝出任副總統。我與李登輝之間的關係，一如其在台北市長及省主席任上時，從未正式拜訪過他，也未有所建言。但李登輝對我仍以老友相待，每年總有幾次飲宴，充滿好友相聚的歡愉之情。

一九八八年元月，經國先生逝世，李登輝繼任總統。我因喪妻之痛，暫時失去寫作能力，《中國時報》囑我寫一篇社論表示祝賀之意，在時報辦公室久久無法成章，乃改由俞國基總主筆撰寫。但日後寫作能力稍微恢復後，曾爲《工商時報》寫了一篇社論，題目爲〈要做偉大的總統，不做有權力的總統〉。對老友期望甚高。這一篇社論顯然不爲李總統所接受，他後來曾問我：「總統沒有權力，如何做事和偉大？」我未曾作答。

李登輝接任總統時，我在考試院擔任考試委員，是一個不能展我所長的職務。我原以爲李總統會借重我的長才，給與職位，幫他做一番事業。也許由於這篇社論，也許由於我年老，李總統在改組內閣時，並未請我出任任何職務。李總統應該知道我最適當的職務，當是經濟建設委員會主任委員，結果發表了錢復，真是出人意料。錢復先生是外交長才，出任經建會，是把最適當的人放在最不適當的位置上，當然不久後回到了外交界。

我之所以說我最適合出任經建會主委，是因爲我對一個落後國家如何轉變爲一個現代化的國家，有充分的實際知識與理論基礎，我在這方面的知識幾乎涵蓋一個現代國家所有的重要制度與政策，這只要閱讀我的全集便可知道。而這些知識並非紙上談兵，都是多年參加實務工作，觀察台灣現實狀況，及進步國家過去發展的經驗而來。

我一生的職志並不是想做一個有權有勢的大官，而只想政府給我一個職位，讓我將這一點知識充分發揮，爲國家的現代化盡一點心力，而經建會主委正是這樣的一個職位。

假如李總統在一九八八年七月內閣改組時，給與我這個位置，我會利用該會的財力、人力與權力，首先就內部加以徹底地整頓與更新人事，然後集中全力於重大問題的詳細研究分析，擬訂政策，修改及增加法律規章，建立制度，提出培訓執行人才的辦法，其範圍不僅限於經濟、財政、金融，而是包括一個現代國家所有的重要典章制度。假如李總統能任命一個強而有效率的內閣配合實施，或任命我爲行政院副院長兼經建會主委，賦予監督執行的權力，則台灣就可大幅度地進行全面現代化，而現在的許多重大政治、經濟、社會、教育、文化等問題，都可得到適當的解決。日本明治維新就是這樣成功的。我估計約需四年的時間，即至一九九二年，可以完成大部分建立制度的工作。到現在應該已有很好的結果逐漸出現，而一些亂象也大部分不會發生，或從根消除了。可惜從一九八八年至現在，大部分的時間與精力都用在六年國建、亞太營運中心這些大而無當，缺乏科學根據，結果毫無把握的計畫，以及忙於應付每日發生的問題及政爭上。很少見到對關係國家根本大計的典章制度，及相應的組織與人事布局，作整體的規畫，整體的執行，殊令人惋惜。

在當前台灣，我可以毫無愧色地說，我是唯一一個能綜攬全局，率領一批人爲台灣設計一全套現代化的典章制度，並有能力及魄力監督執行的人。以後十年之內，台灣能否再出現我這樣背景的人，就很難說了。

我國歷代開國之君，除極少例外，莫不懲前朝之得失，衡當前之需要，建立一套新的典章制度，奠百年之宏基。一九二七年國民政府奠都南京，亦復如此，不幸著手不久，中日戰爭爆發，事遂中斷。勝利以後，百廢待舉，戰亂相尋，更無力量及此。遷台以後，暫且偷安，亦未計及，而除老總統尚有奮發圖強，建立新典章制度的觀念，但因年歲已大，力不從心外；其餘幾位總統，包括李總統在內，對於建立一現代國家，配套建立新的典章制度竟毫無概念，在國家社會轉型中所發生的問題，總是用兩種方式解決：一是拖著不解決，等到問題拖久了，人民習慣了，忘了問題之存在，就等於解決了；一是臨時草擬一個解決辦法聊以塞責，來一個問題，提一個解決辦法，不能配套，也不能真實地解決問題，於是始終在落後混亂中打滾，一點開國、建國或治國的氣象都沒有，真令人氣餒。

一九八九年七月七日至九日，李總統邀請我至台中惠蓀農場度假。同行者有李夫人、其媳張月雲女士、孫女李坤儀小姐、國民黨中央黨部祕書長宋楚瑜、總統府機要室主任焦仁和、祕書室主任蘇志誠等諸位先生，及侍衛長張光錦中將。在惠蓀農場曾有兩次談話，應有紀錄。也有一次與李總統的單獨談話，我曾作如下之建議：

「兩代蔣總統在台灣對經濟發展有重大之貢獻，為國內外所熟知。總統無論如何在這方面有成就，國人都會以為這是兩代蔣總統奠下之基礎，而非總統之貢獻。另一方面，兩代蔣總統在台灣所未做的事為民主政治，而中國人與台灣目前最感缺乏的也是民主政治。所以總統如果在台灣推行民主政治成功，則不僅開中華民族歷史上之另一新紀元，尤其台灣為總統之家鄉，總統有責任使台灣民主化，總統不做，還希望何人來做。推行民主政治比經濟發展要困難，但值得去做。因此建議回歸憲法，也不必考慮五權憲法架構，同時建立文官制度與法治，此為民主政治必不可少之條件。」

我認爲這是我對李總統具有說服力的兩次關鍵性建言之一。另一次即前述勸李登輝加入中國國民黨的一段話。當然，我不會狂妄自大說李總統推行民主政治是受我的影響。李總統在台灣推行民主政治有好幾個因素促成：一、台灣的經濟、政治社會發展已具備民主政治的基礎，形勢上已非建立民主政治制度不可。二、民主政治已是全人類共同的趨勢，將是二十一世紀政治制度的主流，且不會回頭，台灣不能違逆這種趨勢。三、台灣要想在國際上打開一道出路，爭取國際的同情與支持，以確保生存，實施民主政治，符合國際社會的水準，是一條必走的路。四、總統受美國朋友的影響。五、最後一點，也是最重要的一點，是李總統個人有民主政治的體驗與知識，他兩度留學美國，對美國民主政治的感受一定很深。他也有推行民主政治的決心與手段。我向他建言，也許會增添他一點點的信心而已。

在單獨談話中，據我的記憶，我還有另一個建議是：「要做中華民國的總統，在中華民族史上留名，不要做台灣總統，做台灣總統沒什麼意思。」我當然知道我們不能反攻大陸，不能統治大大陸，但胸懷大陸，在台灣建立一個現代民主、法治、富強的中國模型，來影響大陸，改造大陸，也一定會在中華民族史上留名，也是作爲一個中國人對中國人的貢獻。台灣，在我的心目中，太小了，以前不過是福建省的一個府，清末恐列強併吞才改爲省，大丈夫應當逐鹿中原，做個台灣總統實在不過癮。不過這只是我個人的淺見而已，其實做個台灣總統還是滿威風的，大小總是一國之首嘛。當然，我的建議也含有希望他不分省籍，做個全民總統的用意在內，更何況內外客觀情勢也不容許他做台灣總統。

在幾次談話中，我爲主要發言人，多由李總統提問題，我作答覆。嗣後不久，李總統囑我就當時局勢提出整體意見，我遂以〈建設現代台灣〉爲題，分別就內政部分、大陸部分、對外部分提出建議，並以〈當前的經濟問題與對策〉作爲附錄。約在一九八九年冬季至次年春季，在總統官邸集會數次，討論此一建議案，記憶中除聯絡人第一局副局長郭岱君以外，還有行政院研考會主委馬英九參加。此一建議案李總統究竟採納了多少，或有無採納，我未注意，我的作風是提建議盡其在我，採納與否則是接受建議人的事，與我無關。

在〈建設現代台灣〉建議提出後不久，一九九〇年二、三月，即奉命草擬第八任總統就職演說稿，內容大致以惠蓀農場談話及〈建設現代台灣〉建議案爲主要依據。我本一貫的立場，亟其希望老友成爲歷史上的偉大總統，因而要使這篇演講稿，一如美國總統林肯的蓋茨堡演説詞，簡短有力，成爲歷史文獻。題目定爲〈爲中華民族開創一個新時代〉，是希望老友不要把眼光完全集中在台灣，做一個台灣總統；而要在精神上、歷史上做一個全中華民族的總統，即是在台灣地區的施政與作爲，要能創中華民族的歷史紀錄，要能鼓動全中國人的風潮，而跟著這股風潮走，即使這些中國人表面上不承認，他們也會在心中讚揚支持；即使以他們封閉的程度，現在不了解這些施政與作爲，在不久的將來就會了解。這用意可用以下幾句話來表達：

「我們要從我們這一代人的手裡，根絕中華民族二千多年的閉塞與貧窮，締造一個開明富裕的社會；根絕二千多年的獨裁專制政體，締造一個民主自由的社會；根絕二千多年的骨肉相殘，互相砍殺，締造一個永久和平講信修睦的社會……。」

這些都是在爲中華民族寫歷史，而且有能力從台灣開始寫出來。特別是「互相砍殺」，在結尾前也曾提到：「何況我們同根相生，源出一系，希望在我們這一代手裡結束二千餘年來，中華民族自相砍殺的愚蠢行爲。從茲以後，永不再有兄弟相鬩，骨肉相殘的景象出現。」其目的，一方面如果真能做到，便真是歷史性的成就；另一方面，也在當著海內外中國人的面，將中共一軍，勸告及阻止中共不可以武力犯台。整個文件內容，都是在顧及台灣內部的實際需要下，胸懷全中國、全民族，都在鼓勵李總統創造歷史。

這個講稿送上去以後，隨即由於提名李元簇爲副總統候選人，而引起巨大的政治風波，並引出了嚴重的三月學生運動，應付維艱，講稿遂告擱置。似乎是在總統、副總統已經選出後，才由李總統在圓山飯店召集會議，討論演講稿的問題，參加者有蔣彥士、焦仁和、馬英九、孫震諸位先生和我。講稿已由焦仁和根據我的架構，重寫成總統講詞的用語和格調，加了一些可能是李總統要加入的較細節內容，刪掉了我認爲十分重要的「結束互相砍殺」的那些句子。題目則由馬英九改爲「開創中華民族的新時代」。差不多討論了一整天，都是些細微末節的小事，言不及義，這使我深感失望。李總統曾經爲了題目是「中華民族」抑或「中華民國」考慮了三個月，卻未找我談爲什麼用「中華民族」。我是希望他成爲中華民族的偉大總統，而不論他是在台灣或大陸，都是中華民族；而不要成爲一個二千一百萬人的、地方性的總統。

我寫文章由別人刪改，我一向都樂於接受，從不介意，這也是我的氣度之一。唯獨這一次刪去了「結束互相砍殺」這一句我認爲關鍵性的字句，心中不免耿耿。我不知道是誰主張要刪掉的，當場我也未堅持留下，默然接受，但卻爲失去了這一「歷史性」的字句而黯然。後來中共領導人江澤民在一九九五年初提出「江八點」時，便說出「中國人不打中國人」的話，更使我感到當時缺乏知音，由我方主動提出該多好，多有力量。另外一點令我不能滿意的，是加了一些社會福利措施之類的內容，將一個總統就職演講詞變成了一個行政院長的施政報告，與我想要媲美蓋茨堡演講詞的構想相去甚遠。

一九九〇年八月，考試院改組，我的考試委員任期屆滿，李總統原有意任命我爲考試院副院長，後因改組計畫未能依原設計進行，乃改派我爲考選部長，並召見當面說明原委。我欣然接受此一任命。我知道這一職位不能發揮我的專長，更不能展現我的平生抱負，但人已老去，壯志早已消沈，能有一出處，爲我的精力所能勝任，仍可爲國家社會做一點事，也是幸運。同時對李總統的好意安排，也表感謝。

一九九一年七、八月，李總統曾數次請我至總統府長談，對我們之間的友誼表示珍惜，對過去對他的支持表示感謝。要我提出文官制度的改革方案，並說他也要林洋港院長提出同樣的司法改革方案，他還說了一句使我非常開心的話：「我的總統就職演說的內容都是要實現的，不是隨便說的。」這當然包括建立文官制度在內，其要我準備擔任考試院長，意思極爲明顯。一九九二年四、五月，即傳出我將出任考試院長的消息。由於因廢除甲等考試問題，我與少數考試委員勢同水火，爭吵不休，李總統曾以私函明示我避免爭論，並含有改變職務之意。無奈局面已非我所能控制，考試委員仍纏鬥不休，甚至引起立法院法制委員會之同情與支持，事甚複雜，新職之事遂作罷。在整個爭論過程中，李總統均透過管道，對我表示支持，並請國民黨正副祕書長宋楚瑜、徐立德出面協調，可謂關懷備至。

一九九三年考試院改組，我職位未動。在此之前，監察院改組，亦一度傳出我將出任院長或副院長之事，據我所知，事出有因，但均未成事實。我以處境尷尬，曾一度上辭呈求去，希望改調閒職，未獲同意，後爲避免李總統的困擾，遂安於現職未再作其他打算。

一九九四年夏，司法院長林洋港去職已成定局，據悉我也是接任人選之一，總統府與總統有接觸的人士均告知我，我的職務會有變動，即總統官邸亦有此種氣氛，但未成事實，我亦未過問。事後，李總統召見我，告以新人選向他保證一年之內改革司法，如不成功即自動辭職，意在向我解釋何以未發表我的原因，我也若無其事地回應了事。對於此事，我從未表態。

我之所以列舉這些未成事實的「傳聞」，一方面證明李總統知道我是一個有強烈改革意圖的人，放在一個需要大幅改革的職位上，也許還能發揮一點作用，可見他用人自有其一定的標準與選擇；另一方面也顯示李總統終是一位頗爲忠厚念舊的人，不因其貴爲總統遂忘記布衣之交。而就我個人而言，則只要精力許可，職務在能力範圍之內，我亦樂於繼續爲國家服務。但在任何情形之下，我不會利用關係追求較高級職位，而尸位素餐，有違我的初衷。對李總統的念茲在茲，我心存感激。

自一九八九年惠蓀農場度假起算，至一九九六年李總統競選第九任總統以高票當選爲止，我們之間常有接觸，或是單獨被邀至官邸餐會，或是參加家庭禮拜，有一年正月初一還被邀至官邸與他家人一起度新年。但我們從不談個人職位及我的工作情形，也不談國家大事，純係閒話家常。我的工作若有困難，如法案不通過之類，向總統府求助，一定會辦到，他也時常暗中助我。每次餽贈的禮物如水果食品等都很名貴，我從不回禮，也不知道如何回禮。

據我的記憶，從交往以來，我只送過李總統兩次禮物。一次是一九九二年十二月二十一日他農曆七十大壽，兼且平日受他的餽贈太多了，但我仍是反應遲鈍，臨時才想起應該送點禮物表示祝賀之意，禮物必須有點價值，能夠保存作紀念，於是去金飾店買了一只金杯，價值不超過六萬元，在我的負擔能力之內。上面印了幾行字：

壽域同登，

日月爭輝。

並有一簡單的序文：「作榮與總統登輝先生訂交三十餘年，早年志向，頗相契合；晚年榮棣栟幪，尤賴領導。七十之年，榮將過四，而總統爲始滿，勳業方隆，光華正盛，因恭錄成語兩則爲總統壽」。祝詞中「壽域」兼有太平盛世與長壽雙解。結果李總統回給我及女兒梅君的禮超過我的禮物的價值。另一次則是一九九二年，我應浩然基金會之邀去澳門參加研討會，路過香港，買了一套普通品質的西裝料送給他，算是他出國常送禮物給我的回報。後來他送我一套西裝，是我這一生穿過品質最好的一套西裝，價值不菲。

我之所以敘述這些瑣事，也許有助於一般人士對李總統個性的了解。李總統也如一般人，其個性有缺點，也有優點，應作客觀的評斷，尤其不能出之以污衊造謠。

一九九六年三月二十三日，李總統以總投票數的五四%得票率，當選爲中華民國第九任總統，亦爲中華民族史上首次直選的國家元首。過不多久，李總統在總統府召見我，要我負責撰寫總統就職演講詞，後來應我之請求，提出其他共同撰稿人。我只提了傅棟成，其他人選則由總統指定爲張京育、杜正勝、吳靜吉、康寧祥、張溫波等先生。由總統府黃振福局長負聯絡責任。爲擬演講詞曾在官邸晚宴一次，總統指示三點內容：一、直選總統爲歷史上重大事件；二、將從事內政改革；三、著重文化重建。

以後由黃振福局長召集，在信義路聯勤總部集會三次。由我將前二次與會人士口頭與書面意見彙總，草成初稿，於第三次會議時宣讀，並聽取大家意見修改，成爲正式初稿，送呈總統，以後便未再接觸。不知總統交予哪些人修改後正式定稿，後來據說是余英時，但未能證實。定稿與初稿用語有若干差異，內容意義則相差不遠。其中值得一提的，是對大陸政策部分。李總統未曾有所指示，我遂寫了甲、乙兩案，甲案係我的意見，乙案係張京育、傅棟成意見。在甲案中曾提到：「並在雙方各自界定的一個中國，或經過雙方協議的一個中國前提下，參酌江澤民先生所提的八點與登輝所提的六點原則，進行和平談判，以建立中國長期統一的基礎。」

這裡所謂雙方各自界定的一個中國，即是兩代蔣總統所一直堅持，而現在多少仍在遵循的政策。那就是中共宣稱中華人民共和國代表全中國，我們稱中華民國代表全中國，在各說各話之下達成共識。所謂經過雙方協議的一個中國，我的意思是組織一個中華邦聯共和國，作爲統一的過渡形式。在這一段講稿中，並建議雙方領導人可以互訪。

後來正式發布的演講稿，關於對大陸政策部分，較我所寫的要開放很多，我想這是李總統的意見。於此可見李總統很有誠意謀求兩岸的和解，與致力於中國的統一。後來我在報上也看到李總統的一次正式談話，曾說到二十一世紀中國會統一的話。

由於我的年事已大，這一次演講稿的初稿由我來作彙總及定稿的工作，應當是我最後一次爲李總統作文字上的服務。

李總統有一次對我說，我的演講稿有點像社論體，這當然是有人向李總統表示，我未回應。早期我在政府服務時，曾爲陳誠、嚴家淦、尹仲容諸先生及其他部長級人物寫過無數次演講稿及政策聲明，怎麼會是社論體呢。我的文章特色是敘事簡潔流暢，說理氣盛理直，用語則典雅有力，可能不是四平八穩，不適合台閣體，則是真的。

大約在一九九六年的四月，即是在總統大選後不久，李總統曾面告我，要約我一起出外度假，商討一些國家重大問題，一如以前在惠蓀農場的情形，我當然很高興，我實在有很多意見想說。後來不知什麼原因未曾實現，但隨後邀請我與女兒梅君至官邸餐會，除他全家人外，無其他客人。無論在餐前及用餐時，李總統都說了很多話。我記憶中最重要的有三點：一、他要全力從事內政改革，希望我與他共同努力從事台灣現代化的工作，這本是我的素志，當然很高興。二、徵詢我對於中生代菁英份子的意見，我因茲事體大，說錯了會有不良影響，明白表示不願影響總統人事布局。只對每一位總統提到的人，作了簡單評語。三、關於人事布局，他想聽由中生代競爭。我聽了很高興，認爲李總統有民主素養，且無省籍觀念。

從這項談話後，我以爲李總統就任後，會對我個人出處的安排與我詳談，看如何方能幫助他進行現代化的工作。我也衷心希望他能派可靠的人，對我在考選部的政績作一翔實的評估，供作參考。當然，我自己也有一番打算。在我的心目中，無論是台灣或其他落後國家，想從事現代化最重要的著力點是文官制度與法治制度及精神的建立。有了這兩大革新後，其他無論採取自由經濟、政治，或威權經濟、政治，都能夠發展成爲現代國家，日本、新加坡、香港都是顯例。而建立文官制度在考試院，建立法治制度與精神則在司法院。所以改革的重點並不完全在行政院。以我的年齡與經歷來說，擔任考試院長，應是駕輕就熟；擔任司法院長，我也有一套從根挖起的改革腹案。只要李總統授我全權，給與支持，我一定不負所望。但是我不會明白表態我要任什麼職務，除非徵詢我的意見。

一九九六年六月十一日，考試院長邱創煥在晉見李總統後回來告訴我，李總統已面告他的位置不動，我將出任監察院長。十二日李總統召見我證實邱院長的話，我出任監察院長，並說了一句四年以後我們共進退。我說監察院長任期只剩下兩年五個月，總統不是說要我共同致力於台灣現代化的工作嗎？總統回答監察院的位子也很重要，你可去監察院大力整頓司法，兩年以後看你的成績再作安排。我未再表示意見。臨別時，李總統告訴我一句很有意思的話：「政局需要安定，司法是一股安定的力量。」其意若曰：「你的作風太強，去改革司法太猛，會影響大局安定。」李總統又送我到門邊，握著我的手說我們是老朋友了。我含笑一鞠躬告退。

其實，早在我晉見李總統前三日，報載李總統已在司法院長辭呈上批慰留，十一日邱院長也告訴我他會連任，所以不待晉見，我已知道我將接掌監察院。而監察院在李總統心目中，是一個「捉蚊子」的院，是一個無事可做的閒職，目的在安置我，而不是要我做事。這與他幾個月前面告我，要與我共同度假商討國家大計，要我與他共同致力於台灣現代化的話，及向我徵詢對中生代領導人的意見相去太遠了。這種急劇改變，我不知道原因何在，我也從不查問這類內幕新聞，猜想是與他接近的權力核心人士說了話，對我作了不利的批評。不過，對我個人而言，年事已大，繁重的革新工作已非健康所宜，投閒置散，安知不是上帝眷顧我。但以後他有好多重大措施，如能事前諮詢我的意見，而又能被接受，對他的處境與歷史地位也許有些幫助。

在台灣這種現狀之下，任何改革都會得罪人，而且結局總是被反改革，很難全身而退。我在事情未明朗以前，也曾嚴肅地想到這個問題，並反覆問自己，假如李總統請我擔任司法院長，是答應呢？還是不答應？如果答應，改革成功，對國家社會將是重大貢獻；如果不成功，則灰頭土臉，老年身心恐承受不了。現在李總統請我出任監察院長，擺明是個閒職，使我頗感輕鬆，也衷心感謝李總統對老友的體貼與安排。

自一九九八年初開始，有關方面一方面積極部署及展開連戰副總統二〇〇〇年的總統大選；

另一方面則對認爲是連戰潛在競爭對手的台灣省長宋楚瑜，發動黨政兩方面的猛烈攻擊，我對此深不以爲然。我認爲對整個中華民國的生存來說，最大的對手是中共；對政黨掌握執政權來說，最大的對手是民進黨。現在前者正在外交與軍事兩方面雙管齊下，力求在短期內夾殺中華民國；後者則已取得台灣的地方政權，只差一腳便可取得整個台灣的執政權，而那一腳已經跨進總統之路一半了。李總統作爲中華民國總統與執政黨主席，所應全力應付的是這兩種情勢，而不是宋楚瑜；所應該做的事是團結宋楚瑜及所有國民黨的力量，防禦中共，內制民進黨，以確保中華民國的生存及國民黨的執政權。否則，國家垮了，李總統便是亡國之君；國民黨執政權丟了，李主席便是辱黨之魁。兩者都會在歷史上留下洗不掉的惡名，試想李主席在當總統與國民黨主席十二年之後，竟然把政權弄丟了，或者搖搖欲墜，歷史學家該如何下筆記載，如何評估，這該是何等重大的事。我實在不願見到老友重蹈過去國民黨勇於內鬥而怯於外戰，以及內鬥內行，外鬥外行的傳統覆轍，於是透過管道希望單獨與李總統做一小時的談話，並要求予以記錄。我預備要談話的內容主要有下列三點：

一、不要過於重視總統與省長的身分，以非正式與親切的方式與宋楚瑜會面，解除過去的誤會，共議未來情勢的應付之策。請宋楚瑜搭檔連戰作爲副總統候選人。同時爲團結中生代，及平衡省籍政治資源，在連戰當選總統時，將國民黨主席一職給與宋楚瑜，並責成宋楚瑜徹底改革國民黨，擺脫目前列寧政黨的性質，走上民主政黨之路，爲台灣真正的民主政治建立良規。此外，要告知連戰，不要拘泥副總統比省長大這種想法，親自去拜訪宋楚瑜請求合作。無論總統、副總統在這一點上，都要展示出一種爲國家謀，爲政黨謀的氣度格局，不要有小眉小眼，爭什麼我大你小，你要來求我，向我認錯，這種不能成大事的想法。

在這裡，我要附帶地説幾句閒話。我一生親炙老一代與後生代大官多矣，我從他們的面貌表情上所得到的印象是，老一代大官很有尊嚴，很少驕傲，總統、行政院長及其他黨國元老重臣都是如此；而後生代大官則是驕傲多，尊嚴少。當然不是每一位都是這樣，但是有很大一部分是這樣。而尊嚴與驕傲是兩種不能相容的表情：尊嚴多，驕傲一定少；驕傲多，尊嚴一定少。你不會尊敬一個滿臉驕傲的人，但一定會尊敬一個有尊嚴的人。其實，總統、副總統、省長、縣市長、鄉鎮長雖有大小高低之分，只是職責大小的區分，行政層次上及儀式的等級之分。他們的權力與職務來源則是完全一樣——都是人民選舉出來的，不是官派的，彼此沒有隸屬關係。而在爲國家社會服務上，在人格上，則是完全平等。這就是民主政治。美國總統與州長的關係應是我們所熟悉的，可曾見到要求州長向總統認錯，或是總統要掌握州長的？可見我們的民主文化還在起步階段。

二、徹底檢討兩岸情勢，踏實地制定對大陸的基本政策。中共領導人不是如我們所想像的那樣憨憨的，大陸也不是如我們所想像的那樣腐敗、貧窮、無力，國際局勢也不是如我們所想像的那樣足以長期依賴；另一方面，我們的國力，包括軍事力量在內，也不如我們所想像的那樣堅強。所有這些都要重新估計。我們不能將大陸政策建立在我們一廂情願的想像上，我們也不能將國運寄託在外人的利益與均勢上，我們更不能將關起門來喊的強硬口號當成了我們的真正力量。

任何人都可以這樣想像，那是他們的自由，但是作爲國家領導人，或一般領導人，不能這樣想像。

三、未來國內外局勢都會遠較過去複雜艱難，我亟盼兩年以後李總統同時卸下總統與黨主席重擔，假如選舉能順利完成，便分別交給連戰與宋楚瑜，由中生代密切合作應付艱巨，李總統便可以優游林下了。

這是我自李登輝晉位總統以來，唯一一次非因職務上的關係，主動請求晉見總統，也是唯一一次主動想對國家大計提供意見，希望對大局有所助益，再盡一點老友的心意與責任。也許由於一九九八年三月一日《聯合報》刊載了對我的訪問紀錄，涉及李總統的一些談話，不爲李總統所接受，竟無回信。由於黨政雙方圍剿宋楚瑜的行動日趨激烈，我於是採取公開方式將我要向李總統表達的意見，於接受《中國時報》及以後各媒體的訪問，說出了一部分，希望藉此引起李總統的注意，出面阻止這種不必要的內鬥。不過，效果可能有限。我始終好奇明明可以化解、可以祥和地團結在一起共同奮鬥的事，爲什麼一定要鬥個不停，真的是李總統的意思嗎？還是他左右的人自作主張而李總統無力阻止？

回溯自一九六〇年，我因求才而親自拜訪當時的李登輝起，至李總統派任我出任監察院長爲止，前後三十餘年。我們之間始終維持君子之交，很淡泊，也很親切，全始全終。我眼見他一步一步走上總統之路，我尊敬他是國家元首，更期盼老友做一個偉大的總統。我從不想進入他的權力核心，他也從不安排我進入他的權力核心。如果有些遺憾的話，那便是我亟想成爲台灣現代化的總設計師，這是爲了國家利益，也是爲了展布我個人的終生抱負，而這是一個不居高位，也無權力的純用腦力的工作，即是小說中搖鵝毛扇的工作，可惜李總統從未注意到我的這點長處與抱負，也許注意到而不願給與我。而我的態度則始終如一：隨緣。我們之間的友誼，可以說是緣起緣滿，在我這一方面畫下了美好的休止符。

第三十六章 期望殷切

作爲一個老友，尤其作爲中華民國國民的一份子，更作爲一個中國人，我對李登輝在擔任總統後，期望是很殷切的。這有三個理由：

一、先就私人關係來說，我們相交多年，我當然期望他做一個偉大的總統，留名青史。所謂時勢造英雄，如果是在一個非常進步民主的國家，而又是太平盛世，則即使是一個非常不平凡的人才，也只能做一個平凡的總統，不能有所作爲。但台灣不是，我們缺乏民主、法治，我們生活富裕，而生活品質奇差，一切現象都顯示我們仍是一個落後社會，較之西方進步國家相差太遠，被人看不起。處在這種環境之下，正是一個有雄心遠圖的人，大有可爲之時，而且有足夠的條件可爲。過去的人是沒有這樣的條件可爲，也不知道如何可爲，現在李總統則不然，因此期盼李總統能乘勢有所爲。此外，我也期望李總統能以高瞻遠矚的氣魄，打破兩岸僵局，建立可行可久的穩定關係。這些都是時勢造英雄的好機會。

二、自中華民國肇建以來，除臨時大總統孫中山先生外，李總統爲唯一接受西方教育，親身體驗民主社會生活而又握有實權的文人總統，因之我對他的期望殷切。胡適在大陸時期常說，中國之所以亂，就在於好人沒有掌權。現在以具有這樣背景的李總統掌權，當然希望能在他領導下使台灣走上現代民主、法治、富強之路。

三、也是我的一點私心，我自小學時代起，便經常上街遊行，口呼打倒帝國主義。一直到一九四五年對日抗戰勝利爲止，所親眼目睹的都是帝國主義者，特別是日、俄、英、法等國不斷侵占中國土地，殺戮中國人民，侮辱中國國格，藐視中國主權，而且各自在中國畫分勢力範圍，冀圖瓜分中國。他們有一個共同的心理狀態，就是打從心底起，看不起中國人，把中國人當豬看待。這是一個有悠久文化的中國人所不能忍受的。我們在大陸出生的這一代中國人，都希望中國富強起來，而我尤其盼望中國趕快現代化。大陸撤守，我便移情台灣，希望在中國的這一塊土地上能夠現代化，只要一讀我的全集，便可知道我期盼之殷切。無奈我的職位始終使我的期望遙不可及。現在李總統當權執政，至少使台灣現代化的想法應該與我相同，因此也是移情作用，期望李總統能領導台灣走上現代化之路。

基於這些理由，在李總統接位後，我的第一篇有關他的文章，便是〈要做偉大的總統，不做有權力的總統〉。

前面曾提到這一篇社論似乎未爲李總統所接受，關鍵在於他懷疑總統沒有權力，如何做事和偉大。其實，我的意思是總統一定會有權力，看其如何運用而已。如運用得當，便是有權力而偉大的總統；如運用不得當，便是只有權力而不偉大的總統。中外歷史上，多的是有權力而不偉大的總統，中國的袁世凱便是一個很好的例證。袁世凱的權力非常大，但沒有人會認爲他偉大；毛澤東則是另一個例證。至於外國，以美國爲例，美國憲法賦予總統的權力是很大的，但偉大的總統屈指可數。至於史達林、希特勒之流都是權力大得出奇的元首，但都是禍國殃民的敗類。

我在這一篇社論中，期許李總統釐清憲法上總統與行政院的權責、黨與政的分際，及放開胸襟用人，並特別指出老總統能「宥人」，即是能寬恕與用敵人。而求才、用才、信才，必須以全國爲對象，不能限於一個小圈子，這叫做天下爲公。不幸這些都是後來政敵攻擊李總統的重要藉口，可見我寫這篇社論不是輕易下筆，實在是有所見而爲老友謀。

之後在惠蓀農場的談話，我也是保持同一立場與期望，可惜事隔多年，詳細内容我已記不清楚，只記得兩個重點，在前面已經提到。嗣後奉命草擬政策大綱，我就十分詳盡地提出了我的意見，也是我對李總統的期望（請參閱附錄十）。

這建議連同前述社論及惠蓀農場談話内容，重要部分都納入了第八任總統就職演講稿中。綜合而言，對李總統的期望可歸納爲下面六點：

一、建立民主政治制度。在前面曾提到，在他就職後不久，我就寫社論希望他回歸憲法，遵守憲法，改革黨政關係，不要再以黨領政。隨後在惠蓀農場度假時，我又再度進言：「中國最缺乏的是民主政治，總統如果能在台灣建立民主政治，必將在中華民族史上留名。」

我深知權力會使人在不知不覺間腐化，正如英國學者阿克頓爵士的名言：「權力使人腐化；

絕對的權力，絕對的腐化。」我要在此加上一句，絕對權力最後會使人瘋狂，如希特勒、史達林、毛澤東。我擔心李總統在台灣數十年威權統治之下，耳濡目染，自然走上威權之路。故在前述社論中，特別提出美國國父華盛頓總統的例子。華盛頓可以做終生的國王，也可以做終生的總統，但都薄而不為，以休休有容的氣度，聽任其過去的部屬與追隨者熱烈的爭論、對抗、妥協、容忍，而制定出一部民主憲法，歷時兩百餘年而仍能受到全民的擁護，順利運作。自己則在八年兩任總統任期屆滿之日，飄然引退，為民主政治樹立楷模，也為民主政治奠立基礎，更使民主精神深入美國社會的骨髓。但從未聽說華盛頓是個有權力的總統，當然更不是威權總統了，而華盛頓之偉大，則為全世界人民所共仰。

事實上，國父孫中山先生亦有類似的氣質，惜乎生不逢時，未能有機會表現而已，然而其追求國家民主與現代化的精神與所作的努力犧牲，仍贏得全中國人的敬仰與追憶。

我勸李總統回歸憲法，也就是採行總統保有一部分權力的內閣制。這是針對中華民族的民族性與現實環境所設計的一套制度，切合現實而又富於未來民主發展的理想，實在是當時設計者學驗俱豐的智慧結晶。我們都知道全人類有三大愛：一愛名位，二愛權力，三愛財富，而以中國人表現得最為凸出醜惡。在現代社會，不能做皇帝，那麼做官就必須要做到大總統。在現代社會，講求權力制衡，但大丈夫豈可一日無權，有權又豈可受制於人。中華民國憲法的設計人，因知道總統制或內閣制都是民主政治，但都不能滿足中國人的需要，於是便設計出一套制度：要做大總統又要權力，可以，但是大總統配以小權力；要攬大權，可以，但是大權力配以小名位——行政院長。形成大名位小權力，大權力小名位的配合，再加上立法部門的制衡，於是名位、權力、民主都有了。如果大名位配上大權力，則不是成了皇帝，便是成了希特勒、史達林之流。不幸兩代蔣總統都是既要大名位，又要大權力的人，於是便制定出一個動員戡亂時期臨時條款，以求兩者兼得，而以臨時條款遮掩欺蒙國人耳目，終於形成威權統治數十年，而且是父傳子，然而於今安在哉！

我勸李總統回歸憲法，勸他做偉大的總統，不做有權力的總統，就是希望他能以大總統而安於小權力。後來擬訂他第八任總統施政大綱中，也提出了一條：「確立內閣制，並制定行政與立法互相制衡之條款（省市縣亦應制定行政與議會互相制衡辦法）」，是因爲原憲法中疏漏了這一制衡機能的設計，必將貽害無窮，在當時老國民大會的情形下，加上立法院可以倒閣，而行政院可以報請總統解散立法院的條文，可說僅是舉手之勞而已，可惜李總統看不出其重要性，或根本未看。當時如果加上這一條，就是一個非常完備並適合國情的憲法了：要名位的有名位，要權力的有權力，要民主的有民主，不會出現有皇帝總統或大獨裁者的可能性。

二、要做中華民國總統，不做台灣總統。我在一九八九年惠蓀農場度假時，即曾作此表示，我的理由何在，當時並未詳細說明。以後我在草擬第八任總統就職講稿時的題目——〈爲中華民族開創一個新時代〉，也是同一用意。我是誠懇地期望李總統：

㈠中華民國是曾經統治過全中國一千萬平方公里疆域的政府，也是領導六億人民與日本血戰八年終於湔雪國恥，收復失地的一個政府，於今雖然困居小島，統轄權僅及於台、澎、金、馬，然格局應該猶在，敗家之子，應該不失大家風範。不宜降志辱國，據島稱王，而仍應有逐鹿中原的雄心，所謂敗不喪志。

㈡唯有在此一基礎上，才有充分理由與中共在國內外分庭抗禮，處於平等地位，也有與中共討價還價的身分及依據，而且也會為中共所容忍。尤其對海內外中國人而言，他們只能說我們是戰敗者，不能說我們是叛亂者，搞台灣獨立者。否則，我們將面對十幾億海內外中國人的強烈反對，而中共也必將立即動武。

㈢如前所云，兩代蔣總統都知道此刻不能返回大陸，希望政權本土化，將中華民國與中國國民黨在台灣生根，以待他日重返故國的機會，不致成為亡國滅黨的罪人。經國先生晚年全力培植李登輝，其目的亦在此，動機至為明顯。如果中華民國與中國國民黨在李總統手上丟掉，則不但證明經國先生所託非人，而且李總統有負所託，作為一名基督徒，良知亦將終生不安。

㈣我個人的私衷。我從兒時起，就喜讀歷史、地理。讀地理，所面對的是千萬平方公里的錦繡河山，高山大川，縱橫原野。讀歷史，則是綿延五千年而仍在繁榮滋長的文明古國。其文物風土、典章制度，都能在全世界人類中自成格局，而且影響遠及於東北亞與東南亞諸國，流風餘韻，迄今猶存。這樣的一個祖國，豈可輕言拋棄。

三、致力於族羣的融合。這與要做中華民國總統或是台灣總統有密切關係。我在一篇文章中曾經說過：過去政權在外省人手中，當局者便必須要遷就本省人；現在政權在本省人手中，當局者便必須要遷就外省人。說一句很不好聽，但十分逼真的話：在老總統時代，要殺異議份子的頭，外省人先殺；在經國先生時代，要提拔菁英份子做官，本省人先做，要不然，李總統如何能出頭。凡是懂得一點治術及了解實況的人，都應該知道我上面的兩句話，是爲了台灣好，而不是在爲外省人說話，爭什麼權力。台灣現在有三百萬外省人，這三百萬人背向中共，面向台灣；與面向中共，背向台灣，一加一減之間，是六百萬，再加上這些人海外親友的影響，其力量不可謂不大。在此大敵當前，需要內部凝聚力量之際，當局者豈可忽視。

我在爲李總統草擬就職第八任總統的施政大綱中，曾有一段話說明民意代表應設立大陸代表制之理由。無論如何，現政府爲繼承大陸政府而來，此血脈不可斷，政治號召不可不顧，若干年後再視實際情形廢除大陸代表制。內閣人事安排及軍方將領之處理，亦應作同樣考慮。這些話同時說明了，我希望李總統做中華民國總統，與如何致力於族羣融合的用意。總之，我是希望李總統做全民的總統，不要僅做本省人的總統。

這對李總統與本省人而言，所捨棄的不過是少許空職位官銜，而換來的則是族羣和諧與一致對外，正是所付出的代價何其小，而所得到的收穫又何其大，凡有遠見的政治人物都應了解與做到這一點。兩代蔣總統即是如此。李總統雖然兩次向我表明他不是台獨，但省籍情結卻十分濃厚，不到十年，重要位置幾全換爲本省人，外省菁英可說淘汰淨盡，無一外省人進入權力核心，一旦國家有事，其影響如何，實難逆料，這正如我當年說經國先生的，自我製造敵人。

四、致力內政改革，建設現代台灣。一個國家的真正國力來自內政，內政健全，便可延伸到國防、外交等方面，而使總國力大幅提升。內政也是與全體人民的切身利害密切相關，內政健全，才能得到全民的真誠擁護，而政權才不會喪失。而促進中國現代化是我的素志，遷台以來，則無時無刻不曾想到如何使台灣現代化，而現代化的起點就是內政。因此我曾書面地或口頭地，或公開寫文章，向李總統建議將施政重點放在內政上。

內政改革，千頭萬緒，比辦外交要困難得多，必須慎選適當的人才擔負此項重任，也要能抓住重點，才能克竟全功。所謂抓住重點，主要是指建立文官制度及進行司法系統的徹底革新，包括審判、檢察、調查、警察，我在前面已經提到了。由於我重複提到健全文官制度的重要性，曾引起李總統的不悅。現在李總統雖然已經感覺到內政改革的重要性，但恐為時已晚了。

五、建立可行的大陸政策與溝通管道。錢復講過一句話，大意是：「大陸政策優先於外交政策。」這即是說沒有良好可行的大陸政策，使中共減少對我方的猜疑與敵視態度，外交便不容易有重大的突破。其實，何止外交，從較長期的觀點看，一個猜疑敵對的中共政權，必然是台灣安全、安定與繁榮的嚴重威脅。這不是關在台灣之內喊口號、舉拳頭的問題，而是雙方總國力對比的問題。這所謂總國力當然包括軍力與國際關係在內。而對比之下，我們顯然居於劣勢。因此我極端希望李總統能以其權力與聲望，在任內與中共建立一個可以溝通的管道，及雙方都可以接受和平共存的架構。我認為這是可以做到的。

我之所以作此判斷，是因為台灣問題對中共而言，並不是列為最優先重視的問題，也沒有以武力解決的打算。假如我方採取較低的姿態，不去刺激中共，讓中共有充分的理由對其國內、對國際，甚至對歷史有交代，那麼維持較長期的和平共存，或者說維持現狀就有絕對的可能。但是現在則情況完全轉變了。我不能確定假如我方現在採取我在〈政策大綱〉中所作的建議，是否就能改變中共的態度。但我可以確定，繼續採取現行大陸政策，必會爲台灣帶來災難。

六、培養人才。無論是直接向李總統提出的建言，或是公開發表的文章，我都極力強調培養人才的重要。「得人者昌，失人者亡」，固然是指人心，但也可移用於人才。僅以中國的歷史來說，一、二人才的得失，往往關係一個朝代的興亡，而人才薈萃之時，則必然是勝朝郅世。但人才是很難得的，才難，才難，古今中外同慨。

政府人才分兩種：一種是決大疑，定大計，眼光遠大，氣宇恢弘的政治領導人才，一種是勤政愛民，奉公守法，具有現代知識的吏治或行政人才，也就是我常說的文官。對於文官的培養拔擢，幾乎所有現代進步國家都有一套完備的制度，不難移植模仿。遠的不說，近的如日本、新加坡、香港就足以取法。而我們卻偏偏做不到，我們的文官制度，不客氣地說，在特權侵蝕與政府及社會大眾一知半解之下，只有用支離破碎來形容。

至於政治領導人才的培養，那就困難多了。所謂「十年樹木，百年樹人」，當然不是說培養一個人才要一百年，而是秉持國家大權的政治人物以及位居領導地位的知識份子，要能爲國家、爲社會、爲政府營造一種環境，培養一種氣氛，有利於這樣人才的產生、成長，最後能脫穎而出，爲世所用。而這種環境與氣氛都需要長時間的耕耘，這即是所謂養才。這種培養出來的人才都是稀有動物，方有才難之歎。以政治領導人才來說，我們常將做大官者，特別是已做大官或即將做大官的中生代，說是人才，其實不是。他們最多稱之爲幹才，不是人才。放眼當前政治、社會、學術領導人物，能稱之爲人才的，可說百不得一，而縱然有，也未必被用。不然，台灣不致於到現在，還是落後，還是被外國人看不起，特別是美國人與日本人。

現在，讓我以我的標準，來衡評兩代蔣總統對人才的態度，不一定正確，但很有趣。一般來說，老總統能求才、識才、用才、宥才；經國先生也能求才、用才，但不識才，尤其不能宥才。兩代蔣總統都不知道如何養才。老總統以爲辦訓練班就是養才，其實這是培養幹部，不是爲國家養才。至於經國先生則連訓練班也懶得舉辦了。這點我們遠不如清朝的翰林院爲國養才的制度，真令人汗顏。老總統生平還是用了很多人才，主要得力於他能宥才，雖然也有例外。但一般而言，他頗能曲宥人才的錯誤，更能不計前嫌地用人，甚至用到以前敵對他的人。這一點經國先生就差得遠，一言相忤，切齒終身，他對徐復觀及很多他從前的親密戰友，就是很好的例證。

兩代蔣總統都不信才。用才而不能信任，人才終不會爲其所用。以老總統來說，能進入權力核心的，多限於江浙同鄉、皇親國戚及世家子弟與學生。經國先生信任的範圍則更是狹窄，終其一生，對他所認爲的人才，都在觀察試用之中，再加上不能宥才。是以兩代蔣總統到晚年都無人可用，只有信任自己的兒子，而連託孤都找不到人，真是悲哀。但老總統無論在大陸與在台灣，還是用了很多人才的，其格局要比經國先生大得多。

我要在此特別指出的，我所謂的人才，係指國家的人才；而當局者也應是爲國養才，爲國舉才，爲國用才，不是指搞私人派系，培養私人幹部，以求掌握自己的政權，這點十分重要。

李總統掌握政權在十年以上，應該有足夠的時間爲國家建立養才的制度，更應該可以建立求才的管道，也可以放手地用才、信才，特別是宥才。假如是真人才，縱然忤逆己意，或認爲其犯有錯誤，也當一笑置之。尤其更應該不問省籍，不問來路，只要是人才，就放手爲國家所用。我當然知道一些李總統的個性，所以在他剛就職時，我所寫的〈要做偉大的總統，不做有權力的總統〉一文中，就提出進用人才的建議，以及我不惜就這一點反覆陳詞，可見我對李總統期望之高。但李總統用人的路線卻愈來愈窄，最後陷於中生代的卡位戰難以自拔，而重大問題，連找三、兩個可以商量的老朋友都沒有，實出意外。我可以說，凡屬積極卡位的，絕非真人才，真人才絕不屑於卡位。而作爲一國元首，一定要有幾個平起平坐的老朋友，可以商酌國家大事。老總統一直都有；經國先生就只有一個黃少谷，偶爾也諮詢其他同輩。李總統有沒有這樣的人，我不知道。

在這裡，我要附帶說一個故事。前面曾經提到一九七〇年代初期，杭立武主持國際關係研究所（後改組為中心），設立外交、經濟兩組，負責提供政策意見給經國先生，我是經濟組實際主持人，李登輝也是成員之一，當他就任總統後，很快地也在國際關係研究中心成立了四個小組，負責爲他研究問題，提供意見。不知是他本人的意思或是其他參加人的意思，竟然將我這個識途老馬排除在外，幾年以後才風聞有此一組織，我當然不會去查問是怎麼一回事，一笑置之。可惜的是，假如這一組織由我負責，我自有此器識與格局，爲李總統尋覓一批人才，經過歷練、觀察與淘汰，可以培養出一些人才，爲他所用。我一直都不知道原因何在，也許是我的作風太強勢了，強勢到人見人怕，當然也可能有其他因素，特別是省籍問題。我逐漸發現李總統對我不能推心置腹地信任，我也因而謹慎自守，不想進入他的權力核心。但這是李總統與國家的損失。

總結我前面的話，人生難得有一個握有大權的總統朋友，我多麼期望李總統放寬心胸，擴大格局，拋棄省籍情結，不與中共形成對抗局面，做一個中華民國的大總統，運用十年以上的總統權力，專心於內政改革，建立制度，培育人才，建設台、澎、金、馬成爲一個民主、自由、法治、和諧、繁榮，徹底現代化的地區，讓那些打從心底看不起中國人的美國人、英國人、日本人對中國人改觀，一雪過去一個半世紀的恥辱，也可使李總統對中華民族的貢獻長留青史。同時，我的一個自私的願望也可實現，那就是從我大學時代開始，想使中國現代化的願望，能藉李總統之手，至少能在台、澎、金、馬地區實現。所有這些都可從我爲李總統所撰寫的文稿中，與公開發表的文章中，顯示得十分清楚。

然而李總統卻陷入了所謂的台灣人四百年的悲情世界的思維中，丟掉了這千載難逢「時勢造英雄」的機會，實爲老友惋惜。

李總統作爲一位全民的總統，最好像我一樣，從內心就沒有省籍觀念。縱使有，也只有自我抑制。作爲一位全民的總統，絕無自由發洩個人的族羣情緒。試想，美國總統如表現出對少數族羣有何不當言辭或行爲，其結果該如何?即使是無意識的，後果之嚴重性都難以想像。

第三十七章　崎嶇之路

李登輝的總統之路，走來可謂崎嶇難行。十餘年來，政爭不斷，其終能穩住大局，未造成重大混亂，應歸功於他所推行的民主政治制度，及兩代蔣總統所奠立的富裕經濟基礎。當然，與他是本省人也有重大關係。政爭發生的原因，有外在的客觀環境，也有主觀的個人因素。茲簡析於下。

就外在環境來說，任何威權政體，在其掌權的領導人物逝世後，就必然會發生爭奪權位的鬥爭，中華民國並無例外。不錯，經國先生繼承大位並未發生任何政爭，但那是兩代蔣總統慘淡經營達二十餘年的結果。遠在大陸時代，老總統就蓄意培植經國先生，且已有相當實力。遷台以後，更是積極培植，不遺餘力。一方面，凡有礙於經國先生接班之人物，如不能收爲己用，便必然予以清除，以致根本無競爭者存在。另一方面，則使經國先生歷經各種要職，增加其經驗，提升其聲望，並廣建人脈，逐步掌握特、軍、黨、政大權。迨至老總統逝世，接位已水到渠成，經過一定憲法程序後，自然便入繼大統。

此外，經國先生在經歷長期培訓磨練後，個人思想、言行、智慧均已完全圓熟，對於應付國內政局、大陸情勢及國際關係，可說得心應手，毫無窒礙。是以在其任內，歷經國內外重大風波，屢危國本，均能平穩度過。在這種情形之下，自無政爭之可言。

李總統完全不是這種情形。其出身背景僅是一位具有專業學識素養的學者與中層技術官僚，經國先生屬意其為國家接班人，蓄意予以培植及建立人脈與聲望，為時甚短，而且並未完全放手釋權。經國先生對於黨、軍、特等權至死未放鬆，即使在內政、外交方面有所託付，亦因時間不長，成效威望未著。而統領國政所必須的一些經歷、鍛鍊與人脈關係，亦由於時間過短而有所不足。如此接班，自然備感艱難。

另一方面，外省籍部分兩代蔣總統的追隨者，久附權勢，習於蔣家領導及分享蔣家權力，驟遭變化，心有未甘，而眷戀故主之情則隨個人遭遇之失意而日增，於是集怨憤於李總統實乃必然之事。再加上毋庸諱言的省籍情結，政爭於是加劇，誠為不幸。

現在再來看個人因素。這與李總統的治國作風有密切的關係，而作風又緣於個性：一、本質上，李總統是一位具有宗教信仰，厚道而有倫理的人。二、知道懷恩但亦宿怨，報恩亦報怨。三、能忍而難容。四、敏感而自信，因敏感而誤解人，因自信而為人誤解。掌權愈久，左右逢迎者愈多，此種特性愈顯，非常誤事。五、喜怒情緒有諸內而形諸外，晚年雖有克制，成效不彰。六、有堅持亦有妥協，因此有強烈之改革企圖，但不是一個堅強的改革者；有熱烈的革命情懷，但不是一個壯烈的革命者，也因此在威權動亂時代得以始終保全，終於脫穎而出。七、待人雖誠爽，但亦用謀略。八、富智謀而有欠周延，因自負甚高而喜出奇謀，但出奇未必能制勝，反而外樹強敵，內啓鬥爭，迄無寧日。大好人力、物力、時間本可用於內政改革與建設，締造一現代台灣者，都告虛擲，失去一造英雄之時勢，殊爲可惜。九、有國際視野，但更多地方情結。十、雖博覽羣籍，但頗受專業訓練背景限制。十一、熟知日本情形，深受日本文化及習俗傳統影響，但對中國歷史文化興趣不高，更少具有中國文化傳統，亦不熟悉中華民族的民族性及中國國情。十二、自幼接受現代教育，兩度赴美留學，且獲有博士學位，但鄉土性格十分強烈，對西方文化感染不深。十三、富於想像而格局不大。十四、有雄圖遠略之志，而器識不相稱。十五、多拚鬥精神，而少沈潛功夫。這樣多文化的性格很難以一、二句話來概括，也很難使人完全了解，特別是將這些性格反映在國事上時，便更難了解。

而尤其容易爲人誤解，特別是爲外省人所誤解的，是他常將中華民國總統身分與台灣人情結混淆在一起，也常將政治人物與學者性格混淆在一起，而產生的許多言詞與作爲。舉例來說，他與司馬遼太郎的談話，如果從中華民國總統的身分來看，顯然不適當，必然會引起誤解與責難，判定他排斥中國的歷史與文化，自外於中華民國與中國國民黨的政治傳承，因而懷疑他是台獨。但是如果從台灣人情結的觀點來看，則他所敘說的都是一個年長台灣人的親身經歷與感受，都是事實。如果李總統是一個普通的台灣人，或是一位台灣省籍的學者，來做這樣的私人性質的談話，則無人會有所誤解及加以嚴苛的指責，最多說他本土意識較濃，或者是書生之見，很可能還會博取許多同情。但是他是中華民國總統兼中國國民黨的主席，這兩個職位都是全中國性的，都是高度政治性的，因而他的一言一行都是代表中國的，不是代表台灣的；都是政治性的，不是學術性的，那就絕對不宜公開發表這種談話了。

假如再進一步分析，李總統已經是一位全國性的政治人物，而且極有可能成爲中國歷史上大政治家之一，則這種狹窄的台灣人情結與職業上的學者習性，應該儘量地克制、洗煉、沈澱，終於消失。這是一套自我塑造成爲一個歷史性偉大人物的修身克己工夫，如能做到，便是史書上所稱的一代英明之主，而氣象萬千了，無論最終結局是成是敗，都會對後世造成影響，名傳後世。反之，便不能脫離地方性的小格局與地方性的人物，即使全面成功，在歷史上也難有分量，或者分量有限。

就自我塑造成爲一個歷史性偉大人物來說，老總統做得最爲成功。以老總統的出身及青年時期的作爲，無論如何都很難成爲全國性的領袖及民族英雄。然而他折節下士，下帷苦讀，廣泛吸收新舊知識，不斷放寬胸襟，擴大視野，日積月累，終於自我塑造成全國領袖氣象，進而成爲國際領袖之一。無論對其評價如何，其在中國歷史上的民族英雄地位將不可動搖。

寫到這裡，我又要說幾句閒話。據我讀歷史及觀察當今人物的結果，一個建立不世之勳業，留名青史的國家元首，百分之七十靠天才，百分之三十靠後天磨練，所謂「天縱聖明」是也。漢高祖、明太祖、老總統都沒有受什麼教育，讀多少書，而且出身都非常低下，然而都能創造一番驚天動地的事業，打下一片天下。

李總統這種身分混淆的情形，還可從下面幾個例子看出來：

一、二二八事件。對日抗戰勝利後，中央政府所派的接收敵僞（指日人及與日本合作之僞政府與漢奸）產業的人員，有相當部分都是貪官污吏與不肖份子，藉機侵占掠奪，橫行無忌，甚至殃及無辜，政府完全失控。連首善之區的南京、上海、北平、天津等地都難倖免，台灣時爲邊疆地區，自難例外。而戰後生產凋敝，物資缺乏，惡性通貨膨脹，失業嚴重，民不聊生，則更是世界性的，中國包括台灣在內受戰禍尤爲慘烈，問題更形嚴重。這些因素加在一起，導致人民對中央政府的普遍不滿，卒因之而失去大陸政權。

台灣人民已習慣於日人法治與有秩序之生活，自更難忍受，因偶發小事件起而反抗，乃情理之常。當時長官陳儀爲中央政府對台灣所能派出之最佳人選，留學日本，曾長期任職福建省主席，熟悉閩、台人性風土，清廉且富於新思想，事件發生時，其所採取之因應措施並無不當。如果民眾方面能稍加抑制，事件即可平息。不料爲少數暴烈份子所操縱，演變成要求脫離中央政府及以日式軍隊組織武裝叛亂，濫殺及大量囚困外省籍人民，迫使中央政府亦以軍隊平亂。事後亦濫行逮捕及殺害本省籍人民，悲劇於焉造成。本省籍罹難者有一部分爲與中央軍作戰時陣亡者。所有這些事實經過情形，無論官方及民間都有很多記載，而民間記載中不乏親身經歷目睹者。例如台籍旅日教授戴國煇先生爲一愛國有良知之學者，其與葉芸芸女士合著之《愛憎二二八》，對此一事件便有真實客觀之敘述。

熟知中國歷史的人，便會知道這是典型的官逼——民反——鎮壓三部曲。中國三千年信史中，無時無之；一千萬平方公里土地上，無地無之。民反而成功，便是爲王；民反而失敗，便是爲寇。而無論成王敗寇，民反一定會濫殺無辜，鎮壓也一定會濫殺無辜，二二八事件沒有例外。我的本省籍兩位友人，一位是政府特任大員，現已謝世，一位是海外著名學人，現已回國，兩位也都是李總統的好友，曾經告訴我兩件他們分別目睹外省籍無辜人民一爲孕婦，一爲兒童被慘殺的事，我不願在此引述。所幸究竟是二十世紀的文明社會，同時中央政府對於邊疆地區一向都採取安撫政策，事件發生後，自老總統以下都表示嚴重關切，立派大員來台處理，未釀成大災難。

對於此一事件，李總統宜以中華民國總統身分，聘請幾位公正人士如戴國煇先生者，就此一事件發生背景、經過及結果作一公正調查敘述，政府據以發布一道聲明，對「所有無辜」受難者表示哀悼，對他們的遺屬表示道歉，並予以適當補償。這裡要特別強調指出「所有」，係概指本省及外省籍受難者，「無辜」係指不曾貪污侵占、參與武裝叛亂而被濫殺者。如果僅提本省籍所有受難者，而不及外省籍無辜者，就難免有省籍情結與偏見，而使外省人感到不平與受歧視。但李總統在處理二二八事件平反的整個過程中，似乎未有片言隻字提到外省人無辜受難及如何賠償的問題，至少我個人沒有看到。李總統作爲中華民國的總統，應該是全民的總統，如不提外省籍無辜受難者，便難免引起外省人的疑慮與不平，而這原本是可以避免的。不必付出任何有形或無形代價，只是口頭輕輕提一句外省籍受難者，便可贏得多少外省人的歸心與擁戴。講權術，這就是權術。李總統左右實在無人。

二、國語與台語。中國幅員廣大，民族複雜，文字絕大部分統一，語言則頗爲分歧。幾乎每一省都有令人難懂的方言，同省之人或甚至鄰縣之人都可能有溝通的困難。在清朝時代，所有朝臣都必須講中國標準語，以便皇帝與朝臣彼此之間能互相溝通，那時稱之爲官話；民國以後，一度稱普通話、北京話，後採爲全國共同語言，稱爲國語。這即是國語的由來，所以國語並非單獨哪一個地方的方言，而是全國或所有中國人通用的語言。推行國語，並非對方言有所歧視或輕視。政策性地推行國語，也並非自台灣光復始，而是自清末就已開始的。陳儀在大陸時期任福建省主席，就曾在福建推行國語。在政府撤離大陸以前，由於國民教育並不普及，故推行成效不彰。但中共卻強力推行，現在大陸即使最偏遠地區的人民，亦能說國語。在海外，如東南亞、新加坡亦均能以國語交談。故國語已成爲中國人共同的語言。

台灣光復，中央政府在台灣推行國語，原爲在全國推行國語政策的一環，絕無歧視或輕視台灣母語之意，可能由於推行方式有偏差而引起反感，誠屬遺憾。但台灣已收到豐碩成果，現在在大陸投資、貿易及觀光旅遊的台籍人士，無一人有語言上溝通的困難。曾在報上讀到一位本省籍觀光客的投書，說他遠至新疆邊境，都能以國語交談，因而感謝當年政府推行國語的政策。前面說過，我講的是一般人能懂得我的母語，不是標準國語，腔調很難聽，我從不聽我自己的錄音帶，我生平許多憾事之一，便是不能講標準國語。我的母語是帶有地方腔調的官話，據胡適之先生統計，全中國百分之七十五的人民都講這種帶有各地方腔調的官話。這對推行國語有很大幫助，也是使文章與口語一致的基礎。

李登輝作爲中華民國總統，仍應致力於推行國語政策，並鼓勵講國語，但不必像過去那樣有偏差。至於台灣母語，應聽其自然地延續下去。事實上，現在所有中國人講的話，都已非兩千多年前的古音或母語，據說只有閩南語比較接近古音。

三、一九九五年國慶晚會。我很少受邀參加國慶晚會，該年接到請帖帶著女兒參加了國慶晚會，但整個節目幾乎全部是台灣地方性表演，各節目主持人亦是本省籍。這種安排適合於台灣省國慶晚會或是光復節慶祝晚會，但絕不適合於中華民國國慶晚會。出席的賓客外省籍高級官員與知名人士寥寥無幾，幾乎全是本省籍。對我這個毫無省籍觀念的人來說，都有異樣感覺，遑論他人。當然，這絕非是李總統的安排。我還發現這幾年各方面都在蓄意地排斥或消滅中國意識與中國文化，強化台灣意識與台灣地方性的文化，企圖從根本上做到台灣獨立。

以上這三個例證說明了有些措施確實有所偏差，不必要地傷害了外省籍人士的情感，徒然增加省籍情結，破壞內部的團結。只要稍加調整，即可化解或避免這種情結，消除無數的誤解，且不妨礙政府本土化政策及相關問題的解決。這只不過是舉例而已，類似的事例甚多，實令人不解。

即是由於這兩個重大因素，使得原本可以避免或減輕的省籍衝突，與因此而引起的政爭，綿延不斷，而且有愈演愈烈的趨勢，還波及海外。大敵當前而內鬥不已，這是亡國的徵兆。另一方面，雖然李總統仍能掌握全局，政權看似未受立即的影響，但已耗去其任內大部分的時間與精力，不能用之於內政的革新上，這種損失亦難以估計。

李總統的政爭在一九八九年六月李煥組閣後，即已開始，府院之間關係不斷惡化，外間傳聞不斷。而政爭的白熱化與表面化，則起於一九九〇年初提名李元簇先生爲副總統候選人，這是李總統低估了政治生態，與忽視了中國人特別重視的政治倫理。副元首的位置非比尋常，必定要有一定的政治地位、政治關係與政治威望。老總統先後提名陳誠與嚴家淦兩先生，以他們的經歷與關係，仍然受到相當的反彈，但爲老總統的威望壓制住了。經國先生提名謝東閔、李登輝兩先生，一方面是要推行本土化，大勢所趨，外省人無話可說；另一方面也是由於經國先生的威望。而謝東閔、李登輝兩位先生也有一定的重要經歷——僅次於行政院長的台灣省主席，統轄過台灣百分之八十以上的人民。

李元簇個人在政治經歷上不具備這些條件，而李總統在當時羣雄環伺，本身地位都不穩固的情形下，更缺乏兩代蔣總統的威望，所引起的激烈反彈可以想像，幾乎使李總統失去了總統的職位。李總統在事後告訴我，反彈期間的煎熬，使他寢食難安，曾說出「真不是人過的日子」。之後我們見面，亦有恍如隔世之感。

而李總統提名李元簇唯一公開發表的理由是，李元簇是一個沒有聲音的人。這個理由當然不足以服眾，而且我在來台時即因先室的關係，已認識李元簇，知道他並非如李總統所說的那種性格。李元簇與我一樣，是傳統中國文化中培養出來的，忠貞黨國、知禮守分盡職，但有個性，無聲音並不表示沒有意見或主見。

比較合適的人選應是俞國華。俞國華一生謹慎小心，奉公守分；以其與兩代蔣總統的親密關係，及其歷任要職，包括行政院長的經歷，與各方面的良好關係，如果被提名爲副總統候選人，應被廣泛地接受，足以鎮壓李煥、郝柏村、蔣緯國諸人，無話可說。至於林洋港、陳履安則更是無表態的餘地了。據許多友人推測，李總統提名李元簇的真正理由，是想擺脫蔣家的陰影，與蔣家勢力的控制，是耶？非耶？

提名李元簇為副總統候選人，除了當時幾乎危及李總統本身的地位外，後遺症也大而深遠。經過以蔣彥士為主軸的八大老的調解，與本省籍幾位重量級人士的奔走，雖然李總統順利當選連任，但政治風波並未平息，仍然暗潮洶湧。為應付此一局面，不得不提名郝柏村出任行政院長，暫時壓住陣腳。旋因府院關係不佳，誤會連連，再加以立法院改選後結構遽變，郝柏村被迫辭去行政院長，於是反李情結高漲，發展歸結為新黨。

在政爭最激烈時，我雖然對政治毫無興趣，更不涉及主流與非主流派系之爭，因而無所謂政治利益。但我憂心我身家性命所託的台灣的安危，我也憂心外省人在台灣政局混亂下，能否安居樂業，而不受到傷害。同時我也痛恨爭權做官不成便造反的行為，這實是民國八十幾年來的亂源。於是我在《工商時報》一連具名發表了三篇專欄，對這種赤裸裸的奪權鬥爭痛加指責。

一九九〇年二月十日發表了〈夢裡不知身是客，一晌貪歡——睹參選副總統造勢有感〉。在副總統尚未提名以前，幾個自認有資格做副總統的外省籍政壇大老，明爭暗搶，花樣百出，有造成分裂之勢。我以一個外省人，實在不願見到這些有損外省人尊嚴與團結的行為，於是選了上面那個題目寫了一篇文章，告訴外省人，大陸之失，我們都是待罪之身，沒什麼好爭的，現在只要生存就有希望。宜善體兩代蔣總統的遺旨，盱衡國內外的大局，更應仔細衡量本身的處境與力量，而善擇自處之道。不可以重演一九四八年的鬧劇，即也是爲了爭名奪利而內鬥不休，終至在大陸覆亡。

一九九〇年三月三日，我又在《工商時報》發表一篇專欄〈亡國民黨者，國民黨人也〉，指出從該年二月起，國家發生了足以使國民黨覆亡的亂象，並已開始腐敗。這就好像當年大陸撤守時，中共已兵臨城下，國民政府潰敗在即之時，國民黨與三青團猶在作殊死戰，其激烈程度遠超過對共產黨，而卒爲共產黨所敗。現在情形又一如當年，亡國民黨的，還是國民黨人。

我也指出李總統未能了解政治真相，致權力分配完全失衡，遂有當時分裂惡鬥的現象產生。我呼籲黨之大老應出面解除困境，讓李總統順利當選。另一方面，預先安排總統當選後的人事，亦即預作政治權力的分配，維持各種勢力的平衡。

一九九〇年三月七日，我再在《工商時報》發表一篇專欄〈兩代蔣總統在哭泣〉。指出兩代蔣總統都在致力於政權與黨權的本土化，不幸經國先生未及留下本土化的時間表，以致在他逝世後，一方面李總統性情太急，本土化得太快了，讓「化」外之民受不了；另一方面外省人性情太強，抗拒本土化的力量又太大了，遂演變成今日的內鬥。

我也指出兩代蔣總統在遷台後有兩大心願：一是希望國民黨與中華民國在台灣生根及生存下去，待機返回大陸；一是當年追隨他們來台的兩百萬軍民及其後代，在台灣有一安全生活的環境。而要做到這兩點，唯一的一條路便是黨權與政權的和平移交及本土化，不引起任何鬥爭或對抗。現在爲了爭權奪位，天天惡鬥不已，非要將國民黨及中華民國搞垮不可，顯然違背兩代蔣總統的心願，他們安得不在天上哭泣。

我這幾篇文章，都是根據國民黨在大陸丟掉江山的慘痛經驗、兩代蔣總統的遺志，與現實的環境寫的，目的在於維護國民黨與中華民國的繼續存在、台灣的生存，與外省人的安全，我從不考慮某些個人或特殊集團的政治利益與權力爭奪，所有有關這一類的文章，都是在此一動機之下寫的。在寫這幾篇文章的時候，李總統未當選第八任總統，國民黨內鬥正急，另有一組總統、副總統候選人想參選。這幾篇文章對於以後幾週政局的穩定，與李總統順利當選，是否發生過一些影響，只有天知道了。

但是有一篇文章確實對當時的社會安定發生了很大的影響，那便是一九九〇年三月二十日在《工商時報》發表的〈思往事，愁如織——沈痛談學生靜坐運動〉。正當國民黨內鬥暫歇，國民大會在陽明山開會選舉正、副總統時，一些野心政客、長久未能擔任政府職位的所謂民主教授、唯恐台灣不亂不亡的社會人物，以及極少數類似職業性學生，以國大代表擴權及要錢爲理由，發起學生在中正紀念堂靜坐，繼之以絕食的運動，並誘惑及脅迫其他學生參加，而一旦參加後，便無法自由離開，雖學生家長前來領回亦不允許。完全是我在大陸當學生時，共產黨所策動的學生運動的翻版，也是一九八九年六月天安門學生運動的模仿。這一運動有數以萬計的大學生參加，接連數日不斷，社會爲之震驚，政府爲之束手無策。我看到情勢危急，對國家社會的憂患意識及仗義勇言的舊習又來了，於是便發表了這篇文章。

我在文章中指出，學生不可能有如此大的財力及能量，動員這麼多人，支持的時間這麼長，行動這麼有組織，顯然背後有一羣政治陰謀者在出錢、出人，操縱運用，將幾萬名學生都當成了他們的政治工具。萬一有什麼不幸發生，犧牲的是學生，得到的是背後操縱的人。並列舉過去在大陸學生運動的情形爲證。

我明白告訴這些學生，這些背後操縱的人表面上是要改革，要民主，要資深民代退職，理由很堂皇。實際上，是要這次的總統選不成，造成台灣政治與社會的混亂，他們好趁機攫取政治權力，而你們學生卻成了他們火中取栗的貓腳爪。而且台灣的政治與社會混亂了，台灣垮了，中共會接收台灣，一如當年大陸撤守的情形，對你們有什麼好處呢？我希望這些學生讓總統選舉順利地舉行，給李總統一些時間去從事改革與建設，這是對誰都有利的事。我在結尾寫了這麼一段話：

> 當然，我寫這篇文章的對象只限於那些純潔無邪，真正愛國、愛鄉的學生，而不是職業學生。對職業學生而言，目的即在阻止總統選舉的順利完成，搞垮現在的政府，搞亂現在的局面，好讓他們背後的主使者渾水摸魚，自不能適用。

這篇文章發表後，社會人士爭相傳閱，自動複印散發，許多學生家長紛紛到中正紀念堂廣場，不顧職業學生的反對與阻擋，帶領他們的子女回家。這篇文章先是不准在廣場散發，不讓那些學生看到。後來終於看到了，便紛紛返家返校，陣容遂告瓦解。

同時，據李總統事後告訴我，他看到前引的那一段結尾後，啓發了他的靈感，決定要親自接見這些學生，向他們說明他未來施政的理念及改革方針。假如這些學生是真正的愛國、愛鄉，一定會接受他的說明而自動撤離，他要以基督徒的精神來感召他們。他果然親自在總統府接見了這些學生代表，這些學生代表開始時對他很不客氣，直呼李登輝，你要如何如何。李總統確實以基督教徒的精神來容忍他們，耐心地對他們作說明。據在場的人士事後告訴我，李總統從頭到尾都未動氣，和顏悅色地對那些粗暴的學生代表解說。事後據說李總統曾告訴他的左右，王某與他都是基督徒，王某寫這篇文章，也具有基督精神。

但對那些要搞亂台灣社會與政治局面的有心人士及職業學生來說，卻是一大潰敗，據說當時曾有計畫要打報館，報館亦嚴加戒備。此外，並由台大經濟系的四位教授具名寫文章痛罵了我一頓，刊在《自立早報》上，並在台大法學院張貼大字報侮辱我。由於他們都是我的學生輩，我不願與他們辯駁，只是以〈補上幾堂課〉爲題，心平氣和地寫了幾篇文章向他們作了一番解釋。用〈補上幾堂課〉這個題目，表示我以前在台大經濟系教書未曾教到他們，或是未曾教好，現在補課，也是補過，幽默了一下。

一九九三年初，立法委員選舉結果對國民黨頗爲不利，郝柏村內閣勢必要改組；郝柏村先向李總統表示辭職，隨後又堅不辭職，僵持不下，因而又再度引起巨大的政治風潮。他主要針對李總統不夠誠信，答應的話又反悔，及他獨裁與縱容台獨，想搞台灣獨立，對李總統作猛烈攻擊。這些攻擊由時任立法委員的朱高正所發表的〈天下至廣，非一人所能獨治〉，總其大成。朱文自一九九三年一月十八日至二十八日，以在國內外各報刊登廣告方式發表。

朱高正是第一位在立法院侮辱外省籍資深立法委員，對他們拳打腳踢，口罵老賊，不許發言的人，立法院的肢體衝突從此開始。這些外省籍資深立法委員早年在大陸，都是黨、政、軍、學、社會各階層的領袖人物，對國家與社會都有一定的貢獻，也擁有一定的社會聲望，否則也不會在六億人口中，被選爲立法委員。現在到了晚年，雖然身居民代職務四十餘年，依法依理均應退職，但寄身他鄉，受此淩辱，真是情何以堪。其本人及散布在國內外的子女，憤恨之情，不言可喻。尤其子女，不乏在各方面有傑出成就者。他們很自然地將此種憤慨算在李總統頭上，認爲是李總統故意放縱的結果，至少也是李總統採取開放政策的結果，成爲日後反李的重要力量之一。

朱高正雖然如此忠實於以台灣獨立爲宗旨的民進黨，仍不得志於民進黨，終於被迫退出，自組社民黨，未能得到社會認同，乃轉而參加以統一爲宗旨之新黨，解散自己所組織之社民黨。其後朱高正得以用新黨黨員名義在高雄市當選立法委員，新黨亦得以藉朱高正之力突破在南部之困境，可謂互得其利。一九九七年三月，朱高正復因與新黨權力鬥爭，而被新黨開除黨籍。現在朱高正勤跑大陸，聲稱那是因爲大陸是他的父母之邦，早已忘記了他當年斥罵侮辱的對象，正是來自大陸的他的父母之邦。

我並未注意到朱高正的大文，後來我翻閱了一下，但未留有印象。惟各媒體報導甚多，亦用以批評李總統，友人間對李總統亦多不滿，我乃針對這些批評寫了一篇長文，題目爲〈李登輝總統的施政理念及其成就〉（參閱附錄十四），要點如下：

一、李總統之修改憲法，結束資深民意代表任期，在台灣重新選舉國大代表及立法委員，釋放政治犯，讓異議份子返國，完全開放政黨競爭及言論自由，目的都在建立民主政治制度，而不是在搞台獨。

二、李總統建立民主政治制度，就是民主，不能說他是獨裁。他用人作風並不能據以判定他獨裁。民主政治本來就是一朝天子一朝臣的政治。

三、政權本土化爲不可避免的趨勢，也是兩代蔣總統的遺志，李總統係繼續執行這一政策。

四、李總統擴展外交，目的在爲台灣尋求國際地位及國際空間，並非不承認中華民國。

五、李總統在對大陸關係上有重大突破，這是很大的成就。

在結尾的幾段，我還明白肯定地指出了台灣未來若干年的發展趨勢，以及外省人的自處之道，也表達了自李登輝接任總統以來，我對時局的一貫看法及對外省人自處的建議。這樣一篇不偏向任何一方的文章，先是被拒登於《中國時報》，再被拒登於《中央日報》，最後投給《自立晚報》，於一九九三年二月五日刊出。可見當時政治鬥爭之激烈，而鬥爭風向之如何倒向一邊而不利於李總統，以及時局之如何動盪不安。

此文刊出後，隨即由擁李部分人士出資，亦在國內外報紙刊登巨幅廣告。可以想像得到的，反應熱烈而兩極。外省人視我爲叛逆，本省人視我爲正義之聲。當然，不會是全體外省人與本省人都是這樣兩極，也有持不同立場或中間路線的。不過，即使是持平和的中間路線的人士，也有很多人說我將李總統說得太好了。其實，我並未評論李總統的好壞，只是客觀解釋他施政的意圖，這種施政意圖是好是壞，則是另一回事。至於那些罵我爲叛逆的外省人，則完全失去了理性，對我侮辱謾罵，完全是過去那些黨棍子造謠、栽誣、侮辱的手法。過去，他們以這種手法鬥共產黨，被共產黨打慘。事隔幾十年，又用來鬥我，真沒出息。

不管如何，這篇文章可說完全抵消了朱高正那篇文章的影響力，也消除了很大一部分社會大眾對李總統與政局的疑慮，對當時大局的穩定起了一定的作用。而我所得到的報酬，除了一身辱罵與讚揚以外，只拿了《自立晚報》一萬元的稿費。不過，我認爲很值得。當時還有人在報紙上造謠，說我拿了三百萬，要我吐出來，我不予理會。不過，確實有位很正直的本省籍友人要送我五百萬元，我婉謝了。

一九九四年五月，李總統接受在日本頗有名氣的作家司馬遼太郎（現已故世）的訪問，紀錄刊載於《朝日週刊》，標題爲「生爲台灣人的悲哀」。在紀錄中，李總統說他在二十二歲以前爲日本人，喜歡讀日本書。說他自比爲摩西來領導台灣人去拚。說國民黨是外來的政權，要將國民黨變成台灣人的國民黨。說中國這個詞也是含糊不清的，台灣必須是台灣人的東西，他現在帶頭說台灣話等等。

這一篇訪問稿刊出來之後，引起國內外中國人的強烈反應，特別是中共當局與台灣內部的外省籍人士，都根據這篇訪問紀錄斷定李總統是台獨，因而予以猛烈攻擊，甚至連李匪、李賊都罵出來了。平日就對李總統極爲不滿者，更是借題發揮，辱罵不停。

我是在考選部在墾丁公園的自強活動中從《民眾日報》上讀到這篇訪問的，坦白地說，我的反應也是李總統怎麼可以這樣說話，我曾與《天下雜誌》總編輯殷允芃談到這點，表示不解。余紀忠董事長針對這一問題在其母校也是我的母校——中央大學發表了一篇演講稿，辭婉而嚴，我還寫了一封信給他，表示肯定之意。

但是經過我反覆細讀其內容，思考李總統的出身與成長背景，他在中華民國政府遷台後的一段時間所受到的待遇，及本省人士在參政上的不公平，以及他對國民黨的改造意圖，推行民主政治的決心等等因素，再加上他個人的語意學及坦率不加修辭的作風，我認爲外人對這篇訪問稿有些誤解的地方。我是比較了解李總統這些情形的人士之一，也是國民黨員，應該有責任出來說幾句話。

一九九四年底，省及直轄市都要民選首長，選情熱烈，各種攻擊、污衊排山倒海地壓向李總統及國民黨，使國民黨的選情頗爲吃緊。我接到一些傾向政府的民眾的電話與來信，都希望我出面說幾句話，但我並未立即反應。

差不多也在同一時間，有一位長居美國的學者吳相湘，寫了一篇〈這才是台灣人的悲哀〉的文章，發表在《聯合報》的副刊上，一位未具姓名的人士寄給我，顯然有藉此文教訓我的意思。該文還特別提到國父遺教如何受到國際學術界的重視，國家考試不應予以廢考的問題，而我是現任的考選部長，也有責任說明何以不考國父遺教的理由。

這三種情形彙集在一起，使我覺得有寫一篇文章的必要了，於是在一九九五年三月寫了一篇文章〈縱論國家大局〉，副題爲「並就教於吳相湘先生」，發表於《自由時報》，《自由時報》加一標題爲「王作榮談李登輝」。實際上本文連結語共有七節，談李總統的不過三節而已。內容均係根據事實及我的觀察，對台灣大局有所論列與剖析，澄清若干誤解及不實說法，使在台灣的中國人真正了解台灣現狀，不致爲人所誤導，不利於台灣的安定與安全。而全文的立論主旨仍在藉這些解釋與剖析，促進族羣的和諧相處，共同團結建設一個現代台灣，這對本省人有利，對外省人尤其有利。

在這篇文章中，我特別提到台灣前途的問題。我說，如果台灣不激怒中共，或使中共發現台灣積極謀求獨立，或挾美、日之勢以逼中共，則台灣在可預見的未來應安全無虞，可以放手從事內部建設，使台灣完全現代化。

如果在台灣的族羣能照目前的趨勢融合，不爲政客所利用，不出二十年，在台灣的經濟及社會的高度國際化、民主政治及自由社會繼續加強、公平競爭環境大幅改進之下，本省、外省區分將消失於無形。即使有所區分，也會一如現在的閩南人與客家人，無礙地和平相處，共同生活。

我在作結語時，曾說了下面一段話，表明寫本文的立場與態度，也即是我自李登輝接任總統以來，我寫所有有關文章的立場與態度。我說：「我寫本文的目的，在於憑藉理論、事實證據及歷史經驗與教訓，指出目前的若干現象與問題，並非憑直覺、衝動、習慣性的反應，主觀的判斷及完全站在本身的立場，或聽從政客們的宣傳口號，就可以了解真相的。必須要用冷靜的思考與理智的判斷，尤其要站在對方的立場去想，易地而處地去想。而即使了解真相，在作結論與採取行動時，也要權衡利弊得失，也要考慮客觀的情勢與條件。如果是高級知識份子，更要想到國家社會的整體利益與長期利益。這對於我們外省人來說，尤其重要。」

這篇文章刊出後，反應當然又是兩極化。我的態度是，對我的文章有良好反應的，我感謝；對我作惡罵的，我原諒。我的方寸之間自有主宰，我知道我是在真正爲國爲民做事，盡一個知識份子的責任，不會受到別人的影響。

一九九五年六月，李總統訪問母校美國康乃爾大學，引起中共的強烈反彈。除了以文字作惡毒的攻擊，要將李總統鬥臭鬥垮外，還兩次在台灣近海作飛彈演習。所謂文攻武嚇，藉以造成人民的不安，經濟安定亦受影響，引發移民及資金外流熱。國內部分人士又將矛頭指向李總統，說他是引起中共反彈及可能造成武力犯台的罪魁禍首，同時還藉機加上許多其他的罪名，與一九四九年大陸撤守時，對待老總統的情景完全一樣，不免令人憂心。我唯恐歷史重演，於是又寫了一篇〈讓我們冷靜客觀地剖析這些問題〉，刊載於一九九五年九月的《自由時報》上，內容概略如下：

一、中共對台政策，無論李總統是否訪美，中共都是在意圖消滅中華民國與中國國民黨，訪美是因爲阻礙了中共這一政策的執行，才發動文攻武嚇的。如果我們不在國際上打開一條出路，就會坐困愁城，坐以待斃。李總統能打開一條國際出路，台灣的安全就可多得一分保障。

二、國民黨的內鬥與分裂，自一九一九年國民黨改組成立開始，一直未曾停止過。尤其自一九一九年至一九四九年這三十年間是如此，並非自李總統擔任國民黨主席開始。

三、在中國歷史上，政權脫離不了金權與黑權。國民黨之取得政權與這個政權之維持，都與金權、黑權脫離不了關係。也非是自李總統開始才有金權、黑權，只不過是在民主政治之下，金權、黑權特別彰顯而已。

四、宗教都有其獨特性質，具有強烈的排他性、高度的威權性及入世等特性。這些特性結合在一起，便具有極大的威權，如果與政治結合，便容易成爲亂源，尤其容易成爲專政獨裁統治，是以不可以教亂政。

寫這篇文章的另一動機，是因爲在激烈的選戰過程中，參選者常運用這些題目來攻擊國民黨，而且將一切不健全的現象與中共的反應，都推到李總統身上。我覺得這些都是這個社會本來就有的現象或事實，而李總統之引起中共的激烈反應，則完全是爲了台灣生存，現在將責任全部推到一個政黨與個人身上，未免太不公平，同時也過於歪曲了事實真相。

時序進入一九九六年，總統選戰正式展開，共有李登輝、連戰；林洋港、郝柏村；彭明敏、謝長廷；陳履安、王清峰等四組人士參選，激烈程度可以想見。而此時中共再度舉行海陸空聯合大演習，幾次發射飛彈，逼近台灣領域，已等於海空封鎖。此種情勢引起全世界普遍關注，美國不得不先後派遣獨立號與尼米兹號航空母艦在台海附近巡弋，更使大局緊張，選戰更趨混亂，人心惶惶，移民與資金外流，台幣貶值，股價下跌，幾乎不可終日。而選戰文宣，無論電子與平面媒體，以及口語宣傳，除李連配嚴格限於政策辯論範圍，及偶爾對惡性攻擊作答辯外，其餘三組候選人大都集中於：一、強調當時危機，並歸責於李總統，聲稱他們有辦法解決危機問題；二、以不誠信，與金權、黑權掛鉤，甚至賄選，特別是鴻禧山莊置產事，對李總統作人身攻擊；三、這三組候選人都未能提出完整的治國藍圖或政綱，只有片段的口號與主張。

在這種情形之下，我爲了說明真相，安定大局，並告訴選民應記取過去在大陸失敗的歷史教訓，勿使台灣重蹈覆轍，自陷毀滅，乃先後寫了八篇文章，自一月至三月投票前夕止，分別刊在《中央日報》與《自由時報》上。其中最具意義的有〈政治鬥爭還是那一套老戲碼〉、〈爲什麼國民黨做了這麼多事卻總是挨罵〉、〈有膽識的台灣人就不要照中共飛彈指示選總統〉。綜合這幾篇文章的要旨，內容大略如下：

一、這次總統大選的四組候選人中，除李連配外，其他林郝配與陳王配，原先都是國民黨籍（王清峰除外），從國民黨分裂出來的。儘管他們說了許多反李總統的理由，實際上仍是政治鬥爭，仍是爭權奪位，一如當年在大陸時代部分國民黨人反老總統的動機與做法，時間雖然已過了半個世紀，還是那一套政治鬥爭的老戲碼。

二、國民黨自一九一九年改組成立迄今，爲國家做了不少的事。在大陸時代，國民黨領導北伐、抗日，特別是抗日勝利與廢除不平等條約，使中國獲得國際上的平等地位，實在是中華民族史上一件不朽的大事。遷台以後，在國民黨的領導之下，使台灣免於被中共占領，並維持政治與社會的安定，努力從事經濟發展，使台灣人民脫離貧窮，成爲國際著名的經濟奇蹟。隨後又從事民主政治的建設，也得到輝煌成就。這些都是創中華民族史上新紀錄的大事。豈是被不滿份子攻擊爲貪污、腐敗、無能與金權、黑權掛鉤的政黨，所能做到的事。這種不明辨是非，不追求事實，信口罵人，實在是一種時代病，與美國作家羅伯．沙繆爾遜在美國《新聞週刊》上所描寫的美國情形完全一樣。

三、中共當局唯恐李總統當選，在競選期間，用盡了文攻武嚇，希望改變台灣選民的投票方向。同時有幾組總統候選人亦利用中共此種動作來恫嚇台灣選民，以達到勝選目的。我要特別提醒台灣選民，不可照中共的飛彈指示投票，不然後患無窮。

以上這幾篇文章對當時選情究竟發生了什麼影響，無從知道，但徹底開罪了新黨，以致藉機在立法院羞辱我。

第三十八章 嚴重挫折

一九九六年十一月二十三日，由政府召開之國家發展會議在台北市舉行五天，參加者有國民黨、民進黨、新黨三黨代表，及無黨無派社會賢達人士。會中討論三大議題：一、憲政體制與政黨政治；二、經濟發展；三、兩岸關係。雖說是三大議題，實際上只有一個主題，即憲政體制與政黨政治，其餘兩議題不過是為主題作陪襯而已。因而所得到的五點所謂朝野重要共識，全部都屬於第一議題。一百九十二項共識中的各項共識，根本不曾為社會所注意，會議中甚至無人提及，包括有關主管官員在內。這五點共識是：一、總統提名閣揆無需經立法院同意；二、總統有權解散國會；三、凍結省自治選舉；四、鄉鎮市長官派；五、立法院增倒閣及彈劾權，審計部改隸立法院。

一九九七年四月，中國國民黨舉行臨時中央委員全體會議，依照上述共識通過黨版修憲案，另並增加非常特殊的一條，即使國家安全會議入憲，明白規定國家安全會議之決議可交行政院執行，使此一最高行政機關成爲國家安全會議的執行機關。所謂國發會關於憲政體制的共識與國民黨黨版修憲條文公佈後，立即引起可說是不分黨派、不分族羣全國性的質疑與反對，尤其是高級知識份子與憲法學者，對所謂共識實在是一大譏諷。而反對焦點當然集中於李總統，稱這些修憲條款將製造出一位皇帝總統、超級總統，各種譏嘲辱罵用語都出籠，而媒體輿論除極少數外，無一不嚴詞譴責。隨後由於名藝人白冰冰之女白曉燕被綁架撕票，終於引發全社會不滿情緒，發生了五月四日及十八日兩次數萬人的大遊行，喊出的口號是「總統認錯，撤換內閣」，政治與社會均呈現不安。這一次我不但不能再爲老友寫文章辯護，而且還三次向媒體公開談話，也表示不滿之意，以表達一個知識份子的良知。

第一次談話是在一九九六年十二月二十八日。我指出做這樣修憲的人「中國書也沒念通，外國書也沒念通；既不懂理論，也不懂實際。憲法是慢慢成長的，不是一刀把過去切斷，重新來過，這不是修憲，是制憲」。而制憲就要重新選舉制憲代表，並廣徵各方意見，經過長期嚴密公開的討論，不是現在這個樣子。

第二次是一九九七年五月十二日對《中國時報》記者董孟郎的談話，我說：「修憲不是一時的權宜之計，是要爲國家長治久安著想。制衡是民主政治的基本原則，修憲不能喪失制衡的機能。修憲如違反民主制衡的原則，長期而言，將後患無窮。有遠見的政治家應該有此考量，憲法專家應該仔細地思考這個問題，將來國民大會的修憲應適可而止。」關於廢省的問題，我說：「省不一定要廢，可以縮小省的權限，將省予以精簡，不要凍結省。將來中央和省權責畫分明確，省可扮演監督縣市，制衡中央的功能，中央的作爲如有不當，省可予以制衡，尤其在總統和省長分屬不同政黨人士擔任時，更可發揮制衡的角色，不廢省也可減少中央的疑慮。」

第三次是一九九七年六月二十五日，國大修憲正在進行中，我向各媒體記者發表談話，大意是說：「修憲已造成國家與國民黨的分裂，對台灣前途非常不利，事緩則圓，能修則修，不能修何妨緩一下。」即是主張暫停修憲。

基於我與李總統的長期友誼，及當時仍任政府高級官員，不宜帶頭作強烈反應，以免增加社會與政治的不安，也有違倫理與官箴。但我對所謂國發會的修憲共識，政府及國民黨當局，以及參與國發會修憲達成共識的學者專家等以後的發言辯護，實在感到失望、沮喪與氣憤。其所以至此，有下列原因：

首先，是關於程序方面的，所謂國發會的共識，國民黨方面雖然在決策階層指引之下，有若干幕僚作業，但在國發會提出前，從未在黨內重要場合討論過，連中常會亦不知道有這件事及其內容，更遑論讓全國性的個人與團體知曉或討論。民進黨方面則更未聽說有幕僚作業，知曉其事者可能不過三、二人而已。在國發會提出時，新黨退席，國、民兩黨出席人員原就經挑選安排過，但兩黨仍均有異見，被強制壓下。故所謂共識，實際上不過是國、民兩黨主導人李登輝主席與許信良主席之間的共識，但政府及國民黨高層人士發言動輒說國發會共識，並暗示其代表全國人民的共識，不容許任何人有絲毫反對，簡直成了聖經，國民黨於四月二十八日召開臨時中全會也只是做個樣子，強迫全會背書而已。如此做法，實是百分之百地假借黨意與民意的不誠實行爲，與過去的共產黨與國民黨做法完全一樣，這是我生平最痛恨的一種行爲，也是我對政治沒興趣，看不起搞政治人物的主要原因之一。不料竟親眼目睹這一幕上演，其失望、沮喪與氣憤可想而知。

其次，關於憲法體制的實質內容方面，主要有下列幾點：一、向立法院負責之全國最高行政首長，即行政院長，由總統直接任命，不需經立法院同意，剝奪了立法制衡行政之權。二、總統府設國家安全會議，由總統擔任主席，其所作之重要決議，得直接交行政院執行，使必須向立法院負政策責任之行政院失去決策權，而卻仍要負政策責任。另一方面，透過國家安全會議有實際決策權之總統，卻不需向任何機關負責。而立法院也找不到應負政治責任之個人或機關，立法院之質詢權、倒閣權都變成了啞巴彈。三、總統可以主動解散立法院，而立法院雖有倒閣權，但所倒的不是有實際決策權的總統，而是僅負執行責任的總統幕僚長性質之行政院長，而且倒閣之後，總統可以再任命一個他認爲適當的人選，立法院只能乾瞪眼。總統握有主動解散立法院的權力後，立法院的生存就掌握在總統手中了，還談什麼制衡。四、重大民生法案送立法院一年之內不予審議通過，即自動生效。依照上述四點修憲條文，總統便完全吃掉了立法院。雖然規定立法院可以彈劾總統，但規定必須有立法委員五分之三提議，出席人數三分之二通過，及國民大會複決須有三分之二通過的超高門檻，使得彈劾權也成了啞巴彈。五、廢除國民大會代表由選舉產生，改採總統競選得票率之比例代表制，這是比廢除國民大會更壞的一種設計。因爲依照這種辦法，國大代表絕大部分便成爲總統的囊中物、御用品。

如果上述內容一一入憲，成爲憲法條文，那麼從權力的觀點看，中華民國所有政府機關都不存在，只剩下一個總統，這就是「朕即國家」。這種制度被命名爲改良的或混合的雙首長制，又是欺騙人民的一種說法，事實上到哪裡去找一個雙首長？這比中國君主專制的制度都更專制，因爲中國君主專制仍然對「宮中」（君主）與「府中」（政府）有區別，兩者之間仍有制衡作用，雖然這種機制常被極端專制的君主破壞掉，但總還有點制衡的作用，現在則什麼都沒有了。

此外，國發會的共識條文還有廢除鄉鎮長的選舉，與凍結省長及省議員的選舉，精簡其編制。鄉鎮長的選舉爲社會及行政組織最基層的選舉，也是實行民主政治的起步，現在因爲選舉時黑金盛行，選出之人選品質不一，危害鄉里，而予以廢除，實在是因噎廢食，開民主的倒車。這裡問題在於如何立法及執法，杜絕黑金選舉，而不是廢除選舉。正如頭痛應該醫頭，而不是砍頭一樣。頭砍了，頭是不痛了，命也沒有了。現在鄉鎮市長選舉廢除了，黑金政治未必能消除，但人民的基層選舉權被剝奪掉了，民主政治失去了根。至於以提高行政效率爲理由而凍結省長及省議員選舉，並精簡編制，其實就是廢省。而廢省的真正理由則是如省長宋楚瑜所說的：「衝著宋楚瑜個人而來的。」意即，一、阻斷宋楚瑜競選總統之路；二、路線之爭。什麼是路線之爭，宋楚瑜並未明言，其實就是統獨之爭，中國疆域版圖的畫分是以省爲單位的，如湖北省、山西省、台灣省。中華民國之所以仍能稱爲「中華」民國（Republic of China），就是因爲還轄有一個「中華」的完整的省——台灣省，及一個不完整的省——福建省。沒有了省，就沒有了中華民國，以後就可稱爲台灣民國或台灣共和國，而沒有資格與「中華」（China）沾上邊了，這就是台灣獨立。許信良當然知道這一點，而李總統不能不知道這一點，中共則是絕對知道這一點，而且也一再地公開指明了這一點。報載美國在台協會也表示關切這一點，而國際輿論也指向了這一點。

至於將審計權、總統彈劾權、調查權從監察院移至立法院，其目的則在廢除監察院，連同前述之廢除國民大會，終結則是徹底廢除五權憲法，推翻中華民國憲政體制，實現台獨，這可說是路人皆知的司馬昭之心。不過，我個人並不堅持所謂五權憲法這些教條。但我不能同意藉此搞台獨，推翻中華民國。

這樣的一個修憲，如果真的列入憲法，則全世界所有民主政治制度下的憲法理論，都要改寫。這對於一個中立的，遠瞻若干年，渴望民主政治能在台灣生根，進而影響大陸的人來說，其失望是可以想見的。這樣的修憲不僅引起國內絕大部分的憲法學者的反對，我深信關心台灣前途的外國友人，特別是美國素來支持台灣的人士，也會深感失望與不解。那麼，爲什麼李總統要堅持呢？我推測有下面的理由：

一、李總統的尊嚴、強烈企圖心與使命感，受到嚴重挫折的自然反應。李總統自執政以來至一九九六年連任八年多的時間，可說全部用在內部的政治鬥爭、與大陸的強烈對抗，及務實外交上，完全疏忽了內政，使得內政日趨腐敗，尤其表現在治安、貪污、公共工程、道德淪喪、社會秩序失控與生活環境惡化上，而所有這些都關係到人民的切身生活與感受。我曾公開寫文章及幾次向李總統建言，內政才是國力的基礎，建設內政應列爲最優先，而建設內政的起點應爲建立優良的文官制度（歷史上所稱的吏治）與貫徹法治精神。最初似乎沒有什麼效果，但在他一九九六年競選連任前幾年，似乎已有覺醒，追求台灣的整體現代化已成為他競選連任的最主要動機。對他而言，內鬥已大致擺平，大陸政策已定型，短期內不會有劇烈變化，務實外交很有成就，現在是他將精力轉到內政的時候了。他也知道總統的四年新任期不可能使內政有脫胎換骨的改變，但至少可以建立良好的典章制度，讓繼任者跟著制度推進。我也曾將相同的意見向他說明，他認為如果在四年任期內將內政改革成功，使台灣徹底地現代化，連同政治民主化及其他成就，他便將成為歷史上的偉大人物了。我也以此期望老友。

在前面曾經提到一九九六年勝選之後，就任之前，李總統曾請我與小女至官邸餐敘，談了許多話，可以充分看出他對未來四年的期待，很想大有一番作為，奠立他在歷史上的完美地位。不料立法院演出過於失常，完全不尊重一個高票當選的民選總統，及行政部門應有的權力與尊嚴。國民黨內少數不肖立法委員藉機敲詐勒索，簡直是獅子大開口。在野黨立委則合縱連橫，務以打亂政局，渾水摸魚為能事，完全不顧及現代民主政治的運作常規及國家的整體利益。憲法並未規定副總統不可以兼任行政院長，而陳誠、嚴家淦二人均曾以副總統兼任行政院長多年，當時並未聽說有任何憲法學者認為違憲，而且我相信當時在作此決定時，也一定請教過憲法學者，即使是現在的憲法學者，也很少聽說這是違憲的，是以副總統兼任閣揆已可視為憲法成例，根本不發生違憲問題。但在野黨立委卻以肢體動作阻擋連戰院長作施政報告，自行解釋副總統兼閣揆違憲，可說是胡鬧。

就是在這種情形之下，李總統就任一年以來，簡直一籌莫展，寸步難行。這對滿懷壯志，企圖改革內政，要使台灣現代化的李總統而言，當然是嚴重的挫折，進而激怒了李總統，要不惜代價，使立法院等於癱瘓或廢除它的功力，於是才有國發會共識的產生。

二、對新黨的侮辱與刺傷的總反擊。新黨無論在組黨前及組黨後，部分成員及其追隨者都以李總統爲鬥爭對象，務求鬥臭鬥垮而後已，在言語文字上可說極盡侮辱栽誣之能事。我之所以有時會挺身而出爲李總統辯誣，就是我的個性極端看不慣這種栽誣行爲，政爭可以，言辭攻擊也可以，但不可以栽誣侮辱對方。結果我也成了新黨栽誣侮辱的對象，但我不宿怨，事過即忘。

新黨在行動上，只要有機可乘，絕不放棄倒李總統或給李總統難堪的機會，甚至不惜放棄原則。一九九六年二月，立法委員選舉結果，國民黨占脆弱多數，而少數黨籍立委乃趁機敲詐勒索，不聽黨指揮，黨紀蕩然，雖是多數，實質上則是少數。新黨見有機可乘，乃與民進黨喝咖啡，進行所謂的大和解，共謀推舉民進黨施明德當立法院長，以一票之差未能成功，稱爲二月政改。以後提名連戰副總統組閣，也僅以幾票領先而過關，中間得力於無黨派委員支持票及民進黨立委倒戈者甚大。新黨素以堅決反台獨，口喊中華民國萬歲爲號召者，而民進黨則以台灣獨立及消滅中華民國爲最高目標者，應是水火不相容；今一個爲了倒李，一個爲了奪取政權而密切合作，在立法院聯手一再搞政變，毫無政治原則與理想可言，這給與李總統的刺激與屈辱感可以想見。

三、李總統的個性反應。李總統有一個能鬥、善鬥、不服輸、鬥到底，雖有挫折失敗，亦必轉彎抹角鬥到勝利為止的個性，所謂「愛拚才會贏」。但也有一個善於中途妥協的個性，這要看他當時的環境與價值判斷而定，不代表他的屈服或認輸。對於立法院給與他的羞辱與挫折，使他有志難伸；對於新黨不擇手段要使他難堪、垮台，李總統的前述個性必然使他伺機予以沈重的反擊，實乃極其自然的事。

即是在這些背景之下，乃想出不計任何代價與民進黨聯手的辦法，於是有國家發展會議的召開，將與民進黨許信良主席達成的祕密協議，以國發會共識予以正當化。在李總統的心目中，立法院既然不循政黨常規做事，予我以屈辱與挫折，我就廢掉你的武功。新黨可以與民進黨喝咖啡、搞大和解，我就可以使民進黨的元帥夜奔我這個敵營，進行全國、全世界都想不到的大和解，將新黨頃刻之間貶成一個泡沫黨。

現在，我們可以進一步問，為什麼許信良會接受這個大和解，而且其熱絡的程度遠超過李總統，唯恐國發會共識不能實現呢？我推想，也確定有兩個理由：

一、廢省與台獨。無論是凍省或虛級化或精簡，在國、民兩黨及一般人民心目中都是廢省。國、民兩黨發言者都稱廢省是為了提高行政效率，後來又改口說是避免一區兩國，但一般人民都知道廢省的真正原因是：㈠以廢省作為廢中華民國的第一步，即民進黨台獨黨綱的實現；㈡阻斷宋楚瑜競選總統之路，同時在立法院將連戰鬥臭鬥垮，使國民黨在第十屆總統競選中推不出強勢總統候選人。

二、預備奪取政權。在許信良及其同路線人士的看法，下一屆或最多再下一屆總統選舉，民進黨即可勝選，取得政權。現在支持國民黨籍總統擴權，即是爲未來民進黨籍總統擴權。等到民進黨取得總統職位後，台灣獨立即可在實質上完全實現，不會受到任何方面的牽制。雖然民進黨現在已覺悟到公開宣布獨立爲不可能之事。

除了上述國、民兩黨各自的動機外，省籍情結與台灣意識應當是雙方迅速達成共識與堅持到底的共同基礎。一般人都避而不談，但爲歷史存真，我還是要提出來，而且認爲這是達成共識決定性的因素。我發現李總統愈到晚年，台灣意識與省籍情結便愈濃厚，也許這是老年人的通性。少壯時精力充沛，意氣豪放，志在四方，不會爲家鄉之戀所局限。但一到老年，體衰志消，便只想「富貴而歸故鄉」了，不能單責李總統有此傾向。但作爲一個總統，全黨主席，實在不宜。

在中央與省政爭最激烈時，我曾兩度寫信給宋楚瑜省長，支持他的主張。但力勸他要留在體制內抗爭，不可脫離體制，否則便使不上勁，我也告訴他，外省人能在權力核心的，只有他一人，假如脫離了，外省人連向權力核心傳達意見的人都沒有。

故此次國、民兩黨很快就憲政體制達成共識，而且堅持不許修改，甚至不許碰觸，實在堅持不下去時，則國民黨與民進黨都以廢省爲最後底線，國民黨還堅持廢除閣揆同意權，於是國、民兩黨修憲的目的便都達到了。

照兩黨共識完成修憲，民進黨可說全勝，雖然有人批評其失去在野黨立場，使政黨界線模糊，這不過是一句空話而已，什麼叫做失去在野黨立場，實在毫無意義。而另一方面，則國家與李總統所付出的代價，便只有以「慘重」兩字來形容了。

就國家利益來說，憲法是國家基本大法，可以修改，但不能破壞甚至毀滅，如此將導致政治與社會的長期不安。但細觀這次修憲的內容，對照原憲法，可說是精神完全相反。其次，民主政治制度的構造與運作，必須滿足兩個絕對的條件：一、政府的行政領導人與立法成員必須民選；二、行政與立法的權力必須互相制衡。這兩個條件缺一便不是民主政治，但這次的共識修憲，就中央政府來說，完全失去了對行政首長的制衡，這就不是民主政治。即使我們相信李總統有誠意推行民主政治，但以後一定會出現希特勒、馬可仕之流，須知他們都是百分之百民選出來的。

至於李總統，在此案提出後，除極少數國、民兩黨的人士因各種關係不得不表態支持外，可說受到國內外華人一致地抨擊，原先推行民主政治的一些成就受到嚴重傷害，聲望急劇下降，而且我也相信支持李總統民主改革的美國朝野人士，也一定會不表同意。這種情形在未來三年不可能挽回，勢將影響李總統的歷史定位，實在不值得。作爲一個對李總統期望甚高的老友，我的失望與沮喪可想而知。

現在，我們要進一步問，李總統個人及國家付出如此重大的代價，在李總統任期的未來幾年，是否就可完成台灣現代化或內政改革的目的，滿足他的使命感與企圖心呢？我的答案是不可能。理由有三點：

一、改革的基礎太爛了。自一九四九年底中央政府遷台，大陸初失，新亭之泣淚水未乾，上下勵精圖治，希望打開一條路，政治堪稱清明，行政效率亦高，高級官員多能廉潔自守。但到一九六〇年代即逐漸呈腐化現象，一九六七年，我向老總統提出的書面報告，即曾明白指出，亦蒙接納（參閱附錄五）。以後即每下愈況，然在兩代蔣總統的威權統治之下，尚能有所節制，迨至李總統接任後，在誤解民主政治就是選舉與放任，及未能隨民主改革作配套改革的情形下，再加上李總統施政重點並不在此，內政腐敗遂一發而不可收拾。在這樣一個爛基礎上，除非拿出革命的精神，僅是淡淡的改革很難以奏功。但李總統未必是能拿出革命精神來改革的個性，而且即使李總統有這種精神，也找不出那麼多革命的伙伴。請看一個大張旗鼓的教育改革，歷時三年，效果何在，便是明證。

二、不能抓住要點。內政改革，包羅萬象，能全面齊進，百廢俱舉，當然最好；但事實上不可能，必須提綱挈領，先抓住要點著手，帶動整個改革。這點李總統也知道，曾指出改革重點為治安、司法與教育。這當然沒有錯，但我的要點只有兩項：文官制度與司法改革。

文官制度與司法系統都需要作革命性的改革，但無論李總統、決策階層官員，甚至社會大眾，一提到改革，便將焦點集中在行政院各部會，對於審判系統雖有提到，但並不重視。至於文官制度則更是完全忽視，這只要看李總統歷次的人事布局便可知道。

文官制度與法治精神的重要性，不必遠引歐美國家，只要就近看看新加坡、香港、日本等國就可以知道了。這也是三十餘年來我一再提醒政府注意的，然而我們的當局者，除老總統外，從未給與應有的注意，自更未採取具體改革措施，總是將主管這兩大政務的機關，作酬庸性質的人事安排。回想明、清兩朝六部衙門，主管人事任免考核升調的吏部，也就是今日的銓敘部，居首席地位，主管登庸人才的禮部，即是今日的考選部，居第三位。再看清朝對官員三年一次的全國年終大考績，也就是「京察」的隆重，以及禮部辦理國家考試的慎重與對舞弊者的嚴刑峻罰，真令人感歎。我常說我們有些事不如滿清政府或北洋政府，誰說時代都是進步的。

三、缺乏改革的人才。改革比革命還難，而內政改革需要有革命精神，則更難，由此可知改革人才之重要及難覓。在現在的腐敗情形之下，負改革責任者必須具備下列條件：㈠有充分的現代知識及自主性的卓越見解，不仰承上意。㈡須有魄力剷除一切障礙，有勇氣承擔一切改革的後果，不怕惡勢力的阻撓，不計個人利害得失，這就是革命精神。㈢須公忠體國，端在為國家長期利益進行改革，而非為一黨一人之私利或短暫性的應急需要。㈣須有開放的心胸，接納多方面的意見，作客觀公正的判斷與採納。總結地說，就是改革者須要有改革的格局與器識。現在，到哪裡去找這樣的人才？寫到這裡不免又令我感慨，試讀中國歷史，歷朝開國，特別是清朝，所建立的典章制度，都是百年大計，即使是一九二〇年至一九三〇年代，國民政府建都南京，還是有模有樣。

對於李總統想在四年任期之內，為台灣現代化奠立基礎的企圖心，我當然認同，但從另一角度看，不一定要付出如此沈重代價，修改憲法。在現行憲政架構與行政運作之下仍可有所作為。大法官會議既未明白解釋連副總統兼閣揆違憲，則僅立法院反對黨阻止其作施政報告，便可置之不理。仍可自由調整內閣人事，運用已有法律規章，從事大幅度的內政改革。何況當時立委任期已經過半，餘下任期勢必較為合作，此時無論更換閣揆及通過法案均應較為順暢。

如我在前面所說，我對李總統的內政改革能否有具體結果，不抱樂觀態度，這裡最關鍵的因素還在人才。人才需要長期培養，治七年之病，猶須求三年之艾，何況百年樹人的人才，不是隨便找幾個口才便給，或是大言不慚的人便是人才。我最怕的是這次改革又落入了過去改革的老套，而且一定會落入老套，即是：一、增設新機構，掛上一個新招牌。二、或是將舊機構擴大或是升級，換上一個新招牌。三、用幾個新人或是舊人搬新位置，但仍是源出一系。四、擴大機關編制，增加經費。五、提高待遇，增加特權。六、編些新口號，想出一些不具實質意義的花招，提出一些大而無當，每個人都看不太懂的計畫與方案。七、召開一個全國性的會議，聚集幾十、幾百人，發言盈庭，結論連篇，然後出一冊或一套印刷精美的報告書分送各方面存查。於是改革成功，高呼萬歲。一九九七年五月二日最高治安會議上，有人提到警政改革，便是主張將警政署改爲警政總署，將所有警員都提升階級，說是如此便可振奮士氣，提高破案效率。這便是警政改革。我當席只說了一句話：將所有一等兵都提升爲一級上將，不見得士氣就會提升，就能打勝仗。

內政，腐蝕太久了，牽涉的利益階層太多了，要改革，談何容易；不改革，難以維持下去，真是兩難。

李總統自一九八八年接任總統，至一九九七年五五修憲，足足八年半的時間。在此期間內，他努力推行民主政治，擴展務實外交，放寬大陸政策，都得到非常豐碩的成果，雖然受到國內部分人士與中共的強烈攻擊，但亦受到國內外的讚譽與支持，使李總統與國家的地位在國內外都大幅提升，則是不爭的事實。可說已可在歷史上取得一定的地位，成功了一大半。

但是這次憲改卻使李總統受到重挫，雖不致於前功盡棄，但一定會對他的歷史定位有不利的影響。這是因為：

一、所謂國發會的共識與國民黨的黨版修憲條文距離民主政治制度太遠了，完全暴露一個總統要獨自主宰國家政務的企圖，這就是專制與獨裁。對於李總統過去推行民主政治毫無問題有重大抵消作用。

二、廢除五項選舉也絕對是反民主的。選舉惡質化可以立法及執法改善，但怎麼可以廢除呢？美國在南北戰爭後迄二十世紀初，其各項選舉黑金化的程度並不下於今日的中華民國，史稱這一段時期為美國黑暗時期，但美國並未廢除，而是立法改善選舉。

三、這次修憲，特別是凍省，無論講什麼動人的理由，毫無問題仍具有濃厚的省籍情結與台獨意識，這不僅刺激中共，更重要的是，進一步導致國家與國民黨的內部分裂，又一次地斲傷國脈與黨緒，加重中華民國與中國國民黨未來的危機。而李總統是總統兼黨主席，所負的責任何其重大。

其實，李總統大可以國家全民的總統，國民黨全黨的主席身分，放開格局視野，一如在當選第九任總統後對我所說的話，訂一個公平自由競爭的規則，放手讓中生代去競爭、去協調、去妥協，最後終於會得出一個眾人皆服的結果。在整個過程中，總統最好不必表態支持哪一個人，尤其不宜暗中規畫某些特定人選為繼承人，這都是有違民主政治的常態的。當然，總統可以明白表態支持某特定人選，一如媒體、社團或個人明白表示要支持什麼人一樣，這也不違反民主政治原則，但亦僅止於表態而已，總統不宜採取實際的行動來支持特定人選。在候選人循公平原則競爭出線之後，總統亦當然可爲本黨候選人採取實際行動助選，這也是民主政治所允許的。而由總統指定繼承人，就是威權政治。

至於在公平自由競爭之下，出線的是本省人或外省人，則並不重要。在一個大格局之下，族羣不是問題，一切由選民決定。事實上，由少數族羣出身的人擔任國家元首或重要公職，反而能成其大，此類例證古今中外史不絕書。

例一：一般人所熟知的羅馬帝國，其全盛時期所統治的地區橫跨歐、非、亞三洲，包含現今四十個國家的全部或部分領土，歷時將近四百年。歷史學家分析其在紀元前後那種落後狀態之下，何以有此成就，認爲最根本的原因有兩個：一、一切都在法律規範之下統治，即是現在的法治。二、在帝國的任何職位都開放給合格的人，而不問他們的出身來源。一位北非洲的將軍賽弗拉斯（Septimius Severus）就曾做了十八年羅馬帝國的太平皇帝；一位西班牙人突拉贊（Trajan）也做了帝國十九年的皇帝，而且是最偉大的皇帝之一（National Geographic, vol 192, No.1, July 1997. Washington, D. C.）。

例二：滿族入主中國，建立大清帝國，其入關時據說帶甲之士不過八萬，然而統治中國達二百六十八年之久。其亡也，無數知名的漢人自稱爲清朝遺老，效忠勿去，甚至還有復辟鬧劇。其何以致此，我早年就曾分析其基本原因也有兩個：一、有嚴謹的典章制度，也就是法治；二、開科取士，使漢人能公平地分享政權。這與羅馬帝國的情形完全一樣：法治與政權分享。而清朝的這兩項設計，如前所云，都是出自漢人之手。野史稱清太宗皇帝爲了要洪承疇投降，幫助他設計一套統治中國的辦法，不惜用孝莊皇后作美人計。此雖傳說之詞，然亦可看出面對一個新局面，建立制度與公平用人的重要性。

在正常情形之下，都是多數族羣統治少數族羣，以上兩例則是少數族羣或是少數族羣的傑出領袖來統治多數族羣，而都能得到良好的結果。玆再舉兩個眼前的例證：一是祕魯選出一位日裔祕魯人藤森當總統；一是美國華盛頓州在眾多白人中選出一位華裔美人駱家輝當州長。而美國前國務卿季辛吉與柯林頓總統二任時的國務卿歐布萊特都是第一代移民的猶太人。

在台灣，除了原住民外，其餘都是漢民族，根本沒有族羣的分別，只有省籍的不同。那麼，爲什麼要分得這麼清楚呢？何況從歷史來看漢民族，幾度偏安，幾度亡國，都展現了能接受及融合少數異族的胸襟，而終於成就了今日廣土眾民的大國，正印證了「河海不擇細流，乃能成其大」的古訓。假如決策階層有此了解與氣魄，凍省問題就不會發生，最多只是精簡而已，惜哉！

一九九七年五月五日，負有修憲重任的國民大會開議，迄八月初結束，歷時約三月。在此期間，不是憲政體制在理論上的充分討論，也不是實際問題的嚴格檢驗，更不是理性的、民主的表決，而是惡鬥。政黨與政黨鬥，政黨之內各派系鬥，中央政府與地方政府鬥，在朝者與在野者鬥，團體與團體鬥，個人與個人鬥。用言語鬥，用文字鬥，用肢體鬥，有時是用陽謀鬥，有時是用陰謀鬥，有威脅，有利誘，有出賣，有收買。情治單位、稅務單位、司法單位、國法、黨紀、人情全都用上。國格、黨格、政風、民風全告下墜。所有這些都是爲了拚，而愛拚才會贏，都是爲了勝利，爲了打倒對方，爲了實現預定的權力目標。而國家利益、人民福祉、憲政體制、民主政治、百年大計等等全都置諸腦後，這當然不是一個文明國家、民主政治的正常現象，更不是一個偉大的政治家所應有的作爲。我寧可相信這不是李總統的本意，甚至不知道實情，而是下屬執行政策過當。偉大的政治家所想到的是樹立典範，垂範百世，而不會在乎一時的勝敗；建立制度，澤及萬民，而不計個人的利害。「偉大」兩字畢竟不容易做到。無論如何，歷史會對這種行爲有詳細記載及公正評論。

鬥的結果，除了一些不十分重要的修憲條文外，重要的，也就是惡鬥的目標，共通過了兩條：一、行政院長由總統直接任命，不須立法院同意。二、凍結省長、省議員選舉，省長及省府委員由行政院長提請總統任命。設省諮議會，諮議委員亦由行政院長提請總統任命，無立法權。另有二項，即公民投票納入憲法，與總統須過半數當選，留待下次修憲時再議。

對於這樣的結果，新黨以退席表示反對，國、民兩黨表示滿意，社會大眾則一片嘲罵聲。至於李總統，則認爲這是一大成就，公開說明可以使台灣政局安定三十年到五十年。但從我的觀點看，則李總統贏得了眼前的短暫勝利，卻輸掉了長期的歷史地位，非常不值得。

爲什麼我有這樣的看法呢？如前所云，我曾在一九八八年李登輝接任總統時，及一九九〇年向他提出建設現代台灣建議時，兩度希望他做一個中國的華盛頓總統。這並不是隨便說的，請參閱附錄九、十全文，便可知道我的深沈用意。美國的現行憲法是華盛頓當主席制定的，且看美國歷史學家描述華盛頓的爲人與主持制憲會議的情形：

華盛頓有為達成一個遠大目的而籌畫部署的智慧，也有努力不懈的毅力。他處處令人信仰尊敬；他率直而堅定、莊嚴而沈默、謙虛而善於自制。這些品質使他在戰時成為偉大的軍人，在建國時又成為賢明的領導者與偉大的政治家。〔《美國歷史大綱》（*An Outline of American History*）台北美國新聞處，第八十三頁〕

一七八七年五月在賓州的費城議會大廈舉行聯邦會議〔即是制憲會議（Fedreal Convention）〕時，當時的十三州已是半獨立狀態，有些州擁有自己的軍隊，有些州獨自進行外交。雖然大都感到應成立一個中央政府，但都不願意放棄已擁有的權力。有些州欣然派代表參加這個會議，有些州則根本不願意派代表參加，甚至質疑有成立一個中央政府的必要。後來聽說是華盛頓承諾參加這個會議，才派代表參加。而參加的代表都是一時俊彥之士，共五十五人，平均年齡四十二歲。但也有八十一歲的富蘭克林，以他老成持重的智慧、經驗、聲望，周旋、折衷、調和於年輕代表之間，成了會議成功的潤滑劑，也是成功的主要因素之一，並未被罵成老賊，受人輕侮。時華盛頓爲五十五歲。

會議公推華盛頓爲主席。會議中爭論的焦點，爲中央政府與地方政府的權力分配問題。在華盛頓的公正主持之下，各州代表得到充分而理性的討論。在討論與激烈爭辯的過程中，代表們公正、無私，以建立一個新的國家整體利益爲前提，終於在十六週之後，於一七八七年九月十七日十三州代表簽訂了「美國憲法草案」，還須經過十三州的會議通過。其中有六州對一個強大的中央政府持懷疑態度，不肯批准。後來在草案中增加了十項增訂條文，加入各州原已擁有的一些權利，才得到各州的全體批准，於一七八八年六月二十一日憲法通過，聯邦政府隨之於一七八九年成立，這即是施行至今的美國憲法。在立憲爭論過程中，產生了兩個不同主張的黨派：一派是聯邦主義者，主張建立一個強大的中央政府，加速國家建設，代表企業和商業利益；一派主張各州僅成立一個鬆弛的結合體，維護各州的權利及個人的人權與農業的利益。這就是後來美國政黨政治的起源。

史家將這次制憲會議的成功，歸因於：一、華盛頓公正而睿智的謀國與領導；二、參加的代表都是全國菁英之士，有理想及主張上的不同，而無私人利益的介入；三、也因此而富有妥協與調和的精神。聯邦制與三權分立都是這種妥協與調和精神的結晶。這部憲法充滿了理想，也顧及了現實。

據說十三州代表宣誓簽字時，氣氛莊嚴肅穆，一個新的、前途似錦的國家就此產生了。富蘭克林曾說了一段感人的話：「在會議中，我每天都注視著會議大廳掛著的一幅畫，畫的是一個光芒四射的太陽，一半在地平線上，一半在地平線下，每當爭辯激烈，會議瀕於破裂時，我就不知道這個太陽是在上升或是在下沈，現在我確定它是一個上升的太陽。」（見前引《美國歷史大綱》）多麼感人。我現在也不知道台灣是一個上升的太陽或是下沈的太陽。

我在各種場合都曾說過，一個國家的興盛與國運有關。如果國運好，會有一個賢明公正的領袖，配以一羣賢明公正而又有能力遠見的工作夥伴，便能爲國家人民成就一番事業。如唐朝的貞觀之治、日本的明治維新。在這裡，我們又看到美國開國的情形亦復如此。讀者不要誤會以爲這些傑出人物之間沒有私人利益衝突，沒有個人恩怨，沒有激烈競爭，這些都是人性，當然會有。但他們有一種共同特性，那就是都以國家人民利益爲第一優先，都有一種共同精神，那就是在公平規則之下公平競爭。這兩者實在是美國的立國精神，我們有嗎？將美國立憲與我們的國發會及修憲過程對比，我們只有慚愧地跳太平洋，而國、民兩黨重要人物卻說是成功。

我要在這裡插一段小故事。我在美國讀書時，一位教授告訴我：「美國第二任總統亞當斯與第三任總統傑佛遜都是開國元勳，然而是死對頭。一八二六年兩人同時得重病快要死了，都不斷互相派人到對方住所打聽，看對方死了沒有，都希望看到對方先死。」然而可貴的是他們私不害公，也不會設計去陷害或污衊對方，一如我們這個社會之所爲。我現在似乎記得他們是同日死，只差幾小時，我想那是因爲上帝精簡行政，只派了一位天使去接他們，天使先到一家，辦完手續，再到第二家，於是先到先走，後到後走，就這麼差了幾小時。

一七八九年四月華盛頓宣誓就任美國第一任總統，立即任命兩位敵對的人物，一爲主張聯邦制，建立一個有效的中央政府的漢米爾頓爲財政部長；另一爲主張更廣大、更自由的民主政治的傑佛遜爲國務卿。華盛頓在作重大政策決定時，必定先和他所信任的閣員作充分的討論與溝通才作決定，這一做法便形成了所謂美國式的內閣。他於一七九七年兩任總統任期居滿後，便堅決不連任，要建立一個好榜樣。這一慣例兩百年來，除爲小羅斯福總統打破一次外，現在仍維持兩任不變。

根據以上的敘述，便知道我一再希望李總統做華盛頓是有所感而云然。我的第一篇有關李總統的文章標題〈要做偉大的總統，不做有權力的總統〉，所影射的便是華盛頓。華盛頓是一個有權力的總統，而且其權力影響不僅在當時，還及於後代，直到現在。但是其權力來源不在於要求憲法給他多少權力，而在於他的人格與領導風格，受到人民的普遍信任與支持，及發自內心的愛戴，這才是真正權力的來源。

語云：「饑者易為食，渴者易為飲。」在台灣這種現狀之下，雖然困難問題很多，解決不易，但時勢造英雄，也容易有所表現，而一旦有所表現，便會萬民來歸，羣情翕服。尤其在一九九〇年前幾年問題還不十分複雜，解決問題容易著手的時候。李總統可以在這種環境中，締造自己的歷史地位，在中華民族史上留下輝煌的一頁。但經過一九九七年的國發會與修憲，無論過程及實質內容，都使得歷史必須重寫。

本節係於一九九七年十一月中旬完稿。緊接著即是同月二十九日縣市長選舉投票，結果雖然國民黨得票率為四二%，較民進黨僅少一個百分點，但是在二十三個縣市中，僅獲得彰化、雲林、嘉義、花蓮、台東、澎湖、金門、馬祖等八席，多為離島及農業縣。國民黨執政縣市占全省總人口僅有二二%。反之，民進黨則獲得十二席，多為精華地區，統轄人口則超過七成。此對國民黨與李總統而言，不僅是嚴重挫折，而是大慘敗。如果一九九八年底立法委員選舉再如此失敗，則國民黨執政不等到二〇〇〇年總統大選，就可以說宣告結束了。所以我說這是國民黨自一九一九年在上海改組成立以來，僅次於大陸撤守時面臨的第二次存亡危機。如果喪失了執政權，中華民國實亡而名也未必存，則有負於兩代蔣總統之重託多矣。

此次敗選早在各方預料之中，不過未曾預料到有如此土崩瓦解的慘狀。各方紛紛解析原因何在，時任台灣省長宋楚瑜在國民黨中常會提出書面意見，提出了四大原因：一、重大政策制定過程模糊而粗糙；二、執政黨政府公信力受到斲傷；三、對選民的承諾不切實際與無誠意；四、政府施政成績不佳及政治人物未能廉潔自持。所有各方分析的原因及宋省長的意見都不無道理，但都是部分的原因。

像我這一代大陸撤退來台的人，都曾親身經歷國民黨及其所領導的政府在大陸徹底的潰敗，以絕對的優勢黨政軍加上美援的力量，繼之以戰勝日本餘威，被一個局促於延安一隅之地的政權，與小米加步槍的軍隊，如秋風掃落葉地將國民黨及其政府掃到台灣。分析原因，也是眾說紛紜，各有理由。但就我的看法，原因只有一個，那就是國民黨及其政府的貪污，而貪污一定腐化，腐化一定無能，無能一定拿不出施政的成績，解決不了與平民百姓有切身利害關係的問題。腐化的生活與人民的生活脫節，為人民所妒嫉與痛恨；無能則為人民所輕視與厭惡。最後終於拋棄了國民黨及其政府，另作選擇。至於那一次的選擇錯誤，在次壞與最壞中選擇了一個最壞的，那是以後的事，非當時所可預料的了。假如我們要進一步追問為什麼貪污會如此普遍？那是因為專制獨裁，權力集中於一人或一人所領導的集團，使人必然腐化的結果，有貪污普遍的地方，必然是權力集中的地方，沒有例外。

我現在親眼看見，國民黨及其政府又在台灣重演舊戲碼，我也從中外媒體及傳聞中，得悉中共在大陸也在重演舊戲碼。這真是中國人的悲哀，如不改正，中國人在國際上將永無出頭之日。據說中共自朱鎔基接任國務總理後已在大力整頓貪污，建立各種現代化的制度，但願天佑中華民族，祝他成功。我生平唯一的願望就是希望中華民族現代化，不再被外國人當豬看。

第三十九章 外省族羣

自第二次世界大戰結束以後，差不多所有的殖民地都被解放，所有以少數統治多數的政權都被移轉，這已是全人類共同的趨勢，無人可以逆勢而行。一代梟雄英國首相邱吉爾曾發出哀鳴：「我不是大英帝國的終結者。」但大英帝國正是在他與其繼承者手中迅速終結。

南非共和國應該是一個最好的例證來說明這種情形。白人統治南非時間之長，統治根基之深厚，統治手法之完備，而其所面對之黑人，則除人口占優勢外，無論就任何方面而言，都不如白人，然而一夕之間，政權即移轉至黑人手中。昨日還是階下囚的曼德拉，今日一變而爲總統，統治全南非，南非白人只有接受統治。

在台灣的外省人在考慮到自身在台灣的處境與前途時，應有這種認識。當然，台灣並非中華民國的殖民地，而是一省；外省人與本省人也非兩個民族，而是一個民族。但是外省人必須要了解，假如現在的中華民國仍在統治全中國，則台灣當然是中華民國的一省，也不會有少數統治多數的問題。現在問題出在中華民國政府的統轄權只能及於台、澎、金、馬，其統治權所及的人口，百分之八十五屬於本省人，那麼統治權如仍在外省人手中，便是少數統治多數了，儘管本省、外省都是同一種族，但即使親如兄弟，在重要關頭，也是要分家的，何況是政權的爭奪。外省人應該有這種了解與心理準備。

兩代蔣總統的眼光與做法究竟高人一著。我曾提過，老總統遠在一九五〇年代後期就知道返回大陸無望，就在著手培養本省人才，預備政權本土化。至經國先生掌權，則本土化政策的推動更是明顯。經國先生非常深沈，推動本土化由地方推展至中央，由副貳推展到主位，由次要職位推展至重要職位，使人在不知不覺間完成其本土化的政策。我們現在回溯經國先生在這一方面所採取的措施，便可知道我說法之不誣。經國先生採取這種漸進方式，當然在減少阻力，和平移轉政權，穩住大局不亂。須知移轉政權是件大事，稍有不慎，便是大動亂。我們如果對照李總統因加速移轉政權而引起的反抗，對中華民國與中國國民黨所造成的損害，便可知道經國先生之睿智。而這種損害並未了結，還在繼續中，將來產生何種結果，尚難逆料。而李總統執政以來，可說以很大一部分時間在處理內鬥，因而不能傾全力於內政建設，則尤其是全台灣難以彌補的損失。即以一九九七年的修憲大風波而言，其根源仍在於當初移轉政權太快。

兩代蔣總統，特別是經國先生致力於政權本土化，理由我在前面提到過，政權只有在多數族羣的手中，才是一個比較穩定的政權，這已是不可逆轉的人類潮流。而比較穩定的政權有利於兩件事：一是讓中華民國與中國國民黨在台灣生根，不致滅亡，看以後有無機會返回大陸；一是外省人的安居樂業。

在台灣的外省人應該一方面察知全人類的潮流所在，不管以什麼理由或口號，都不可能以少數族羣來統治多數族羣；另一方面則應體會兩代蔣總統的苦心孤詣，爲中華民國、爲國民黨，更爲自己的利益，來完成他們的心願。從而打從心底起，放棄過去外省人在政權上的優勢地位，調適心情，面對現實，承認現實。

那麼，外省人如何自處呢？這我在〈李登輝總統的施政理念及其成就〉一文中，已經說得很清楚了，茲將有關的全文摘錄如下：

一、不要再爭論台獨問題，將台獨問題賦予中共，有中共在，無論有無外國人介入，台獨都不敢越雷池一步，而自取滅亡。任何黨派，任何個人執政，也都不敢容許台獨越雷池一步。像現在這樣，喊喊口號，主張主張，無關宏旨，所以我從不懼怕台獨問題。

二、不要再爭論統一問題，將統一問題留給時間，等待國際及台海兩岸局勢的演變，時機成熟，水到渠成，自然就會統一。反之，如果時機不成熟，則水不到、渠不成，誰也不能強迫兩岸統一，也不應該強迫兩岸統一。所以我從不關心統一問題。

三、不要再去爭論誰獨裁、誰的政治資源分配的多少問題，將這些問題交給民主政治制度及選民。在一個民主政治制度下，選民會用投票去解決這些問題。

四、所有的外省人，包括我在內，應該明白我們已無家可歸，或是有家不願歸，台灣就是我們的安身立命之地。這塊土地的和平與和諧，才有我們的公平機會。不要在這裡搞權力鬥爭，須知得到權力的是極少數外省人，而因和平與和諧的破壞，受害最大的是一般外省人。不要逞個人一時之快，毫無顧忌地發洩個人私怨，而破壞和平與和諧，及阻撓李總統施政理念的推行，其最後惡果也會落在一般外省人頭上。

當然，這些意見不會爲習慣居優勢地位的大多數外省人所接受，更不爲那些標榜忠黨愛國的外省籍政治領袖人物所接受，這些都是在意料之中的事，一般的外省人不會有這種了解，他們的知識水準不夠。那些政治領袖人物除了知識水準不夠外，更有權力欲望蒙蔽，使他們不知今夕是何夕。爲了政治權力，這些人一方面與李總統鬥，另一方面則自己內部鬥，爭總統、爭副總統、爭行政院長，鬥個沒完，給李總統一個各個擊破的機會，全軍覆沒，實在沒出息。

然而他們又不安於接受失敗，年老的繼續纏鬥，中生代則組織新黨來鬥，而且都主動地或被動地離開了政府職位與國民黨。這又犯了一個更嚴重的錯誤。少數人對抗多數人，除非搞革命（而在台灣目前情況之下，毫無外省人搞革命的機會），否則便應該留在體制之內對抗與制衡，還能發生相當的作用，一離開體制，便無著力點，只剩下發動一些羣眾，遊遊大街，舉舉拳頭，喊喊口號，製造謠言，污衊對方，發表一些動人的言詞，哄哄自己，騙騙外省籍大眾而已，絲毫不起作用。

但是他們對中華民國與中國國民黨卻造成了難以估量的傷害。以一九九六年所謂的二月政改爲例。堅決反台獨的新黨主動與堅持台獨立場的民進黨進行大和解，聯手奪取國民黨在立法院的主導權，推翻國民黨的執政，而不在乎新黨與國民黨源出一系，只要能給李總統下不了台，羞辱他就夠了。不料激起了李總統的靈感，反手一將軍，關起門來幾句閩南語一說，便輕而易舉地兩黨合作，開個國發會，進行憲法大翻修，新黨與外省人都只有靠邊站，搥胸頓足，醜言惡罵，做個阿Q而已。而從此一來，中華民國與中國國民黨又去掉了一層皮。更有甚者，是使民進黨執政更近了一步，而民進黨執政，也就是使中華民國與中國國民黨的滅亡更近了一步。也許到時中共會統一台灣，則中華民國與中國國民黨不是名存實亡，就是名實兩亡。而這些外省人天天喊的口號都是中華民國萬歲，中國國民黨萬歲，人人都以兩代蔣總統的繼承人自居，真是諷刺。我曾寫過一篇文章，題目就叫〈兩代蔣總統在哭泣〉，正是指出這些外省人的醜陋。兩代蔣總統如有靈，不哭泣也難。

現在，我們可以假設另一種情況，結果就完全不同了。假如在經國先生逝世時，這些外省籍的政治人物，能有足夠的智慧，體察到國內外的動向，同時又能放棄私利，不爭名位，團結一致，發表一個聲明，告訴全體國人，特別是外省人，將協助政權順利移轉給李總統，並遵照兩代蔣總統的遺志，盡力促使中華民國與中國國民黨本土化，在台灣生根，將來有機會重返大陸。則到今天爲止，國民黨無論在國民大會與立法院，仍居絕對多數，國與黨都不會風雨飄搖。

再或者退一步說，這些外省人不喜歡李總統的作風，不願與他合作，因而退出自組新黨，來堅持中華民國與中國國民黨的存在與主導政權，這也並無不可。但是在一九九六年二月，眼見國民黨在立法院的多數席位不鞏固，有政治危機，便應當機立斷，主動與國民黨合作，協助國民黨度過難關，以後無論人事及立法都採取同一態度，則除了提升自己少數黨的分量，造成舉足輕重之勢外，最重要的是無論如何，新黨與國民黨本是源出一系，兄弟鬩於牆，外禦其侮。再說即使政治無情，撇開這種情緒性的關係不提，單就利害關係來說，國民黨繼續執政，較之民進黨執政，無論怎麼說，都有利於中華民國與中國國民黨的繼續存在，都不會走上台獨之路，從而引起中共的武力統一台灣。

我也知道有些外省人嚥不下本省人掌握政權這口氣，寧可中共統一台灣，中華民國與中國國民黨被滅亡，違背兩代蔣總統的遺志，也不願見到本省人掌握政權。這又是觀念上的一個大錯誤，這些外省人天天手捧國父遺教，視爲聖經，卻不知道孫中山先生早在八十年前就已看清了世界潮流，而主張民族自決、地方自治。台灣人就大民族來說，是中華民族，沒錯；但是他自有其特殊語言與風俗習慣，自成一族，正如廣東人、廣西人、山東人一樣。而在地方自治之下，即使中共統一台灣，就地方政權來說，也一定是台人治台，正如將來一定是閩人治閩，粵人治粵，桂人治桂，魯人治魯一樣。那麼像過去幾十年的台灣，以少數族羣統治多數族羣，將永不再來。

總之，這些外省籍的政治人物，無論留在體制內對李總統發生制衡的作用，或退出體制，在體制外從事抗爭，都必須要認清大勢，堅守一個原則，那就是要維護中華民國與中國國民黨的長久生存，勿負兩代蔣總統的遺志，就必須要與李總統所代表的中華民國政府與中國國民黨合作，無論你們是如何地不喜歡李總統，不合作，就是加速中華民國與中國國民黨的滅亡，而現在正在走這一條路。作爲有智慧、有遠見、能忍辱負重的真正政治家，一定能夠看出這種大勢。

於此，我不能不歎息經國先生生前未能培養幾個有遠見、有現代知識，能公忠體國，不爲己謀，能忍辱負重，沈著堅毅，有真智慧、真勇氣，盡瘁國事的外省籍政治人才，可以在政局丕變之際，足堪肩負興亡重任，一方面爲中華民國與中國國民黨能長久在台灣生存作打算，另一方面帶領及教導外省人如何適應新局面，長久地安居樂業。反之，經國先生生前所培養信任的外省籍政治人才，頗多有勇無謀，而勇也只是揎袖攘臂，喊殺喊打的匹夫之勇的人物，因而在政權移轉的整個過程中，雖然如前所云，口喊中華民國萬歲與中國國民黨萬歲，但如何萬歲法，不知道；如何維護外省人的長期利益，不知道，也不關心。而爲一己爭權力，爭名位，則依然勇往直前，好戲連台。這種鬥爭現象直到現在爲止，雖然因徹底潰敗而逐漸消失，但仍在政治舞台上活躍的一些中生代，則仍在反李情結之下，做著爲中華民國與中國國民黨送終的把戲而不自知。事實上，民進黨幾度在台北市、台北縣取得選舉勝利，都得到新黨的幫大忙。

在新黨剛成立不久，我的一位旅美友人應邀返國作學術演講，我們兩人談起新黨組黨問題，都覺得前途不樂觀。他未曾說明理由，我的理由很簡單：一、缺乏政治領袖，足以領導；二、缺乏政綱，足資號召，實際上不過是烏合之眾的造反部隊而已。這只要一看當年國民黨是怎麼成功的，共產黨又是怎麼成功的，歷代造反的人怎麼成功的，便可以知道了。

當一個政黨連幾個足堪大任的領袖都產生不出來，就不會有足以令人信服的遠大政治理想目標及眼前的政治革新抱負，也就是提不出號召選民的黨綱政綱，這如何能長期得到選民的支持與走上執政之路呢？再加上思想守舊，抱著幾句教條口號；眼光淺短，念念不忘那美好的古老日子，所謂新黨除了那個「新」字以外，其他都是舊的，這樣的政黨前途實在有限。

由於缺乏領袖，便缺乏強力的凝聚力量，於是便內鬥不已。誰也不服誰，誰都想爭一點權力，其實還沒有沾到政權的邊哩！我當然知道新黨也吸引了不少有理想、有抱負的青年，但是沒有領袖組織領導，便不能成爲一個有力的政治團體，更遑論革命團體了。我也知道這些青年熱愛中華民國與中國國民黨，希望中國統一，但是拿不出政綱與可行的政策，也提不出有效的方法，那麼這些抱負又如何實現呢？最後只剩下一個四分五裂的團體，與支離破碎的一些古老口號而已，徒然貽笑本省人。而其實際行動則是對政敵或不喜歡的人，予以惡罵與栽誣，便更是等而下之了。

這才是外省人的悲哀，中華民國的悲哀，中國國民黨的悲哀，不幸，我具有這三重身分。

第四十章 台灣前途

我在前面曾經指出，全人類遠看一百、二百年，或更長一點時間，除非自我毀滅掉了，否則都會進步到經濟富裕、政治民主自由之路，這是必然發展趨勢，不會逆轉。所謂民主自由，就是某一個社會的一羣人，基於血統、文字語言、地理環境、文化發展、宗教信仰、歷史淵源等等因素自願相結合，成爲一個獨立自主的政治實體，自己組織起來管理自己。這個實體可以稱爲國、州、省、邦、城市或任何其他名稱。屆時，套句現代的用語，這個社會的構成份子既都可當家作主，則現在世界各處所謂的獨立運動便會自動消失。這在某種意義上也即是孫中山先生的民族自決，而不論這個民族是一個民族中的分支，或是另一個民族。所以在我的思想中，我從無什麼大中國主義、祖國統一、民族大義、同胞愛之類的概念，我認爲這些都是政客的口號，在我這一生中，我看得太多了。軍閥混戰，國共內戰，爲了奪取政權，什麼屠殺老百姓的手段都使出了，數以千萬計的老百姓都遭慘死，更多的老百姓流離饑餓，而這些劊子手卻天天喊救國救民，哪有什麼祖國、民族？但是我們必須面對現實。

在這裡，我要引述美國開國元勳第三任總統傑佛遜於一七九○年說的一句話：「每一個人，每一羣人，都有自治的權利。」（Every man and every body of men on earth, possess the right of self-government）來印證我上述的看法。事實上，這與孫中山先生民族自決、地方自治思想完全一致，也是二次大戰後各殖民地獨立，而殖民母國不得不接受的理論依據來源之一。

依照我的這種想法，海峽兩岸關係如果雙方都不強求，聽其自然發展，則時機成熟時，是統是獨，都可在兩岸人民自由意志之下，自動解決。是則現在的統獨之爭，毋寧是多餘的。但是居住在台灣的二千一百萬人民及其政治社會領袖在就目前的兩岸關係作決策時，便必須要面對現實，而不是看百年以後。所謂現實，那就是大陸人民與中共政權的態度，以及中共的實力是否能貫徹其態度。我在這裡特別提出大陸人民，是因為中共政權必須要統一台灣，不僅是中共領導人的意思，而是大陸全體人民的自由意志，我來自大陸，我當然了解大陸人民對這一問題的想法。假如認為我的話過於誇張，則現在台灣去大陸旅遊的人很多，不妨讓他們隨便找一些大陸人民問一聲，便可知道了。這就是要統一台灣的一個可怕的力量，因為是大陸全民的意志，不是單獨一個政權或少數中共領導人的意志。那麼，中共有無能力貫徹這個意志呢？當然有，理由留待以後再說。

面對這種形勢，台灣領導階層所能做的事有兩件：一是儘量延緩中共統一台灣的實際行動，不要時時去刺激他、提醒他；一是埋頭建設內部，使台灣全面徹底現代化，讓中共及國際社會都不能小看台灣，尤其要使中共覺得以武力統一台灣無從下手，無正當理由下手。

所謂不要時時去刺激他、提醒他，就是不要搞台獨，甚至不要使中共覺得台灣在暗中搞台獨。我在前述一九九〇年元月為李總統所草擬的〈建設現代台灣〉，預備作為他將來的施政大綱中，曾有如下兩段話，前面曾經引述過，茲再重複引述如下：（參閱附錄十）

「台灣四十年來實質上已是獨立，現在政權正在大幅本土化，故以台人治台之台灣獨立實際已經存在，現在再主張台獨，除了少數人為要奪取政權外，已毫無意義。

「公開堅持一個中國政策，嚴厲反對台獨，對台獨活動予以絕對壓制，此舉目的在應付中共。」

我要特別申明，我所謂的絕對壓制，當然不是什麼白色恐怖，而是李總統或政府有關機關對於台獨活動，予以強烈明白的譴責，昭告全體人民不要盲目附和，尤其要避免給人以與台獨唱和、連線或暗獨的印象。

此外，我在李總統就任第八屆總統就職演講稿的標題〈為中華民族開創一個新時代〉，特別標出中華民族，也是告訴中共，李登輝不搞台獨，也不同情台獨，讓中共放心。這當然不是怕中共，向中共示弱，而是小國與大國打交道應有的做法，只要能夠維持台灣的實質自主與生存，我們低調處理中共關係是值得的。

然而我並不主張僅是消極地應付中共，而是要積極地建設台灣內政，使台灣迅速徹底地現代化。因此，我在一九九〇年爲李總統策畫未來六年的施政大綱時，便將重點放在內政改革上，包括經濟發展在內。如果內政改革能夠成功，台灣真能走上現代化之路，則不僅大幅提升經濟與中國人在國際上的地位，而尤在於提供了阻止中共武力統一台灣的一種堅強無比的無形力量。一個富強的、現代化的台灣，中共無論如何是不敢輕言動武的。

依照我上面的構想，一方面認識我們是一個小國，低調處理與中共的關係，絕不讓中共懷疑我們有台獨的傾向；另一方面集中力量於內政建設，使台灣迅速地現代化。則台灣以獨立自主的方式生存下去，應該可以維持若干年，以等待時機的演變。我曾經多次爲文及一九九六年在國民大會行使監察院長同意權時提出過。如果照我的做法，則未來台灣與大陸的關係，有兩種選擇的可能性：

一、中國遲早會走上美國式的聯邦制，因爲中國太大了，過去那種中央集權的國家組織不可能持續下去。如走上聯邦制，則台灣省可爲聯邦之一，地方事務，台人治台；中央事務，台人參與。台灣還可享有一個大國及廣大經濟市場的利益。

二、或者中國走上歐盟的方式。即在政治上分裂成許多小國，在經濟上形成一個大經濟體，各構成份子則放棄一部分政治與經濟主權，形成一個上層的聯盟（Union）或邦聯（Confederation）的組織。台灣如加入，同樣是得利者，由於血統、語言、文化、歷史等關係，中國未來走向美國式的聯邦制可能性最大，而台灣成爲聯邦的一份子，也對台灣最有利。現在應該想盡辦法靜待這種演變的和平到來。

但是自一九八八年以來，李總統所採取的政策完全與我的構想相反。內政改革與國家現代化是國力的基礎，也是治理國家最難推動成功的一個工作，中國自一八四〇年鴉片戰爭後開始維新起，到現在將近一百六十年還是距離遙遠，可見其難度之高。台灣全力以赴猶恐不及，而我們卻將其忽視了，以致演變至現在有難以收拾之勢，實在遺憾。而另一方面，大陸政策卻以極高姿態與中共對抗，不僅台獨口號高唱入雲，甚至實際行動亦頻頻出現，無人敢於出面說一句阻止的話。幾乎天天都在刺激中共，提醒中共，台灣要獨立了，台灣是另一種文化，是另一個民族。

在這種強烈的對抗姿態之下，產生了兩種結果：

一、在中共的施政優先次序表中，以前因爲台灣太小了，本來是一個小問題，優先次序應該很後，中共並不急於要解決台灣統一問題。現在是我方將這一問題炒熱了，迫使中共不得不提升其優先次序至最前面幾名。

二、堅定了中共以武力統一台灣的決心。無論當年的葉劍英、鄧小平及以後的江澤民，雖未明白申明放棄以武力統一台灣，但都強調和平解決。尤其江澤民的八點以及他對台灣的實際行動，在在都表示了相當大的彈性與較和平理性的態度，締造了可以坐下來談的氣氛。無論北伐以前的南北和談與國共內戰期間的幾次和談，雖然都以戰爭結束，但都有坐下來談的氣氛營造，是個可以遵循的模式。由此可見中共並無動武的決心。

但在我方的不斷刺激與提醒之下，終於在一九九五至一九九六年以軍事演習及飛彈發射，向台灣展現軍力。而一九九六年三月的發射飛彈，等於對台灣的海上封鎖。我方亦以軍事演習回應，但仍安撫不住人心的恐懼，匯價、股市、房地產價格均下挫，資金、人民紛紛外流。最後得到美方的支援，除軍事演習外，還指派獨立號與尼米茲號兩艘航空母艦駛近台灣海域附近監控鎮壓，中共軍事威脅乃告停止。我們雖得到一時的安全保障，但卻種下了兩個我最不願見到的後果：

㈠刺激中共加速更新軍備。在我們慶幸美方的支援，使我們得以度過危機時；中共當時對內雖封鎖了美軍干涉的消息，一般人民反應無從得知，但以我對中華民族性與中共政權性質的了解，中共當局，特別是軍方，必將視此爲國恥，必圖洗湔。現在幾乎全世界都知道，中共正在全力更新軍備，而其對手目標則至少是美國西太平洋軍力，甚或包括日本軍力。一旦他認爲有一戰的能力時，便極可能對台動武，除非我們與中共關係在此期間有重大改善。這點李總統也感受到了，曾公開呼籲美國，其意是要美國將「美日安保條約」網延伸至台灣海峽，公開表明態度，以免對方誤解重蹈韓戰覆轍，美國政府也公開表態了。這又是不了解中華民族性及中共政權性質。中共將來是否動武，不取決於美國的態度，而取決於中共的軍力與國力，這種宣布會更刺激中共加速整軍。

㈡另一個我更不願見到的結果，是台灣勢必成爲美日兩國藉「美日安保條約」聯手圍堵中共的一個據點，一顆棋子，一個工具。萬一有朝一日中共與美國或包括日本發生軍事衝突，則無論中共勝負如何，台灣必付出慘重的代價。這不僅是實質的戰爭破壞，而更是要面對十幾億海內外中國人的憤怒，特別是中國的世仇日本人介入的時候。將台灣變成這樣一個地位與處境，真是「悠悠蒼天，此何人哉」，焉能不我心憂之。

在一九九六年三月，中共以軍事演習威脅台灣的事件中，表現最失常的是美國。它應該遵循外交途徑暗中與中共協商，確定以後美、中、台的交往關係，並為李總統訪美一事表示歉意。卻採用十九世紀與二十世紀初期的砲艦政策，用武力來鎮壓中共，其對中共刺激之大，及將來反應之強烈，可以想見。這使中共完全了解台灣問題之解決，或一個國家想要有尊嚴地立國於國際間，仍然是比拳頭大小。中國的拳頭仍然不夠大，仍未脫離十九、二十世紀初期的弱國地位，仍然受到強國的欺凌，從而奮起加速整軍經武，以期最後能與對手一拚。從這一點也可看出，美國並不了解中國。事實上，從一九三七年中日二次戰爭開始，至現在為止，美國政府及所有中國專家，包括重慶時代的駐重慶外交官及費正清在內，從未真正了解中國，導致原可不必發生而終於發生的韓戰與越戰，使美國喪失了無數寶貴的生命，還賠上了美國的威望。不過，就我個人而言，我是留美學生，對美國懷有深厚感情。尤其二次大戰期間，美國給與中國之援助，使中國免於亡國之禍，以及戰後的經濟援助，使我終生感激不忘。當然絕不願意見到中國人與美國人兵戎相見，如抗美援朝那樣的事再現。

讀者也許認為我上一段話言過其實，過於主觀。寫到這裡，我正陸續讀到幾篇與我上述意見有關的報導，不妨引述如下，作為我見解的佐證。

一、一九九八年四月三十日《中國時報》載，美國資深外交家，也是中國問題專家的費浩偉

（Harvey Feldman）論〈美台應加強軍事交流〉一文，內文有兩段引述於下：

自從一九九一年高科技在波斯灣戰爭展示其改變戰爭特質的能力以來，中共就著手進行一連串軍事現代化計畫，希望在情報系統、偵測衛星、彈導飛彈、反艦飛彈、戰鬥機及潛艇等方面的技術獲得重大的改善。

儘管這些武器顯然會用來對付台灣，但中共真正的目標還是美國和日本。一九九六年三月的台灣危機中，美國派出航空母艦戰鬥羣的舉動，更促使中共強化其加速軍事現代化的決心。中共軍方相信，唯有如此才可以避免再度遭到美國的羞辱。

二、一九九八年六月二十二日，美國柯林頓總統訪問中國大陸前二日，《華盛頓郵報》大幅刊載了一篇回顧一九九六年台海危機的專文，其中有兩段是這樣寫的（根據《聯合報》六月二十三日譯文）：

一九九六年三月台海危機過後，美國情報機構極為注意中共的武器取得情形：基洛級潛艇、蘇愷二十七型攻擊戰鬥機、特別是配備SS—N—二十二型「日炙」飛彈的現代級驅逐艦，這是蘇聯設計來對付美國航空母艦戰鬥羣的。

熟諳中共事務的一名美國軍事專家說：「情報界有一個相當大的共識，就是認為中國當局以前所未有的方式要求軍方演練入侵台灣。對中國人民解放軍的戰略專家和戰鬥人員而言，這意謂他們必須策畫對付美國的問題。」

三、前美國白宮國安會中國問題專家包道格（Douglas Poal）在評論一九九六年台海危機時說：「就美國而言……，所失則在於讓中共軍方的聲調爲之提高，亦即找到整軍經武，加強軍備的藉口。」（見《中國時報》一九九八年六月二十五日，冉亮〈台海危機、美中台各有得失〉一文）

四、一九九八年七月六日《中國時報》載，美國國防部主管亞太事務的副助理部長坎培爾日前表示，自從一九九六年台海危機之後，中國方面已展開一個五至十年的加強軍備計畫，以有效地威脅台灣。果如是，則美台之間安全關係的本質將爲之改變。

五、一九九八年六月二十七日《中國時報》載，參謀總長唐飛在談到美航艦巡防台海，我也付出代價時說：「美國海軍進入台灣海峽，讓中共軍方顏面掛不住，因此中共內部對黨有要求，江澤民不得不遷就解放軍的意願；這也形成美國事後檢討美國與中共關係退步，再修補。」

我之所以不憚其煩地作這麼多引證，目的只在說明我在此以前所作的論斷，雖是我個人的判斷，但絕非毫無根據，而此一判斷如果將來事實證明正確，則對我方將產生難以負荷的後果。

我們現在要進一步探究，我們將要付出如此的重大代價，那麼「美日安保條約」真能保得住台灣的安全嗎？我的答案是未必。我們細查美國立國以來兩百多年的歷史，美國應是世界強國中出兵攻打別人國家次數最多的一個國家，也是半途而廢最多的一個國家。打古巴，打北韓，打北越，都是如此。打古巴，一戰即敗；打北韓，如果不是以原子彈轟炸中國東北及協助我國登陸東南沿海，來威脅中共，促成了板門店的和談，否則美軍很可能被逼到釜山，重演當年英軍登克爾克的大撤退；打北越，更是拋棄盟友，倉皇撤退，徹底失敗，士氣一蹶不振，直到伊拉克之戰方始回復信心。至於美國人對承諾的信守，我們更是有切膚之痛。一九四九年大陸撤守，美國政府發表白皮書落井下石，公開表示放棄台灣一事，姑且不談。一九七八年十二月，美國總統卡特一紙聲明，我們倚爲萬里長城的「中美共同防禦條約」便告撕毀，接著而來的便是與我斷交及與中共建交。那麼區區將「美日安保條約」擴展至台灣海峽一句空口話，又算得了什麼。

我們以一個不成比例的小國，面對近在咫尺的一個大國，不講求和平共存之道，卻托庇於萬里外的另一強國，成爲這一強國圍堵近鄰強國的工具，而這一強國的過去紀錄又並不可靠，難道這就是我們的務實外交與大陸政策嗎？

我當然知道，我的上述見解不會爲本土意識濃厚的激烈人士所接受。他們會振振有詞地說出許多台灣應該獨立的道理，國際社會如何支持，中共如何不敢採取行動。進而提出許多獨立的口號，與關在台灣之內的行動，或在國際社會呼喊一陣，取得同情。居住在台灣的部分人士有台獨思想，台獨主張，無關宏旨的台獨行爲，這是他們應有的權利與自由，無人能夠批評他們的不是，更無人能夠對他們的這種行爲與思想加以抑制。好在他們並未掌握實權，不會發生實際作用。如果發生實際作用而使中共覺察到事態嚴重，中共就必會採取行動，那就是台灣人民立即的災難。

但是作為台灣實際政治的負責人士，作為在良知上要對台灣人民負責任的社會領袖人士與學術界人士，即使有濃厚的省籍情結，即使有台獨的思想，也得自我節制，面對現實，落實現實，制定一套以小事大，兩岸和平共存的政策，與可以運作的溝通模式，求取二千一百萬台灣人民的長治久安與繁榮。有良知的、對人民負責任的政治、社會與學術領導人物，沒有任意行事的自由；沒有自己要說什麼，就說什麼；要做什麼，就做什麼的權利。一言一行，必須受現實環境的節制，必須思慮周全，博採周諮，廣納多方意見，然後將人民利益放在最優先地位，作出萬無一失的決定。這是做領導人的悲哀，也是做領導人的偉大，因為這正是犧牲小我，成全大我的智慧表現。

自一九九七年七月一日起算，除非我方在兩岸關係的政策與做法上有重大的轉變與突破，我預計在十年左右，中共對台灣必將有使台灣難以承受的壓力與具體行動，迫使台灣在兩岸統一上有明確具體的回應，以解決對台灣的統一問題。我之所以以十年左右為期作此預測，基於四個理由：

一、拖延時間，國際環境對中共統一台灣不利。維持現狀時間愈久，國際社會接受中共統一台灣便愈難，阻力便愈大。這一點我相信中共已經深切感覺到。

二、過去中共未採取行動，當然是國力不足。近年來，中共國力蒸蒸日上，再過十年左右，除非中共內部發生變亂，否則在經濟與軍事方面都應至少是區域性的強國，足以與外國勢力一拚。而就中共的觀點，一個區域性的強國，因受阻於另一強國而不能使其領土統一，還算什麼強國，真是恥莫大焉。

三、一個國家如果在其保衛國家安全的常備軍之外，再大事振軍擴軍，則必有其特殊軍事目標須要達成。現代的軍備耗費至巨，折舊率又非常之大。如果擴軍到某一程度而不使用，不去實現目標，則必招致軍備陳舊，師老必疲的後果，雖然不一定使擴軍前功盡棄，但必然損失不貲，非一國國力民心所能支持。是以擴軍機器一旦發動，除非其所懸想之軍事目標已經消失，否則必然使用。二次世界大戰前，德、義、日、俄等國競相擴軍結果，終於爆發大戰，可以爲證。中共現正在積極擴軍，十年左右，必有所成，亦必將一用。

四、海峽兩岸目前不確定的關係，對中共與美國都是一種煎熬，時間拖長，必然會失去耐心而攤牌，兩國決策者必會在攤牌之前謀求解決之道，以避免走上攤牌之路，美國目前對台灣施加壓力從事兩岸談判，就是已經感到不耐，而希望避免走上攤牌之路的明顯作爲。我相信這種壓力會不斷加強，終必會使美國與中共達成避免攤牌的目的。我要特別指出：「不確定的關係，就是最危險的關係。」中共與美國都不會願意冒這種險。

中共整軍的假想敵既爲美軍，至少是美軍西太平洋軍力，則中共與美國爲台灣問題終必有對上之一日。對中共而言，必然有一戰以解決問題的決心，因爲在中共與十二億人民的心目中，這是維護領土主權完整的民族戰爭，一如當年對日作戰一樣。對美國而言，則有幾種選擇：

一、爲台灣問題與中共一戰。但美國必須要考慮到這一戰所要付出的代價：㈠美軍要不要將戰爭帶到中國大陸，如帶到中國大陸，中共亦必將以飛彈將戰爭帶到美國本土，而成爲自珍珠港事件以來，敵軍第一次攻擊美國領土，美國民意是否承受得了。㈡美國政府及民意是否願意爲了台灣問題，而與十二億人口的中國爲敵結仇，以致妨害以後無數的共同利益。㈢美軍有無速戰速勝的把握，萬一如韓戰、越戰，拖延時日，美國民意能否承受下來，而不起來反對政府的政策。

二、與中共妥協，引用香港模式，由美國與中共談判中共接收台灣的條件。條件的內容當然要比香港寬鬆得多，但形式上必須統一，而這些條件則由美國與中共獲得協議保障其執行。

當然，台灣不是香港，我們是一個有主權的獨立國家，也有雄厚的國防力量，也可以一戰。問題在於中外歷史都顯示，兩強對峙時，犧牲者必然是夾在中間的小國。例如二次大戰爆發前夕，波蘭的一位政客可修上校縱橫捭闔於德、俄兩強國之間，頗爲得意於一時，因此在國際間聲名大噪，但不旋踵間，德、俄取得協議，波蘭立即被瓜分。再如前面曾提到的，我國與美國爲二次大戰並肩作戰的盟國，在冷戰時期又爲美國圍堵政策的重要一環，且訂有協防條約，然而美國一聲令下毀約斷交，與中共締交結盟去了。當本身力量不足以對抗強敵時，依恃外來力量圖存，有時有用，多半時失望。

我們在對中共的決策上，有兩點似乎未曾充分地評估：

一、中共的力量。我們時常輕敵，認爲中共欺軟怕硬，並不可怕。兩敵對陣，輕敵常是一方的致命傷，中共是有一定的實力的。我記得當美國故總統尼克森想與中共建交時，我方的反應之一是中共是一隻紙老虎，不足懼，不了解美國何以要與一隻紙老虎打交道。尼克森很簡單地回了一句話：「中共是一隻裝有核子牙的紙老虎。」美國國內當然也有部分人士看不起中共，認爲不必低姿態與中共打交道。尼克森又回了一句：「中國是一個能自力發展原子彈的民族。」其實，中共還自力發展出人造衛星與長程飛彈。這些都是不容輕侮的。再說在台灣的中國人與在大陸的中國人源出一系，應該沒有太大的優劣之分，僅具有一些地方性的特質而已。我們沒有任何理由輕視中共。

二、中國的文化。中國有些傳統文化，無論我們認爲是如何的落後、不合時宜，或者「控固力」，但至少目前這些文化仍在支配絕大部分大陸中國人的思想言行，包括中共領導階層在內，這就迫使我們不得不面對現實來解決問題，而不是指責他們落伍，不進步，或要求他們爲適應台灣需要而放棄這些文化，及其所演繹出來的思想言行。在這裡，我要引述新加坡資政李光耀在一九九七年九月十二日，應倫敦國際戰略研究所之邀在新加坡主辦的「興起中亞太地區的安全挑戰」國際研究會上，所發表的演講中有幾段話印證上述我的看法（原文載於一九九七年九月十四日《中國時報》十版）：

中國一直都默默地接受美國在本區域布防軍力，直到去年三月中海峽兩岸出現緊張的局面為止。兩艘美國的航空母艦，儘管他們沒有進入台灣海峽，已使得中國改變態度。中國政府公開表示他們對美國在本區域駐防的關注。美國和日本加強兩國的安全協議，也使中國受到困擾。當日本內閣官房長官梶山靜六說，美日防務網將能在地域上涵蓋台灣，比如日本對美國的後勤支援可以延伸到台灣海峽，中國被迫對此採取強硬的立場，因為它不能夠接受日本在台灣問題上扮演任何的角色。

如果美國在中國處理台灣或西藏或香港的問題插上一腳，它將無法在東亞找到許多支持者。當幾乎所有的亞洲國家支持美軍在本區域駐防的同時，也沒有任何一個亞洲國家要在涉及中國國內事務或領土主權的課題上向它挑戰。日本政府可能是例外，但民眾對這看法分歧。

台灣是關鍵課題。沒有一名中國領袖能擔當得起失去台灣的罪名。香港回歸後（澳門也將回歸），台灣是中國歷史中，痛苦和恥辱的最後一章。毛澤東和鄧小平有足夠的魄力把解決台灣問題的責任留給未知的將來。那時是冷戰時期，台灣、美國和日本領袖同意台灣與中國統一為最終目標。冷戰之後，當台灣開始耍弄獨立課題，中國強力反擊。我完全相信中國會不惜任何代價把台灣爭回來。

李光耀資政的這幾段話與我的想法完全一致。亦可見他對中國文化與思想觀念及國際大局均有深切了解。

不僅李光耀有如此認知，美國政府及民間關心這一問題的重要人士，持相同看法的已愈來愈多，不勝枚舉，美國太平洋海軍總司令普魯赫於一九九八年五月六日在國會作證的一句話，足以充分反映美國的看法：「華府認知北京把台灣問題視為核心主權問題。」這一句話也表達了中共對台灣問題的基本立場，無可改變。

在這裡我要特別指出的，是李總統因為很少接觸中國文化與歷史，在決定大陸政策時，始終未能真正了解中華民族的民族性，與中共政權的性質，因而經常輕視與低估中國與中共。例如李總統說中共領導人都是憨憨的、「控固力」，說些刺激中共的話，不將中共放在眼裡，這是十分危險的。我只要引述美國前國務卿季辛吉的一段話，便足以證明李總統對大陸情形的不了解。

季辛吉說：「中國總是以超越尋常的堅韌來處理外來的危機，它以忍耐當作它的武器，以時間當作它的支持者，而度過了五千年動盪不安的歲月。」（《*Newsweek*》, November 10, 1997）

請問這該是何等的智慧。這種智慧在對日的八年血戰，在一九九七年十月二十六日至十一月三日江澤民訪美的表現，及其與柯林頓總統的會談中，都充分地顯露出來。對日抗戰的表現由於時間已久，姑且不談。就拿這次江澤民訪美來說吧！一九九六年美國砲艦政策的羞辱，中共吞下了。美國與亞太地區各國所訂定的各種結盟關係，其現在的目的都在防堵中國，包括「美日安保條約」、「美韓共同防禦條約」、「一九七九年台灣關係法」、「美菲共同防禦條約」、「美澳紐公約」、對泰國的一九五一年「美國共同安全法」、對新加坡的一九九〇年「美新後勤設施使用諒解備忘錄」、對汶萊的一九九四年「美汶防禦合作諒解備忘錄」等。（引自國際關係研究中心出版之《國際環境的變動與亞太地區》，林正義，〈亞太安全保障的新體系〉，第九三頁）其中尤以「美日安保條約」最爲重要，美日雙方均申明其適用範圍擴及周邊地區，包括台灣海峽，亦即明顯地要干預中共用武力統一台灣。

假如我們不曾忘記一次與二次大戰之間，英日軍事同盟爲中國及英國本身帶來的重大傷害，便會知道此一條約及其擴大適用範圍及於台灣之嚴重性，將來對中國威脅之大。然而中共除溫和地關切外，也認了。江澤民仍然以極其親善的態度訪美，除發表聯合聲明外，還共同舉行記者會，雙方均求突破僵局，以免將來發生難以承受的不幸事件。

假如我們認為中共領導人太過軟弱，憨憨的，真的認了，從此放棄或緩和統一台灣了，那將是大錯特錯。迄至本文撰寫時止（一九九七年十一月），中共正在大放和平空氣，為兩岸談判開路，這就是中共的一貫策略。談到能和平統一，最好；談而仍不能和平統一，等到時機成熟，力量足夠時，便以武力統一之。無論如何，中共將視其國力增強的程度，於最短時間內，在某種中共可以接受的方式下統一台灣，已是一條不歸路。對中共而言，這是中共國力的總表現，總攤牌，也是中共認定的歷史使命，因為這涉及「核心的主權問題」。從這裡又可充分證明季辛吉的話：「中國總是以超越尋常的堅韌來處理外來的危機。」這就是中國文化。

相反地，李總統對江澤民訪美及柯江會談的反應，是於一九九七年十一月中旬接受美國《華盛頓郵報》與倫敦《泰晤士報》的專訪時，都宣稱台灣是一個有主權的獨立國家，並說中共占領西藏。一時間政府各有關機關如外交部、總統府及行政院新聞局首長或有關人士，均出面解釋，說是訪問記者誤解，總統意指中華民國，並非台灣。但我可確定地說這不是誤說，而是有意說的，作為對江澤民訪美的種種動作及結果情緒上的反應。這種反應無補大局，套用季辛吉的話：「憤怒不是一個政策（Outrage is not a policy）。」而中共則沈默以對，高下之分立判。

附帶要說的是，美日乃至西方國家都不願見到中國強盛，尤其美日如此，中國尚在發展中，圍堵之勢已成。他們表面理由是怕中國翻身，侵略其他國家，實際理由也許是怕中國與他們在世界、在亞洲爭霸。這是不了解中國文化。孫中山先生常說的一句話是：「中華民族是一個愛好和平的民族。」歷史上確是如此。兩千多年前處理國際關係的基本原則有兩個：一、興滅國，繼絕祀。那就是說不但沒有併吞別國領土的野心，反而要將已滅亡的國家復興起來，已斷絕後代祭祀的王室要將其繼續起來，這是何等胸懷。二、閉關自守，四方來朝。對於國際事務，一向都採取守勢，從不積極侵略他國。在陸上，便修建一個萬里長城；在海上，便實施海禁，以隔斷與他國的交往，最多只是要他國來朝而已，從無領土野心。如有領土野心，則歷史記載，今日之朝鮮與越南，早已是中國領土之一部分了，琉球也將是台灣第二了。然而中國領土日益擴大，這有兩個原因：一、以攻為守，因抵禦外侮需要而設置的防衛地帶，因此而擴大的領土不大；二、外族入侵或入主中國所帶來的領土，尤以元、清兩代帶來的最多，我們戲稱之為嫁奩。現在列強所不服的，就是希望中國將這帶來的土地吐出來，退回到長城以內的疆界。

中共政權成立後，曾經與外國打過好幾次仗，給國際以好戰與侵略的印象，其實中共都是被迫而戰。如：

一、抗美援朝之戰。中共真正目的當然不是同情北韓同為共產國家，而是不願美國這個強國勢力伸展到鴨綠江邊，威逼中國東北疆土。

二、與印度之戰。英國占領印度期間，曾經越界占領中國西疆領土，印度獨立後，仍然要侵占這些土地，中共為保衛領土而不得不戰。

三、與越南之戰。法國占領越南期間，曾經占領中國南疆領土，越南獨立後，仍然想繼續占領，中共爲保衛疆土而不得不與越南一戰。

四、與俄國之戰。自「璦琿條約」後，俄國明搶與暗自移動界石，侵占原屬中國領土一百餘萬平方公里，進而控制黑龍江一半航行權，珍寶島之戰，也是爲維護領土完整而起。

綜結以上四次戰爭，除抗美援朝外，無一不是一百多年來，列強侵占中國領土的餘殃，中共爲維護領土完整而戰。現在南海羣島之爭，亦是因領土問題而起，然而無論南海羣島與釣魚台之爭，中共都頗能自制。

我以上的分析，並無任何科學資料或特殊情報，當然更沒有什麼水晶球或鐵算盤，只是根據我對中華民族及中共政權的了解與我的中國歷史知識。毋待贅言，我希望政府的現行政策是正確的，而我的推論只是書生之見，或只是「恐共症」的心理反應。那麼，我們就等待以後的事實發展吧！

在結束本章前，我還要敘說一段美國的故事。在十九世紀中葉，爲了奴隸制度與其他經濟問題，美國南北兩方的區域衝突十分激烈，南方十一州終於在一八六一年宣布獨立，著名的南北戰爭於是爆發，直到一八六五年結束，打了四年，人員財產損失慘重。美國仍然維持了統一。戰爭結束後，聯邦政府有一部分人士堅主嚴懲南方領袖，罪名就是「分裂國家」，後來因大多數人都不主張追究，才作罷。我時常設想，假如這一南北衝突發生在現在，即距當時一百三十年以後，其結果一定不是戰爭，而是：一、公民投票決定是否分裂；或二、南方根本不會提出獨立問題，而以身爲聯邦一份子爲榮。至於爭論的問題，在談判與妥協中和平解決。我又設想假如在一百三十年以前的南北雙方領袖都能預知一百三十年以後的情況，或是忍耐一百三十年，則南北戰爭就不會發生，更不會白白犧牲了那麼多的人命與財產，尤其那些寶貴的人命，真是死得不值得。

那麼，我們爲什麼不等呢？以我的觀察，我確信中共原本並沒有以武力統一台灣的意圖或準備，周恩來不是曾經說過，他們可以等上一百年嗎？台灣問題對中共而言，並不是列爲最優先地位，我們爲什麼不能也等上五十或一百年，而要刺激中共逼迫它非現時採取統一行動不可呢？假如我們低調行事，與中共達成某種妥協，使台灣維持現狀或實質上的獨立自主，然後等待五十年或一百年，屆時我確信中國會走上民主與聯邦的路，因爲如前所云，這是人類與一個大國的共同趨勢，中國只有延遲，但不可能例外。那時台灣如果要獨立成爲一個國家，自可由公民投票決定，一如加拿大之魁北克省法裔加人要求獨立的過程，和平解決。有很大的可能是到時台灣不會要求獨立了。五千年光榮歷史，千萬里錦繡河山，對得起任何一個中國人，任何一個中國人都應以生爲中國人爲榮。

最後，我要再重複一句：忍耐一點吧！忍耐到五十年以後再說。尤其作爲一個國家的領袖，更應有超越常人的忍耐力，所謂忍辱負重，所謂堅百忍以圖成，都是指一個領袖人物所應該有的修養，而不是賭狠，賭愛拚才會贏；要賭智慧、賭修養。而在有智慧、有修養之下所作的決策，就一定會顧及到整體的利益、長期的利益，而不是片段的、某一方面、眼前一時的利益。

決定台灣前途的因素，我在前面指出過，一是我們自己的實力；二是中共的立場與實力；三是國際形勢。就我們自己的實力來講，可值得審慎檢討的地方很多。但至少就表面來講，我從未聽到有深入檢討，對總國力作客觀體檢的行動。對中共的立場與實力的評估，則必須要對中國歷史文化與中共政權性質有深入了解，但走遍台灣，找不出有幾個人有這種修養，而且都不願有此修養。所謂大陸問題專家及一般政治人物對大陸的了解與判斷，都只限於所謂的祕密的情報資料及剪報，這是十分危險的事。再就國際形勢來講，我們也只是膚淺地跟著以美國爲主的政府、政客及媒體的表態走，從而確定國際形勢對我有利，而忽視了中共本身就是製造國際形勢的主要力量之一，國際形勢就有中共的影響力在內。一九九八年二月的波斯灣危機，俄國、中共、歐洲國家的態度對美國的最後決定，很明顯地都有影響，都可作爲我們評估國際形勢的參考。

一九九七年十一月柯江會談結束後，美國隨即宣布「三不政策」：不支持台灣獨立、不支持台灣進入聯合國、不支持一中一台或兩個中國。這已將台灣的國際地位，至少是在美國的地位釘死了。同時也宣布遵守三個公報（上海公報、建交公報、八一七公報）。這也將美國對中共及台灣的政策釘死了。在這樣的定位與政策之下，美國於是一方面致力於建立「中」美建設性戰略夥伴關係，另一方面鼓勵台灣與中共對話。至此，美國對海峽兩岸的政策與態度已是十分清楚了——台灣不可能獨立，而且一定要和談以求解決問題，美國承認中共爲一強權國家，必須要與之合作以處理國際問題，特別是東亞與東南亞的問題。台灣在美國全球性的戰略地位並不重要，而且也曾經宣布放棄過台灣，現在只是基於短暫的現實利益及道義責任保障台灣的安全，而這種保障是有條件的——兩岸談判達成某種程度的和解。

我相信在這表面的宣布之外，中共一定向美國表達了對台灣的基本態度，解決問題的底線，甚至時間表，而且態度堅決，不會讓步。當然，相對地，也會對台灣人民的民主、自由與經濟等各方面，也就是台灣的自治或自主權作了某種程度的承諾。

接著而來的，便是一批批美國原先在朝，現在在野的權威人士，表面上是自己來台，實際上是代表美國政府來台施壓，告以我方必須與中共進行談判，而中共亦以高姿態表示願意談判。這顯然是「以談逼和，以和逼統」。如果在某一段時間內不能達到目的，中共必然會「以戰逼和，以和逼統」，而無論中共與美國都可能有決心解決台灣問題，以求取此一地區的長期安定，及有功於國際局勢的安定。

前民進黨主席許信良在台灣地方選舉大勝之後訪美，一定得到這些信息，因而返國後力主大膽西進。而民進黨於一九九八年二月舉行的中國問題大辯論中，所得到的結論亦是強本西進，從這些都可看出在美國壓力下，民進黨政策不得不作某種程度的轉向。但在執政黨及政府方面，姿態仍然很強硬，所設的談判門檻仍很高。如果僅作爲一種談判前的姿態，當然並無不可。但如果作爲談判的實質內容或底線，那就很難會有結果。而和平談判沒有結果，必然繼之以威脅，中共是不會容許長期拖延的。而假如和解條件合理，美國亦會對我們施壓。總之，海峽兩岸問題很有可能在十年左右解決。

我們現在所當做的事，不是強硬、講理論，責罵對方頑固，而是冷靜地從本身、中共、國際三方面作客觀的評估，從而確定我們談判的籌碼有多少。再進一步確定我們的底線在哪裡，這個底線要能維護台灣二千一百萬人的基本利益，也要中共能接受。如果基本利益不能維護，便只有一戰，那時美國也許會支持我們。在談判的過程中，美國仍具決定性的影響力。

一九九八年六月二十四日至七月三日，美國柯林頓總統以龐大的陣容專程訪問中國大陸，共訪問了西安、北京、上海、桂林、香港，無論路程、在各地發表的談話內容與方式、與接觸的人士，都經過有目的的安排，可算是一個十分完滿的國家訪問，雙方都達到了各自的目的。柯林頓總統在上海曾以不經意的方式申述了三不政策，引起了我方極大的關注。我方無論朝野對此所作的反應，既是失常，也顯失態，總體給人的觀感，是大家都將國運寄託在萬里外的一個強國身上，更是寄託在一個強國總統的幾句話身上，不知道自身立國的根本與力量何在，悲哀還有更大於此的嗎？

其實柯林頓總統是否申述三不政策，及在何地以何種方式申述此項政策，並不重要。重要的是訪問本身、訪問的方式及陣容，明白表達了美國對中國大陸政策的徹底改變——由圍堵改爲合作——戰略性的夥伴，或至少是和平共存。這就是一九九六年三月台海危機的後遺症。美國經由此一危機，完全領悟到對中共而言，台灣是中國不可分割的領土，統一台灣關係到「核心主權問題」，沒有任何妥協退讓餘地，到力量足夠時，不惜與任何阻撓統一者一戰，當然包括美國在內。對美國而言，只有在兩種選擇中作選擇：一、爲了民主自由的理念與不讓中共統一台灣，不惜與十二億人口的一個大國打一仗，並長期結下深仇；或二、不再圍堵中共，與中共結成戰略夥伴關係，共同維持此一地區之長期和平，並力促兩岸談判和平統一。柯林頓總統訪問中國大陸，很明顯地選擇了後者。美國此一選擇除了不利於台灣獨立外，符合美國的最大利益，也符合此一地區甚至全世界的利益。

在美國此種政策的大架構下，所謂「三不政策」，無論實質內容及表達方式如何，已不重要。而我國朝野上卜卻抱著這個主題大做文章，所見何其短而小也。

面對此種形勢，我國朝野上下，特別是主持國家大計者，宜冷靜檢討過去對美及大陸政策，作重大的調整。這我在前面也曾經提到。在此我要特別指出的是，美國此項政策具有長期性，除非中國大陸或世界局勢有令人難以逆料的事故發生，否則此一政策在可預見的將來不會改變，而且我們發言的力量不是很大。

第四十一章 事與願違

回溯大約在一九六〇年，我爲了尋求建立經濟設計模型的專才，親自拜訪素不相識的李登輝，那是在爲我主管的單位求才。一九七〇年，我一再簽請經國先生派李登輝與我一同考察國內及韓國、日本經濟，並向經國先生強力推薦李登輝是本省籍的可用之才，不能放棄，以後又熱心地推薦李登輝加入中國國民黨，這些都是在爲國舉才。所有這些舉動從未摻雜絲毫的私人情感，而且那時我與李登輝也毫無私人情感可言。更何況那時政權在外省人手中，而我又是已經出匣的青年才俊，聲望正隆，無求於李登輝。我的這些舉動都是基於我愛才與見義勇爲的個性。

以後李登輝青雲直上，變成中華民國總統，而且成了我的上司。但是我的個性未改，只不過由過去的爲國舉才，希望李登輝能出頭，不被埋沒，轉而希望李總統能善用其才，善用其權力與地位，爲國家做一番事業，留名青史，而國家與人民均蒙其利。這種希望也可說並無私情。

從我寫的與李總統有關的文件中，無論是公開或未公開發表的，都可看出來我對李總統的這種希望。綜合起來的重要幾點，雖然前面都曾經提到，我還是重複地列舉在下面：

一、回歸憲法，推行民主政治，並針對現實需要，超越黨派，作公正客觀的修改，建立一個健全的中央憲政體制，傳之長久。

二、從建立典章制度著手，改革內政，使台灣徹底現代化。而其中最重要的則爲文官制度及法治精神的建立，後者又當從司法改革著手。

三、徹底改造中國國民黨的列寧黨性質，放棄以黨領政的路線，將決定國家大計及重要政務人員任命的權力，依憲法分別歸還給總統與行政院。一個專制獨裁的政黨，無論如何產生不出一個民主政府來。以列寧黨組織方式控制政府，掌握一切政治資源，便是威權政治制度，將與民主政治背道而馳。雖然有選舉，並不能掩蓋其獨裁特質。因此建議將國民黨徹底改造，成爲組織與選舉單位，將其他權力交還總統與行政院。

我讀到在美國出版的一九九八年第六十期《當代中國研究》所刊載的，日本神戶大學教授季衛東一篇題爲〈論法治與民主的關係〉文章，其中論及中國共產黨應該改造一段，頗有所感，特引述於下：

如果中國在近期施行政治改革，應該從黨內民主和黨內高層人事安排的規範化、制度化起步。黨內生活若沒有實質性的變化，就只有權力鬥爭而沒有政策競爭，只有密室交易而沒有制度共識，只有權力的禪讓而沒有公平的選擇。在這種情形下，民主化只能在激烈的社會衝突中發生，在制度轉型中就很難建立以「組織的多元主義」的均勢為基礎的安定民主政治和寬容精神。圍繞十五大的權力分配，中共高層已經出現了建立和健全黨內選舉和決策的合理程序的要求，在集體領導體制的日常運轉中，在新一代領導人接班的過程中，黨內民主化、透明化的趨勢將是不可避免的。

讀了這一段，真是於我心有戚戚焉。我常說國民黨與共產黨水火同源，都是同一個模型（列寧式）拓出來的，不過一個向右轉，捧著孔夫子或民主政治當靈牌；一個向左轉，捧著馬克思、列寧當靈牌；實質上都是以人領黨，以黨領政，終結為一人獨裁。難兄難弟，血緣近得很。時隔五十年，地隔一個大海峽，竟然面臨同一的改革要求，要多感慨就有多感慨。

四、致力於族羣的融合。我曾當面向李總統說過，希望他做中華民國的總統，不做台灣的總統，也就是說要做全民的總統，不僅做台灣人的總統。中華民國統治區僅及於台、澎、金、馬，那就是做台、澎、金、馬所有中國人的總統。這是一個總統應有的格局與氣度，而且是極其自然的事。

五、大陸政策與務實外交均採取低姿態。我們得承認，我們是小國，大陸是大國，我們必須要講求以小事大的技術與態度，不去刺激中共，建立可以互相接受的溝通方式與我們可以進入國際社會的模型，以維持兩岸的和平，也就是求取台灣的安定與安全以及在國際社會的適當地位。這當然不是在向中共屈服或投降，而是在求和平共存，而是面對現實解決問題。

雖然現在距離李總統的任期終了還有一年多，我們仍可以將他十二年四個月的總統任期中的結局歸納成六點如下：

一、李總統對台灣的民主政治確有重大的貢獻。如非經歷過我這一代情治人員、貪官污吏、各式各類中央與地方軍隊、土豪劣紳之欺壓剝削、酷刑、隨意殺戮等暗無天日生活之平民百姓，便不會知道現在的民主政治之可貴，而不去珍惜它，反而以濫權的方式去蹧蹋它；更不會知道李總統在這一方面貢獻之偉大，而隨意去侮辱謾罵他。

美中不足的是，李總統個人基於他的個性、日本時代的教育、對民主政治的了解，及以後長期受威權統治的耳濡目染，幾乎完全承繼了威權政治下的個人統治，並且照舊利用列寧政黨的方式，以人領黨，以黨領政。他不但未能在原有的憲法體制上向民主作進一步的建制工作，反而破壞了民主政治所必須要的制衡機能，形成總統有權無責，行政院長有責無權，成爲個人威權領導的民主政治。李總統所導引的這種民主政治，必然會對以後的民主政治運作有不良的影響。我一再說：「台灣是總統的家鄉，希望總統成爲華盛頓。」就是希望李總統爲台灣建立可長可久的民主政治制度及樹立民主政治的榜樣，不要走上個人集權的窄路，而終於還是走上了。

二、李總統對台灣的熱愛與爲台灣前途的打拚所作的努力，實在是令人感動，我想所有本省籍的人民都應對他感恩懷德，永念不忘。但由於其台灣意識與鄉土情結太濃，用人行政不免偏差，可以是台灣的好總統，但不一定是中華民國的好總統。

三、無人能否認李總統在提升國家的國際地位所作的努力，及在務實外交上的成就，但也因此受到中共的全面圍攻，以致務實外交受到局限，並進一步催動了中共加速統一台灣的決心，所得不償所失。

四、李總統放棄了經國先生的三不政策（不接觸、不談判、不妥協），及對中共的敵對態度，取消了動員戡亂時期臨時條款，大幅開放兩岸的交流。這種有前瞻性的勇敢做法，其智慧與氣魄也同樣令人欽佩。但在後期所表現的務實外交，對中共的侮慢、輕視與公開的敵對，反而使兩岸關係較經國先生時代更爲惡化，而且幾乎無轉圜餘地。台灣前途也爲之蒙上了濃厚的陰影，陷於危險的不確定狀態。

五、李總統曾一再公開宣稱他不是台獨，也私下兩次對我誠懇地說他不是台獨，但在台灣意識與鄉土情結之下，其言其行卻不能不使人認爲他在實質上進行台獨，而且要使台灣永久性地脫離大陸，形成一個有別於漢族的台灣民族國家。這不僅傷了在台灣的三百萬外省人的心，也激起了除了部分本省人及少數民族外，全世界中國人的反彈與憤怒。

六、由於李總統幾乎將全部精力與注意力集中於務實外交與大陸政策，再加以用人範圍愈來愈狹窄，對人才拔擢與培養缺乏良好管道與方法，識人之明不高，容人之量不大，以致內政方面除推行民主政治有某種程度的成就外，可說完全受到忽視，以致後期已經惡化到國民黨有喪失政權的危險。

在李總統十二年多的任期內，我親身經歷到他的若干重大轉變。他在接任的最初幾年，雖然本土化快了一點，然仍在可以理解的範圍之內，仍然用了很多外省人在重要的位置上。與他對談，也絲毫看不出對外省人有不同待遇或選擇，這使我備感欣慰，認爲他有中華民國總統的氣象與架式。他努力推行民主政治，我也爲他高興，認爲他將在中華民族史上展開新頁。他成立國統會，以李六點回應江八點，使兩岸關係逐步改善、推行務實外交，提升國家的國際地位，突破國際困境，而能有所節制。尊重已有的憲法體制，以優厚的條件使資深民代退休，讓台灣能選出真正反應現實的民意代表。所有以上各點都超越了經國先生的眼光與作爲，給人以良好的印象，我尤其備感喜悅，認爲老友畢竟不凡，而且其不凡程度出乎我的意料之外。如能在此時將注意力轉注於內政，大刀闊斧地進行革新，廣徵各進步國家的先例，建立完善的典章制度，置國家基礎於磐石之上，可大可久，那就十全十美了。

不幸對司馬遼太郎的談話；訪問康乃爾大學；對中共公開的輕侮與挑戰；權力核心與各重要位置的調整不爲外省菁英留餘地；一再發表統獨模稜兩可的意見；縱容甚至助長台獨勢力的擴大；內政的腐敗不斷惡化與用人不當，圈圈日益狹窄；以及個人領導作風日益專權與獨斷，甚至以不正當手段修改憲法，大力強化集中權力等等，都與他初期的做法與態度相去甚遠，甚至相反。

我午夜靜思，李總統何以有這樣的劇烈轉變呢？必得找出一些理由來解釋。我推想在初期的作爲，應該屬於他理性的反應。理性、智慧、知識都告訴他，應該怎麼做。到了後期，則是他自幼年開始便蘊蓄累積的潛意識的反射，而在對司馬遼太郎的談話中反射得淋漓盡致。那麼便要進一步問，何以在早期理性，而在晚期出現潛意識呢？我也想出了三個理由：

一、人到晚年，體力無形衰退，節制自己的能力降低。李總統早年認為其本人及本省人受到外省人掌握政權時之不公平待遇，隱忍多年，到了晚年不免作出反彈。

二、掌握權力愈久愈集中，理性便愈衰退，潛在意識便愈顯現，自己不能駕馭。中外多少帝王將相、英雄豪傑，都有此種現象。

三、周遭環境造成。這又分為兩方面：㈠為外省人的反對與侮辱所激怒；㈡他身邊所信任的人缺少智謀之士，更不要說學養深厚有智慧的人了。這也是權力長久集中幾乎必然的結果，特別對老年人是如此。

從早期圍繞在他左右的重要幕僚大部分為外省籍，相處愉快，看不出有省籍情結；幾次要安排我做點改革工作的重要位置，明白要我與他合作推動台灣的現代化；不分省籍讓中生代公平競爭最高職位的構想來看，無一不顯示他確實有氣度胸襟，公正無私，無省籍情結。但最後的安排卻與他當初的構想相反，這顯然是受了他左右的人的挑唆讒言。這就是有名的人主近小人，遠賢臣的結果，可謂史不絕書。

無論是帝王，也無論是總統、主席、元首、委員長等等國家領導人；無論是打天下或是守天下，身邊總應有少數幾位品端學豐，高瞻遠矚，一言可以興邦的深沈智慧之士，地位在亦師亦友之間，可以為其分析國家形勢，建議大政方針，尤其重要的是在緊要關頭可以幫他踩剎車，免得衝過頭，這樣才可以做一個成功的國家領導人。古語云：「得師者王，得友者霸。」就是這個道理。我不能確定李總統身邊有多少這樣的人物，為他拾遺補闕，適時提供建言，而又為他所接受。但是據我表面的觀察，似乎他身邊有些點子很多，智慧很少，屬於師爺型的人物；也有一些動作很多，頭腦很少，屬於打手型的人物。這類人物如果參與國家大計，無論如何很難輔佐出一位「真命天子」來。當然這只是我表面的觀察，但願實際情形不是如此，在他身邊的都是從龍之士。

以上這三點，古今中外都可找出例證，特別是中國歷史上更多。唐玄宗早期的治績，史稱開元之治，媲美貞觀之治。及至晚年，信任宦官外戚，幾乎身亡國滅，僅以身免。號稱「十全老人」的乾隆皇帝，早期文治武功盛極一時，晚年卻寵上了和珅，爲清朝鋪上了衰亡之路，有些史家甚至稱其爲敗家子。老總統是例外，但是因爲他有個好兒子幫他撐住局面。經國先生晚年雖仍能勉強應付艱困，但已乏開展局面的能力了。而他們兩人的自制能力都異於常人，這部分應歸功於中國儒家的修養，換句話說，受中國文化的影響很深。至於有人說李總統早期是虛僞假裝，晚期才是真面目，據我的長期接觸與觀察，應該不是如此，我們不能栽誣李總統。

關於李總統的個人人格，則他是一位虔誠的基督徒，虔誠得近於迷信。他坦直、厚道、念舊、堅忍、好學、有愛心，都是毋庸置疑的。人們可以基於個人或團體的立場與觀點，不喜歡他，痛恨他，但是不能隨意侮辱栽誣他。應該對他有公平的評價，也給歷史留下真實與公平的紀錄，至少有資格的歷史家應該如此。那麼，我們就留待歷史作總結吧！

最後，讓我說幾句閒話。假如有人要我用最簡單的幾個字來概括李總統的特質，我的答案是「書生本色」。每當我看到李總統對重大問題關起門來對資料，作答案，及好強爭勝，比誰大誰小，誰輸誰贏時，我就會想到我做學生時班上的那些資優生。古今中外，書生很少是成功的國家領導人，而成功的國家領導人不一定要有書卷氣，但必須要帶幾分流氓氣。讀者如不相信，不妨找幾本中外歷史書核對一下。就拿最近半世紀的風雲人物來說吧！邱吉爾、希特勒、史達林、老總統、毛澤東，他們處理人事與政務，所用的手法與策略，如果深入地去觀察，便都脫離不了幾分流氓氣。本質上，英雄與流氓本是一線之隔。同一粒種子，上帝放在這一邊，便是英雄、國家領袖；放在那一邊，便是流氓、黑社會頭子，而且在必要的時候，還可以互換位置，我們稱之為「成則為王，敗則為寇」。這裡係指中國傳統的流氓與黑社會頭子，與台灣現在的流氓和黑社會頭子不一樣，正如中國傳統的書生與台灣現在的書生不一樣。

我一生不搞政治，並不是因為我缺乏政治細胞，而是因為我缺乏流氓細胞。我的政治細胞充分得很。上焉者，治國平天下的大道理；下焉者，玩弄政治權術，我的知識有一籮筐，但就是因為缺乏流氓細胞，使不出來。這就叫做知易行難——知之非艱，行之維艱。我，也是書生本色。

大多數書生都會認為天下學問在我家，我以我家的學問打我家的天下。大多數流氓頭子（意指帶有一點流氓本質的領袖人物）都會認為天下的學問在你家，我以你家的學問打我家的天下。所以多半的書生好自用，多半的流氓頭子善用人。好自用者每以為天下的人才都不如我，都得聽從我的意見，聽我的差遣，於是真人才望望然而去，假人才滾滾而來，平時人才濟濟，用時一將難求。善用人者折節下士，卑辭厚禮羅致人才；羅致之後，處之以高位，信之以專任，而且生死禍福與共，原其小節，付以大事，於是天下人才皆歸之。古往今來，多少書生流氓，是非成敗，關鍵就在這裡。我一介書生壯志未酬，就是因爲一生都沒遇見一位真正有點流氓頭子成分的國家領導人，老總統差乎近之，可是我遇見他時，他已是太上皇，不管事，其餘三位總統便差得太遠了。

評論李總統的人，都說李總統會玩弄權術，其實不然。於此我要就治術與權術，再一次地對四任總統作一比較，不一定正確，但很有意思，可供歷史學家參考。依照我的定義，我所謂治術，係指了解國家形勢，確定立國方向，從而決定政策，建立制度，延攬人才，展開局面。建立制度，包括培養政治及行政人才的制度；延攬人才包括容人之量，知人之明，用人之誠。這些都是不容易做到的事，此真命天子之所以不世出。所謂權術，係指處理國政時，智巧機伶，通權達變，心口不必如一，言行不必一致，但求達成目的，不必堅守原則。當然，也不能不擇手段地亂來。這種有權術的人才也是很少的。

老總統略懂治術，但連年戰亂，無充分時間讓他施展。對於權術，則運用純熟。嚴家淦總統徹頭徹尾爲一技術官僚，一生依人作嫁，雖位登大寶，而無大寶之實，談不上治術，用不上權術。經國先生不懂治術，但懂統御術，而運用權術也頗內行，常使人不覺得其在運用權術。經國先生很少民主思想，但中外人士都說他是台灣民主政治的開端者，可見其高明。

李總統不重視治術，也不擅長運用權術。是否會運用權術，可以用一個標準來測量，那就是在運用權術的時候，會不會使人覺得其在運用權術。經國先生經常用權術，很少聽見有人攻擊他在運用權術，這就是很高明的權術。李總統還未開始運用權術，天下人都說他在運用權術而加以攻擊，引起強烈反彈，這算什麼權術。嚴格地說，李總統用的是普通謀略，好像舊小說中常說的「略施小計」，尚未成術，所以不是權術。

在這裡，我們可以從兩方面進一步來解釋權術。一方面是從權變的觀點來解釋。權變，權變，權者，變也；變化，變化，變者，化也；化解，化解，化者，解散也，消失也。所以權術便是將一件事、一個問題，轉變化解於無形，而人不自覺，終於達到自己的意圖與目的的一種技術或手段。假如李總統在其十餘年的掌權期間，默默地做到台人治台，而不使外省人有受歧視打壓的感覺，不發生明顯的反彈；默默地做到台灣實質上的獨立，爲中共所容忍接受，而不加以封鎖打壓，那就是第一流的權術。所以說，權術之道就是施用權術者要能使其對手與他「同進趨，共愛憎，一利害」，對照現狀，相去何止千里，哪談得上權術。

另一方面可從權衡的觀點來解釋。權者，衡量也。所謂權術，就是對於一件事、一個問題，要採取行動與對策來謀求解決時，必須要權衡其利害得失，最後能夠求得其最大的利得的一種手段或技術。依照墨子功利主義的法則，假如能夠放棄現在的小利，以收取將來的大利，就是利得；假如能夠承受現在的小害，避免將來的大害，也是利得。以兩岸關係來說，假如我們能夠放棄一些在國內外的小動作，以及口舌上便宜的小利，不去刺激中共，以換取兩岸和平相處的大利，就是我們的利得；假如我們能夠在兩岸談判的程序與實質上，作某些程度的讓步或放低姿態，承受一點小害，以避免將來在某種情形下中共兵臨城下，或以戰爭解決問題的大害，也是我們的利得。但現在實際的情形則不僅針鋒相對，口頭與行動上都寸步不讓，還時常有意無意地去刺傷中共，而且是上有好之，下必有甚焉者。下層鬥得更起勁，幾乎是開口就僵，毫無轉圜餘地，這是鬥嘴、賭狠，不是辦兩岸關係，當然更說不上外交技術了。其所依恃的不過是萬里外的一個強國而已，這距離權術未免太遠了一點。

我在某一場合曾公開稱讚民進黨的施明德與許信良兩先生，表示佩服之意。佩服施明德先生是因爲他有真正爲台灣民主政治前途奮鬥的精神；佩服許信良先生是因爲他有前述墨子功利哲學的修養，兩人都有爲台灣人民長期利益作犧牲的懷抱。但不幸似乎都成了寂寞的英雄，自古英雄皆寂寞，令人慨然。

前面提到，會玩權術的人必須要智巧機伶，通權達變。而書生讀了一些書，不是自恃學識高人一等，就是要堅守什麼原則，以致智而不巧，伶而不機，便很難做到通權達變了，自然談不上權術。是以書生很難成大事，打天下或成大業的都是善用權術的流氓頭子。但是建立制度，嚴肅法紀，樹百年之宏規，開長久之太平的，則都是書生。所以治天下便不得不用書生了。一個國家最怕的是這兩種人的角色顛倒，或是一個人兼做兩種角色。更壞的則是兩種角色都不宜，只是一個單純的書生從政，就像我一樣，注定一事無成，壯志未酬。

壯志未酬，王作榮只能將遺憾歸諸天地。（遠見雜誌　林承樺攝）

結語　往事雲煙

在結束這本自傳前，依慣例我要寫幾句話，以示結束。

我曾一再重複地說，我是一個再平凡不過的人，既無特殊才智，更沒有什麼特立獨行或幼有大志。同時讀書也不是「頭懸樑，錐刺股，如囊螢，如映雪」的那類好學之士。功名富貴雖不是於我如浮雲，卻都像浮雲一樣地從身邊飄過去了，事業可以用「一事無成」來概括。所以回顧這一生也可用「虛度此生」來形容。但是繼而一想，不虛度又能怎樣。就時間來講，在我之前，這個世界已不知經歷過多少億萬年；在我之後，也不知會綿延多少億萬年。就空間來講，宇宙浩渺，我連滄海之一粒粟，恆河之一粒沙都夠不上。所謂流芳百世，也不過百世；名揚四海，也不過四海，怎能與前面的時空比。更何況我無芳可流，無名可揚。

照此說來，我雖然曾經在這個世界中存在過，這個世界曾經有過我這號人物，但從宇宙的觀點看，等於沒有存在，虛度又怎麼樣，不虛度又怎麼樣。人生一世，什麼勳名事業，貴賤榮辱，成敗得失，恩怨是非，喜怒哀樂，爭一時，爭千秋，都不過是過眼雲煙，隨風而逝，了無痕跡。那麼又寫什麼自傳，實在是多餘的了。

但是人究竟是萬物之靈，雖然有時異於禽獸者，幾希，但還是有幾希。既然活過，存在過，就應該、也會知道追求精神及物質方面活得好一點，活得適意一點，活得自認爲有意義一點。不僅如此，假如有點能力的話，還應該幫助家人親友、周圍社會、所屬族羣、國家與全人類，也活得比以前好一點，適意一點，有意義一點，這就叫做進步。而要做到這一點，便必須要有一點努力、奮鬥、犧牲、奉獻、理想、目標，於是前面所說的那些勳名事業等等隨風而逝的一套便必然會發生，由不得你，也很少人能衝破這些關卡，世界也就多事了，人的煩惱也就多起來了，我也有寫自傳的理由了。

假如將一個人一生的經歷與感受忠實地記錄下來，又假如有人會看的話，也許會使看的人發現世事原來如此，或世事本來就是如此，人性都差不了多少，可能就會少一些不平與氣憤，多一些自我安慰與喜樂。也許會使看的人發現作者已經走過的失敗與成功的路，知道作者是如何失敗與成功的，因而減少自己失敗的機會，增加成功的機會。也許會使看的人接受了作者的一些知識與經驗，因而縮短了自己學習與實踐的過程，使自己的知識與經驗成長得更快。

將所有這一切的一切不斷地累積，不斷地匯總，不斷地寫出來，這就是各種偉大或不偉大著作的產生，包括歷史與回憶錄在內。讀了這些偉大或不偉大的著作，人類就可能一代比一代聰明，做有益人類的事固然比較聰明，做有害人類的事也比較聰明，可能更聰明，而聰明比不聰明總是可愛些，總是有影響些，這就是人類的進步之源。不過，我要聲明，所有這些並不包括我的自傳在內，我的自傳談不上偉大與不偉大，根本沾不上偉大的邊，只不過是災梨禍棗，湊個熱鬧而已。這也有個名稱，叫做「老來還不甘寂寞」，這也難怪，人性本來就是愈老愈不甘寂寞的。請看今日之域中，有幾個老人是甘於寂寞的。幸而老而將死，還要寫個什麼遺囑哩，有些老人還家事、國事、天下事，事事關心哩。我既是平凡的人，自然不能例外。

那麼，平凡卑微如我者，又究竟有些什麼往事值得回憶而要記錄下來呢？當然，我這一生一如所有的人一樣，遇到過一些人，經歷過一些事，發展出一些想法，完成了一些工作，享受過一些成功，也遭遇到一些失敗。還有我的出身，我的周圍環境，我的時代等等，似乎都可以一傳，都值得回憶。不過，這僅是從我的觀點看，從別人的觀點看，可能毫無價值，不值得記錄。但無論如何，我還是記錄下來了，就是這本《壯志未酬》的產生。

也許有人要問：「你不是說你從來沒有立志的嗎？如何又壯志未酬呢？」是的，我從來沒有立志，但這並不表示我沒有志，沒有想法，沒有打算，只是沒有立，沒有實現，沒有執行而已。有志而未立，就是壯志未酬。

在這本書裡，我敘述了我的家世與成長過程，實在不夠輝煌，拿不出手。我既不是出身世家，足以驕人；也不是出身貧寒，苦鬥成功，一如當代的許多名人，足以傲世。而是出身於一個典型的農村家庭，平凡。我讀書既不是聰明，能夠一目十行，也不是愚蠢，之無難辨，六十分恰好可以代表我的程度，也是平凡。我一生想法很多，立志沒有，更是平凡。我就這麼懵懵懂懂地過了一生，平凡中還帶有更多的慚愧。

在這本書裡，我也記錄了我對國家大事的一些想法，但由於記憶衰退，又不耐煩檢視我往日的文章，所以不完全，但仍可看出我對建設一個現代台灣的構想。這些構想一部分來自我的讀書，一部分來自我對台灣、對過去的中國大陸、對西方進步國家的親身體驗與觀察。我甚至可以從這裡出發，寫一本適合於中國經濟發展或落後國家經濟發展的書，包括理論與實務在內，也有這個意願要寫。可惜又為我的惰性所誤，一延再延，等到真想動筆時，已時不我予，力不從心了。但是本書中的一些見解與主張，仍值得讀者及對中國經濟發展有興趣者一讀，也可作為一部分台灣經濟發展的歷史來看。

在事功方面，真的是壯志未酬，一輩子都在為餬口忙，說是餬口生涯是寫實。造成這種結果，有兩個原因，一個是我的個性。我在書中曾一再指出我無官場經驗，主見太深，不夠圓融，不能適應官場風氣，但卻偏要在官場打混，這當然注定失敗。幾次被判出局，幸而都能全身而退，未曾受到進一步的迫害。這主要靠我的潔身自愛，未曾授人以柄；及無論官場與社會都多少還有一點公道，人言還有一點可畏，迫害者只能適可而止。從另一方面來說，假如我在四十歲或更早以前，就看穿官場，尤其是一九六四年決心退出官場時，就決心退出，也不去聯合國，而專心於學術，雖然已嫌遲，但仍可望有點成就，晚年仍可得到一點事業成就的滿足感，不致像現在這樣滿懷空虛。

造成我的餬口生涯的另一個原因是大環境。書中曾提到命相家季伯年先生說我是「治世之能臣，而亂世之棄才」，就是指大環境而言，可謂一語道破。每個人都有長處和短處，而我的長處與短處都露在臉上，不會掩藏。有權力用我的人，必須要能用我的長處而見諒我的短處，即是我所說的識才、用才與宥才。但由於長處不一定爲人所欣賞，或不一定受到應有的重視，而短處卻十分令人觸目而難忘。如果當局者周圍的人有意打壓，時進讒言，則短處更爲凸顯。更如果當局者缺乏識才的器識與宥才的胸襟，則必然成爲棄才。此即所謂千里馬常有，而伯樂不常有。政府遷台以來，我受知於歷任的總統，很少有人有我這種機遇；也不受知於歷任總統，也很少有人有我這種遭遇。這也算是一奇。

雖然我在早期曾一展我的抱負，但不是獨當一面，有所發揮，不過依人作嫁而已。晚年雖出掌考選部與監察院，在考選部任內也曾展示我的行政能力及抱負，但終究格局不大，不足以供我迴旋。而在監察院任內則老病侵尋，任期又短，即令想要有所作爲，亦爲環境所局限而無所施展，都是以餬口生涯結束。這對我個人而言，功不成，名不就，自是一種損失；對國家社會而言，則對於一個能真知道台灣如何現代化的人棄而不用，更是一種損失，只能歸之於國運，亦即季伯年先生之所謂亂世也。

對我個人而言，如前所云，什麼勳名事業等等都是過眼雲煙，算不了什麼。但我要使台灣現代化，使我的國家富強一點，使我的生活好一點，追上北美，追上西、北、中歐國家，而壯志未酬，則這個損失就不是過眼雲煙所能遮掩過去的了，只有「遺憾歸諸天地」。

不過，我也時常在想，假如有一位最高當局能給我足以充分發揮的位置與職權，而不能有始有終地信任我，中途聽信讒言，滋生誤會，我也不能竟其事功，很可能反罹其禍，歷史上這種事例太多了。又假如這位當局始終信任我，我是否能遂其志呢？也不盡然。任何一個全面性的改革，都需要一羣人羣策羣力，方能有成，一個人單打獨鬥，絕難成事。那麼，在台灣這種環境下，能夠找出一羣志同道合的人，在一個最高當局的領導之下，彼此推心置腹，共同爲建設一個現代國家而奮鬥嗎？答案是否定的。此所以無論貞觀之治，明治維新，費城制憲會議都是歷史上的盛事，很少再現。所以我常說改革關係國運，不是一個人的窮通得失所能左右的，因此我也就釋然於懷了。

所謂外在大環境，當然是人所造成的，那麼，我這一生所遇到的能影響我壯志未酬的關鍵性人物究竟是哪些人呢？是怎樣的人呢？我在本書中以差不多五分之二的篇幅來描述這些人。對於這些人物，其知我者，我會終生感激他們的知遇之恩；其不知我者，我有不宿怨的個性，不會心存懷恨；其知我而不能用我者，我會在感激中抱有一絲遺憾，但都是據實寫了出來，這就叫做自傳。如果因此而有冒犯之處，尚請原諒。

每一位偉大人物在寫回憶錄時，除了敘述他們的豐功偉績、高尚人格，與傳奇遭遇外，還會留下一些可貴的格言，如刻苦勤勞、犧牲奉獻之類，教導後人如何做人做事，才能達到他們那種境界。我也未能免俗，從我一生的經驗中提煉出一些感受，但不能算是格言，請讀者不要失望，更不要見笑。

第一、我愈來愈相信命與緣。在我年輕無知的時候，特別是大學時代，我橫衝直撞，愛說就說，愛做就做，碰了釘了，受到挫辱，毫不在意，瀟灑得很，心中哪有什麼命與緣這些迷信觀念。這些宿命論調，從來不曾在腦子裡出現過。但是數十年的折磨、歷練、遭遇，回想起來，似乎冥冥之中都有定數，都有機緣，半點不由人。先室逝世前兩週，對我說了一句話：「一切都是緣。」對我更是有如棒喝，豁然警悟，也減輕了我的一些悲傷之情。

讀者在讀了「知我罪我」這一部，就會發現我之宦途受挫，許多都是陰錯陽差的結果，並不完全是我個人的錯。假如有錯的話，只是不懂官場積習及為官之道而已。讀《吳國楨傳》，才知他也有此種情形。假如我不是神來之筆寫一封信給經國先生，而以經國先生之精明老到竟然轉給層峯，得罪了嚴總統；又假如我不是坦率而無心地寫一篇批評經合會人事結構不合理的社論，也不會惹火經國先生，則我的前程將是另一種光景了。

回憶往事，發現我每出國一次，就會錯失一次做官的機會。一九五七年至一九五八年，我在美國進修，尹仲容先生要發表我為外貿會主任祕書而人不在。一九六一年至一九六二年，我又在美國進修，尹仲容先生要發表我為財務處長，我又不在。一九六七年至一九七〇年，我在曼谷聯合國亞遠經會工作，老總統要召見我，經國先生兩次要我回國服務，而我又不在國內。等我回國之後，機會便消失了。「李廣不封緣數奇」，一切都可歸之於命運。

不過，我並不是宿命論者。在任何情形之下，我都照我的原則做事，這倒有點像以不變應百變。我的基本想法很簡單：天無絕人之路，一枝草必有一滴露水。另闢蹊徑，另謀生路。而且是高高興興地走路，盡心盡力地做別的事，而都能有所施展。我從未想到造反，更從未想到報仇。

對於那些打壓我的人，我明知道昨天還在打壓我，遇見他我仍是禮貌有加，笑臉相迎，而且絕非虛僞。也許正因爲這樣個性，我在數十年的打壓之下，仍能過正常的生活，做正常的工作，我的個性從未因此被扭曲，情緒也從未被擾亂。假如說這也算修養的話，我的修養是不錯的。我也時常生氣與發怒，但那都是爲了國家與社會公共利益的事，我從不爲我個人利益的事紅臉。與我有交往的友人不妨回憶一下我是否如此。

假如再深一層的想，也許正是因爲我的這種個性，或者說修養，才決定了我一生的命運。那麼，究竟是命決定人呢？還是人決定命呢？或者說是人定勝天，還是天定勝人，只有無語問蒼天了。

第二、塞翁失馬，焉知非福。老子曾說過：「禍兮福之所倚，福兮禍之所伏。」這些話都是教人無論處順境逆境，都應該淡然處之，才不致失去常態，以致使逆境更逆，悲劇更悲；而順境變逆境，成爲樂極生悲。前曾提到經國先生送我的對聯：「得意事來處之以淡，失意事來處之以忍」，也是這個意思。有這樣的修養，心胸會變得曠達寬廣，無論待人理事，也就能夠把握分寸，不會得意忘形，失意喪志。小人物所以保平安，大人物可以成大事。

我個人一生遭遇對此感受尤深。例如我第一次高考及格，受訓業經結業，卻在形式上要考結業考的前夕被開除，一時措手不及，連吃飯都難，結果讓我進入中央設計局，結實地讀了兩年當時不易得到的最新經濟學名著，奠定了我的理論基礎，對我日後在台灣參謀經濟決策影響太大了。再如，我在一九五三年因與司法行政部次長徐世賢先生發生衝突，而被迫離開了最高檢察署的會計主任職務，揹負一家人的生活擔子而竟然失業，其困頓可知，然而卻使我進入了工業委員會，開啓了我的事業之門。又再如，我於一九七二年被經國先生從官場掃地出門，騰笑親友之間，其狼狽不堪之情可想而知，然而我安然處之，另求出路，亦得到令我滿意的成就。這些都說明了禍福相倚伏的哲理。

另一方面，我三次出國，在一般人的眼光中，都是難得的機會，都是好事，但都以有所失而收場，而所失遠大於所得。尤以第三次去聯合國亞遠經會工作，在台灣很少人有這種幸運，不僅是一種榮譽，而且三年內收入將近六萬美元，這在一九六〇年代是一筆大收入。不料卻種下了我以後被打壓二十年的因。而那一筆收入因爲不會運用，在貶值之下，所餘價值不多。這都是福兮禍所伏的明證。

第三，不做超過能力的事。換句話說，人要有自知之明，明白自己的個性、學識、眼光、決斷、智謀、經驗等等所形成的能力，知道自己能做什麼事，不能做什麼事。做在自己能力範圍之內的事，勝任愉快，成功的機率也大。做超越自己能力的事，便時常壓垮了自己，也誤了別人，可說是害人害己，歷史上這種事例也很多，據說已故黃少谷先生曾堅拒出任西班牙大使未果，又曾拒任行政院長，乃改派爲司法院長，這就是有自知之明。

我就曾常想假如政府給我某一職務，我能勝任嗎？假如不勝任，後果我能承擔嗎？我這一生沒有掌過權，作過什麼重大決策，始終在研究與謀十範圍內打轉，即使獨當一面，也是清而不要之職，以致壯志未酬。繼而一想，這未必不是上天眷顧我，讓我有一個愉快平順的人生。記得余紀忠先生常勉強我做某一件事，我總是堅拒。他在無可奈何之下，總是歎一口氣說：「你這個個性，不做官也好。」余紀忠先生真是知我者。

我也常想，假如每個人都有自知之明，安分守己的人就會多起來，天下豈不太平多了。至少在當前的台灣，卡位的中生代就會大量減少，社會就會平靜得多。無奈有自知之明的人太少了，天下攘攘，原因在此。

最後，我要敘述一點我對這個時代一些政治人物的總觀感，這些人物都關係著國家命運，特別是未來的發展。

我所接觸或打過交道的政治人物，可說絕大多數都不能算是政治家，而是所謂的技術官僚，他們的共同特點是：

一、都有點聰明或智慧，所以無論是做好事或不好的事，點子都很多，有些計謀。都有相當知識或學識，吸收新知識的能力也不弱。因而辦事能力甚強，容易給人能員的感覺，易得上峯賞識。

二、器識不廣，氣魄不大，胸襟不寬，缺乏統籌全局及高瞻遠矚的能力，只能看一件事，看眼前事，我常說他們是逢山開路，遇水搭橋型的人才。逢山當然可以開路，遇水當然可以搭橋，而且也真能開路與搭橋，所以這類人才也是少不了的，也有其重大貢獻與重要性。但是不是一定要開路與搭橋，或是否應該早開路搭橋，而不是臨時需要才做，對於開路搭橋以後有些什麼影響或後果、應該採取一些什麼後續行動，就缺乏整體規畫了。所以不能成大局面。

三、這樣的人才只能做行政人才，放在文官系統裡面做個執行官；不是一個政治人才，不能放在決策系統裡面做決策大員，或者說只能做戰將，不能做統帥。自一九四九年中央政府遷台以來，差不多有半個世紀，這些技術官僚的貢獻在個別計畫與個別施政方面，在行政運作方面；而不在整體規畫與統籌全局方面，不在建立一個現代國家與現代社會方面。對於台灣的經濟發展，他們當然有貢獻，因爲維持一個可以運作的行政系統，辦些必須要的公共事務，也有其絕對的重要性，不可忽視。但台灣所需要的是全面的發展，全面的現代化，這就需要整體的、長遠的規畫，與配套的設施，而這些卻非技術官僚所長。

因此用了半個世紀的時間，我們建設了一個富裕國家，卻非一個現代國家；我們有進步國家的所得水準，卻只享受落後國家的生活品質；我們有充分的現代知識，卻少了現代的文化修養；我們擁有現代社會的一切便利設施，卻建立不了一個現代社會所必須有的法治與秩序；也因此我們富而不強，我們的國家與人民在國際上受到重視，卻得不到尊敬，活脫一個暴發戶的形象與地位。這與一八六八年以後的日本，一九六〇年代以後的新加坡相差很遠，而他們只不過花了大約三十年的時間。何以有如此大的差別，因爲我們只有技術官僚，而很少政治家。所謂才難，才難，指的是政治家，不是技術官僚，技術官僚可以短期訓練，政治家則需要長期的培養。

這又使我想到了儒家思想。自一八四〇年鴉片戰爭以後，中國雖然那樣的貧窮、閉塞、落後，但仍產生了一些能高瞻遠矚，統照全局，憂心國家前途的政治人物與革命志士。他們或在朝，力行革新，推行新政，建立軟硬體設施；或在野抛頭顱、灑熱血，前仆後繼，以喚醒國人，奮起圖強，不做亡國奴。此種精神傳遞不絕，至一九三七年中日第二次戰爭爆發，又再度掀起高潮。終使一個龐大、腐爛的古老國家得以不亡，逐步走上現代化之路。中央政府遷台以後，仍有一批這樣的志士仁人，矢志奮鬥，爲建設現代台灣而努力不懈，如在前面所說的俞大維、葉公超、尹仲容等。這些人都學貫中西，幼時飽受儒家文化薰陶，成年後都充分接觸西方文化，而能融合貫穿，鑄成國家棟樑之材。他們當然也盼望自己能升官，能掌大權，但從未聽說他們互相卡位，更未見到他們撈錢，或揮霍國家的錢如糞土，貪圖享受，曠廢職守，公然爭權奪利，像我現在所遇見的一些政治人物。以前的這些人也在威權統治之下，更早者更在專制帝王與軍閥統治之下，但從歷史記載看，從我親身經歷看，未曾發現這些人取媚於上，阿諛逢迎，三呼萬歲，口必稱吾主說。反之，都表現得休休有度，進退有節；能留則留，不能留則去；能言則言，不能言則止。而這些都是儒家文化的充分發揚。

自我這一代畫爲界線。在此以前，儒家文化猶有很大影響力，培養出來的「士」這一級人物，雖然有很多行爲惡劣，知識譾陋者；但也有很多如前面所提到者，是以國脈賴以不墜，進步仍在無形中推動演化。在我這一代以後，志士仁人以國家爲己任者，便愈來愈少，現在鳳毛麟角而已。尹仲容生前就慨乎言之：「現在找不出幾個有爲有守、公忠體國之士。」如今更是稀少了。當我看到現在所謂的人才，大家所稱讚的新銳之士，其膚淺、作秀、自私，而沾沾自得的惡劣行爲，我的心就往下沈。台灣的中國人如此。我離開大陸將近半世紀，大陸情形如何，不得而知。不過我忘記了是誰的一位熟悉兩岸情形的友人告訴我：「台灣如此，大陸亦然，中國人的前途不知道在哪裡。」

於此，我只有希望「但願天公重抖擻，不拘一格降人才」，特別是多降些政治人才，或具有政治家風度的各類人才。這些人才不一定要受儒家文化薰陶，不一定要讀通中國書，但不論中國書與外國書，一定要讀通一種書；不論是中國文化與外國文化，一定要具有一種文化修養。這樣，無論是台灣或是大中國，全體中國人才有前途。

對我個人而言，一切都是過眼雲煙；但對中國與中華民族而言，我希望綿延無窮。天佑中華！

假如人有來生，我希望終生做一個文史哲方面的教授，讀盡古今中外這一方面的好書，也能寫出幾本好書，對人類的知識與智慧有永久性的貢獻。不知什麼原因，我愈到晚年，愈發現有好多要讀的書沒有讀。想要買的書，現在有能力買，卻又知道買了不能讀，也無地方放，也放不了幾年，只好黯然作罷。真是無奈，唯有寄望來生了。

跋

我開始寫這本自傳，已過了七十五歲，精力與記憶力均遠不如年輕時。而我又無寫日記、留底稿、請助手的習慣，一切都由自己一個人憑記憶去寫。再加上大病之後，體能衰退更甚，又要以部分時間辦理公務，不得不寫寫停停。在這種情形之下寫出來的作品，自然不能令我滿意，寫完之後，總覺得餘意未盡，因作此跋，聊以補闕。

我是在傳統中國社會中長大的，深受儒家文化影響，自不待言。在儒家文化中，知識份子天生對國家民族負有不可推卸的責任，並置個人利害得失於度外，所謂「士當以天下爲己任」，所謂「士當先天下之憂而憂，後天下之樂而樂」，都是這個意思。歷史上知識份子處國家民族艱難之際，或則殺身成仁，捨生取義，力挽狂瀾；或則降志辱身，屈己從人，成全大局；或則退隱林下，述志承烈，維繫國脈。其所採取之方式雖有不同，其志向則都在以天下國家爲己任。而中華民族數千年來歷經變亂，終能復興，就是靠這些知識份子的薪火相傳。我常想與中華民族並稱之文明古國，或則消亡，或則衰微，唯獨中華民族仍能屹立於這個世界，最重要原因之一應該就是這些國家民族的文化中，缺少像我們這樣的知識份子，擔負起國家民族興亡的責任。

我既如前述，在儒家文化中成長，又忝爲知識份子，蒿目時艱，而有傳統知識份子的抱負，乃是極其自然的事。我自大學開始，廣泛接觸西方文化，除專業知識外，也涉獵其他領域。留學美國以後，更親身經歷西方文明社會之文化涵養，以及所稱基督精神與物質文明，受到震撼與衝擊之大可以想像。對於民主、法治、制度、公平、公德、禮貌、誠實、個人權利義務、團體利益、公私分際，在日常生活及美國社會接觸中，隨時都可體會到，與我所自來的國家社會相對照，不能不感觸良深而思有所改革。返國後多年以來，再多讀中國舊典籍，發現西方的這些思想觀念，我們往聖先哲多已言之，只是未能成爲系統知識與思想，或是未能成爲主流，普遍傳播，表現在具體法律、制度與日常生活行爲上而已。

即是在中西這兩種文化背景下，形成了我的思想觀念與人格，及立身處世與從事公務的行爲準則。不幸我的這種混雜文化背景，看在有中國傳統觀念的中國人眼裡，說我洋里洋氣，不通人情世故；看在許多洋化的中國人眼裡，又說我土里土氣，也是不通人情世故。又有些人則稱讚我有新思想，舊道德，但還是不通人情世故。結果，我成了三不像，也因此抑鬱一生。

其實，自清末以來，像我這樣的知識份子多得很。清末維新時代的人物都有這種懷抱，五四時代前後的這種知識份子更是屈指難數。即使是隨政府播遷來台的官員，如俞大維、蔣夢麟、葉公超、尹仲容、雷震諸先生，以及與我同時代的許多老師、同學，與我不認識的廣大社會知識份子，都是如此。在我這一代以後的知識份子是否如此，我就不知道了。

我的這一文化背景貫穿了自一九五〇年代以來至今，我所發表的文章言論中，也具體表現在我服公職與日常生活的行事作風中，可以概括為下面幾點：

一、我對國家民族有強烈的使命感，一生念念不忘如何使國家現代化，如何改造國家社會進入現代文明國家社會之列。我因國家社會仍然落後而激動、而憤怒，而嚴厲斥責負有責任的人士，特別是決策官員，也因此開罪了無數有權力的人士，妨礙了我的前途。

二、我的本業是經濟。我對落後國家如何致力於經濟發展有廣泛的知識與經驗，但深知僅是經濟發展不足以締造一個現代國家，因此我的知識廣泛及於有關建立現代國家的各方面。由於民主法治等思想觀念及隨之而來的制度，是一個現代國家所必須具備的條件，而卻最為我們所缺乏，因此言必稱民主法治，由此引申而強烈主張憲法要有制衡的機制，司法要徹底的改革。而成事在人，尤其主張要建立文官制度，亦即我國歷史中所常稱的澄清吏治。

三、無論中外，用革命手段從事改革，都會付出慘重的代價，而至少在短期內都未必能達到預期的目的。這在中國尤為明顯，尤為慘痛。因此我反對暴力，反對革命，主張在體制內求革新，求進步。我本此信念寫過無數篇言辭激烈的文章，我也身體力行地遵守此一原則，雖然言辭激烈，但行為卻從不踰矩。假如國家有幸，遇到像貞觀之治、明治維新、美國立國時的君臣風雲際會，有一羣握有權力的人與我志趣想法相同，能容納我為革新的一份子，我就成功了。不幸國家從未發生這種機運，我也壯志未酬，這是國家的不幸。

四、對於島内族羣的融合問題，我主張用民主法治的精神與制度來解決。因爲有真正的民主與法治，就會培養公平競爭的思想與觀念，從而產生公平競爭的社會。而只要是公平競爭，無論結果如何，人心就會平服，族羣就會自然和諧。不幸的是，迄至現在爲止，從上到下，從政府到社會，都不曾達到這種境界，以致鬥爭不斷，分裂不已。而我個人則是嚴格遵守這一公平競爭的原則，因而也從無省籍之分，而本省籍的一些友人與社會廣大羣眾，對我的回報也很豐厚，未曾受到省籍歧視，使我感動不已。由此可知省籍問題是雙方造成的，一方交心，另一方也會交心。

五、對於兩岸關係，我認爲最下策是依恃或引進外力來介入其間，這必然會激化雙方的對抗與不安，而受損害的是弱小的一方。最上策是認識自己是小國，對手是大國，而講求小國與大國打交道的基本策略，求取長期的和平共存，而不損害實質的台人治台的願望。我堅信中共原先並無武力統一台灣的企圖，我也相信台灣問題對中共而言，並不是要最優先處理的問題。換句話說，只要給中共當局某種程度的理由，讓其對歷史、對大陸人民有所交代，雙方就可長期和平共存。但是由於我們的行動與言論，不爲中共當局留餘地，目前已是僵局，長期下去，必定會爲台灣帶來不幸。

我自一九四九年遷台以來，無論言論與行爲都未越出以上五點的範圍，前後一貫。不幸的是，事與願違，海峽兩岸的實況都與我的理想目標相去甚遠，勢必賫志以殁。這就是「百無一用是書生」的寫照，也是所有像我這樣的知識份子的悲哀。

寫於一九九八年九月二十二日

王作榮大事年表

一九一九年 • 出生於湖北省漢川縣西王家村。

一九二三年 • 入私塾就讀。

一九二九年 • 隨家遷居漢口，仍入私塾就讀。

一九三一年 • 進入漢口市第五十二初級小學三年級就讀。

一九三二年 • 初小畢業，越級考入漢口市立第一中學初中部。

一九三五年 • 初中畢業，考入湖北省立第一中學高中部。

一九三八年 • 高中畢業，參加第一次全國大學聯考，以第一志願錄取中央大學政治系。

一九三九年 • 至重慶中央大學報到入學，成爲流亡學生。

一九四〇年 • 轉入經濟系。

一九四三年 • 自中央大學畢業，進入財政部專賣司工作，同年考取高等考試財政金融人員考試。

一九四四年 • 在中央政治學校接受高等考試及格人員訓練，與訓導員衝突被開除；進入中國國民黨中央設計局擔任研究工作。聖誕夜與范馨香在重慶「中蘇友好協會」結婚。

一九四五年 • 抗戰勝利，父喪。長子念祖出生。

一九四六年 ‧返籍奔喪，隨服務機關遷回南京。

一九四七年 ‧第二次參加高等考試財政金融人員考試及格，特種考試高級稅務人員考試及格，自費留學生考試及格，進入美國華盛頓州立大學研究所就讀，主修貨幣銀行學，次子紹祖出生。

一九四八年 ‧在華盛頓大學取得文學碩士學位，選修博士班課程。

一九四九年 ‧返回上海，妻范馨香任桂林廣西高等法院推事，舉家遷桂林。同年八、九兩月舉家分兩批遷台灣，擔任最高法院檢察署會計主任。受聘爲台灣省立行政專科學校副教授，共任職兩年。

一九五〇年 ‧女梅君出生。

一九五三年 ‧辭會計主任職，任行政院經濟安定委員會工業委員會專門委員。受聘爲台灣大學法學院兼任副教授。

一九五四年 ‧受聘爲東吳大學法學院兼任教授，至一九五七年止。

一九五七年 ‧接受美國政府技術援助經費，赴納什維爾范登堡大學研究經濟發展，爲期十三個月。

一九五八年 ‧取得范登堡大學碩士學位返國，工業委員會併入行政院美援運用委員會，轉任美援會專門委員兼資料室主任，負責經濟計畫設計及經濟政策分析與建議。

一九六〇年 ‧改任美援會參事兼經濟研究中心主任，工作性質未變。

一九六一年　•母喪。接受世界銀行經費支助，進入該行經濟發展研究所從事經濟發展問題研究，為期半年。

一九六二年　•自美返國，仍在美援會任原職。

一九六三年　•尹仲容先生逝世，美援會改組為行政院國際經濟合作發展委員會，擔任第三處處長職，工作性質未變。受聘為文化學院（今文化大學）兼任教授及經濟研究所所長。

一九六四年　•任《徵信新聞報》（《中國時報》前身）主筆。

一九六五年　•辭經合會處長職，改任顧問，兼任文化學院日、夜間部經濟系主任。仍兼台灣大學經濟系教授。

一九六七年　•辭經合會顧問，赴泰國曼谷任聯合國亞洲暨遠東經濟委員會工業研究組組長，並辭去國內所有職務。

一九七〇年　•奉經國先生之命，辭聯合國職務返國，考察國內及韓國、日本經濟，並推薦李登輝同行考察，隨後介紹李登輝加入中國國民黨。仍返經合會任顧問。擔任台灣大學專任教授，兼任文化學院經濟系教授、經濟發展研究所所長、博士班主任。仍任《中國時報》主筆。

一九七二年　•參加國際關係研究所經濟小組，至一九七五年遭解聘。

一九七三年　•接受經合會資遣，專任台灣大學教授，辭去文化學院教職。

一九七八年　•任《工商時報》總主筆。

一九八一年　・任「中國經濟學會」理事長，任期二年。

一九八四年　・任考試委員，改任台灣大學不支薪教授。

一九八七年　・妻喪。

一九八八年　・辭去《工商時報》總主筆，仍任主筆。

一九八九年　・兼任台灣大學教授，不支薪。

一九九〇年　・任考選部部長，辭《中國時報》主筆。

一九九四年　・辭台灣大學兼任教授。

一九九六年　・辭考選部長職，轉任監察院院長。

一九九九年　・監察院長任期屆滿，退休。時年八十整。

附錄

附錄一

台灣工業政策試擬

前言

台灣一切經濟問題，其最有效之解決辦法，厥爲增加生產。在增加生產之大體系中農業工業固然需要並重，但農業發展已至相當程度，限於耕地面積，將來僅能求單位面積產量的提高，其他發展已少可能，而工業尚在草創初期，增加生產之可能性甚大，其地位尤顯重要，故發展工業實爲台灣經濟建設之中心。

但以一資源貧缺之落後地區，人口又快速增加，復當準備反攻時期，發展工業談何容易。時間既感迫促，不容吾人遲緩進行，而進行步驟尤不容有絲毫錯誤。在此種情形之下，必須有正確之工業政策，以爲發展過程中之準則，方可集中目標，齊一步伐，不致淩亂散漫，而後可以逐步推進，完成使命。

政策必須有目的。本政策之目的，乃在充分適當利用所有經濟資源及友邦援助，建立一現代化之工業生產系統，提高整個社會之生產能力與就業機會，使台灣從日據時代所造成之殖民地經濟形態，及現在因供求不能相應以致倚賴美援之經濟形態，逐漸變而為獨立自主之經濟形態。然後在短時期內，可以應國家緊急需要，在長時期內，可以提高人民之生活水準。舉凡有助此一系統建立之因素，均在爭取運用之列，舉凡阻礙發展之因素，均在改善消除之列。一以能解決問題，達成目的為依歸。

政策貴在能適應實際環境，並非一成不變者。環境如有變遷，政策亦須修改。今日認為正確之政策，明日未必可以採用，因此此處擬列各端，仍須視將來實際情形，隨時修正。

一、工業發展之方式

在現在情況下，台灣工業發展，在時間上必須求快速，在資源上不能有浪費，但此兩點，絕非自由放任之經濟所能做到，而必有賴政府積極參加經濟活動，訂立完善計畫，並監督其執行。不過此處所謂計畫，絕不同於共黨集權國家之計畫經濟掌握所有生產工具，控制一切經濟活動。此處所謂計畫，僅是政府以其統籌全局之地位，從整個經濟利益著眼，決定某一時期內，工業發展之方向，及發展之目標，即某些工業應該優先發展，某些工業屬於次要，可以暫緩發展，及某些工業在某一時期內，應發展至何種程度，發展極限定在何處。同時在此範圍內，各類工業與其中每一單位企業，均有其充分活動之自由，故仍為自由經濟社會。近三年來棉紡織工業之發展，可以部分說明此一政策之性質與作用，今後整個工業之發展，亦宜循此路線進行。

㈠決定發展方向之標準：

決定優先發展哪些工業有三個標準：可能性、重要性與比較利益。某一工業有發展之可能性，但不重要，則不值得優先發展。重要性雖大，而無可能性，則根本無從發展。必須兩者兼備，始有優先發展之資格。同屬可能，同等重要之工業，則以其對社會之總利益比較爲抉擇標準。

1. 可能性：決定建立及發展某一工業之可能性，至少應考慮到下列四種重要因素：

⑴設備及技術：選擇發展之工業，其設備需要如何，是否要全部從國外購入，或自己可以製造，設備費用或所需外匯，是否爲我們目前力量所能負擔，其次運用此項設備之技術，我們是否已具備，或需借助友邦人才。

⑵原料：原料不一定要省內能生產，但必須供應便利，來源可靠，運輸成本低廉，原料之供應，非特關係生產能否持續，且足影響成品之品質與成本，不可忽略。

⑶市場：工業生產必須有消費市場，而且市場也決定生產規模之大小，但事實上現代化之工業均有一起碼規模，小於此一規模，生產即不經濟，因此市場太小的工業即不值得發展。至於根本缺乏市場之工業，自然更無發展的可能性。

⑷利潤：國家爲達到某種特殊目的，而經營某一工業，利潤並不是重要條件，有時且可完全不予考慮，但就一般公營工業及所有民營工業而言，利潤仍不失爲最重要條件，無利潤之工業即

無發展之可能。所以政府在決定發展某一工業時，利潤應列爲重要考慮因素之一。此處所謂利潤，係指長時期而言，至於由於一時原因，而使某種工業無利可圖，則並不影響政策。

2.重要性：重要性原無固定之標準，隨當時環境需要而定。就台灣目前環境而論，下列各類工業均宜發展。至於每類中之各個工業，則按輕重緩急，分定優先順序。

(1)國防工業。

(2)民生基本必需品工業。

(3)可以出口以增加外匯收入之工業。

(4)可以代替進口品以減少外匯支出之工業。

(5)易有成效而不需大量資本之工業。

3.比較利益：「比較利益」原是國際貿易上一個專用名詞，但亦爲抉擇工業發展方向之重要條件。同樣之生產資源，可以用作發展甲種工業，亦可用作發展乙種工業，假如兩種工業之發展，具有相似之可能性，並屬於同一重要之範疇，則對兩者間之抉擇，便當以哪一種工業給與社會之總利益最大，或何者對整個經濟損失最小爲標準，其間所考慮之因素至廣，包括工業生產成本之比較，及其與國際貿易上之關係在內。

㈡決定發展限度之標準：

某種工業能否發展，以及發展規模之大小，視其產品有無市場，及國內市場之大小爲準，前已述之。至於發展規模如超過市場之容納量，必然供過於求，漸趨收縮。一個工業發展固然很難，收縮尤其不易，必致造成經濟資源之浪費，及許多痛苦之反應。假如所收縮之工業，占重要之地位，且可危害整個經濟之穩定與繁榮。台灣區域狹小，經濟基礎不十分堅強，最容易受到生產過剩和工業收縮的感應。故於工業發展之限度，不能不隨時加以注意，務求國內外市場相配合。

㈢執行政策之方法：

1.實施信用優先分配制度：貨幣經濟社會，信用可以支配經濟資源之使用。信用流通方向，可以左右資源流通方向；信用流通量之大小，則可影響資源利用數量之大小。工業落後國家，常以運用信用，作爲控制發展方向的有效工具。所謂信用優先分配，就是按照工業之重要性，訂定先後次序，使最重要之工業，可得到優先發展之機會。

2.實施進口外匯優先分配制度：控制信用之外，對於工業機器設備，政府於審核進口外匯時，亦按其重要程度，發展先後，訂定分配標準。最重要之工業，獲最優先分配外匯之權利。最需要大規模擴充之工業，則享有最多數量之外匯。

3.實施原料優先分配制度：政府在必要時，可以控制重要之原料，認爲應優先發展之工業，可予以原料之優先分配權利。

4.技術指導：對於優先發展之工業，其設廠計畫及技術上之設計，政府可遴選專才負責指導。

二、合理扶植，維護自由競爭

吾人深切了解，無現代化工業，便不成其爲現代化國家，同時，在經濟開發比較落後之區域，缺乏發展工業之有利環境，無政府力量之培植，便難有順利之發展，因而對於所有政府認爲必須發展之工業，而需要政府扶植者，政府均應予以扶植。但政府之扶植，宜有其限度。應協助克服困難，奠立基礎，至於各工業之發育滋長，及如何使其水準提高，則仍爲工業本身之責任。欲達到正常發展之目的，從長時期看，必須聽其自由競爭，以期提高效率，淘汰不經濟之生產，以鼓勵事業獨立奮鬥之精神。過度之扶植，顯然妨害自由競爭之運行，終不免造成依賴政府生存之溫室工業。此種工業徒爲政府之累，自非吾人所希望。

政府基於全民福利，爲穩定經濟或達到某種經濟目的，對某一工業予以臨時性之管制。此項管制固亦違反自由企業精神，但亦爲不得已之措施，此種措施在工業發展過程中，不能盡免，但政府自亦不輕易管制。一旦管制之目的已達，或需要管制之原因消失時，管制措施自應即爲取消。

三、實施對外保護政策，以樹立國家工業基礎，進求正常發育

落後區域之工業規模、生產技術，及市場關係，不能與先進國家競爭，政府如不採取保護措施，則新興工業永無建立之日，原有工業，且時有被摧毀之虞。在此種情形下，國家工業基礎，

且將不能樹立，自更難求進一步之發展。故政府對於新興之工業，認爲需要發展者，必須予以適度保護，對於已有工業，有遭受外來不公平之競爭威脅，或有被其摧殘之可能者，必須予以防衛。在保護政策之下，消費者或其他方面，或不免遭受一時之損失，但此爲一個國家建立其工業所必須付出之代價，實屬不可避免者。

所謂保護政策，亦如扶植政策，應有其合理之限制。在程度上，不宜作過度之保護；在時間上，亦絕不應作長期之保護。保護之時期愈長，消費者之損失愈久，於整個國家無益，徒使少數企業獨占利益，失去原來保護之意義。

保護政策之實施，關稅與進口管制兩種方法，應同時並用。單純的關稅保護，缺乏彈性，不能完全達到保護之目的，進口管制則可視實際需要，隨時調整，運用上比較靈活。

四、擴大民營範圍，發展私人企業之優點；相同性質之公民營事業予以平等待遇，以保持公平之競爭

基於尋求利潤之動機，在自由經濟制度之下，私人企業大量發展，此種自由企業之精神對工業乃至整個經濟之進步，其貢獻誠無法估價。在我工業亟待發展之台灣，此種精神極需鼓勵。因此，除極少數工業外，所有工業應儘可能畫歸民營，其由於特殊之原因，目前已由政府經營之若干事業，亦應於適當時期開放民營。政府所經營之工業，宜以下列幾種爲限：

㈠與國防有重大關係之工業。

㈡有獨占性之公用事業。
㈢關係公共福利，而人民不願舉辦之工業。
㈣足以影響國家經濟命脈之工業，如目前台灣之製糖工業。
㈤可以民營，但因風險較大，或投資過巨，人民不願投資，而應由國家倡導之工業。但一經奠定基礎，人民願意經營時，即應轉讓民營。此種工業，類爲新興之工業，人民不十分了解其性質，不知風險多大，須政府予以提倡。

鑑於公私合營事業，在過去所發生之流弊，此一方式，宜逐漸予以淘汰。其不能移轉民營之公營事業，如保有民股，則應予以收買。其可以民營者，則應將官股出售。庶可避免私人資本依賴政府而圖利，而政府亦不致操縱私人資本。就政府對公私事業之管理而言，亦較單純便利。

在未移轉民營以前，所有同類性質之公營民營事業，應享同樣待遇，使兩者立於平等基礎從事公平之競爭。一方面在維護民營事業之正當利益，另一方面亦可使公營事業於競爭之中，走上獨立經營之路。

五、改善工業環境，促進事業發展

良好工業環境，實爲促使工業發展之最重要條件。惟愈是經濟落後之國家，愈需要發展工業，但其環境則往往愈不利於工業之發展，而必有賴於目的性的改善。而且，工業環境爲整個經濟環境之一部分，後者不改善，前者之改善即受到阻礙。爲促使本省工業得以迅速健全發展，政府當採取種種措施，改善大的經濟環境，並針對與工業有密切關係之各方面，加以改善。務必做到需要發展之工業，能以正常發育，其最重要者則為投資之安全保障，與合理之利潤。

㈠協助各工業逐漸更新設備，採用進步技術：

台灣不僅要發展工業，而所發展之工業尤須現代化。一個設備陳舊，技術落伍之工業，將永遠無法與國外競爭，亦將永無發展前途。根據美國工業界所作調查，大規模更換新設備，為獲致更高利益之最大原因，而保持舊機器則為被淘汰之最大威脅。台灣今日談發展工業，對新的事業固希望用最新式的方法與設計，舊的事業，其原有設備，亦須陸續更換。政府宜採取鼓勵措施，諸如縮短陳舊設備之折舊期限，保留事業盈餘以為換置設備之用；進口新式設備時，予以結匯方便，聘請外國專家及留學生來台，在國內外訓練技術人才，歡迎外人投資時，特別著重進步技術之輸入等，以求更新設備，改良技術。

㈡以政府力量培植產品銷路，省內市場力求穩定，國際市場盡力擴充：

省內市場狹小，缺乏彈性，產品稍有過剩或不足，即易引起價格之波動。為保障生產者及消費者之利益，對於市場之穩定，自宜全力維持。至於外銷市場，為台省工業大規模發展之先決要件，政府當運用政治力量，積極擴充以補私人力量之不足。對於外銷產品，當嚴格檢驗，以提高品質，並簡化產品標誌，使國外消費者易於熟悉辨認。成本方面，經查確實不足與國際產品競爭，或其他國家對其本國同類產品已有出口津貼者，政府當考慮予以出口補貼，惟數額與期限，則當視實際情形，隨時調整。

㈢改善原料供應，減低原料成本：

原料之能省產者，以省產爲主要供給來源，其有不足或不能省產者，則自國外輸入。但如省產原料成本過高，或品質過劣，則除追求原因，力謀改善外，當綜合各方面有關聯之因素，作一通盤考慮，以決定是否可全部或部分改用進口品。

對於省產原料，政府當協助及督促降低成本，改良品質，並使供應充裕。對於原料生產者與使用者間之關係，及聯繫配合，尤當注意促進與改善。至於進口原料，政府在外滙分配方面，必須預爲籌畫，務使供應來源流暢而有規則，俾生產者無原料不繼或不足之苦。同時滙率及進口關稅方面，可視原料之性質，予以差別之待遇。

㈣疏導資金來源，便利工業投資：

工業資金，可分爲兩部分：一部分爲需在國內支出者，如建築廠房，支付工資等。另一部分爲需在國外支出者，如進口國內不能製造之機器設備，國內不諳熟之技術，及一部分原料器材等。目前台灣此種工業資金，皆極缺乏。

1.國內部分：其來源爲國民儲蓄，目前台灣由於國民所得水準不高，儲蓄額不大，而微量之儲蓄又因工業利潤太低，及人民不習慣於工業投資，極難吸收於工業方面。改善此種局面，有待於整個經濟環境，及一般工業環境之改善。目前在此一方面所能爲力者，爲改良儲蓄辦法，及建立投資機構，以引起人民之儲蓄興建，及便利其儲蓄行爲，並使儲蓄能順利流入工業方面。

2.國外部分：其來源有三：出口、美援，與外人及華僑來台投資。前兩者關鍵在於如何使得到之外滙，盡可能用於工業發展上，此爲一分配問題，較爲簡單。目前亟待採取積極政策，以疏導來源者，爲吸收外資與僑資。外資、僑資之來台，純從經濟因素考慮，實與內資有相似之點，視整個經濟環境及一般工業環境，爲主要決定因素。但如對本金及利潤之滙出有合理之規定，對於本金撤回之期限可予縮短，投資之安全得以保障，滙率之損失可予彌補，同時在稅收、設廠、入境各方面，予以優待與便利，則由於台灣經濟環境之安定，利潤率之較高，當可吸收相當數額之外資與僑資，以供工業發展之用。現政府正在此一方面，採取適當之措施。

除此之外，台灣尚須有一融通工業資金之機構，在現代經濟社會中，發展工業而無金融機構之支持，不可望其有順利之發展。故可考慮在現有之國家行局中，指定一機構，專負吸收及融通工業資金，並便利工業投資之責。

㈤健全金融政策，配合工業發展：

金融政策，至少在下列三方面，應與工業發展相配合：

1.配合發展工業之政策與計畫，銀行信用數量，必要時應作合理之擴充。工業發展與信用緊縮，不能並存，而信用擴充往往導致可怕之後果。但與彌補財政赤字，完全不同。只要發展之工業，其產品有銷路，增加信用之數量，控制適當，不但不致危害經濟之穩定，且將有助於其繁榮。

2.一定額之信用量，如能調度適宜，則收效自必較大，故信用之貸放，不但在數量方面，應加調整，在運用上，亦應有所改進。改進之道，莫如配合工業發展計畫之需要，權衡緩急輕重，實施如前面所述之信用優先分配制度。

3.銀行利率，宜繼續降低，以減低工業生產成本。

㈥改善勞工環境，提高工作效率：

工人工作效率及情緒，影響生產成本與產品品質至巨，必須設法予以提高。因此，舉凡影響效率及情緒之因素，諸如：勞資關係、工作環境、工人待遇及福利、知識程度、技術訓練，均應協助督促力謀改善，以培養一強有力之勞工隊伍，爲發展工業之用。

㈦修改與工業有關之稅法，減輕工業負擔：

應將現行稅法，特別是營利事業所得稅及進口稅，作一通盤檢討，特別注意下列各點：

1.合於政府獎勵發展之工業其營利事業所得稅，應減低稅率至一般事業之四〇％至五〇％。

2.對於新興工業，尤其生產進口代替品或出口品之工業，在一定時期中，應儘量給與免稅或減稅之優待。

3.事業之盈餘，准保留適當數額，供業務上之運用，或轉作增資，以擴大生產設備者，此等保留數額酌予減稅，以鼓勵事業本身之累積資金。

4.外資、僑資來台所獲之盈餘、利息、紅利，應有減稅之特別規定，以資鼓勵，並避免來台投資者遭受重複課稅之損失。

5.進口工業設備及原料器材，應有減免稅之規定，其成品出口時，應有退稅辦法。

6.工業產品出口，宜蠲免所有國內各項稅捐，以減低成本，使與國外產品易於競爭。

（一九五三年十二月）

附錄二

改善經濟現狀之基本途徑

一、目前台灣經濟上許多問題，均由於一個基本原因所引起，即國內物資之供給不足應付需求，如用一簡單公式表示則為：

生產＋外援 ＜ 消費＋建設

供給 ＜ 需求

欲求經濟達到安定，必須公式左右兩方供給與需要之間能以平衡，否則財政困難，通貨膨脹，物價波動等等均將接踵而至。

平衡之法只有從增加供給，減少需要入手。供給方面，「美援」過去每年均在七、八千萬美金左右，今後最大希望亦只能維持以往數額，甚少增加之可能性。需要方面，「建設」為助長生產所必須，且以往無論政府或民間用於建設之支出原已甚少，不宜再求緊縮。因此上列公式中將「美援」與「建設」兩項暫時除開以後，餘下可以採取之途徑唯有增加生產與減少消費，台灣今日欲達到此種全面平衡並進一步求經濟改善，必須減少消費同時擴大建設，使能生產更多之物資，以應付不斷增加之需要。

二、國內消費分為政府消費與民間消費兩部分。政府消費過去每年均以國防支出為多，其中主要部分為士兵薪餉及副食費，此一部分似不宜再予減少。為整個經濟方面打算，目前減少兵員，亦屬得不償失。因兵員減少之後，政府必須在其他方面為退役官兵解決生活，照工業委員會估計，增加每一人就業機會，需投資新台幣十五萬元之巨，際茲台灣經濟事業未見普遍發達，就業機會未見廣闊之時，減少現役軍人，徒然增加失業，影響社會安定，何況此六十萬人為準備反攻大陸所不可再少者乎？

至於其他方面支出，以政務費用為多，裁員固為現實環境所不許，但如能貫徹總統「新」、「速」、「實」、「簡」之指示，一切行事求其實在，制度求其簡化，各種不必要之表面工作予以取消，其可以節省之開支，恐亦不在少數。即仿前清之候補制度，對於無實際工作之人員，雖給與待遇而不令其辦公，有事始令補缺，此不但減省經費，而於提高辦事精神，當不無實效。

三、關於私人消費方面，近年台灣民間消費巨幅增加，係由於兩種原因：其一為每年人口增加平均達到三·五%，為世界各國人口增加最高者之一，由於人口增加之故，每個人平均所能得到之物資，自難有所增進，而國內生產原可用以投資建設者，大部分竟為增加之人口所消耗。因人口增加而造成之經濟威脅，已引起各國普遍注意，上月美國召開之國際經濟開發會議，其中人口問題即為討論主題之一。日本早於戰後實行家庭計畫制度，頒布「優生保護法」，其人口增殖率現已減至一％左右。其二為國民生活水準之提高，此原為可喜之現象，但生活水準之高低，必須與國家財富維持相當比例，如盡其所有用之於日常生活消耗，則國內資本之積聚愈來愈少，整個經濟將愈趨萎縮，徵之最近數年國內投資漸呈減少之情形，不免為經濟前途隱憂。最近歐洲經濟委員會對法國經濟現狀，作嚴苛之批評認為「生活高於其能力」。我國近年亦不無此種情形，亟應加以修正。

四、降低私人消費，固可由政府提倡節約廣為宣導，但就過去事實之昭示，此等辦法收效殊微。但國民既不願自動降低消費，政府又不採取更有效之措施，則整個情形將不能有所改善，終不免走向惡性通貨膨脹之路。降低國民消費之根本辦法為減少其消費能力，使其自動減縮消費之意願。

㈠調整物價結構：價格低有鼓勵消費之作用，價格高則有抑制消費之作用，在目前情形下，物價高固然有害，但實行所謂「低物價政策」亦非所宜。似應視物品性質，個別決定其價格之高下。為維持人民基本生活並避免工資上漲，若干基本生活必需品如糧食、棉布之類，應維持穩定之價格，其餘消費物品不妨聽其漲價，正可藉高價限制消耗。

㈡徵稅與儲蓄：為限制個人消費，現有稅目毋需增加，但須增收直接稅，特別是個人所得稅，如認為稅率過高足以引起逃稅或抗稅，則不妨一部分採用強迫儲蓄方式，規定國民以其收入之一部分存入銀行，優予利息，並予以保值，但在若干年內對於本金之動用嚴加限制。如認為上項辦法不便採行，則可對生活必需品以外之其他物品課以高額消費稅，藉高價格限制消費，亦不失為有效辦法。徵課間接稅雖能助漲物價，但與穩定經濟之目的並不衝突，因限制消費之結果，為達到前述基本公式之平衡，最後必能收穩定經濟之效。此項建議以財政手段轉移國民手中之部分購買力以供建設之用，實為最有效之辦法。任何枝節性之措施，恐均無補實際。

但有一點必須說明者，即採用上述任何一種辦法，必然引起市場一般物價（生活必需品除外）上漲，民間責難勢將紛至沓來，但此種現象，僅為暫時的，政府處此必須打定主意，鎮靜應付，久之必歸平靜，否則朝施夕改，徒滋紛擾，而經濟困難自亦無從改善。德國經濟現狀為世界所艷羨，但在改革之初，正不知受人民多少唾罵，與盟邦多少懷疑也！

五、政府與民間之消費減少，整個社會即有餘力以從事經濟建設，增加生產。但如所增加之生產為消費品，則在節省消費之情形下，如不同時發展外銷，勢將發生生產過剩，於整個經濟仍屬無益。另一方面在國內不能供應全部所需要之生產物資的情形下，如無大量出口外匯以換回此類物資，則經濟發展仍將受到阻礙。因此開拓外銷為改善經濟現狀之第二重要基本之圖。

目前台灣產品之不能出口，外匯匯率之不合實際，固為重要原因，但因外匯管制而發生之手續，繁重複雜，其對外銷之影響，更不能不特予注意。此外產品品質之未予講求，成本之未能減低，則為更重要之因素。其中主要原因之一，為經營工業者無法估計其經營上之需要，亦無法估計其盈虧。因為原料能否取得，以及何時可以取得無法預料，須待外匯當局逐案審訂，非特曠時日久，而且無一定標準可供業者事前計畫，在此種情形之下，生產者自然只能且顧目前，對事業不能作長久打算，不想在根本方面如提高效率、改進品質上努力。何況其竭盡心智從自力改進所得者反不及其他方面爲大。如進口外匯能多得一成，保留出口外匯能多得一成，其所得均遠較成本之節省爲多。此等弊病在現行外匯管制之下，甚爲顯著，但外匯又不能不管制，因此不能不採取重點主義。政府似應選定少數幾種出口有希望之工業，予以特別嚴格之監督與輔助（例如底價之保證、技術之輔助、資金之融通、產品之檢查等等），予以培育壯大。必須除糖以外，再建立三、五種可以出口之工業，不計工本悉力以赴，一旦市場打開，自可漸入佳境。

六、總之，台灣目前一切經濟問題，其基本原因在於國內物資需求超過供應能力。此後美援之增加，希望甚小，唯有求其在我，努力建設，擴大生產。藉增加稅收、鼓勵儲蓄以抑低消費，並節省政府支出，以應建設之需要。但必須同時擴大外銷，否則整個經濟仍難開展。

鑑於國家財力有限，資源貧乏，一切施政總宜從簡求精。必要之支出不宜節省，但不必要之開支，雖一文錢亦須計較，務使花一分錢即得一分錢之結果，不求其多，但求其質。

以上係就當前經濟基本問題及政策方向作一檢討，其建議各點，雖屬老生常談，但捨此似無更有效之辦法。至於如何制定及修改各項措施，以實現此一方針，則尚待研議也。

（一九五七年十二月）

附錄三

十九點財經改革措施

說明：接近一九六〇年代，美國希望我國儘早結束美援。作者乃奉命草擬加速經濟發展計畫，以期早日結束美援，達到經濟自立。為配合此一計畫之執行，同時草擬十九點財經改革措施，期對財經作全面之改革，一舉而達成現代化之目的。美國援華安全分署署長郝樂遜曾提參考意見八點，此一改革計畫由行政院成立小組督導執行，惜未竟全功。

加速經濟發展計畫大綱

政府自一九五三年起曾連續實施兩次四年經濟建設計畫，第二期之四年計畫將於一九六〇年完成。由於實施此項計畫，業已收穫顯著之成果，自一九五二年至一九五八年，真實國民所得平均每年增加八·六％（最高爲一九五三年增加一五·一％，最低爲一九五四年增加四·一％，最近兩年平均約爲六·五％）。

政府爲加速經濟發展，將繼續實施第三期四年計畫，其期間爲一九六一年至一九六四年，估計至一九六四年時，本計畫可達成如下之目標：

㈠國內生產毛額將自一九六〇年之十億四千萬美元（一九五八年幣值，以下同），增加至一九六四年之十四億二千萬美元，約增三六％。按複利計算平均每年增加八％。

㈡國民所得將自一九六〇年之九億六千萬美元，增加至一九六四年之十三億一千萬美元，約增加三六％。按複利計算平均每年增加八％，較最近兩年平均之六．五％爲大。

㈢國民個人所得將自一九六〇年之八十三億九千萬美元，增加至一九六四年之九十九億五千萬美元，約增加一八．六％，按複利計算平均每年增加四．五％，最近兩年僅爲三．二％。

㈣就業人數估計一九六〇年爲三百二十六萬人，今後四年可增加三十萬人，約增加九％。根據現有人口資料推算，自一九六〇年至一九六四年，自二十歲至五十九歲具有工作能力之人口，將增加四十六萬人，其中部分家庭婦女不就業及若干尚在就學及服兵役階段外，真正需要就業之新增人口，當與三十萬人相去不遠。

㈤現在美援對我國政府預算之補助約爲新台幣十三億元（或美金三千二百五十萬元），在加速經濟發展計畫之首二年，此項補助可能尚有增加之必要，主要因爲：1.將預算之隱藏津貼取消，2.執行本計畫需要增加費用。但首二年增加補助使加速經濟發展計畫得以展開後，可使政府收入在後二年，有相當之增加，最後可以達成預算赤字之減少。

㈥國際收支差額（包括無形收支項目），可自一九六一年之美金一億四千萬元，減爲一九六四年之七千九百萬元，出口額可自一九六一年之二億二千萬元增至一九六四年之二億九千萬元（一九五九年出口約為一億六千萬元，一九六〇年估計可達一億八千萬元），進口額可自一九六一年之三億四千萬元增至一九六四年之三億五千一百萬元（包括美援進口），同時希望在一九六四年會計年度終了時，可獲有一億美元以上之外匯準備，以求經濟之安定，並供美援減少後而加速經濟發展之成效尚未全部得到時之青黃時期調度之需。

爲加速經濟發展，使我國在國際上信用地位可以改善，經濟自給自足能力可以增加，暨減少美援之倚賴起見，今後四年估計至少需投資美金十一億二千八百萬元，在此數中，我國政府可負擔三億零四百萬元，占二七%，我國民間可投資四億零三百萬元，占三五·七%，華僑及外人投資六千萬元，占五·三%，我國政府正盡其一切努力以實現本計畫，希望美國政府對本計畫所需之不足資金能予協助。

在中美雙方所同意之軍費負擔之下，欲維持現有之人民生活水準，則在今後四年中至少需要防衛支助援款二億四千萬美元（即每年六千萬美元），倘不能維持此項最低額之援款，則現有之生活水準勢必降低，或將經濟發展計畫之執行予以延緩。上述四年所需之防衛援款，其中一部分係用於主要基本工業之需，如火力發電計畫等是。

十九點財經措施

爲達成加速計畫發展目標，鼓勵民營企業發展，政府決定採取如下之十九點措施：

一、經濟發展

㈠鼓勵儲蓄，節約消費：

1.台灣省在經濟進步，生活改善過程中，所遭遇困難之一，爲消費增加過速。此自有礙於資本之累積，及經濟之進一步發展。除已由各銀行普遍開辦儲蓄存款戶，以便利儲蓄外，政府尚擬採取下列之措施：

⑴發動廣泛之宣傳與教育，灌輸儲蓄知識。尤其對於人壽保險之推廣及各種福利基金之運用特別注意。（計畫可能實現之日期：長期努力）

⑵建立深入民間之儲蓄綱，簡化儲蓄手續。（計畫可能實現之日期：一年）

⑶利用租稅制度之減稅免稅，鼓勵儲蓄，限制消費。（計畫可能實現之日期：一年）

㈡資本市場：

2.缺乏良好之資本市場，亦爲妨礙經濟發展之主要原因。政府除已採取保證民營企業發行公司債、協助成立開發公司、命令交通銀行復業及籌備設立證券交易所等措施外，現正聘請美籍專家就證券交易所及資本市場問題加以研究，提供意見。（計畫可能實現之日期：一年）

㈢改善民間投資環境：

3.政府已將過去爲應付經濟危機所採取之各種管制措施，或予解除，或予放寬，現擬就此一方面再作檢討，務使民營企業有充分之活動自由。（計畫可能實現之日期：隨時檢討不斷改進）

4.政府過去曾採用低利貸款、供給美援、由政府擔任民營事業之設計與發起人、由政府擔任創辦人、由政府接收經營不善之民營企業代爲整頓、移轉公營事業與民營、給與民營企業以直接間接之保護與協助等方式，以扶植民營事業之發展。現正在計畫進一步將若干政府經營事業轉移民營，以造成更有利之民間投資氣氛，同時除倡導性或示範性之投資外，政府對於商業性生產事業將不再投資。（計畫可能實現之日期：三年）

5.政府過去已經在稅收、外匯貿易管理辦法、資金融通各方面，給與民間投資者以種種便利與優待。現正在就此等便利與優待予以全面檢討，是否可予以加強，並簡化利用此等便利與優待之手續。（計畫可能實現之日期：一年）

6.政府現正就國內外投資者申請投資設廠手續、獲取工業用地手續、出入境手續，及所有投資設廠及經營企業有關法令作廣泛之檢討，分別針對實際需要加以修改，並有部分法令已在送請立法機關審議中。（計畫可能實現之日期：一年）

7.政府將就公營事業（包括軍事生產事業）現有設備作一檢查。其未充分利用者或閒置者，將設法予以充分利用，使已投下之資本，得以發揮效果。（計畫可能實現之日期：二年）

8.對於公用事業費率之決定，將謀求合理之長期解決辦法，並考慮公用事業費率委員會之設立。（計畫可能實現之日期：一年）

二、預算

(一)支出方面：

9.中央政府一般性支出中，大部分爲國防費用，惟此爲防衛台灣對抗共匪擴張所必須，如加削減，勢將削弱國防力量。但政府當繼續執行精兵政策，推行目前之退除役辦法，並將國防費用（按固定幣值計算）暫時維持於目前之數額，但對美軍援項下增加新式配備所需之配合費用，不受此限。如此，在國民生產不斷增加之情形下，國防費用在國民生產中所占比例將可隨之減少，而整個經濟對國防費用之負擔，亦將減輕。（計畫可能實現之日期：於一年內作一檢討後執行）

㈡收入方面：

10.對於租稅制度及稅務行政，現已著手整頓改進，主要目的在協助資本形成及經濟發展。

⑴關於租稅制度方面：各項稅課中，所得稅法已加修訂，送立法院審議中。其將加以改善者，首爲消費稅系統中各項稅課如營業稅、貨物稅、娛樂稅之精簡；次爲財產稅中之戶稅有礙工業發展，須予改革；再次爲財產轉移稅如契稅、證券交易稅之改進或廢止。（計畫可能實現之日期：一年）

⑵稅務行政方面：將從建立專業稅務機構、簡化稽徵程序、提高稅務人員品質、改善待遇、樹立健全人事制度等項著手改進。（計畫可能實現之日期：二年）

㈢預算制度：

11.預算制度擬再加改進並逐步推行績效預算制度，使能反應當時之經濟情形與政府之政策，及確實核計成本與工作效率。（計畫可能實現之日期：二年）

12.過去由於貨幣貶值太快，軍政費用及公營公用事業產品價格不能隨時作同程度之調整，因之常採取權宜措施，諸如公用事業費率之優待、廉價物品之配售、採購物資之記帳、低利貸款等等，予以變相之補貼，此等措施已隨幣值之穩定而失去其作用。為使軍政方面之真實費用及公營公用事業之盈虧能在政府預算上明白表現起見，此類變相補貼將予取消。（計畫可能實現之日期：二年）

13.政府公務人員薪給太低，遂有種種變相津貼及福利，既不足以獎勵廉隅，尤易發生種種弊端，應將薪給加以調整而取消各種隱藏之津貼福利，並實行退休制度。（計畫可能實現之日期：一年）

14.對於軍費之支出，將加強稽核，政府正在繼續加強預算及審核機構在此一方面之權力。（計畫可能實現之日期：一年）

三、金融

15.政府將建立中央銀行制度，負責調整利率與信用量質，俾進一步對信用作適當之控制，以穩定經濟。目前先將台銀之代理中央銀行業務與普通銀行業務嚴格畫分，以加強控制銀行信用之力量。（計畫可能實現之日期：即可做到）

16.所有辦理存放款業務之機構，不論名稱如何，將一律納入銀行系統，受代理中央銀行之台灣銀行之控制。現在台灣銀行對其他行庫之控制辦法與技術，將作徹底之研究與改進。（計畫可能實現之日期：一年）

17.現在各銀行之業務，將依其性質嚴格畫分，並由政府依照銀行法嚴格監督，務使各就其本身規定之業務求發展，並避免短期資金流於長期之用，發生金融上之困難。（計畫可能實現之日

期：一年）

四、外匯與貿易

18.政府對於外匯貿易改革之目的在建立單一匯率制度，並視國際收支情況之許可，儘量放寬貿易管制，以求恢復新台幣之能自由匯兌。（計畫可能實現之日期：二年）

19.對於促進出口方面，應從擴大鼓勵措施、簡化出口結匯手續、加強與國外之商業接觸等多方面努力，謀求出口之進一步擴展。（計畫可能實現之日期：長期努力）

（一九六〇年十二月）

附錄四

台灣經濟發展之路

說明：一九六四年，作者在國際經濟合作發展委員會工作環境不斷惡化，決心求去，乃撰寫本文，作為自一九五三年至一九六四年參加台灣經濟發展工作之總結報告，分送各方面參考，自蔣中正總統以下，朝野反應均甚熱烈，對日後政策影響頗大。作者則於一九六七年一月離開經合會。

我寫本文的動機

我出身農村，家庭富裕，兒童時代有免於匱乏的自由。但我的鄉黨戚族則窮困不堪，終年辛勤工作，都難得一飽。每屆嚴冬雪大，野蔬落葉難覓之日，即爲他們斷炊之時。十室九饑，慘不忍睹。雖然生生不絕，而由於饑餓、疾病、瘟疫，死亡亦相繼。一九三一年一次大水災與大瘟疫之後，我兒時遊伴死亡略盡。對於這種悽慘遭遇，我隨著我的戚族和家人，一律歸之於不可改變的命運。後來年事稍長，進入大學，由於接觸現代知識，我才知道這種命運是可以改變的。只要有人在選種、施肥、栽植、防治病蟲害等方面略加指導，將幾千年祖傳方法稍微變動一下；只要利用農村剩餘勞力，做一點比較合於科學原理的防洪排水工作，做一點改善道路和運輸工具的工作，並不需要大量資本和大量技術，便可使農村收入增加一倍以上；只要幾支防疫針、幾顆奎寧丸、幾粒消炎片，便可挽救無數生命。

這時，我自以為得到了改善這些善良人民的生活之道，便不免有慨然登斯民於衽席之志。不料大學畢業之後，沿門托缽，才謀得一噉飯之地。就這沿門一托缽，青年人的一點銳氣和自負便告掃地以盡。而這一噉飯之地維持一小家庭溫飽都難，哪有能力登斯民於衽席，只好壯志全消，將大好生命浪費在等因奉此，柴米油鹽中了。大陸沈淪之後，我的這些戚族音信全無，生死不卜，連見面都難，自然談不上改善他們的生活。我如今已是望五之年，縱然今日就勝利回鄉，在我有生之日，也難望實現我的願望。在這一方面，我早就預備齎志以歿。然而有一點我始終念念不忘，那即是牧民之官如果具備一點現代知識和革命精神，要改善人民的生活是容易的，但是要有現代知識，要有革命精神。當然，我所謂的革命精神並不是我兒童時代所常做的，手拿紙旗一面，口喊打倒某某的口號，而是勇敢地擺脫傳統，勇敢地接受新事物，和勇敢地採取行動。在這些行動過程中，有些什麼要打倒，就勇敢地打倒，無所瞻徇。

來到台灣以後，我曾兩度奉派出國參加國際性的經濟發展研究機構，一次一年，一次半年。每次都有二十幾個國籍的人參加，差不多是一個小型的聯合國。這些異國同學，雖然各人地位背景不同，但有一個共同的特點，那就是他們都對他們的國家前途和個人前途，充滿了信心與驕傲，個個雄姿英發，氣勢逼人。我雖然也願意對我的國家和我個人前途充滿了信心與驕傲，但人畢竟是現實的居多，我們一島孤懸，我有什麼辦法使別人分享我的信心與驕傲呢？只好悶在心中，孤芳自賞。我真不知道人生還有比這種孤芳自賞更難過的事。在學業既成，大家握手言別的時候，他們都欣然整裝，預備回國用其所學為他們的國家和人民服務。我呢？我的完整的國家在哪裡？我年輕立志要為他們服務的人民又在哪裡？杭州雖然也是我們的國土，但究竟不是汴州，我又怎能，也怎忍錯把杭州當汴州呢？面對我的這些異國同學，我只有黯然低頭。

我的這種背景和經歷，激發了我要為國家和人民做一點事的意願。縱使是暫時困守台灣，我也願見有一個現代化的台灣。使我們在這一部分國土的同胞能有像樣的生活；使台灣在所有友邦人士的眼中，是一筆重大資產，而不是依賴外援的負債；在所有敵視輕視我們的人的眼中，是一個值得重視的力量，而不致無視我們的存在。根據我有限的知識，只在我們的一念之轉而已。

在這一信念之下，我在一九五三年有幸遇見一位思想開明，態度積極，而又公忠體國的長官，於是我便盡我所知貢獻出來。我經常在討論、建議與公文中，改正流行的錯誤觀念，指出若干措施的不當，要求採取必要的政策，建議改革路線，策畫發展方向。我很欣慰，經過十多年的努力，我們社會對經濟發展，對財經政策的認識，都能遠較一九五三年以前為清楚；我更欣慰我的許多想法已經付諸實施或正在實施中。但這是一個對傳統、權威和落後的挑戰工作，我的作為容易使人嫉視，而我個人也終日在焦急、失望、憤激和疲倦中過生活，超過了我身心兩方面的負擔。現在我的那位長官已不幸謝世，也應當是我退下來的時候。同時，我的年齡與忙碌工作已使我在知識上逐漸落伍，不容許我再繼續下去。為了我的晚年打算，為了公共利益，我也當從現在的工作退下來，讓衝力還沒有消失，知識還沒有開始落伍的年輕一代去接替。所以本文是一篇移交報告，將我認為應當繼續促請大家注意的，應當繼續勸告政府採取行動的項目，開列出來，便利接替的人展開工作。同時也是我十多年在這一方面為國家服務的總結。一個人一生並不能做多少有意義的事，我很欣慰我已在沒沒無聞中做了一點有意義的工作，我總算沒有辜負國家和社會對我的培養！

最後，有一點我要申明的，是作為一個讀書人，我要對我知識上的良知負責，這是我一貫的態度。因此在本文中，我無意於故意地冒犯任何人，我也無意於故意地避免冒犯任何人。我希望受到冒犯的人三復我所說的話，如果仍覺得我是在故意地冒犯，那麼我知罪了。

現階段經濟發展的盡頭

無可否認地，自一九四九年至現在，台灣經濟有長足的進步。雖然對於每年的成長率有多大，各方意見不一，難得定論，但惡性通貨膨脹已完全置於控制之下，人民生活日益改善，出口大量增加，都市化大規模進行，都是具體的進步指標。造成這種進步的因素是多方面的：

一、日本人所奠定的基礎，特別是在電力、交通等公用事業，農田水利與農業發展制度，自然資源的規畫利用，教育衛生等方面。換句話說，一個落後地區從事經濟發展的一些起步工作，日本人都做了。我們批評日本人農業台灣，工業日本，是一句不負責任的口號，是不公平的。但日本人也爲台灣留下了一個壞影響，那便是政治上與社會上對殖民地的差別待遇，對台灣同胞在心理上有嚴重打擊，影響他們的公共生活。這種不良影響恐怕要用一代以上的時間去消除。

二、政府的領導和推動，以及政府對經濟的比較重視。這是與我們在大陸時代主要的不同之點，也是外國人所極爲欣賞的一點。雖然在他們的眼光中，我們距離他們的標準還很遠。在這一方面，故尹仲容先生的功勞是不可磨滅的。他實是推動台灣經濟發展和經濟改造的基本動力，我們社會不應該就這樣快地埋沒掉他的功勞。臨陣思猛將，我們以後還會有想到他的日子。

三、大陸遷來台灣的一批企業人才和少數資金，特別是前資源委員會派來的一批工程人才。這些人正好接替日本人撤走的空缺，成爲維持和發展台灣工業的主要力量。現在已經有後繼無人之感。

四、本省同胞的刻苦耐勞，和比較容易接受現代化的企業觀念，及農工各方面的生產技術（與教育普及有關），構成了經濟發展的基層力量。本省也有一批頗具現代化企業頭腦的工商領導人物，將來的台灣經濟發展對於這兩種人的倚重都很大。

五、本省幅員小，各地發展程度相差有限，經濟發展易於推動，而且少牽扯顧慮。同時，政治及社會穩定也是重要因素。

六、美援，在過去的經濟發展中，美國友人不僅給我們平均每年約一億美元的資金上的援助，成爲穩定經濟，促進投資和改善社會環境的重要力量之一；而且依據條約上的規定，也給與我們在政策上和實際行動上不少的忠告與督促，他們實不愧爲我們的益友。

在這些有利的條件湊合之下，我們的經濟雖有快速的發展，但仍未脫離落後形態；或者套一句流行語，尚未起飛。我們且看下面的事實：

一、農業是我們過去十四年最具成就的一個部門。雖然日本人在這一方面奠有很好的基礎，特別是在教育普及與交通便利方面，使最保守的農民比較容易接受現代農業知識和技術；但如果沒有負責農業發展的機構農復會的領導、策畫、推動，並以工作熱忱和與農民密切接觸，取得農民的信任，則台灣農村所具備的有利條件——教育普及與交通便利，便無法發揮其效果，而農業也就不會有現在的成就。不過，由於一般經濟環境的限制，過去農業發展主要的路線是選種、施肥、輪灌、間作、防治病蟲害及在森林漁業方面的簡單改進，這些都是一個現代化的農業所必經的階段。但無論在生產技術、單位規模、銷售組織，乃至意識型態上，都不是一個現代化的農業，則是無可否認的事。在現狀之下，台灣農民的生產力、所得和生活水準絕對屬於落後形態。

二、工業的發展甚至較農業更快，但主要限於兩個部門：農產加工與進口代替品。前者是落後國家的典型出口品，算不得真正的工業產品；後者則以滿足國內市場爲主要目標，無需在國際市場上競爭；同時在高度保護之下，也不怕外來產品在國內市場競爭。最近兩、三年工業產品的出口雖有增加，但多屬於游擊性的，並需要國內各種直接間接的補貼，並不能在海外建立穩定正規的市場。在這種情形之下，所發展的工業不需要考慮到品質與成本的問題。於是所有管理、技術、推銷、企業組織都可因陋就簡，形成一個落後的工業。這還是就比較初級的工業而言，至於高級工業，則尚在開始階段。

三、過去重大投資的資金，多來自美援，從沒有採取嚴厲的方法以降低人民生活水準，或阻止生活水準上升來籌集資本，也沒有透過正常籌集長短期資金的機能來融通產業，運用現代財金工具以穩定和發展經濟的情形也不多，所以沒有能發展出一套複雜的財政金融政策和健全的財務（包括預算）行政，以及現代的金融組織。換句話說，我們的財務行政與金融組織都不能適應現代經濟的要求，我們的財政金融政策與經濟活動的關係，遠沒有進步國家那樣密切。同樣落後的情形還有貿易與商業，對於現代的市場研究、推銷技術，還沒有欣賞的能力，不要說實行了。而所有這些因素都與經濟發展有密切的關係，他們是經濟發展的結果，也是助長經濟發展的原因。而在一個落後的經濟社會，如果不採取主動使其成爲助長經濟發展的原因，便會成爲阻礙的因素，延滯經濟發展的進度。

四、從經濟發展的觀點，看我們的行政、立法、社會等各方面，都是落後的，尤其是我們還沒有形成一個領導階層，足以領導經濟的全面發展。關於這些方面，以後我們還要提到。

從上面的敘述，我們可以得到幾個肯定的結論：

一、我們仍是一個落後的經濟，在進步經濟中不能有我們的地位。

二、過去的發展都是走簡單容易的路，沒有下硬工苦工，這種發展禁不起考驗，這種經濟禁不起風波。再加上沒有深厚的自然資源，沒有高度的技術涵養，便形成了故尹仲容先生所說的「淺碟子」經濟。由於台灣幅員小，這個碟子不但淺，而且小。

三、既然是淺碟子，就易滿易盈，換句話說，發展前途有限。

四、既然是淺碟子，就容易枯竭。照目前人口快速增加，外援將停，而公私消費不斷提高的情形下，如果沒有進一步的發展，三、五年時間就可使經濟往下沈，沈到難以維生的境地。

事實上，台灣經濟照目前的發展方式已經到了盡頭，簡路已經走完了，再沒有不要重大投資便可大量提高生產的農業資源，再沒有因陋就簡，在保護之下大量發展的工業。換句話說，照目前的方式已經找不到有利的投資機會；這個局面已經不能容納更多的資本和人力，也談不上繼續提高生活水準。這個淺碟子已經滿了，下一步是讓這個碟子枯乾，還是換一個比較更深的碟子。枯乾是一件容易做的事，但是我們所不願的事；換一個碟子則是我們所願做的事，但是一件艱難的事。我所謂艱難是因為：

一、一九四九年、一九五〇年我們開始台灣經濟重建與發展的一些有利因素，有的已充分利用，如日本人為經濟發展所做的起步工作、大陸遷來的資本與技術人員，有的正在消逝，如外援，如一九四九年撤退來台痛定思痛的一股振奮之氣所產生的政府領導和推動。

二、自然資源太過缺乏，而人口增加則太快。

三、進一步發展所需要的資本、技術、組織與管理，與現有的雖有連續性，但性質規模將有很大的差異。與這種發展相配合的金融組織、貿易與商業技巧，都付之闕如。現有的不能適應新的需要。

四、現有的傳統觀念、政治風氣、經濟制度，都不足以使經濟作進一步的發展。

根據上面的分析，顯然地要換一個比較深的碟子，要使台灣經濟更上一層樓，勢必要付出遠較過去爲大的努力與犧牲，在某些方面勢必要徹底改弦更張。這是一個嚴肅沈重的工作，也是關係我們未來若干年命運的工作，朝野上下應給與極端的重視，並立即採取行動。

需要政治家與革命精神

根據我對台灣經濟發展的觀察與分析，根據其他落後國家的經驗，落後國家所謂經濟發展問題，實在並非是經濟問題，而是一個政治問題；再深一層觀察，則並非是一個政治問題，而是一個文化問題。在現代的經濟知識與技術之下，我可以斷然地講一句，沒有不可解決的經濟問題；但一牽涉到政治與文化，那就幾乎沒有可以解決的經濟問題。文化在無形中支配人的意識與想法，由此再無形地支配人的決定和行動。這種決定和行動也許完全違反經濟發展的要求，但作決定和行動的人並不自知，視爲當然。例如我們從小便被教導服從尊長、膜拜祖先、效法往哲，和如何接受領導，因此便喪失了獨立判斷，和獨立行動的能力。一切行事，不是服從尊長指示，便是遵守祖宗遺規。試想這樣如何去開基創業，如何去革新求進。這種無形中受文化支配的例子，讀者可從下文中隨時看出。

因此經濟發展需要政治家。我們需要少數的政治家，本身能擺脫文化傳統的約束，了解世界潮流，構成一個集團，一方面移轉社會風氣，一方面建立必要的典章制度，規畫一個有效率的、具備現代知識與技術的行政系統。日本明治維新就是這樣成功的。我無意於輕視我們的文化傳統，我們的文化自有其優點，在一個農業社會和靜態社會，它可能是最優秀的文化，它使我們過了幾千年聽天由命的安靜生活，雖然饑餓殺伐不絕於史。但至少在現階段，進步（也許是退步）與工業社會分不開。假如昧於現實環境，死守自己的文化傳統一成不變，排斥外來文化的衝擊，則構成文化主體的這個民族都將不保，自難望自己的文化能維持下去。我們務必要記住，我們不變，別人在變，終有一天情勢會逼著我們變，或者滅亡。

我所謂的政治家，除了前面所說的本身能擺脫文化傳統的約束的條件外，還至少要具備下列兩個條件：

一、政治家必須要有抱負、有原則。這樣一旦任公職後便會有目標、有政策。有目標、有政策，才能有責任感、有榮譽感；然後才能產生勇氣和決斷，才能為抱負、原則、政策、目標而奮鬥，才能雖千萬人吾往矣；才能在某種條件之下可以上台，在某種條件之下斷然下台。而唯有具備這種條件的人，有足夠人數，形成一個領導集團，才能談落後國家的經濟發展。

二、政治家不但能看出有形的利害，尤其要能看出無形的利害；不但能看出目前的利害，尤其要看出長期的利害；不但能看出局部的利害，尤其要看出整體的利害。

我現在舉一個例，以說明政治家與一國經濟施政的關係。我國中央銀行隸屬總統府，設計者的原意在使中央銀行有獨立性，可以對抗行政當局的壓力，有獨立的金融政策，保持金融的穩定。設想周密，用意良善，實在是一個很好的制度。不料抗戰軍興以後，由於支出浩繁，不得不要求中央銀行墊款，為了方便起見，乃由財政部長兼任中央銀行總裁。這一兼任，使當初建制精神爲之破壞無餘，比中央銀行隸屬行政院更壞。當時想出這種辦法的人當然是聰明人，他在不違背法令、不變更組織之下，輕而易舉地解決了政府支出問題。但是他何曾想到在中央銀行變成財政部的出納室兼印刷廠的後果，是惡性通貨膨脹，是全國有知識的中產階級的消滅，是軍政雙方的惡化，終於毀滅了社會穩定的基礎，動搖國本，而播遷來台。假使當初財政部長不兼中央銀行總裁，而中央銀行總裁又是一位政治家，把住金融這一道關口，不肯無限制地供應財政部的需要，迫使財政部長在扛紗帽與裁減機構、緊縮開支、整頓稅收、舉辦內外債、清理國家財產之間有所選擇，當時也許對軍政雙方多有不便，甚至以影響前方作戰爲要挾，但無論如何不會有今天的局面。這就是當時財金兩方面沒有原則與政策，就是看不出通貨膨脹的無形利害和整體利害，而只注意到了因應戰時支出的有形利害、目前利害和局部利害的結果。也許有人會問，這樣做中央銀行總裁便不能保持其地位，這就要看這個總裁是否是政治家，能不能犧牲職位以維護自己的政策了。

落後國家的經濟發展，實際上是一個文化、社會、政治、經濟的大變革，變革的程度只有用革命兩字才能表達它。這就是十八世紀下半葉到十九世紀上半葉，英國經濟的大變革，經濟史家稱爲工業革命的道理。這種變革會改變個人的觀念、想法、生活習慣、家庭結構，進而至於社會風俗、政治制度、經濟組織。很顯然地，這種變革要使多少人感到不便利，看不順眼，侵犯多少人祖傳若干年的既得利益，消滅多少人的現存特權，動搖多少人的社會地位和權威。這在一個有悠久文化傳統，停滯了多少代都沒有進步的社會，該是一件如何困難的事。要完成這種變革，如果沒有豐富的革命精神，如果沒有天地不足畏，祖宗不足法，人言不足恤的氣魄，如何辦得了。其實，這種革命精神何止落後國家需要，進步國家同樣需要。現在的世界無時無刻不在變化進步之中，領導進步固不必論，就是要跟上進步，也要時時警覺、時時變化、時時適應。稍一疏忽，稍一留戀過去的光榮與傳統，稍一守成不變，便落後了。現代的工業社會，就是一個動的社會，沒有成規，沒有守成這一類的觀念，這些觀念都只能存在於農業社會。在工業社會，守成就是落伍、淘汰、滅亡，只有農業社會喜歡講求蕭規曹隨，工業社會根本沒有蕭規，哪能曹隨。

也許是我的一種錯覺，也許是我不知實情，我總覺得我們這個社會瀰漫了一種「祥和之氣」，「不得罪人」成了一個主義、一個信仰，並且已經成了一種力量迫使大家都這樣做。不肯說一句真話，不肯做一件認真的事，更不肯碰一個人，這豈止不能適應經濟發展的要求，也不能適應我們反攻復國的基本國策。我個人曾經擔任過一個經濟研究單位的主管，以正常的態度，說真實話，寫真實報告，提真實建議，用該用的人，拒絕應拒絕的人，開掉應開掉的人，結果在祥和之氣的大氣氛下，反被認爲不正常，焦頭爛額之餘，只好和氣生財。但是一個社會沒有幾個人這樣做，風氣如何變得過來，風氣變不過來，維持現狀都不可能，如何談發展。

政治家的遠見與領導，以及全國上下，特別是領導階層的革命精神，實是經濟發展的必須條件之一，不具備這種條件，落後國家的經濟斷然發展不起來。這比外資、技術等等不知道要重要多少倍。

先從行政改革做起

我在前面說過，經濟發展需要規畫一個有效率的、具備現代知識與技術的行政系統。在未說到如何達到這一點以前，我要先敘述一點現狀。我們行政現狀不能令人滿意，這是無可否認的事。不能令人滿意的原因主要有三點：

第一個是效率低。有些中央與地方政府機關，到處都充滿了人員。但這些人員或則根本不上班，或則上班不做事，或則全年出差，凡此都是親眼所見或親身經歷到的。以致人員雖多，但做事則很少。我們公務員的待遇與全世界各國比較，可能是最低的國家之一，但我們的公務成本（即辦一件事所需要的開支），則可能是最高的國家之一，形成了最低的待遇，與最高的公務成本。我們有些政府機關一個公務員全年的待遇，可能只有五百美元，但一年可能只做一件像樣的公務（可能一件不做），則這件公務的成本便是五百美元。其他國家一個公務員每月的待遇可能就有五百美元或更多，但如每月辦兩件像樣的公務，則每件公務的成本便只有二百五十美元。

第二個是操守。我們時常在報上看見貪污案的揭發，而社會傳聞的則更多。被揭發的案件，多是當事人服刑數年，即可享受貪污成果。與貪污案有關的直屬長官、會計機構、審計機構等都可無事。這對於所有政策的推行都是重大阻礙，不僅限於經濟發展。

造成以上兩種現象的原因很多，而公務員待遇低並不是唯一的原因。公務員待遇增加十倍，這種現象也不會革除。主要原因有：

一、工作與報酬脫節：

公務員之所以支領薪水，並不是因其具有公務員身分，而是因其以公務員身分辦公務，做了工作，所以對公務員的報酬，必須以其工作爲標準。政府有工作要做，然後任用公務員；公務員辦了這個工作，於是給他的相稱報酬。但目前的情形是只要有可能，就儘量派用公務員，只要是公務員，就給與報酬。公務員太多，預算太少，於是大家少拿一點；至於工作不工作，報酬與其工作貢獻相稱不相稱，則非所問。因此，一個人百無一用，於是找個公務員當當；某人辛苦多年，給他一個位置酬庸一下；家用不夠，要太太去掛個公務員名義；長官體恤僚屬，派他太太做個公務員；某人死了，身後蕭條，叫他兒女或太太當個公務員，繼續支薪。工作與報酬完全失去了聯繫。如此，公務員位置及報酬便變成了救濟性的和酬庸性的。於是政府決策階層核定待遇，其中心觀念不在給與公務員以適當工作報酬，而在維持其最低生活；不在激勵有能力及勤奮辦事之公務員，而在利益均霑及求救濟之普遍與平均。在公務員方面，待遇既屬救濟，而且利益均霑，與工作無關，則必然只爭多少，不問工作。古今中外，從沒有領救濟金而能有優良工作表現者。如此國家名器及俸金成爲救濟與酬庸工具，哪能希望有行政效率？哪能希望公務員尊重本身之職守？

這又使我想到了農業社會文化與工業社會文化的區別。農業社會的生產係以家爲單位，個人無獨立人格，爲家而生存。維持家這個生產單位的工具不是法律，而是血統關係與情感。權威與隸屬關係源於血統，要父慈子孝，要兄友弟恭。在這一種氣氛之下，自然培育出一種救濟與賞賜的觀念。施行救濟與賞賜的人認爲是一種義務，是一種長輩情感上的滿足；被救濟與賞賜的人則認爲是一種自然的權利，並不產生感激念頭，亦不覺得羞恥。兒子不肖，請爸爸救濟；弟弟不肖，請哥哥救濟，有什麼不對！而工業社會則是工作與報酬，有工作才有報酬，什麼樣的工作，什麼樣的報酬。農業社會的這種觀念，擴大地應用，便是扶危與繼絕：只要是存在過的東西，就要讓它繼續存在，繼續存在的唯一理由，就是它已經存在了；因此我們對於經營不善的公民營企業，對於毫無存在必要的機構，都要以扶危繼絕的精神，使其萬古常存。而工業社會則是競爭與淘汰，物競天擇，優勝劣敗，無所用其憐恤。救濟與賞賜，工作與報酬；扶危與繼絕，競爭與淘汰，何者消滅人的鬥志，摧毀企業精神，養成依賴、疲懶、拖混風氣；何者激發鬥志，振奮企業精神，養成獨立勤奮實幹風氣；何者阻礙經濟發展，何者宜於經濟發展，一望而知。我常靜觀我們這個社會，充滿了「救」的觀念。救國，救民，救難胞，救忠貞人士，救工商業，救同鄉、同學、親戚、部屬，有時還要救世界，救人類，一片施救與求救之聲，而天下事一到了「救」的程度，便無可觀了。假如將「救」換成自立、奮鬥、創造該多好。

二、任免及考績不合理：

如研究若干國家以及中外民營企業，其效率何以高，必可發現一共同之特點：即用進一人很難，而開革一人則易；工作成績優良者必獲升遷，而成績低劣者必予懲處。但我們現在的情形則相反，用人極易，開革極難，考績則輪流分配甲等。人員一經任用之後，便成終生職，按月支領救濟金，直至老死爲止。機關首長無法將其免職，亦不願在此亂世得罪人，去取消別人終生接受救濟的資格。如用進一人難，則無論其人之資格能力如何，必然珍視其職位；開革一人易，則必然隨時戒慎恐懼；如賞罰分明，則得賞者必以爲榮，而受罰者必以爲恥。珍視職位，並以得賞爲榮，可以使人自動努力工作；戒慎恐懼，以受罰爲恥，可以迫使人工作。今如反其道而行之，得一職位極易，則不必珍視其職位，最多感到已名列救濟，終生衣食無虞而已。失一職位難，則人人有所恃，公可以不辦，長官命令可以不聽。至於考績，則坐待輪次，無需努力工作以求爭取，且爭取到手，亦非榮譽。如此，誘使公務員自動工作的辦法沒有，迫使公務員被動工作的辦法也沒有，行政效率如何能提高？

除了上面所說的效率和操守問題外，影響行政不健全的因素還有第三個，可能是最重要的一個，那就是很多公務員缺乏他所經辦的業務的現代知識。一般對政務官的要求是智慧、經驗、器識和判斷，但不一定要具備他所主持機構的專門知識。不過，他左右的幕僚和負政策執行責任的官員，則非要有現代專門知識不可。這些官員沒有現代的知識，絕不能構成一個現代的政府，沒有現代的政府，絕不能處理現代化的經濟事務。然而根據我與許多機關公務員接觸的經驗，其對所經辦業務現代知識的缺乏，實令人驚異，根本沒有共同的常識基礎，從事他所主管業務的討論。這些官員上班等因奉此，在公文中表演推、拖、扼、整等絕技，下班則麻將應酬。而由於本身無現代知識，一方面便形成了一個「幫」，採取互相援引，共同防禦的政策，以維護既得地盤，使新人無法進去；一方面則產生一種自卑感，於是拒絕接納外人的意見，拒絕現代知識的吸收，動輒以這是我的主管範圍來阻塞改進，因此影響執行公務的態度，產生「我就是不買你的帳」

的心理。因此有些事別人不問，或許還有萬一機會改進，別人一問，這萬一機會也可能消失了。從這些人身上我才了解抱殘守缺和故步自封的真義，這是經濟發展的一個嚴重阻礙。現代知識比革命精神更重要，沒有現代知識的革命精神的結果，是蠻幹和盲幹，糾正蠻幹和盲幹的不良影響，又得用大量的人力、物力和時間。

關於缺乏現代知識的情形，我可以從會議中、報告中、文章中、實際作爲中，舉出無數的例證，但爲了我個人的處境，只好不提。我們並不需要每一個官員是專家，我們也不需要回到我國傳統的「學者政治」。但一個官員對其所經辦的業務，應該具備一點常識，應該有了解和接受別人所提關於他主辦業務的意見的程度，應該是起碼的要求。如果不具備這一點條件，政府能現代化嗎？政府不能現代化，經濟能現代化嗎？

針對以上情形，我提出下面的建議：

一、調整公務人員待遇（包括軍人），特別是中下級公務人員的待遇。在調整待遇時，有兩點必須要做到：

㈠待遇高低並無絕對標準，但必須要能維持接受待遇的社會階級身分和尊嚴。每一個中下級公務員，都有他們的社會階級身分和尊嚴。如果待遇太低，不足以使他們維持應有的水準，則他們便會感到難過、憤激、消沈，便不能負責執行所賦予他們的任務。當一個中下級的公務人員的收入不及一個三輪車夫或一個擦鞋童的時候，在中國這種社會，他們如何能以自身是國家的公務員，而感到職務上的驕傲和尊嚴；他們對他們的職務不能感到驕傲和尊嚴，如何能希望他們盡忠職守，有責任感。傳說抗戰期間在重慶，常以罰你下一輩子再做公務員爲駡人語，這雖是一句傳言，但這句傳言所表現的憤激、輕視，和由是而產生的消極、不負責任，未嘗不是我們遷台的主要原因之一。降低社會階段身分，打擊階級尊嚴，在全世界所有的民主與集權國家，都是一件嚴重的事，必然會產生不良後果。

在待遇調整之後，應取消所有文武官員的特支費和其他類似的待遇，這些最足使人產生公私不分的觀念。同時也要取消許多福利，和許多特殊的辦法，要站在維護國家和政府利益的立場，以政治家的識見和器量，對這些辦法加以坦白地檢討，勇敢地取消。我們總有一批人想出一些不可思議的辦法來，這些辦法常不顧法律、制度、公平等因素，而這些因素卻正是維繫社會秩序，鞏固政府基礎的主要工具，這些問題都有正常途徑解決，爲什麼捨正路而不由。請記住，任何局部的問題，無論其重要性如何，都不能以特別辦法來謀求解決。以特別辦法來解決問題，並不是真的解決問題，只是推向別的地方，爲政府帶來更多的問題和困擾，這對國家的損害更大。這種損害也許是無形的，在短期間感受不出來，但損害終是在那裡，遲早會產生結果。能看出這些，便有賴政治家了。

㈡要消除救濟意識，建立工作與報酬的觀念。僅是提高待遇，只不過供養一批席豐履厚、優游歲月的社會寄生者而已，並不能鼓舞工作精神，提高行政效率。要做到提高行政效率，必須要消除救濟意識，建立工作與報酬的觀念。這是要從公務員任免、獎懲、升降、退休等方面，建立一套完整制度著手。我們本有一套制度，完整與否是另一件事，但從未認真執行，從未受到重視。因此，我要建議下列幾件事：

1.以一九四九年底整頓來台軍隊的精神，對所有行政及司法機關，包括省縣級在內，加以整頓，並裁併不必要的機構。將現有公務員分成兩組：一組留家待命，相當於軍隊的假退役，照現支薪津折扣後支領待遇，以後不得調整增加。這種待遇性質爲救濟，以維持最低生活爲原則，如要改善生活，他們可自己去努力。另一組則爲辦公之公務員，其待遇應提高，並按工作性質及職務予以較大之差別待遇。凡退休、假退休者，除規定之給與外，不得再以任何方式自公庫支領薪津。我們知道爲了加強軍隊的作戰力量，在萬難之下，也要進行大規模的退役和假退役；那麼爲什麼不知道爲了加強行政效率，也在萬難之下，進行大規模的退休和假退休呢？作戰力量與行政效率對國家的重要性完全一樣，不過前者是有形的，而後者是無形的而已。我深知辦理文官退休和假退休是一艱難的工作，但除此以外，實在別無善策。

2.對於有些地位高而工作與能力不相稱的公務員，如已居退休年齡，應請其退休並應按月給與退休金，如未居退休年齡者，或請其假退休，或在總統府或行政院下設立專門機構安置，千萬不要散置於各個機構，虛領首長、副首長、顧問、理事、董事之類的頭銜，因爲這樣做還是國庫付錢，對政府負擔只有加重，並不能減輕一分一釐，僅是負擔的機關不同而已。但卻發生很多其他的不良影響：

(1)這些奉派的人由於年齡、學識、能力、興趣，已不宜於擔任所奉派的工作，但卻占著職位，妨礙適宜的人去擔任，因而推不動工作。

(2)基於(1)點理由，使這些奉派的人以及所在機關的全體員工，都有了一種救濟的感覺，建立不起工作與報酬的觀念。

(3)由於以上兩點，對奉派的人是一種精神上的痛苦。

(4)對於所在機關首長正好是一個效率不佳的藉口。例如派了一大羣顧問到某公營事業，則該事業的主持人便可振振有詞地說：「我的公司之所以辦不好，就是因爲上頭派來了大批顧問，增加了我們公司的成本，降低了工作效率。」儘管知道他是在推卸責任，但我們能反駁他嗎？反之，假如對這些人或循正常退休途徑辦理，或另設專門機構容納，對所有其他機構的正常組織、人事與業務都不干擾，而對國庫負擔並不增加，對當事人利益並不損害，那麼爲什麼不可以改變過來呢？

爲了這些退休和假退休公務員的福利，我還要進一步地建議：

(1)如前所云，提高公務員的待遇，使其平時有所儲蓄，而且這種待遇應是現金。我不主張壓低現金待遇而以許多不適當的「福利」來抵補，結果使整個社會對公務員的負擔遠大於公務員的實際所得。

(2)所有退休和假退休的公務員都應按月給付退休金，其數額以能維持起碼生活，不虞凍餒爲限（當然可按階級有所差別），並不得一次領取。這些人如要改善他們的生活至退休金所能供給的以上，則只有平時多儲蓄，或退休後尋求非政府機關的工作。

(3)設各種技藝訓練班及升學補習班，免費教授各種技藝及升學課程，以彌補因服公職所受之損失。

(4)設立職業介紹所，免費介紹職業，以彌補因服公職而與社會失去之職業聯繫，但不能硬性安插。

(5)設立企業經營指導所，免費協助組織農工商生產單位，給與技術上及法律上之指導，但不能要求任何特殊權利及待遇，所有經營方式完全照民營事業依法進行。

(6)協助籌集生產資金，爲資金融通之擔保人，但須循正常資金融通途徑，並照一般貸款人支付利息。

在以上這種安排之下，一方面顧到了退休和假退休公務員應享有的權利與基本生活需要；一方面可協助他們完全以平民身分，與平民從事公平競爭，憑一己的努力，謀求生活的改善與事業的發展。這無論對社會、對個人都是有益的。

二、提高公務員人員素質。現代知識的重要與缺乏，前面已經提到過。我常發奇想，假如政府招考二十五歲以上、三十五歲以下之大學畢業生五百人，包含政府各部門所需要之各類人才，在國內予以一年之預備出國訓練，再送至國外接受專門教育與訓練三年，然後回國派充各單位中級主管，一方面服務，一方面作爲其首長之顧問並訓練下級幹部，則豈不整個行政機構便可現代化了。中央一個部平均不會多過十個司處，如一個部有十個司處長都具有現代知識，試想情勢能不完全改變，如再加上兩個次長那就更好了。在國內預備階段之費用不計，在國外三年連同往返旅費，每人以八千美元計算，共計四百萬美元。以四百萬美元之代價而使全國中級公務員都具有現代知識，整個行政部門都現代化，世上還有比這種報酬更大的投資嗎？

上面的想法雖是奇想，但如仔細思考一下，便可發現其中不無真理存在。不過這究竟只是救急的辦法，不是培養公務人才的正常途徑。關於公務人才的儲備與培養，我國歷代都很注意。例如清朝的翰林院，便是政府高級官員儲才養才之所，其選拔之嚴格，訓練之慎重，實令人歎服。可惜「舊業已隨征戰盡」，我們這一套優良的舊制度早在干戈擾攘中失去存在，而新制度則從未建立。我們雖遵奉國父遺教，設有考試院，舉辦高等考試，又有各種訓練機構，然已非復舊日精神矣。我遍查現有政府各機構，甚至包括執政黨的機構，實在找不出足可與遜清翰林院媲美的儲養人才之所。求之於行政機構，沒有；求之於立法機構，沒有；求之於政府高級官員參與密切之左右人員，沒有。一個國家對於其官員，無完善的儲養人才之所，如何能希望其官員具有現代知識，如何能有高品質的官員。

由於這一點，使我想起了國防研究院。我建議該院改個名稱，仿照遜清翰林院的辦法，變成一個政府的儲養人才的常設機構。以嚴格的高等考試招考政府所需各類人員，進入這個機構從事研究，研究期間無限制，視政府需要與研究人員個人情形而定，並盡可能將成績優良者派往國外進修。政府如有高級職位出缺，即由這些人遞補，除此以外，別無用人來源。這個機構直屬總統府，主持人和每年考核的總考官都由總統擔任。至於現在國防研究院所辦的研究，可作爲這個機構的附帶業務。或在這個機構設立一個公務員進修部門，使服務若干年之公務員回來進修一年或兩年。除此以外，我還建議在立法院設龐大的研究機構。

財政與金融的改造

假如我們的決策階層官員具有政治家的才識，並具備革命精神；政府一般官員都有高度工作效率和現代知識。在這種情形之下，非經濟的阻礙經濟發展的因素差不多都消除了，我們再來看如何從經濟方面推動經濟發展。由於財政與金融的特別重要，我們先從這一方面說起。

財政與金融是政府執行經濟政策，控制全國經濟活動的兩把巨鉗，這對於自由經濟國家固然如此，對於集權國家也是一樣。不要以爲蘇俄的一切經濟活動都是直接的行政管制，相反地，它仍是在大量運用這兩把工具，指揮操縱，至於自由經濟國家，則更是重要的工具。這兩把工具不現代化，經濟絕不可能現代化。試想沒有現代化的財政與金融工具，如何能夠保持經濟的穩定，在蕭條的時候如何使它恢復繁榮，在過度繁榮時，又如何能阻止膨脹趨勢；在平時，如何能控制經濟活動的方向，使符合國家的經濟政策與計畫，如何能動員國內的人力物力，加速經濟的成長；在戰時，又如何能動員人力物力，去爲戰爭求取勝利，如何能做到爲了爭取勝利而民窮財盡，但仍能保持經濟秩序；政府如何能平均社會財富的分配，防止財富的過度集中；如何能造成一個福利的國家，而從根本戰勝共產主義。或者總括一句吧，如何去實現民生主義。

不能有效地運用這兩種工具，政府要想控制經濟活動，執行某種經濟政策，便唯有仰賴直接的行政措施，而用直接的行政措施，問題便大了。直接行政管制當其認真執行時，毫無彈性，給與需要很大彈性的經濟活動以最大的阻礙。讓每一個有關的人和有關的企業都受到損害。當執行官員上下其手時，又變成彈性無限大，比沒有管制要壞到不知多少倍，而且直接行政管制任是如何嚴密，總不足以應付千變萬化的經濟環境，總是漏洞百出，而且愈補愈漏；最後是法令多於牛毛，而整個經濟則形成癱瘓。但愈是落後的國家，愈迷信行政管制，他們管制成癖，以爲一道命令，便可天下景從；到發現並不天下景從時，於是赫然斯怒，以死刑臨之；到死刑亦不見效時，那時就是要改過來也改之晚矣。這種經驗我們在大陸上多的是，不幸得很，我們並沒有因這些經驗而建立現代化的財政與金融系統。現在反攻在望，王師待發，但我還看不出現有的財政金融系統，足以應付一次慘烈的戰爭。如果不相信，請看最近一年由於外匯準備增加而引起的貨幣供應量快速增加的問題，對之一無辦法，要想減少一點貨幣供應量簡直無從下手，便是證明。物價不漲，是我們的運氣，物價漲了，也是我們的運氣，這還不值得我們的警惕嗎？我聽到過和看到過許多經濟動員計畫，但從未聽說對現有的財政金融系統，提出首先改革的建議，我真不知道這經濟之員如何動法。經濟不能動員，軍事之員又如何動法呢？豈不聞「大軍未發，糧秣先行（經濟也）」的古訓，豈不聞現代的戰爭是總體戰的說法。我當然不是忽視我們遷台以來，在財政與金融方面的進步，我們在這一方面是有很大的進步的，特別是預算的控制方面，惡性通貨膨脹的完全遏止，經濟的繼續穩定便是證明。我只是說，我們的財政金融不夠現代化，不能適應現代經濟的要求，正如我們的農工業一樣，成就很大，但不脫落後本質。我在後面對經濟發展和外匯貿易的批評，都是本諸此義，並不是忽視這些年的進步，而是我性急，嫌進步太慢了。我們現在的中心工作，是要將財政、金融、農業、工業、外匯、貿易等一整套迅速地現代化起來，也許要求過苛，但時乎不再，我們不能等！

本文所指的財政改造，當然包括預算在內，指政府一切收入與支出活動所涉及的制度與隱含的政策。既是如此，則現在的預算程序和方法、預算所及的範圍、支出的程序與稽核，以及財政活動與金融活動配合的機構與方式，都有重新檢討和設計的必要。尤其重要的，是如何使政策包含於預算之中，並透過預算實現政策，包括政府的經濟發展政策在內，這就得對目前編製預算的觀念作徹底的改變。這當然是一個繁難的工作，需要國外專家的協助，我現在所要特別著重的，是租稅制度的改造。著重的主要原因是許多經濟政策的執行、經濟穩定的維持、反攻軍事的支持，以及前面所提到的許多行政上改革，都要以租稅的改革爲前提，我建議四點如下：

一、輕稅重罰。稅輕可誘使人民樂於繳納，如必須要重稅也要等到制度建立，人民稍有納稅觀念後；重罰則可迫使人民不得不納稅。我一向主張將納稅與兵役同等看待，出錢出力本是對等的兩個義務，應不分輕重，因此我主張逃稅可以處重刑，便利逃稅和妨礙納稅與妨礙兵役同科。爲使人民普遍了解納稅重要及知道如何納稅，我建議在小學五、六年級加上簡單的新式記帳、簡單的統計，和各種簡單納稅及統計調查表的填法，以及納稅知識。這是國民應該知道的知識，爲減輕學生負擔，我建議將現在小學裡所學的一輩子也無實用價值的一些常識取消掉。

二、仿照從前海關郵政及鹽稅，釐訂人事制度與待遇制度，提高待遇，並照前面行政改革一章中所提的建議，將現有稅務人員淘汰大部分，嚴格招考新人員。

三、洽商美政府借調現行年齡在四十歲左右之實際從事稅務之人員若干，來台充當稅務主管或副主管或顧問，而予以實際之權力，派在中央省及各縣市稽徵處服務，期限爲一年至三年。此等人員保留在美位置，薪津由美援或由我國政府支付。如辦事不力或不稱職者，我政府可予解聘。借用客卿並非喪失面子或主權之事，三、兩年之後，制度確立，新人培養出來，即可自行辦理。這一建議，初看似頗幼稚，但如就美軍顧問團對國軍的協助和成就加以比擬，便知道這一辦法的合理和可取。讓我再重複前面的一句話，出錢（課稅）出力（兵役）本是對等的兩個義務，但我們總是注意出力，而不注意出錢，要錢就用通貨膨脹辦法，這等於過去要兵就拉夫一樣。我們痛知拉夫之非而改過來了，爲什麼不痛知通貨膨脹之非而改過來。

四、以上辦法如因牽涉太廣，一時不能全面進行，可先從所得稅做起。

以上的這些建議，我曾利用各種機會反覆提出，最近幾年，財政當局似已在向這方面做，也許是受了我的影響，也許不是，但無論如何總是可喜的現象。不過，我要指出的，是現在的做法方向雖正，強度不夠，仍是在現有的基礎上走簡路，病重藥輕，結果堪虞。所以我堅持有請大批外國專家和大量淘汰人員的必要。要想牆壁油漆好，必須要先做一番整刷「底子」的工夫，省不得。又現在有些辦法，如「藍色申報制度」和「稅務士辦法」，我是不贊成的。這是一個有高度守法精神的社會的辦法，很難望施之於我們這個社會，而不引起流弊。稅務要改革、要整頓，還得要從基本結結實實做起。

現在讓我們來看控制經濟活動的另一把鉗子——金融。由於我了解在現代經濟社會中，金融的重要性，它可以直接影響經濟資源使用的數量，也可以控制經濟資源分配的方向，因而短期的經濟繁榮與蕭條的循環波動，長期的經濟成長，爲應付特殊需要對經濟資源的動員或分配，都在它的範圍之內。同時，也由於我震驚英格蘭銀行與聯邦準備制度等中央銀行制度運用之成功，和對其國家貢獻之大，德、日兩國銀行對各該國經濟發展助力之多，使我於多少年以前就提出建立中央銀行制度，和設立專爲促進經濟發展的金融機構的建議。後來中央銀行與交通銀行的復業，和開發公司的設立，雖不一定出諸我的建議，但至少與我的意願相符。不過不幸得很，我當時所憧憬的金融功能的發揮，並未實現。

首先我要指出的，是中央銀行的復業或一個中央銀行的存在，並不表示中央銀行制度的建立，一如有所得稅並不就是建立了所得稅制度一樣。我們從一九二八年起，就有全國性的中央銀行，但中央銀行制度則直至大陸撤退未曾建立起來。在過去，一般社會人士提到中央銀行，便認爲那是發鈔票的；一般官員提到中央銀行，便認爲那是撥經費的；政府首長提到中央銀行，便認爲那是管錢的，如此而已，始終不離印刷廠與出納室的範圍。至於中央銀行如何控制全國金融活動，維持經濟穩定，促進經濟發展，乃至中央銀行爲什麼要獨立於行政系統之外，恐怕真正知道的人不多，包括那些敢於以財政部長兼任中央銀行總裁的在內。我提出幾個很簡單的標準，供大家判斷中央銀行制度建立了沒有：

一、中央銀行總裁是否常和財政部長發生爭執，雙方重要官員是否經常接觸、爭論、協商。

二、中央銀行總裁對經濟研究處長，是否與對祕書處長同等地重視。中央銀行遷台，第一個受裁減的單位就是經濟研究處，那時正是經濟情勢危急，需要健全金融政策的時候。

三、中央銀行總裁對於經濟統計表，是否與對會計報表有同等的興趣（當然決定金融政策也要看會計報表的，不過不是從繳盈餘的觀點去看）。

如果答案是正面的，那麼中央銀行制度建立了。這當然太過簡化，但不無真理在內。不要以爲爭執是不好的事，不爭執是胸襟開闊，和衷共濟。有政策必有歧見，能維持自己的政策才有爭執，爭執而後協調，協調而後捐棄成見，合作執行協調的內容，才算是胸襟開闊，和衷共濟。無政策、無歧見、無爭執，則根本沒有「衷」，何需要「和」；根本沒有過渡的打算，何必要「共濟」。如果一點小爭執，便要幹到底；一言切己，便恨之終生，那才不是和衷共濟，沒有胸襟。

我所謂的中央銀行制度，是要中央銀行能夠有效地運用它的權力，影響全國的金融活動，使符合中央銀行的願望——維持經濟穩定，促進經濟發展。在台灣要做到這一點，必須要做到下列幾件事：

一、立即著手形成一套健全的金融機構，供作管理的對象，並可透過這種對象，影響全國經濟活動。這又包括：

㈠將所有依法辦理存放款業務的單位納入管理的範圍，這點容易做，並可能已經做到了。

㈡使所有這些機構現代化，不要停留在錢莊階段，依賴政府硬性規定的利息差額維生，並協助這些機構的業務深入各業，愈深入，愈便利央行權力的發揮，也愈便利它的管理工作。

㈢發展短期資金市場。

二、發展一套管理金融活動的工具，對傳統的工具加以檢討，勤加使用，看哪一種或哪幾種最適合我們的環境，最有效力；並培養環境，製造條件，使這些工具成為利器。千萬不能因為不具備任何使用這些工具的條件，便放棄不用，工具是愈用愈利。如認為有必要，我們也可自己發展一種新的工具，不一定要完全模仿外國傳統工具。但無論如何，必須要發展一套有效的工具。

三、要經常運用工具去管理那些金融機構，在最初階段，尤其要勤加管理，甚至在沒有採取措施必要時，也要採取措施，來訓練這些機構習慣於中央銀行的管理，尊重中央銀行的權威，至少要使他們隨時感覺到有一個中央銀行存在。一如馴獸師要使獸能聽他的指揮，必須先要使受訓練的獸習慣於他的鞭子的權威，聽到鞭子聲，不一定打下來，便服從命令。

四、要建立央行精神上的領導地位。不一定要央行真的動用工具，只要象徵性地動用一下，或甚至示意一下，各金融機構即歙然景從，這是最高境界。要做到這一點，除了第三點外，還要央行在平時儘量合理地協助各金融機構解決困難，不與他們爭利，千萬不要存款生息，或爭做放款。同時，央行總裁個人的聲望品格也是重要因素。

五、建立與行政當局的良好關係（但並不是客氣禮讓一番，公事豈可客氣，政策豈可禮讓），並建立雙方合作的經常機構與習慣，並由此而形成一種優良傳統，使央行與行政在充分合作之下，仍能保持金融的獨立。拒絕干涉容易，在合作之下拒絕干涉很難。

六、建立最堅強的經濟研究機構，隨時提供國內外經濟金融資料，並提出分析與建議，使總裁完全了解全國的詳細經濟金融活動、全世界的經濟大勢，藉以作正確的判斷與採取迅速的行動。特別對於國內經濟金融活動應有一套敏感的指標，使央行總裁能制機先，一有某種象徵，便迅即採取措施，運用工具，透過機構，將影響力傳至全國經濟，這一套指標的作用有如鄉下人行夜路所提的燈籠。沒有燈籠，也可夜行，不過要摸索前進，是否有危險或走錯路，要看路的好壞和行路人的熟悉與機警；有了燈籠，危險或走錯路的可能性便要少多了。

由於金融與經濟活動，許多地方要靠主持人個人的經驗、智慧與判斷；許多地方要靠主持人個人的聲望與品格和領導才能，所以中央銀行之能否成功地執行任務，總裁的人選最爲重要，尤以落後國家爲然。理論分析如此，經驗證明也是如此。我們現任中央銀行總裁以其得君之專，聲望之隆，過去成就之卓越，自是最適當的人選，我深信我們的中央銀行制度很快就可建立起來。

一般來說，所有金融機構都與經濟發展有密切的關係，但最急迫的除了中央銀行制度的建立外，便是長期資金的融通機構，包括以實業銀行和證券交易所爲核心的資本市場。遠在十年以前，我就深感我們缺乏一個融通長期資金的機構，尤其缺乏一個從事冒險性資本投資的機構。沒有這種機構存在，經濟發展起碼要延後二十年，而環境的逼迫，最後仍然會走上這一條路。因此我有兩個構想，一是交通銀行復業，一是將前工業委員會改組爲開發銀行。但對於這兩者未曾直接提出過，只是一再地在我所提出的有關報告或簽注的意見中，要求設立這麼一個機構而已。以後開發公司的設立與交通銀行的復業，是否有我的影響在內，便不得而知了。

我當時所設想的長期資金融通機構，至少要擔當下面幾個任務：

一、主動地發掘投資機會，安排投資計畫，包括財務、技術、市場、經濟利益各方面。

二、協助組織新企業單位，或促使舊有單位採取此項投資計畫，使其實現。

三、融通資金，包括參加資本、貸款、組織銀團、包銷股票或債券、擔保等等。

四、從事冒險性投資。

五、爲與其有來往之企業單位之顧問，必要時並參加管理。

從以上各點看，可知我心目中所要設立的長期資金融通機構，不僅是一個普通的融通機構，而且是推動國家經濟發展政策與計畫的主要工具。換句話說，這種機構政策性遠多於營利性。遠在十二年以前，我爲當時交通銀行主持人設計該行發展計畫時，就曾有使該行成爲執行國家經濟發展計畫的工具的構想，主張政府所能控制的儲蓄與其他資金來源，都匯集該行，然後按照政府經濟計畫作長期資金的分配，這個建議可以想像得到地不曾付諸實施。但現在情勢的發展，卻可看出這種需要日益迫切，我相信除非不走正路，否則我的構想終究會透過某種方式實現的。

在交通銀行復業與開發公司設立之後，我很坦白地講，並未達成前面的任務。未達成的原因，就交通銀行來說，是因爲國營，在業務與人員方面都受有許多限制，還要繳盈餘，並不敢作冒險性的投資，以免失敗而被説成官商勾結；就開發公司來說，則因爲是民營，要對股東有所交代，必須要穩健，每年要有紅利分配。同時因向國際金融機構融通資金，必須要與這種機構傳統的銀行保守作風相配合，所以國營與民營都有不能這樣做的理由。因此，我要建議再設一個新機構來承擔上項任務。我的構想如下：

一、這個機構最主要的任務是配合國家經濟發展計畫的需要，從事冒險性投資，和專設一個部門從事小型企業的資金融通。所有不能從其他金融機構得到融通的企業，都可到這個機構來。

這兩種資金融通都不能以財務狀況是否健全爲主要標準，要以融通對象對國家的經濟貢獻和主持人有無能力爲主。

二、因此，這個機構必然是由政府經營，但爲避免許多現存法令的束縛，應就這個機構作特別立法。

三、總經理及少數重要職員，請由世界銀行或美國著名金融機構推薦客卿擔任。這樣做的好處之一，是可以避免官商勾結的攻擊，較之本國官員好放手做事。

四、資本額定在新台幣三十億元以上（開發公司創辦時的資本額是八千萬元，相當於萬華延平北路等地城隍做一次生日的全部費用），主要來源爲美援撥款，和政府預算撥款。嗣後資金的來源，將包括政府每年的預算撥款、政府儲蓄機構的儲蓄、該公司向國內外資本市場的融通等等。在這個機構成立後，所有現由經合會與農復會直接間接經手的經建撥款與計畫，一併移交過去。

經濟發展的方向

我多少年來都有一個感覺，就是我們的經濟發展，實在缺乏長遠目標，缺乏理想，因而也就缺乏計畫，只靠決策官員當時能見到的去做，只揀抵抗力最小、困難最少的路線去走，這種辦法當然有途窮之一日。舉例來說，我們對農業的長遠發展和自然資源的利用，就沒有認真地打算過，農復會的卓越表現在技術方面，而非政策方面，而且它也不是一個決策的機關。這種沒有長遠打算的情形，從下一事實便可看出。就我記憶所及，至少有三年以上在行政院對立法院的施政報告中，連續列有開發海埔新生地和開發山地的項目，我們喜歡講對仗，於是加以簡化，變成「上山」與「下海」，喊著「我們要上山」、「我們要下海」，這真是對仗工穩的美麗口號。但作爲一個想使國家強盛的經濟研究從業人員來講，總覺得經濟發展一下就走到了上山與下海的程度，不免有日薄崦嵫、無限淒涼之感。尤其別人在講建立重工業，加速工業化的時候。這些口號再加上動以若干億計的水利計畫和水壩計畫，我稱之爲「逢山開路，遇水搭橋」政策。看樣子，我們勢將踏著先民「篳路藍縷，以啓山林」的遺跡，追隨到底。我們真是一個勇敢的農業民族。

當然，並非上山與下海便不可行，不過這只能算作是一項發展中的小節，我們所要知道的是整個經濟發展的方向何在。在光復大陸的考慮之下，我們今後若干年要將台灣變成一個什麼樣的經濟，在這個大方向下，農業的地位何在，爲使農業的發展與這個地位相稱，農業方面有些什麼事要做，然後才是上山與下海的問題。而即令單就上山與下海來說，也還有許多問題待澄清，經濟上是否有價值便是問題之一。爲清楚起見，特設一例說明。茲假設上山與下海的主要目的爲增加就業，並假設某處山地開發成本爲一千五百萬元，其中五百萬元爲一千人一年之工資。再進一步假設由於就業問題嚴重，無論是否開發此一山地，此一千人一年之工作均須解決，即令無任何工作，亦須照發五百萬元。在這種情形之下，我們可以將五百萬元從成本減除，只算一千萬元的投資成本，再來看此一成本與所得到的報酬是否相等。如果仍是後者小於前者，則付出五百萬元讓一千人優游歲月一年，較之在這塊土地上工作一年對國家的貢獻還要大一點，又何必一定要開發這塊山地呢？再進一步講，假如是報酬大於成本，也還要看大的程度，如果大的程度不如將這一千萬元用在別處所大的程度爲大，則仍以讓這一千人優游歲月一年爲宜。我不知道在列入施政報告中的開發海埔新生地與開發山地，曾做過這種計算沒有，至少我沒有聽說過。我們在過去曾有兩筆美麗而浪費的，加強通貨膨脹的巨額投資，但願沒有第三筆。

至於工業發展，則有的主張發展高級工業，有的主張發展輕工業，有的主張石油化學，有的主張手工藝，有的主張勞務輸出。提出這些主張的，有我國高級官員，有外國高級官員，有國內名流專家，也有國外名流專家，還有國外權威學術單位的報告，加上國際權威金融機構的批評，真是百家爭鳴，令人有山陰道上，應接不暇之感。但究竟應該發展哪些工業，發展的方向何在，究竟有什麼長期的打算，則我只能說迄無定論。無論國內與國外的官員和專家，都很少了解我們對台灣經濟應該有何長遠打算，爲了這種打算，現在應該開始做些什麼事。這等於是綱領，有了綱領，工業發展才能有系統，才知道現在應該做些什麼，將來應該變成什麼，但這種綱領誰能或誰曾定得下，提得起？因而只好百家爭鳴了。在這些爭鳴中，只有一位不曾爲大家所注意的日本人士說的話，在我看來最中肯。他在參觀了南北兩地的大小工廠後，說台灣談不上現代工業，並沒有建立工業化的基礎，現在應該趕快從這方面著手。這實是真知灼見。

無論是我們現在或在最近期間就勝利地返回大陸，無論是爲配合軍事需要，或爲平時需要，我們對台灣經濟發展的基本日標是儘快現代化，是使個人的所得儘快地提高，達到西方國家的水準，這應是不爭之論。一個國家或一個地區要做到這一點，並不一定要建立現代的工業，主要要看自然資源、人口及其他經濟環境而定，挪威、丹麥、澳洲都是農業在整個經濟結構中占重要地位的國家，然而並不失爲現代的國家，其個人所得與生活水準之高並不亞於其他的西方工業國家，或工業化的國家（我所謂工業化係指使用現代方法與組織生產的國家，並不一定是工業國家），即是明證。但台灣農業資源與人口對比之下，爲一極端缺乏之地區。除非農業技術有特殊的發明，否則以現有的農業資源，無論如何有效利用都不足以使全體人民達到西方國家的生活水準，更何況我們還有國防上的需要。因此情勢逼迫我們非走上工業發展的道路不可，問題僅在於工業發展的長期打算和開始的方式而已。

關於工業發展，首先讓我們摒除無中生有、勞務輸出那些使人產生奇妙之感的口號，和將手工藝品當作是生產主流的落後想法。在這裡值得提出來考慮一下的，只有多用資本與多用勞力的工業孰重的問題，和所謂化學工業問題。一般地講，所謂多用勞力的工業，一般都是資本需要不多，技術水準不高，組織規模不太大，與其他工業關係較少的工業，這種工業一望而知是比較容易發展的工業。在一個落後的國家，資本、技術都感缺乏，無經營大規模事業的經驗，如果人口再一多，則發展這種工業，自是困難最少，收效最快，但這種工業也一望而知是勞動生產力比較低，資本累積作用比較小的工業。在這種工業形態之下，因爲生產力低，不可能出現高的個人所得和高的生活水準；因爲資本累積作用小，和與其他產業的關係較少，其對促進經濟發展的力量便小。換句話說，如果一國的工業主要是由這種工業構成，則必然是一個勞動生產力低與經濟發展慢的工業。請問我們的長遠目標是這樣的一個經濟嗎?

我們的長遠目標當然志不在此,那麼便是勞動生產力高,對經濟發展速度影響大的多用資本的工業了。發展多用資本的工業,有幾個顯著的特徵:需要資本多、技術高、組織複雜。這需要暫時抑低現有生活水準或減緩提高的速度,容易使經濟各部門發生脫節現象,造成資源的浪費,和引起通貨膨脹。一個落後的國家如果一開始便大規模地發展這種工業,自然會遭遇極大的困難,甚至引起重大損失。但台灣情形兩樣。如前所云,我們的經濟發展就是一種順序的、自然的發展,過去十幾年,除了電力等少數工業外,本就是以多用勞力的工業為主。現在不是先發展多用勞力或多用資本工業的問題,而是多用勞力工業發展到現階段,對於來自多用資本工業的支持的需要,已日益迫切,否則前者將無堅強基礎,終必行之不遠,只能在國內市場打轉。基於同一理由,前者已為多用資本工業的發展鋪了路,現在著手發展多用資本的工業,實是一種自然趨勢,是一種其他落後國家想望而不可得的自然趨勢,如果違背這種趨勢,仍在多用勞力工業中打轉,認為可以解決就業問題,其結果必然是多用勞力工業的發展有限,甚或萎縮,而所謂增加就業亦將落空。所以在目前情勢下,只有這一條路走,根本不發生選擇的問題。那些要我們發展輕工業和甚至手工業的人士,根本不了解我們的經濟,更沒有為我們的遠景著想。

在這裡,我還有三點要廓清一下:

一、我主張要發展多用資本的工業,並不是說不發展多用勞力的工業,而是說不要聽那些國外專家的話,淨在多用勞力的工業上轉圈子,打不開一條出路。事實上,多用勞力與多用資本工業是一套連續的發展，當中並無嚴格的界線可分，現在的問題是在如何使這種連續趨勢加速發展下去，而不致停滯在現階段。

二、我們從教科書上和其他專家報告中，常看到許多選擇待發展工業的標準和公式，包括外匯、就業、所得等等，這些標準和公式不可不信，但也不可全信。不可全信者，因爲這些標準和公式的選取，還是憑個人的判斷，並非有絕對客觀標準存在，那些遠在幾萬里外的所謂專家，或則未身歷其境，或則作驚鴻一瞥，根本不了解個別落後國家的需要與遠景，所擬標準與公式多半具有普遍適用性，試想在這種情形下，所提出的建議能有多大實用價值。然而不可不信者，因其究竟列了幾個值得考慮的因素，使決策人士考慮哪些工業可以發展時，知道有哪些因素是需要考慮一下的。對於待發展工業的選擇，主要還在熟悉自己的情形和自己國家的長遠理想，決策絕不是任何外人所能代替的。

三、我時常在報上看到要發展化學工業，特別是石油化學工業，我但願我的國家經濟發展已達到這種高水準。但事實並不如此，化學工業投資大，折舊快，等到新技術傳到我國，我們建廠完成，也許已經是設備嶄新而技術陳舊的情形，不必開工了。所以這種工業必須要有高度的科學基礎，能搶先發明，搶先生產，這豈是我們現在所能勝任的。當然，我並不是反對所有的化學工業，經濟現象變化多端，貴能隨機應變，我從不固執一個口號，一直喊到底。

在了解前面所說的各點後，我們便可進一步追問如何著手進行。我認爲應該採取下面的措施：

一、檢討一下現有的工業，有哪些工業可以作爲發展多用資本工業的起點，立即由政府採取主動予以協助，改換設備，擴大規模，使脫離落後形態。

二、以這些工業爲起點，發展更高級的或新的多用資本的工業。

三、在現有工業中，挑選幾個工業，以國外市場爲對象，予以大量發展，其設備規模均應達到國際水準。由這些工業的大量發展，進而引起多用資本工業的發展，紡織、造船、水泥、造紙，都是值得考慮的對象。這些工業除造船外，其餘均是隨落後國家的經濟發展而市場可以大量擴大的工業，只要附近地區的經濟發展持續下去，就不愁沒有市場。退一步說，即令沒有市場，也可以特殊的方法打開市場。只要有幾個工業能大量發展，其他有關聯的工業便可隨著發展。只要我們有能力勇氣迎接這種發展趨勢，而不自己局限於小圈子內，轉來轉去，便能達到進一步發展的新境地。

四、所有這些發展儘量由民間採取主動，民間不採主動，政府立即採取主動，民間不興辦，政府立即興辦（請對照前面設立新金融機構的建議）。對於公營民營問題，我從不採信教條主義，看當時情勢的需要，進步國家的公營事業與民營事業同樣辦得好，落後國家的民營事業與公營事業同樣地糟，可見問題不在公營民營，而在法律、制度、知識、政風等。我曾無數次提出改革公營事業的辦法，從無人認真地考慮過，因爲總是「牽涉太大了」。

在工業有了新發展的途徑之後，現在再回頭來看農業的發展方向如何。目前農業的中心問題在如何使其達到進步國家的同一水準，這需要工業的快速發展。在工業快速發展之後，一方面對農產品的需要提高；一方面農村勞力將大量轉入生產力較高的工業。在這種情形之下，勢必刺激農業採用現代的生產技術。同時由於工業的發展，也便利了農業對於現代技術的採用，在這兩種力量壓迫之下，農業勢必會現代化，而唯有現代化的農業，才能使農業勞力的生產力和生活水準不致落後工業勞力太多。照現在的上山下海政策，將永無這種希望。爲了台灣農業現代化鋪路，需要在農業技術研究、農產推銷組織、農產品生產及價格政策等方面，加緊工作。

在大的農業範圍内，有兩個部門值得特別一提：一是森林資源的利用；一是遠洋漁業。前者由於所占面積大，如能充分利用，自然對台灣經濟有很大的幫助，特別是這種資源與其他的產業，例如造紙業、木材加工業等有密切的關係，但是由於制度上的牽制，既得利益階級的阻撓，以及缺乏眼光，始終沒有好好打算和利用過。其實，只要有勇氣，這是一個極其簡單的問題，聘請幾個國外專家來就這一資源作全面的調查和設計，提出具體的最合經濟原則的利用辦法，再看實際情形能否配合這種辦法。如不能配合，是人的因素，換人；是法律制度的問題，修改法律制度。

另一個是遠洋漁業，這是一個需要高度技術、前途無量，並對國防有益的生產事業。應該請專家詳細策畫，在政府的全力支持之下，逐漸發展起來。

以上兩點，也是上山與下海，但精神與方向則與現在所提倡的上山與下海完全不同，工業社會精神與農業社會精神的區別就在這種地方。一個進取，一個保守；一個開闢新境界，一個在舊範圍内打轉；一個無情地利用資源，一個死墾土地；一個冒險而有前途，一個安穩而趨衰亡。

除了農工兩業外，還有一個交通事業的發展需要於此一提。國內的交通事業是一個配合經濟發展的事業，其本身不能有超出經濟需要的發展，否則便是一種浪費。在一個資本缺乏的落後地區，需要資金的地方太多了，對於交通建設只要不影響整個經濟的生產效率，便可因陋就簡，得過且過。美化與現代化如無充分的經濟理由，只能延到以後資本充裕，資本邊際生產力很低的時候再辦，但是我看到的公路與鐵路擴充計畫、改善計畫，甚少合於這個原則的。我的印象不是窮人打窮算盤的做法，而是富人不打算盤的做法。不過我只是有這種印象，並無根據，但願決策當局有充分的理由證明我的印象是錯的。

但是在交通事業中有一項是可以無限制地發展的，那便是海運。無論我們現在在台灣，不久回大陸，無論在平時或戰時，海運都是極端重要的一個事業。即令純從經濟發展來講，也是最有助於經濟發展，其本身也有最大前途的事業之一。由於它的發展，即可進一步發展造船與鋼鐵事業。但海運事業不但需要大量資金，而且也是國際上競爭最激烈的事業，必須要具備現代的經營效率和擔負大的風險，因此必須要有政府的強力支持。至於是否公營或民營，則無關緊要。鑑於目前的情形，應該由政府出面支持民間經營。記得沈部長在就任部長不久，曾發表了一篇大規模發展海運事業的談話，我當時看了大爲高興，引爲同調，惜以後未見諸實行。我仍認爲這是一個重要的事業，值得專設一個海運部來辦理。這比專門在國內打主意，離不了鐵路、公路，對國家經濟的貢獻不知要大多少倍。

從上面的分析，即可看出我所想像的經濟發展方向，以工業爲主，農業爲輔。這如我在前面所指出的，並不是對農工有所輕重，而是資源的賦予和一般經濟環境使然。在農業中，我主張爲進到完全現代化的農業鋪路，以便隨著工業的發展而現代化；主張注意由於人事及制度而未曾有效利用的廣大自然資源——森林；主張發展有無限前途的遠洋漁業。在工業方面，我主張逐漸移到多用資本的工業，普遍地現代化；主張集中發展幾個出口工業，以刺激和便利多用資本工業的發展，和全面現代化的進行。交通方面，我主張公路、鐵路可以因陋就簡，只要能配合全面的經濟發展需要和不妨礙生產效率便夠了。應集中力量發展海運事業。貫穿這一經濟發展方向的基本精神是進取與現代化，就台灣的情形來說，只有進取與現代化，經濟才有出路，不爲現實環境所局限。

外匯貿易政策的徹底改變

由於外匯貿易仍是在嚴格的管制之下，所以我這裡先申述一下對管制的意見。我們在抗戰以前，原是一個極自由的經濟，大部分的經濟管制都在抗戰以後爲應付經濟危機所採取，然而由於經濟知識的缺乏，所採取的辦法大都是違背經濟基本理論，乃至違背經濟常識，再加上行政效率的低下，以致直到大陸撤守，管制不但沒有辦法解決任何經濟問題，反而使正常經濟活動中一種自動校正與制衡的力量不能發揮。這一點連同由管制所造成的行政上的不良影響，遂使局勢日益惡化，直至經濟崩潰爲止。

不待聲明，我絕不是盲目地反對管制，我只是反對盲目的管制。任何一個國家，在經濟遭遇危機或情勢有必要時，都會採取管制措施，雖典型的自由經濟國家如英、美都不例外。他們所採取的管制之周密、嚴格與徹底，絕不是落後國家所能想像得到的。但必須：

一、情勢有必要。

二、必須不違背基本經濟法則或經濟常識。管制仍有其經濟法則可循，絕不能胡管。

三、只要可能，仍應儘量讓正常的經濟因素發生作用。

四、在情勢改變後，應立即取消管制。

我常將管制喻之爲打補針。打補針必須是：

一、身體陷於危機，從正常途徑攝取營養已不夠需要。

二、補針種類必須針對身體需要，不能與需要背道而馳。

三、不能完全代替正常攝取營養的途徑，絕無全靠補針可以長壽的人。

四、如身體恢復正常，即當停止進補。

管制就是這種情形，如違背這種情形，必然得不償失，或一無所得而失則很大。我們自抗戰軍興開始逐漸採取管制措施起，至今天爲止已將近二十七年，現在一個二十七歲的青年從出生到現在，根本就不曾有過非管制的經濟生活，因此也不知道什麼是管制。豈止二十七歲的青年如此，我們現在的大小官員和工商界人士，在過了二十七年的管制生活後，又何嘗不如此。大家都已習慣了管制，官員施行管制視爲當然，民間接受管制也視爲當然，然而經濟所受的無形損害便大了。我在這裡舉兩個例：

例一：約在一九五八年、一九五九年的時候，一家民營製造化學原料的工廠，申請設一個廠製造某種原料，供本廠之用，目的在有可靠而低廉的原料供應。建廠所需資金、外匯自備。這實是最理想的民間投資，真是鼓勵之不暇，照理應該只辦一個登記手續便夠了。如果因爲電力不足，要分配用電，則僅就電力是否可供分配的標準加以審核便夠了。然而不然。我們舉行大的會議來審查，一大張會議桌上坐滿了二十位以上的政府中級官員，就這一個申請案加以討論。綜計發言的內容可分爲兩大主流：一是就這個廠來發言，包括產品市場問題、財務健全與否問題、盈虧問題、技術問題等等；一是就生產同一產品的另一個廠來發言，包括這個廠的產品有無出路的問題、這個廠如果關閉人員失業的問題等等。這個廠的設備是二次大戰以前的東西，其生產成本與售價自然要比前一個民營廠高得多，但是大家決定前一個民營廠不能設廠，後一個廠仍可以高價賣產品給前一個廠，作爲它的產品原料。於是又就售價斟酌一番，代兩廠決定了買賣售價和數量。這件案子給我兩個印象：

㈠這些官員不像是扶植工業發展的官員，倒像是前一個廠的股東或債權人。股東都不怕沒有市場，不怕賠本，而申請設廠。官員們卻怕他們沒有市場，怕他們賠本，這真是何其關切之深也！

㈡這些官員又像是後一個廠的股東，要維護這個廠的破舊設備，要使這個應該關門的廠繼續生存下去，要使其繼續處於獨占的地位，這也真是何其維護之周也！

我們有許多管制使得應該淘汰的得救了，應該興起的扼殺了，國家的經濟資源浪費了，工業的發展阻塞了，企業家應有的權益被剝奪了，然而我們要扶植工業，鼓勵投資！

例二：約在一九六二年的秋季至一九六三年的春季，黃豆進口發生問題，於是要對黃豆進口政策重作檢討。當時的政策是：

㈠黃豆進口在數量上有一定的限制，屬於管制進口類，不能自由進口。

㈡進口的黃豆按一定的價格分配用戶，由於市價較進口價格高，誰分到黃豆，誰就可以不勞而獲的賺大錢，對消費者則並無好處。

㈢硬性規定黃豆的用途，多少用於榨油與製豆餅，多少用於直接食用，即製豆腐、醬油、豆芽等等。分配好了的黃豆在各種用途之間不得移動，即直接食用黃豆不能榨油，榨油黃豆不能供食用。但由於市場供求及價格關係，時而油多餅少，時而餅多油少，價格波動不已，並發生榨油黃豆轉到「黑市」供直接食用，而謊報黃豆出口的事。真是毛病百出。

㈣榨油黃豆按榨油廠生產能力分配，於是利之所在，大量設廠和擴充設備，造成設備大於實際需要若干倍。

這種辦法一望而知其不合理：

㈠價格由供給及需求決定，除非在嚴格的定量定價的配給制度之下，政府只能就數量與價格決定一項。決定價格便不能決定消費的數量，決定消費的數量便不能決定價格。這是最基本的管制觀念，可以用到所有其他商品的管制上。現在既要管制數量，又要管制價格，當然做不到，於是便發生黑市轉賣、大量設廠等畸形現象，以套取利益。結果消費者因管制而受損害，政府毫無利益，而少數有關人物或機關暴利。

(二)消費者要直接食用黃豆若干，要食用豆油若干，要食用豬肉因而間接食用豆餅若干，這是消費者的選擇，這種選擇表現於市場需求和價格上，如何可以由少數政府官員代一千二百萬消費者去作選擇，直接食用黃豆若干，豆油、豆餅若干。不但如此，還要規定價格，這如何做得到。

因此我便提了一個意見：

(一)鑑於黃豆是民生必需品，最好是不加任何管制，聽其自由進口。如果怕國人太愛吃黃豆，進口太多，外匯負擔不起，或打擊國內黃豆的生產，可以提高關稅以增加進口成本。

(二)如必須要管制，則當局應當斟酌外匯供應情形，准許一千二百萬消費者吃多少黃豆，例如說每年十萬噸，那麼就由政府進口十萬噸，規定底價在市場公開標售，而不必規定出售價格及用途。換句話說，黃豆價格及用途由消費者決定。

(三)如政府要規定每噸黃豆消費者需付多少價格，例如說每噸七千元，則當由政府進口按此價格無限制供應黃豆，此時進口數量與用途由消費者決定。

(四)其他有關黃豆管制取消，如有任何特殊問題，循正常途徑解決。

此一合理建議被批評爲「每一自由經濟的優點都有，但不切實際」而未被接受。開會若干次，出席官員數十人，時間拖延在半年以上，發言及主張仍不離舊範圍，仍是要管數量、管價格、管用途，總之一切都要管。

以上兩個會議，前一個會議因我的職務變動未繼續參加，後一個會議他們在中途不要我參加。這兩件案子的最終結果如何，我實在無興趣過問，便不得而知了。從這兩個例子可知，政府官員既要管制生產者，代替他們作決定；又要管制消費者，代替他們作選擇；既要管制價格，又要管制數量，還要管制用途。這是所有自由世界都做不到的事，這需要重寫經濟學原理，然而多少生產者與消費者的切身經濟利益就這樣決定了。我在一旁靜觀他們的發言與思路，發覺他們根本不以爲這是管制；不以爲這是越俎代庖，代人當家；不以爲這會影響多少人的合法權益和造成多少不當得利；不以爲這會多麼嚴重地阻礙整個經濟的運行和發展。他們那種自然的程度，就好像老一代父母代年幼的子女決定了婚嫁一樣。我發覺很多人根本沒有考慮當事人合法權益的習慣與能力，也沒有爲國家全盤利益打算的習慣與能力，他們根本不具備這種知識。

現在，我們回到外匯貿易政策的本題上。在國家有經濟危機，國際收支經常處於不平衡地位的情勢下，我是贊成外匯貿易管制的。而且認爲除了嚴格的管制，一時不會有更好的解決辦法。但這種管制對於經濟和行政的不良影響特別大，因此不是萬不得已，不宜輕易採取，採取之後，一俟情勢許可，便當放寬或取消。政府遷台以來，對於外匯貿易一直都是採取嚴格的、繁複的管制政策。這種政策在一九五八年四月曾有一次重大的改革，這次改革是成功的，但由於顧及當時的環境，態度非常謹慎。自那次改革以後，我們的經濟情勢不斷好轉，已有放鬆管制的能力，同時由於管制所造成的不良影響，也因爲經濟的向上發展，而感受到壓力也日益沈重。例如在嚴格管制之下造成許多溫室工業，這些工業專以高價格、低品質壓榨國內的消費者，絕無能力向外發展，如不加點外來的競爭刺激，將永無振作之一日。如工業如此，則整個經濟發展有何前途可言。這不過是許多例證中的一個例子而已。至於若干重要進出口品的生產與消費、數量及價格，以及若干重要生產與貿易事業的前途，都取決於管制官員，則更是顯而易見的。因此，我曾歷次提出建議，要將外匯貿易政策作全面的檢討，採取新的政策。我的建議要點如下：

一、在過去通貨膨脹、外匯短絀時，外匯貿易管制的重點在如何限制進口，如何對稀有外匯作合理分配。此項政策及觀念應逐漸改變，進口管制應繼續放寬。外匯管制應逐漸集中於防止資本逃避上，而以全力鼓勵出口。

二、設置出口貿易的服務與監督機構，辦理品質檢驗、貿易條件履行、外銷人員訓練、國外推銷組織、國際市場情報蒐集及研究等工作，挑選外貿會幹員與公私貿易單位聯合組成。

三、實施出口補貼，補貼財源有二：一爲提高國內售價，以內銷補貼外銷；一爲普遍徵稅，由全體國民降低生活水準，負擔此項補貼。由於出口退稅的糾纏不清，我主張出口不退稅，但對出口予以補貼，隨同出口外匯結匯時一同發放，這並不增加國庫負擔，但手續要簡便得多。在目前情形之下，此爲扶植出口貿易必經之路，但對個別工業扶植應有限期，最好逐年減少。

四、在進口管制放鬆後，除非有特殊理由，國內工業保護任務移交給關稅，關稅保護使國內工業能有部分外來競爭力量，促進其進步，較之進口限制之保護方式爲優。但對於關稅的內容與政策要徹底檢討一下。

五、如此，現在外貿會的任務、組織、職權，都有重加考慮之必要。

從報上得知有關當局現正在從事檢討，考慮放鬆管制。不過我擔心的是在幾十年所培育的管制本能下，所謂放鬆僅是改變、合併、廢除幾個法令，而基本精神不變。

教育與長期科學發展

所謂經濟發展，最狹窄的定義，就是生產技術的改變。將落後的生產技術改變爲現代的生產技術，使每一個生產要素的生產力都較未改變前爲高。經濟進步國家之所以進步，就在生產技術高而且普遍；經濟落後國家之所以落後，就在生產技術比較原始，即令有一點現代生產技術，也不普遍及於全社會。如要進一步追問爲什麼進步國家會產生較高的生產技術，並能夠普及全社會呢？則與本文前面所說的每一點都有密切關係。此外，與教育及科學研究的關係也很密切。唯有高度的科學研究，才能使生產技術不斷地提高；唯有良好的教育，才能使高級技術容易爲社會大衆所接受而普及全社會。亦唯有在這種條件之下，經濟發展才有深厚的基礎，可以自主地、無限地綿延下去，可以與世界上其他國家競爭。德、日兩國的經濟復興，技術有深厚的基礎，平日對人有深厚的投資，是最主要的原因之一。因此我要對教育與科學研究說幾句話。

首先說教育。我們知道日本明治維新成功的重大原因之一是普及教育，我們也知道所有發展進步的國家都是教育普及的國家，我們更知道台灣經濟迅速發展的主要原因之一，也是教育普及。教育普及使台灣農民在全世界農民都趨向保守的情形下，容易接受現代的生產技術，使工人容易接受訓練成爲技術工人。所受的普及教育愈高，接受現代生產技術與知識也愈容易、愈完善，而經濟發展也就愈順利。因此，應視國民經濟的負擔能力，儘量提高普及教育的程度。台灣的普及教育為六年，這是最低的標準。早在一九五五年、一九五六年，教育部為解決惡性補習，曾有免試升學及將義務教育延長為九年的趨勢，當時我是反對的。反對的理由是那時惡性通貨膨脹並未完全遏止住，任何政府的支出增加，都會造成經濟穩定局勢的惡化，而經濟不穩定，一切都談不上。時至今日，情勢已完全改觀，因此，我極力主張將普及教育延長為九年。延長普及教育對於經濟發展的關係，就像打地基對於房屋建造的關係，什麼樣的地基造什麼樣的房屋；要房屋造得高，地基就得深；要經濟大量進步，教育期間就得長。在普及教育延長至九年之後，應即嚴格限制高中、大學的普通教育，而大量舉辦職業學校，以應經濟發展的需要。

普及教育只是為了便利接受現代的生產技術訓練（當然這是純粹的經濟發展的看法），而現代生產技術的正常產生來源，則是高級的科學研究。沒有這種研究，生產技術會永遠限於模仿別人，依賴別人，而模仿與依賴就是落後。所有經濟進步的國家，也都是科學研究有高度成就的國家。這些國家對於科學研究，無論是來自整個社會或來自政府，都有一套培養與鼓勵的制度，例如美國，社會對於科學研究者供給各種研究的機會、便利與設備，給與他們以高度的榮譽和金錢報酬，使研究的結果有充分發表與接受注意的可能。再如蘇俄，政府給與科學研究者以便利與設備，給與他們以最高的榮譽，對於研究成就予以最高的表揚和重視，即使在最窮困、大多數人生活水準都被壓抑至饑餓程度的時候，科學研究者仍能享受與政府顯要同等的物質待遇，形成一個特殊受優待、受尊敬的階級。

我國對於知識份子，傳統上本是極其尊敬的，在社會上也形成一個特殊的階級，隨著與國外的接觸和經濟的發展，知識份子的活動範圍也逐漸擴及到了自然科學的研究。假如國家有幾十年的安定，並保持過去尊重知識份子的傳統，也不難走上經濟進步國家的路。不幸戰亂連年，知識份子在社會上的地位日益沈淪，政府也無暇注意這種只有無形結果的事。迨自抗戰軍興以後，在惡性通貨膨脹之下，作爲中產階級的知識份子全部破產，生活水準降至不如引車賣漿者流，在社會上的地位也就隨著下降至被譏嘲的程度，所有研究的便利與設備也蕩然無存。研究本身無人注意，研究成果也無人注意，從事科學研究者或則外流，或則消沈。這實在是國家社會的大損失，這種損失的不良影響將延及後代子孫。

最近幾年，由於環境的安定和經濟發展的需要，政府對於科學研究漸告重視，於是有長期科學發展的辦法，不料這個辦法又受了瀰漫於全社會的救濟觀念的影響，變成了救濟性質。給與一個人每月二、三千元的救濟金，要他不要兼差兼課，每年寫一篇「論文」或「實驗報告」。這種辦法可以使人節勞，可以對生活稍有改善，要想鼓勵和培育科學研究，豈非夢想。科學研究豈是每月二、三千元救濟金可以發展起來的，何給與的如此其少，而想得回的報酬又如此其多也。如認爲我的話過分，那麼就請主持人去檢討一下吧。

從事科學研究或其他知識活動的人，不一定十分注意物質的報酬與社會給與他的榮譽，研究本身就是無上的報酬。但第一，不能希望人人都如此；第二，即令人人都如此，也要給與和他的工作及傳統社會地位相稱的，最起碼的物質與精神待遇及鼓勵；第三，必須要有起碼的研究設備與便利。我時常想，假如政府能撥一千萬或更多一點的美元，再加上國外的援助，來設立一個或幾個合於現代標準的研究單位，以對現在高級官員的全部物質待遇和我國對待知識份子的傳統尊敬，來對待第一流的學者和研究人員。每年雙十節閱兵台上有幾個這樣的人坐在第一排，每年元旦授勳的名單中也有一批這樣的人，我們的科學研究或許有迅速發展的一天。根據我的觀察，純就經濟發展的立場，我對教育與科學研究建議下列幾點：

一、延長普及教育至九年。如預算有困難，可洽商五千萬美元剩餘農產品的援助，專供全省建造普及教育教室之用。同時應將初中與小學合併爲一個學校，畢業年限即爲九年，取消初中的名稱。如不能申請美援或美援數額不足，政府可考慮應用國防特捐的辦法，專爲此一用途加一次稅。

二、廣泛設立職業學校，每一職業學校所設的科目和畢業年限不必一律加以硬性規定，應視當時社會需要和所受訓練的性質而作不同的規定，並隨時調整，一切以適合實際需要爲主。

三、減少普通高中的設立，限制升高中的人數。限制的方法有二：一爲提高升學考試的標準，使比較優秀的學生才能升入高中，接受大學教育的預備教育；一爲提高學費，一方面用以維持高中本身的費用，將節省下來的經費用在延長普及教育上，一方面多設獎學金，使清寒而優秀的子弟亦有上進機會。

四、大學教育按高中教育辦法辦理。

五、私立大、中學須將負實際學校行政責任及教學的人與基金保管的人嚴格畫分，嚴厲制裁學店，以保障前述建議之成功。

六、撥相當數量經費充實高級科學研究機構，加強少數具有規模之大學之科學教育，提高科學研究人員待遇，包括物質待遇及榮譽。應參照現在多數進步國家對科學研究人員之待遇及態度，擬訂辦法，此項投資報酬最大。

結論

所有以上建議，都是一個現代國家和現代經濟所當具備的。這些建議具有幾個特質：

一、這是一個國家現代化的必經之路，遲早都要經過，絕無選擇退避餘地，與其日後情勢迫著我們去做，不如現在自動去做。

二、不削弱政府的地位，只有加強的作用；不需要高級官員的更動，只有加重他們的職權與責任；對於那些利益受損害的人，都有彌補辦法，依理，執行起來應無阻撓。

三、不需要大量的金錢支持，全部費用都在負擔能力之內。

這些建議的唯一要求是有權力的官員們一念之轉，接受現代的觀念，拿出勇氣來做。這是應該容易被接受的。我希望本文能爲有權力的人看到，靜心地看一遍，再思考一遍，看有無可採之處。不要像過去一樣，以「這是書生之見」、「不懂實際政治」而束之高閣。我再重複一遍，讓我們自動走上現代經濟和現代國家的路吧，不要讓情勢逼著我們走！

（一九六四年六月）

附錄五

如何打開經濟發展的新局面

說明：一九六七年，作者正在聯合國亞洲暨遠東經濟委員會工作，奉老總統之召返國晉見，並停留一月，就當時經濟問題提出建議，乃草成本文，建議幾全部被採行，惜執行不力，且官員缺乏執行之知識，未能達到預期效果，惜哉。

此爲奉政府電召自聯合國亞洲暨遠東經濟委員會返國研究國內經濟發展問題，向政府所提出之報告。

本報告的目的，在針對我國現狀，衡量我國在政治與經濟方面的負荷能力，提出各種必須的改革及建設途徑，展開經濟發展的新局面，希望以最迅速有效的方式，使國家擺脫落後本質，完成現代化。

本報告係以一家人談話的態度撰寫，不粉飾、不誇張，儘量說出各種關鍵問題的真相，然後求取解決之道，等於是政府內部對有關經濟發展問題的一次坦白檢討。個人觀察及分析能力究竟有限，偏差誤解失實之處必多，因此，各有關單位，宜各就主管範圍，提出糾正與批評，經過反覆批評與答辯，使真相完全顯露，解決問題方法愈益正確有效，然後用作政府決策之重要參考文獻。

本報告所提及之若干弱點，可能由於歷史傳統，可能由於環境使然，非當前主管官員所能負責，因此不能歸咎於當前主管官員。反之，若干成就亦未必全爲當前個別主管官員之成就，而係總統英明領導，全體決策官員明智決策切實執行之結果。總之，無論功過是非，過去的即讓其過去，不必爭論功過誰屬，我們應該針對現實，策畫將來，將眼光放在前途上。

本報告深信，以我國人之智慧與能力，在英明領袖之領導下，全體決策官員以大臣謀國風範，公忠體國精神，盡瘁國事，十年之內，必可使台灣省達成現代化目標。在此十年之內，必可造成攻守自如之境地，一旦國際局勢有有利之發展與配合，則揮戈反攻，光復故土，當非難事。一旅興夏，三戶亡秦，史實昭然，有爲者，亦若是！

本報告於此強調決策官員之大臣謀國風範，與公忠體國精神之重要性。一切遠大計畫，精誠合作，勇敢進取，均來自此處，未來十年成敗關鍵即繫於此。其他任何物質條件上之困難，均可克服。

本報告對於重要政策之抉擇，將作詳細之分析與說明，因此行文不免囉嗦冗繁，又由於時間短促，無暇對文字作適當修飾，並請原諒。

政府領導必須加強——日、俄兩國先例

日、俄兩國爲我國強鄰。日本曾爲我國之強敵，現雖友好，未來如何，仍難逆料；蘇俄則現仍爲我國之敵人。兩國均係從一極落後之狀態中，在最短期間，以最有效手段，完成現代化，而爲世界強國。其過程有足供我國借鑑者。

日本明治維新如從一八六八年算起，則至一八九四年中日戰爭爆發，歷時二十六年；至一九〇三年日俄戰爭爆發，歷時三十五年。事實上，日本明治維新並非自明治天皇登基之日便開始，故其維新至中日戰爭時不足二十年，至日俄戰爭時不足三十年。

當明治維新開始時，日本尚停留於一封建割據時代，民智未開，社會貧困，自然資源缺乏。主要生產爲農業，而農人地位如農奴，其生產所得大部分用於供養封建主及其所蓄養之大批武士。此等武士爲世襲職，終日遊手好閒，不事生產。在此一落後基礎之上，明治天皇及其少數大臣，因痛感外侮日亟，國亡無日，乃憑藉本身之微弱力量，不假外國經濟援助（當時如歡迎外人投資，即是引鬼上門，自取滅亡，此項傳統，今日猶存，日人對於外資從不認真表示歡迎），奮起圖強，使國家迅速現代化，其所採取之重要政策計有：

一、摧毀封建制度，解放封建制度下農民的束縛，給與封建主及武士以年金，作爲補償。此事所產生的影響，除了政治上的統一外，在經濟方面有：

㈠自耕農與地主都直接向政府納稅，成爲以後日本政府從事經濟發展的主要財源之一。

㈡地主與自耕農對於農業耕作技術的改進比較容易接受，農業改革計畫比較容易推行。

㈢對於百無一用之封建主與武士最先是給與年金，後來因不勝財政負擔，改為一次給與若干政府公債，在當時通貨膨脹情形下，不久公債即貶值甚多，部分封建主及武士生活陷於絕境，起而叛亂，政府用武力壓平。在不得已情形下，若干稍富有之封建主及武士經營小規模事業謀生，其他封建主及武士則被迫做工，後來分別成為日本工業化過程中的企業家、技術人員與工人。據說日本現在有很多大企業，都可追溯他們的創始人是日本的封建主與武士，於是原為社會之寄生者，一變而為經濟發展之中堅。

二、政府積極領導經濟發展，建立金融體制，籌集資金，舉辦公用事業和新興工業。這些事業都成了示範和訓練工業技術管理人員的核心，在一八八一年以後，政府又陸續將舉辦的新興事業以最低廉的價格轉移民營。

這裡特別值得指出的，是日本政府舉辦國防工業，奠立了日本重工業的基礎。

三、在政府負責籌畫和推動之下，進行全面的農業改革，使農業的生產力人為提高；但另一方面卻以重稅將增加生產力所增加的所得，移轉於政府之手，成為政府推動經濟發展的主要來源。農人在憤激之下，數度起而反叛，政府用武力壓制，但政策不改。

四、普遍發展教育，改進勞力的品質。

五、容忍大規模私人企業和大量利潤的存在，形成所謂財閥。這些財閥和日本的整個銀行制度，後來代替日本政府，成為日本經濟發展的推動人（請參閱尹仲容先生著，《我對台灣經濟的看法》，續編，頁一七二）。

次一先例為蘇俄。在一九一七年蘇俄共產黨取得政權以前，蘇俄亦為一極端落後貧窮之國家，僅少數大城市有現代工業，全國廣大地區淨為落後之農業與隨之而來之貧窮所籠罩。一九一七年革命後，此僅有之工業與落後之農業生產亦被摧毀。在此同時，國外列強環伺，求援無路，革命後之政權瀕臨崩潰。處此境地，在求生之本能下，蘇俄當時領導階層決心以本身之力量，使國家迅速現代化。首先致力於原有生產力之恢復，然後自一九二八年起，開始執行第一次五年計畫，並採取下列政策：

一、以國防工業為中心，發展重工業，將其列為第一優先。

二、有計畫降低人民生活水準，甚至有計畫餓死部分無生產能力之人民，以節約消費，增加國家儲蓄，用於經濟發展上。

自一九一七年革命至一九四一年德俄戰爭爆發，歷時不過二十四年，自一九二八年實施第一次五年計畫，至一九四一年則歷時僅有十三年。

從日、俄兩國現代化之過程，可以看出下列幾個特點：

一、兩國均以極落後的經濟，在幾乎絕望之情況下，以極短之時間，不假外力，完成現代化過程。其所憑藉者，在日本為一英明領袖，與少數思想開明、公忠體國之大臣，形成一領導階層，推動國家前進；在蘇俄則為一組織嚴密之政黨中，少數核心份子之領導，其他物質條件可謂全付闕如。

二、兩國均知不完成國家現代化，無以圖存，在生死掙扎中，確定現代化爲其唯一之目標。

三、兩國均能針對目標，採取最有效之政策，於最短期間內，達成目標。蘇俄達成目標之手段，雖殘民以逞，不足爲訓，但其爲最有效之手段一點，則不容懷疑。兩國所採取之政策，均爲一套，互相配合，向同一目標進行，無紛亂零星情形。

四、兩國均以國防工業爲核心，建立重工業，而迅速奠定工業發展基礎。

五、兩國均爲實現現代化目標，而使其人民付出極大之代價，至不能容忍之程度。

六、兩國政府領導階層均冷靜沈毅，針對現實需要訂定有效政策，徹底執行，雖遭遇嚴重挫折，而不爲所動，仍舊貫徹初衷，正是所謂謀定而後動，動必有成。

現在回頭看我國在台灣省的經濟發展情形。自一九四九年中央政府播遷來台，迄今已有十八年。在此十八年中，我們由一九四九年、一九五〇年的經濟混亂，人民生活艱困，經濟幾至崩潰的境地，而進至今日的繁榮與富足，毫無問題，爲一重大的進步。此種進步，不獨外國人讚揚備至，我們本身亦感到安慰與光榮，特別是與印度、巴基斯坦、印尼、泰國、菲律賓等曾經接受大量外援，而經濟發展進步甚少的國家比較，尤其感到我國成就之可貴。

但如深一層分析，則又不免有美中不足之感。直至今日爲止，我國仍是一落後國家，無論就農工業發展、政府行政，乃至國民意識型態，均不脫落後本質。以工業而論，我國現有之重要工業如紡織、玻璃、塑膠、橡膠、合板、肥料、簡單電器用具等，均屬傳統性之輕工業，其他落後國家不發展經濟則已，一旦要發展經濟，不需三、五年此等工業即可建立。凡需要大量資金、高度技術、現代管理與市場推銷之工業，則尚未建有基礎，而此等工業則爲現代化國家所必須具備之工業。落後國家與進步國家之真正分野，便在此處。

經濟發展爲一長程賽跑，我們一方面希望超越前面之人，另一方面則希望不爲後面之人所趕上。我們在此十八年之長程賽跑中，固然超越若干國家，但不幸均爲落後國家，與進步國家比較，反而距離愈來愈遠。一九五六年，我國平均每人國民生產毛額爲一百三十五美元，日本爲四百一十九美元，爲我國之三．一倍，至一九六六年，我國平均每人國民生產毛額爲二百三十三美元，日本爲九百七十三美元，爲我國之四．二倍（謹按：我國與日本之平均每人國民生產毛額均係按一九六六年幣值及一九六六年匯率折合為美元），我們追趕日本可謂愈追愈遠。另一方面，南韓追趕我國，則愈追愈近。一九六一年，我國出口合板七百四十萬美元，南韓出口一百二十萬美元，一九六六年，我國達到三千四百萬美元，南韓則達到三千萬美元；而南韓工業產品出口，在一九六〇年不過五百七十萬美元，至一九六六年則已達到一億六千萬美元，六年之間，增加至二十八倍。

我國在過去十八年期間，曾接受美援十四億美元，外人及華僑投資（包括貸款）七千八百萬美元；借到之外債約八千二百萬美元（均為到達數字），總共接受外來援助約十五億六千萬美元。以十八年之時間，運用外援十五億六千萬美元，結果仍不能脫離落後面貌，而且與進步國家距離愈來愈遠，與日、俄兩國過去經濟發展之成就比較，尤覺遜色。其原因何在，不妨就前述日、俄兩國快速現代化所採取之策略中追尋之：

一、我國在過去十八年，是否曾經痛下決心，全國同心同德，使國家於最短期間現代化？抑或忙於應付眼前問題，未曾作較長遠之全盤打算？

二、我國是否曾經針對現代化目標，訂有整套政策，不顧挫折，切實執行？抑或僅爲應付眼前問題，頒行一些零星辦法，無一定方向，而且不切實執行？

三、我國是否爲達成現代化目標，作過重大改革，並迫使全國人民作適當之犧牲？抑或但求平安無事，遇有重大改革，便以牽涉過大，畏縮不前？全國人民從未認真付出現代化代價？（土地改革為一種社會改革，嚴格言之，不屬於經濟範圍。）

四、我國是否在現代化過程中，因採取重大改革而遭遇過嚴重挫折？抑或因從未採取重大改革，也就從未遭遇挫折？

以上四點，如答案爲不利的，則當進一步追詢：我們有英明領袖，決策官員亦有足夠之智慧與經驗，其平均教育水準不會低於明治維新時之大臣，而絕對超過蘇俄之領導集團，何以日、俄兩國能憑藉少數決策階層之力量，在毫無外援之情形下，於極短期間內，使其國家從極端落後進至進步國家，而我們則在大量外援及良好之基礎上，以十八年之時間，而不能脫離落後之面貌？

我們在台灣省之經濟發展環境，可能爲各國歷史上最理想之環境，至少遠優於日、俄兩國當初進行現代化時之環境，我們現在之政治處境，則可能爲極危險之處境，至少不會優於日、俄兩國當時強敵環伺之處境。然則日、俄兩國可以奮發圖強，我們爲什麼不可以奮發圖強，加強政府領導，振奮全國人心，一舉而使國家進入現代化之境？有爲者，亦若是。

設立核心決策小組

有三個理由，需要設立此一小組：

一、無論經濟發展或現代化，都是一極複雜的工作，其中有若干決定，將關涉到國家百年大計，決策官員個別作決定，固將有難於勝任之感，即就國家利益而言，亦非萬全之策；同時，個別決策，亦不易受到普遍之尊重，其權威性將大爲削弱。因此，宜運用集體智慧，作集體決定。

二、歷年均有政府各決策機關步伐不一致現象，而以近來最爲顯著，且有公開趨勢，癥結在於若干機關比較積極，難免越出範圍，而另些機關則又過於保守，難免遲疑不前。積極者易流於浮動，保守者易陷於消沈。過猶不及，均非國家之福，而且決策官員之智慧與力量互相抵消。應有一協調與作最後決定之組織，使步伐一致，執行有力。

三、某些政策及措施，關係甚大，一旦有所失誤，常影響決策官員個人聲譽及前途。因此常徘徊不前，或甚至推拖了事。再有若干重大決策，因牽涉廣泛，受影響者眾多，或不利於其他政府機關，個別決策者無此勇氣作決定或採取行動，因而遲延不決，如集體決策，則可避免此種現象。因此建議：

一、設立以行政院院長爲首之核心決策小組，成爲加速推進國家現代化之動力，構成人數爲五人至七人，所有關涉國家非常重大之政策均在此一小組中決定，然後報請總統核准。一經核准之後，無論各構成份子及各有關機關同意與否，均應切實執行。決策結果亦由小組負責，原提案人無責任。

在此一小組之下，宜有一健全之幕僚組織，由十人至二十人構成，挑選學識經驗俱佳之較高級官員擔任，給與較優厚之待遇，專任，不得兼其他政府職務，其任務爲就決策官員所提出之議案，廣泛蒐集資料，作精細之事實分析，供參加決策官員之參考，並得應決策官員之囑，提供意見。此爲一極端重要之組織，其工作成績將影響決策正確與否至巨。

二、清楚畫分各機關職權，特別是各臨時機構之職權。無論常設與臨時機構，均當嚴格遵守法令與制度，如法令與制度不合理，可以修改。但在未完成修改手續以前，仍應遵守，不宜各自採取權宜措施。守法爲健全政府與廉潔行政之第一要件。

三、對於決策官員，厲行一人一職制度，特別是負有實際責任的各部會首長。在現代之複雜環境下，各部會首長不但要本身吸收新知識，能作正確判斷，而且要領導別人開展新的領域，是一極其艱巨的工作。如果對於其所主管的業務，真能精心籌畫，銳意革新，符合國家利益，則一人一職，猶恐不能勝任，必須有健全之幕僚集團爲之配合；一人數職，無論如何不能勝任。

三項優先辦理之工作

欲求國家於最短期間內現代化，當前有三項工作，宜列爲最優先。

一、整頓稅收

國家愈現代化，政府的職責愈繁重，而善盡此項職責，便必須大量財源支助。在正常情形之下，政府主要財源爲稅收。日、俄兩國之所以能迅速現代化，即是重稅其人民，致降低生活水準至起碼程度，然後以此項稅收從事現代國家所必須之建設，道理至爲明顯。我國當前情形一方面人民較爲富足，另一方面有外來資金可資運用，固不必重稅至當初日、俄兩國之程度。但以租稅方式，適量課取稅收，用於國家現代化之建設上，絕對有必要。就人民言，人民應爲國家現代化付出應有之代價；就政府言，政府收入不僅在應付最起碼之日常支付，必須要有大量財源用於建設上。

此外，租稅尚爲控制經濟活動、穩定經濟，及實施社會福利政策之必要手段。租稅制度如不現代化，不但一切建設無從著手，而且對於社會活動，政府亦無法作有效控制。換言之，整個國家無法現代化。因此建議：

設立一租稅整理委員會，指派次長以上階級官員一人擔任主任委員，並予以政務委員之同等地位；此一官員必須本人廉潔，公正有爲，但與政府各方面有良好的關係，深爲政府所信任；另遴選了解租稅理論或實務之人員一百人爲職員。主任委員及全體職員均專任，將來任務完成，除主任委員外，全體職員即爲新稅制中之幹部。此外，洽請聯合國或世界銀行或美國政府，予以技術援助，延聘外籍專家三、五人協助，直至全部制度建立完成爲止。如不能取得外援，政府應自費聘請。此一委員會之任務有：

㈠蒐集國內外有關稅制之資料，在本國與外籍專家協助下，針對台灣現實，策畫一新稅制，包括稅務行政在內。

㈡根據前面策畫之初步結果，大量訓練新人，淘汰舊人。舊人或給與一次遣散費，或按月付給最低生活費用，至某一期間爲止。

㈢監督新稅制之實施，並隨時加以檢討改進，至一九七〇年底爲止。屆時如有成效，則此一委員會即告撤銷。

二、整頓司法

法律爲政府代表國家行使統治權之唯一正當有效工具，法律受到尊重，政府才能受到尊重，政府受到尊重，才能有效領導人民從事建設工作。同時必須法律受到尊重，政府官員才能振作廉潔，行政效率才能提高。而人民與人民之間，亦必須法律受到尊重，大家信賴法律，才能有正常交往，經濟活動才能無所阻滯。反之，如法律受不到尊重，政府尊嚴及權威亦必不被重視，則一切活動均將陷於混亂。如此，根本不可能成爲現代國家，經濟發展亦將事倍而功未必有半。司法必須完整無瑕，其他施政及從業官員可以有瑕疵，唯獨司法不能。此項要求與目前事實距離太遠。因此建議先從司法起整頓政風，樹立政府威信：

㈠動用安全人員，就各級法院司法官員作徹底之祕密調查，同時命令各主管官員就其所屬之情形作詳細報告，並對此項報告負責。對於操守不良之司法官員勒令去職（司法官操守如何，非常容易調查），如以憲法保障爲理由不肯自動去職，則以遷調、考績及檢舉等方法逼使去職。

㈡對於能力太弱之司法官員，則命令其退休或假退休。

㈢然後改善待遇，使能維持適當之生活水準。

三、大量訓練行政人才

國軍之所以強大，端賴於不斷的訓練與淘汰。否則，以一九四九年之國軍水準，或遠至一九三七年之水準，則必然不能勝任今日之國防工作。文事武事，其道一也。我國中、高級行政幹部自一九三七年至現在，從未作有系統之訓練與淘汰，新陳代謝，幾於無有，知識、風紀、士氣，幾到不堪使用程度。在此種情形之下，行政無論如何難於革新，而現代政府之建立，亦將十分困難，因此建議：

㈠透過挑選及考試等方法，一次徵集年齡在三十五歲以下之大學畢業青年五百人，進入國防研究院受訓，將現有國防研究院設備擴大，同時現有訓練暫時停辦。

㈡訓練期間爲二年整。

㈢所有受訓人員均按其學歷、經歷，給與官階，發給薪俸，但必須辭去原有工作，不得兼任任何其他職務，或帶職受訓。

㈣將受訓人員，按政府需要分成若干組，徵調大專教授若干人擔任專任組長。組長不一定需要開課講授，主要任務爲指導學員讀書，考察其言行，並監督課業進度。

㈤聯合國對於一個現代政府所有應辦理之業務，幾乎均設有機構研究或推動，其中若干報告及會議發言紀錄，均爲國際上第一流專家所撰寫，不幸在我國從未受到重視，殊爲可惜。研讀此等資料，縱然未必全有實用價值，但至少可以知道現代政府應該做些什麼事，此等事之世界趨向如何，有些什麼解決辦法，實爲最優良之政府官員讀物，宜令駐聯合國代表，蒐集或價購二至三套，分門別類作爲學員在此二年中必讀之資料；再參以各學員原有之大學訓練，及各政府首長對我國實際施政情況、困難問題及所採對策之報告。則二年期間，必可訓練出一批具備現代知識，並熟知本國情形，可以推動革新之幹部。

㈥二年期滿，即分發各中央機關任司處長、科長、地方政府之高級幕僚，將現有不稱職之人員予以淘汰，其成績及器識較優者，並可予以次長職務或送出國外深造，以備大用。

㈦訓練此一批人員以後，國防研究院宜繼續訓練與儲備高級行政人才，規定某一階級以上之官員，必須接受此項訓練，期間不得短於二年。在接受訓練期間，開去原缺，以後另派職務，對所有受訓人員作詳細紀錄卡，供選拔人才之用。

㈧如認爲國防研究院不宜擔當此項任務，則宜另設一機構，此點關係非常重大。

工業發展

主張落後國家如何發展經濟或如何發展工業的意見，幾乎全部來自進步國家的經濟學家或政府官員。他們不了解落後國家要趕上進步國家的迫切需要，他們更低估落後國家的能力，他們時而主張以發展農業爲主，時而又主張發展手工業，或多用勞力的輕工業，經過十多年的經驗，他們也發覺這種方式的發展，絕不能使一個落後國家轉變爲進步的國家。最近二、三年，有一批聯合國的專家起來主張落後國家應發展中間產品的資本財工業，即是機器設備生產用具等一類的工業，也就是我們通常所稱的重工業的範圍。

本報告認爲無論外籍專家如何主張，我國經濟決策當局應有一套遠大的經濟發展構想，希望將我國經濟變成一個什麼樣的經濟，並有一套政策來實現這一套構想。外籍專家只能對我們作技術上的協助，但不能替我們作政策上的決定。決策是我們自己的事，只有我們自己最知道我們自己的需要。

本報告認爲，現在從任何方面看，都是大規模發展重工業的時候，再有拖延，則我們這一代，不可能看到一個現代化的中國。因此建議：

以設立一大規模煉鋼廠爲中心，設計環繞此一煉鋼廠之重工業，包括機器、造船、汽車等工業，使成爲一整套發展計畫，並排定優先次序及進度，聘請外籍專家協助設計。此一整套計畫即成爲第五期四年計畫之中心工作，現經合會及輔導會之兩煉鋼廠計畫應併入此一方案中研究。

爲執行此一計畫，在觀念上及制度上需作重大改革，否則不能克服發展重工業之困難。

一、不怕賠本。落後國家要想發展較重要之工業，不可能一開始可與進步國家競爭，必須要經過相當時期之扶植。在此期間，成本高於進步國家爲不可避免的事，而且除賠本外，還可能遭遇若干技術上的困難與失敗。所有這些都應由政府負擔，我們應以全國的力量發展重工業，促成國家現代化。

二、膽欲大而心欲細。不怕賠本，並非盲目冒險可以隨便辦重工業，而是指政府應該勇敢地負擔可以計算的風險。換句話說，這一套重工業發展計畫，應該請專家詳細設計，仔細計算成本、市場、原料、技術、資本、位置，以及經營策略，均宜分別從短期與長期觀點，加以分析考量，計算賠本或付出之代價大小，但必須迅速推動，勇敢執行。

三、設置專門機構，負責重工業的建設。宜在行政院下設立重工業部，如格於法令或有其他顧慮，則設立一重工業委員會，一如以前之資源委員會，專負責國營重工業之推動，此一機構應請軍方參加，理由詳下。

四、屯兵於工。我國古代爲應付國防需要，而又希望減輕軍事負擔，有屯田之制，斯時生產以農業爲主，故所謂屯田，即是一面生產，一面備邊防。現代是工業社會，主要生產方式爲工業。另一方面，則國防所需之士兵給養及作戰武器之生產與儲運分配，除糧食外，幾於全部爲工業生產與工商組織及管理。事實上，日、俄兩國之所以能迅速現代化，固然是以發展國防工業爲中心，而發展重工業之結果；即是二次大戰期間及戰後工業生產與工商組織管理之大量進步，亦大半係因應戰時軍事需要之結果。即就我國軍事學校而言，亦大半屬於工業範圍，如中正理工學院、海軍官校、海軍工程學院、空軍官校、空軍機械學校、空軍通訊電子學校、測量學校、財務學校，全部屬於工業生產與工商管理範圍。既是如此，則何必不將國防需要與重工業發展結合在一起，利用軍方人力，發展重工業，完全依照商業方式經營，生產民用物品，照商業方式在市場出售。一旦國防有需要，立即轉爲生產軍用物品。此一辦法，有下列優點：

㈠發展工業，可以迅赴事功。

㈡國防工業賴以奠定基礎。

㈢可以加強國防，而不增加國防負擔。

㈣可以振奮長期備戰下之士氣，並使軍方人力得以充分利用。

㈤此種結合可以提高軍方素質，使優秀青年樂於從軍。

在兩者結合之後，宜擴大前述軍事學校之設備，增加名額，訓練軍事與建設人才。部分服役士兵，如非作戰或防衛上所必須，亦可改爲生產隊伍，從事工業生產，一旦有事，立即作戰（現行兵役制度亦是如此，有事入伍，無事為平民從事各類生產活動。所提議之辦法，不過將一部分服役之士兵用於生產上）。

爲適應此項結合之需要，宜設計一有效之假退役，停役外調或輪調制度，並公開執行，同時對於應付備戰狀態下所需之兵力，宜有較精密之計算。在此處必須強調者，此種結合之成功與否，關鍵有二：一爲人員之流動，即前述假退役、停役外調等制度之確立與公平執行；一爲所經營之企業必須嚴格按商業方式經營，講求效率，計算盈虧。

關於工業發展之其他建議如下：

一、爲使國軍退除役官兵輔導委員會，成爲國家經濟建設中之重要力量，其目的與組織必作重大之改變：

㈠該委員會過去之目的，爲使退除役官兵就業，現在應改變爲參加國家經濟建設，在建設中求退除役官兵之就業。前者爲消極性的，後者爲積極性的。

㈡該委員會宜將決策與行政職掌與生產事業之經營分開，委員會本身負決策及行政責任，另設一控制公司（holding company）仍依法向經濟部辦理公司登記，成爲法人，但完全受輔導會之指導監督。

㈢在此一控制公司之下，應依實際情形，分別設立例如機械工廠、紡織工廠、航運公司、汽車工廠、造紙工廠等等；並就現有金融機構中（例如交通銀行）選擇一家，或另在控制公司之下設一金融機構，作爲吸收民間資金及國外資金，以及調節經營各事業長短金需要之工具。如此，將形成一個龐大生產集團，成爲國家經濟發展主力之一。

㈣此一控制公司必須在國內外大量訓練各級幹部，並吸收軍中優秀人才，其經營必須嚴格遵循商業途徑，與其他公民營事業立於同等地位競爭。此一公司之長遠計畫、詳細組織、經營種類等等，宜聘請專家詳細設計，並派幹員至日本研究三井、三菱、住友等企業之組織與經營情形，作爲重要參考。

㈤輔導會現有生產事業過於複雜，經營效率如何，亦無法考核。在此一控制公司成立後，應將該會之現有生產事業分成二大部分，一爲有大規模發展前途之事業，加以合併整理，使合於現代企業標準，納入控制公司之系統；一爲不能大規模經營之事業，如開墾魚池之類，宜以某種方式，移轉退除役官兵自行經營，自負盈虧責任。輔導會應有一「小型生產事業輔導處」，負責此等事業之資金、技術、市場、原料、人員訓練等輔導工作。如政府將來能設立有效之中小企業輔導機構，則輔導會之輔導處應爲一單純之行政機構，成爲退除役官兵之生產事業與政府之中小企業輔導機構之中介，如政府不能設立一有效之中小企業輔導機構，則輔導處即擔負輔導退除役官兵之生產事業之一切責任。

㈥經過此項改組之後，輔導會成爲一決策及指揮監督機構，與各部會職掌性質相同，符合行政體制。在輔導會之下，有兩大重要組織：一爲「依法成立之控制公司」（當然名稱上不能冠以「控制」二字），與金融力量相結合，自行經營現代大規模生產事業，構成一龐大生產系統，成爲國家經濟發展主力之一，但必須嚴格按照商業途徑經營，其內部組織與人事亦必須如此，否則行之不遠，必然失敗，而成爲國家負擔。一爲「小型生產事業輔導處」，專責輔導退除役官兵自行經營之中小企業。果能大量延攬軍中人才，採用現代企業精神，經過周密設計，則此兩大組織，無疑對國家經濟發展將有極重大之貢獻。

以上構想與目前輔導會之目的、組織，及所經營之事業與方式，有極顯著之不同。

二、台灣工業之能有今日之蓬勃發展，一九五三年成立之工業委員會有重大貢獻。當時工業委員會主要工作，爲與外籍專家合作，設計個別工業設廠計畫，包括設備、規模、技術、市場、位置等等。於設計完成之後，即交由民間投資人承辦，並申請美援資金，予以協助。此項工作對於落後國家之經濟發展十分重要。不幸工業委員會撤銷後，此一工作即漸趨消失，代之而起者爲工業管制。時至今日，政府培養出一批工業管制人才，而工業設計發起人才則十分缺乏。爲繼續前工業委員會之此一重要工作，茲建議設立「經濟發展金融公司」（或類似之名稱），由中美基金撥款十億至二十億爲資本，並可公開募集資金。其主要職掌即擔任投資計畫之設計與發展，尋求民間人士投資主辦，以本身之資金予以協助，或代其向公眾募集資金。如事業風險較大，並應參加投資，負擔新事業之大部分風險。

此一機構爲金融機構，應納入金融系統，依法接受財政部之管轄，但其最高級人事及業務方針應由經濟部決定，並負指揮監督之責，成爲經濟部扶植民營工業之重要工具。

三、中小企業在整個經濟中之重要性，及其需要特殊之照應，雖在進步國家亦不例外，是以英、美等國均有融通中小企業資金之金融機構。我國爲一較落後之國家，中小企業之重要可想而知，但迄今並無專設之金融機構。宜就現有金融機構中，指定一機構專負融通中小企業資金之責，並連帶在技術、市場、原料、設計各方面予以協助。

四、現有工業的整理與協助，應透過前述兩個金融機構，對全國已有工業作一詳細調查，就較有發展前途之個別生產單位，予以協助，使逐漸合於國際標準，能參加海外市場競爭。

五、對現行設廠限制、設廠標準、自製率等辦法，作徹底之檢討，大量廢棄各種審查管制手續，加強自然淘汰力量。另一方面，經濟行政當局應全力謀求投資環境之改善，協助而非管制民營工業之發展。此種投資環境之改善係：

㈠前述兩金融機構之設立與認真執行任務。

㈡工業設計及工業技術人才之大量培養。

㈢工商登記設廠等手續之簡化。

㈣海港及內陸交通便利之充分供應。

㈤電力與工業用水、工業土地之充分供應。

㈥各種工業標準及公平競爭法案之擬訂。

㈦內外銷產品之嚴格執行。
㈧國內外經濟商務資料之蒐集與公布。
㈨國際新商品、新技術、新市場資料之蒐集與介紹。

總之，經濟行政當局所應爲之事，爲就其職掌範圍，造成一有利之投資環境，使任何投資人，均可以平等之地位與均等之機會，隨意興辦其願意興辦之正當生產事業，而無任何經濟行政上及物質上之顧慮或阻礙。

六、應祕密派遣有能力之人員至日本潛心研究其經濟發展情形，包括政策、制度、技術、組織等等，作爲我國之重要參考。

總產量之供需預算問題

歷史上，甚少有國家從事快速經濟發展而能避免通貨膨脹者，特別是從事重工業之發展，對通貨膨脹之壓力更大。如果我國從現在起，謀求打開經濟發展的新局面，則各項政府及民間支出勢必大爲增加，對通貨膨脹之壓力亦必加大，由於過去之慘痛經驗，此種情勢必須全力避免。

旅美學人爲求避免全國總產量之需求超過供給，引起通貨膨脹，建議編製全國總產量之供需預算，理論及用意均甚正確。事實上，第四期四年計畫即係根據全國總產量供需觀念編製，但由於經濟活動變化多端，經濟統計資料難期正確完備，以及計算修改過程極爲複雜，此項總產量之供需估計，只能反映經濟演變之大致趨勢，作爲政府決策之粗略指標，並不能作爲具體決策之有力根據。進步國家如美、英、日等國，迄今爲止，尚未認眞以總產量之供需預算，作政府具體決策之依據。故在總產量供需預算之編製技術未大量改進、可付諸實用以前，仍應採取傳統辦法，以避免通貨膨脹：

一、政府預算必須維持平衡。在政府全面推進現代化過程中，支出必大量增加，爲應付此項情勢，政府必須採取下列措施：

㈠估計政府所能支配之總財源，包括租稅收入、國內外借款收入等。

㈡依照政府支出之重要性，排列優先次序，就總財源加以分配。

㈢政府如欲多辦事、多支出，則必須設法增加稅收，阻止人民生活水準上升，或甚至抑低其生活水準。

㈣政府對於生產性支出，亦可在內外舉借外債。總之，在任何情形之下，政府預算收支必須平衡，絕不能依賴銀行墊款，解決財政困難。

二、僅政府預算平衡，並不能保證通貨不膨脹，民間投資或消費大量增加，通貨膨脹仍會發生，而在經濟快速發展下，此種情勢極有可能。因此必須採取：

㈠除前面加強課稅外，宜儘量便利民間儲蓄，以減低或阻止消費增加。

㈡對於民營企業之資金融通，宜保持高度之警覺性，發現民間有過度投資之可能性時，立即採取阻止行動。

㈠、㈡兩點均屬於金融範圍，尤其爲中央銀行之主要任務，在經濟快速發展中，中央銀行對於各種通貨膨脹之指標，應保持高度警覺。

三、在政府集中力量發展重工業，以加速經濟發展過程中，除有高度通貨膨脹壓力外，國際收支很可能發生重大逆差，此兩種結果均可藉舉借外債，獲得部分解決。政府宜運用外交關係，向美、日等國及世界銀行或其他國際性金融機構舉借部分外債，爲加速經濟發展而舉借部分外債，爲一正常現象。

以上如何加稅，以壓低消費，增加政府投資；如何控制民間投資，使恰到好處；如何舉借適量外債，以補國內儲蓄之不足；及如何衡量此種財源，量入爲出，合理分配於各種用途上，不發生通貨膨脹；如何策畫經濟發展計畫，不使超越負擔能力，實爲財政、金融、經濟決策當局之主要任務，亦爲一沈重負擔，不但需要現代知識，且需要現代制度及工具，供其運用。所以經濟發展係全面的，除農工生產本身外，財政、金融等之配合與革新亦非常重要。

金融

關於租稅之重要性及建議設立委員會，專責整理租稅，期於一九六八年底完成設計，一九七○年底完成改革，已見前述。此處專討論金融問題。我國金融方面，有下列弱點：

一、我國現有各類銀行已不在少數，雖然名稱各異，但業務則幾乎均以短期放款爲主，甚少專業銀行特色，對於長期工業資金之融通、中小型企業資金之供應、對外貿易之協助，均感不足。

二、長期資金市場及貨幣市場始終未能形成。

三、銀行經營方式偏於保守。

爲改正以上弱點，配合經濟發展需要，茲建議設立一金融改革委員會，指派次長或副總裁以上官員一人，擔任專任主任委員，就熟悉國內外金融業及制度之官員及對銀行理論有了解之人員，聘用若干人，暫時停止原來職務，專任改革委員會之工作；並聘請外籍專家或聯合國專家三至五人，就我國金融制度作全盤檢討，並提出具體改革方案，包括中央銀行制度、商業銀行、專業銀行、長期資金市場（包括證券交易所）、短期資金市場、各輔助金融系統，如保險公司等之制度及經營方式，以及所有金融方面之問題，限於一九六八年底完成一切工作，一九六九年開始執行。

貿易

我國經濟發展能否加速，重工業能否建立，重要關鍵之一在對外貿易，而對外貿易卻爲我國極脆弱之一環。迄今爲止，我國在任何海外市場，並無有組織之推銷系統，市場資料之蒐集及分析工作，亦甚少進行。駐外商務人員部分不甚稱職，除少數地區外，難得有一份像樣之駐在國經濟或商務報告，更談不上主動發掘貿易機會；且有部分人員，紀律廢弛，自行經商。此等人員之外放，每多基於特殊背景，無論稱職與否，甚少調回國內。

茲建議：

一、外貿會改為貿易部，如不能改為貿易部，其主要業務亦應移轉於出口貿易之推廣上。

二、在主要國際市場建立推銷系統及蒐集與分析市場資料之機構，就現有政府機構中，指定一機構集中力量經營對外貿易，成為國營貿易公司，廣設海外分支機構，形成一貿易網。

三、立即與台大、政大等合作，聘請外籍專家教授，協助訓練大批貿易人才。

四、照外交官員辦法建立對外貿易官員之獨立人事制度。

五、扶植少數成績優良、規模較大之民間貿易組織。

六、指定一家銀行，專融通對外貿易資金。

社會福利政策

謀求社會福利並非新興觀念，實為我國優良文化傳統之一。〈禮運大同篇〉：「使老有所終，壯有所用，幼有所長，鰥寡孤獨廢疾者皆有所養。」正是現代福利措施之寫照。在實行上，我國農村社會聚族而居，亦視力量大小作某種程度之實行。在經濟快速現代化，工業大量發展後，一方面，舊有社會福利措施由於聚族而居之農村社會之解體而消失；另一方面，新社會福利措施之需要，由於現代經濟所產生之種種問題而極感迫切。同時，人民知識程度提高，組織力量加強，對於若干基本生存權利感覺敏銳，亦不容許政府不採取社會福利措施。此在世界已成為一種潮流，在我國則為實現三民主義社會之重要手段之一，故必須列為要政。但事實上自總統於三年前指示加強社會福利措施後，各方雖反應熱烈，成效則不甚顯著，此蓋由於熱忱有餘，而方法不足。因此建議：

一、在中央設立一極小規模之「社會福利籌畫委員會」，全體人員均專任，作爲以後時機成熟，成立社會福利部或社會福利局之基幹。

二、此一委員會之任務爲廣泛蒐集世界各國社會福利措施之資料，包括制度、組織、人員訓練、經費籌措，以及利弊得失等。然後針對我國情形，設計一套完整之社會福利措施制度，並進行有關之立法、機構調整、人員訓練等預備工作。

三、排定各種社會措施之優先次序，然後視政府財政情形，逐項實施，千萬不能不顧實際情形，百事俱舉，而一事無成。

四、就台灣省情形而論，由於地方不大，環境較簡單，自中央至縣市地方各級政府之福利基金宜統籌運用，集中力量一項一項辦好。

本報告願強調先設計、立法、訓練人員、調整機構及統籌運用經費之重要性，否則，社會福利措施不可能辦好，但此爲與經濟發展平行之要政，不辦好將貽後憂。

外人投資政策

在第二次世界大戰以後，落後國家紛紛從事經濟發展，希望從經濟發展中達到國家現代化之目的。經濟發展需要資本，而絕大多數落後國家均爲貧窮國家，資本極端缺乏，於是進步國家經濟學家及政府與工商人士便主張歡迎外人投資，一時歡迎外人投資成爲全世界風行之口號，以爲外人投資一來，經濟即可發展，事實上，完全不是如此。

一個國家的經濟發展，絕不能由外資促成，必須要自己努力。外國人在我國辦工廠，並不等於我們的經濟發展。我們的資本、技術、管理、組織、市場推銷、行政效率、社會觀念，以及一切配合的措施，絕不會因外國人在我國土地上辦工廠，而有多大改進。日本統治台灣五十年，在台投資不為不多，英國統治印度時間更長，在印投資亦不為不多，但日、英兩國撤離兩地之後，台灣與印度仍為落後地區，而日、英兩國則為進步國家。由此兩例可以充分看出外人投資對一國經濟發展之影響如何。

外人來台投資自一九六〇年後，已逐漸增多，其實際效果及影響如何，應加以徹底檢討。茲引述江鴻先生〈外資利弊之借鏡〉一文（一九六七年六月二十七日《中央日報》），關於西德歡迎外資之結果，作為我國檢討外資政策之參考。

一、若干工業控制在外資之手，以致本國不能再在這些事業上發展。如像石油工業幾乎全在英、美、荷蘭、瑞士資金之手；美國控制了百分之四十的汽車工業；食品工業半數由外資掌握；打字機工業，由美國的IBM和雷明頓控制了八成；本國的西門子，只占了產量的百分之五。

二、由於外資並非平均分配在全部工業，而是集中於少數幾項並控制了這幾項，因之營業政策便不能和西德的其他工業步調一致。

三、外資多半投向最有利和最有銷路的工業，並採用了新式機械和管理，自動化而用人少，因此雖然外資工業占了全國工業的百分之五，而雇用的員工只有全國的百分之三，這是德人最為不滿的。

四、與外資俱來的外貨，常和國內貨品爭取市場，以致國內許多中小型工業常常無法競爭。他們不但資本雄厚，設有研究機構，或有研究機構設在母國。德國的中小型工業，若不能集中擴大改進，便只有忍受迫害，無法生存。此外他們爲了爭取市場，且不惜在開始時壓低售價，甚至虧本，這更足以危害本國的工業。

本報告於此特別指出，歡迎外人在本國設廠，與借外債由本國人自行設廠，完全爲兩件事，我們應當不歡迎前者，而願接受後者。

（一九六七年九月）

附錄六

冷靜平實論經合會擴大組織事

說明：一九七三年春，作者仍任經合會顧問，時該會正要改組，有擴大編制傳說，乃就該會實際情形暨一般經濟狀況撰寫本文，作為社論在《中國時報》發表。同年五月再為《中國時報》撰寫社論一篇，即附錄七，〈對經合會改組的感想與建議〉，進一步剖析改組事。兩文俱觸犯時任行政院長兼經合會主任委員之經國先生，乃下令對作者勒令資遣，從政府機關掃地出門，作者亦轉回台大專任教授職。經合會旋改組為經濟設計委員會，職權大幅縮小。

連日各報騰載政府為配合今後國內外經濟的新形勢和需要，將擴大行政院國際經濟合作發展委員會組織，以加強其功能，經濟部之物價會報可能改隸於該會。鑑於自一九七一年七月尼克森總統宣布訪問匪區一年半以來，歷經兩次美元危機，物價上漲，退出聯合國，中、日絕交等經濟外交衝擊，我財政經濟金融當局雖已竭盡全力因應，然無論在協調、技巧、工具，甚至活力方面，均不無可改進加強之處，則前述改組經合會之說似非無因。

改組經合會之目的當在健全經濟參謀組織，強化經濟參謀作業，充分發揮建議政策、設計計畫、協調歧見、監督執行之功能。近三十年來，由於經濟事務之重要與繁雜，遠超過一人一機構所能處理之程度，亦非臨時應付所能成事，必須集若干專家之智慧，超越各個別機關之利害關係與視野，調和綜理牽涉廣泛、關係重大之經濟事項，從長期觀點，求取國家最高之整體利益。因此各國多有經濟參謀機構之設，其範圍大小，職權輕重，各國不同，視各國國情、當時需要、政治哲學及制度、行政首長個性等因素而定。其種類可謂千變萬化，但大約可歸納爲下列五類：

一、一小型專家組織，附屬於最高行政機構之內，爲行政首長個人提供幕僚作業，主要任務爲分析問題，提出政策建議及解決問題之辦法，完全處於超然地位。美國總統之經濟顧問委員會爲一典型例證。

二、以行政人員爲首，統率一羣專家，亦附屬於最高行政機構之內，爲行政首長個人盡策畫、決策建議、協調、監督、指揮之責。尼克森此次當選後之白宮，在此一方面之組織安排是其一例。

三、在中央政府組織中，設立一獨立機構，負政策建議及經濟設計之責，地位超然，對最高行政首長負責。日本經濟計畫廳屬於此一類型。

四、在中央政府組織中，設立一獨立機構，除政策建議及經濟設計外，尚負有代表最高行政首長指揮、監督、調和各種計畫之執行之責，地位及職權均極崇高。韓國之經濟設計機構可爲代表。

五、在中央政府組織中，設立一權力龐大，地位崇高之中央設計機構，除政策建議及經濟設計外，其本身即負有相當分量之實際執行責任，整個國家之經濟活動均需直接間接透過此一機構之控制。蘇俄之中央設計機構爲最適當之代表。

此五種形態之經濟參謀機構，無優劣高低之分，如前所云，由各國國情及其他有關因素決定。

我國自一九五三年起雖連續執行了五次四年經濟計畫，雖有綜合性之經濟機構存在，但嚴格地說，從未有屬於上述五類中任何一類之真正經濟參謀機構存在。最早之綜合性經濟機構爲行政院經濟安定委員會，其主要任務爲經濟安定，主要工作對象爲美國援華機構，無論在政策形成與經濟設計方面均不夠參謀作業之水準，若非其委員構成份子均爲財經閣員或要員，將絲毫不能發生作用。一九五八年，經安會撤銷，業務併入美援會，後者之主要任務在於爭取及分配美援，更非經濟參謀作業，不過爲求爭取美援，亦附帶辦理若干經濟政策建議及經濟設計工作，該會之正式組織中根本無經濟政策或設計單位存在，可見其工作重點之所在。一九六三年美援會改組爲國際經濟合作發展委員會，其業務重點仍在對外經濟合作與一般經濟行政，雖在正式組織中有經濟設計及研究單位之名稱出現，但實質上仍與政策形成及經濟設計有一段距離。一九六九年經合會改組，實際任務性質未變，實際工作亦未變，僅各單位之名稱改變而已。

經合會在上述情形下，其人事配備自不以經濟專業人員爲重。例如目前經合會三位副主任委員，一位兼祕書長，三位副祕書長，雖才華卓越，但全體爲工程人員出身，十位處長及其他單位主管亦無一係專攻經濟學者，上層結構既係如此，中、下層結構更是如此，所以雖有二十年之經濟設計紀錄及綜合性經濟機構，但始終未曾訓練出一批合格之經濟專業人員，此實是國家之重大損失。

如果真如報載將經合會擴大成爲一經濟參謀機構，則在現有之人事結構下，絕不能發生任何真實作用，一如軍事參謀本部之無軍事專業人員，絕不能有良好軍事參謀作業一樣。如果調整經合會之人事配備，則又發生兩種困難：㈠經合會現有編制內員工已接近六百人，連同編制外人員及外圍組織則已接近八百人，如再增加人員，將成爲一千人之大團體，而由於經濟專業人員無論如何增加，亦不成比例，混合在一起將不可能發生有意義之作用；㈡二十年未曾注意訓練經濟專業人員，現在即令可以大幅增加此類人員，亦缺乏來源。

因此，在此必須腳踏實地，艱苦奮鬥，一分一秒都不能放過之際，我們謹以愛護國家，愛護決策當局的至誠，建議政府不宜輕易仿效韓國或日本改組擴大經合會。如果擴大之後，決策當局及全體國人倚畀甚深，期望至厚，而三、五年之後，其表現亦一如目前，則國家預期之目標將無法達到。爲此，我們作如下之建議：

一、最簡單有效之辦法，莫如設立前述第一類型之經濟參謀機構，然後再視實際需要及經濟專業人員之培養逐漸擴大，形成一較完善理想之經濟參謀本部。

二、如第一法不可採行，則將現在之經合會分成兩部制，一部以現有人員辦理現有業務，其龐大之組織應隨業務之減少與人員之退休及離散而逐漸萎縮，終至消失；一部為新單位，延攬經濟專業人員並從舊人員中挑選部分可用人員，從事真正之經濟參謀作業。

但無論如何，不宜就現有組織及人事配備，仿照韓國予以擴大，賦予一新名稱，實際上則是舊人辦舊事，一如過去改組之情形。

（一九七三年四月）

附錄七
對經合會改組的感想與建議

本報日前報導：行政院國際經濟合作發展委員會已原則上決定改變名稱，並加以改組，俟提行政院院會通過後，即開始實施。經合會於改組後，將成爲國家經濟發展的主要設計機構，因而將特別加強計畫與研究方面的工作，若干執行性的業務則分別畫歸各有關部會掌理。

我們對於這次經合會的改組，可說感慨與欣慰兼而有之。我們所感慨的是，在不滿二十年中，眼見這一機構的建立、擴大，又眼見這一機構的沒落與解體。經合會的前身是行政院美援運用委員會，而一九五八年九月以後的美援會，則是由行政院經濟安定委員會祕書處，工業委員會，及美援會本身三個單位合併而成。在國家度過一九五〇年代的經濟難關，奠立一九六〇年代的發展基礎，以及形成今日經濟繁榮的局面，成爲國家危疑震撼中的安定力量的整個歷程中，這一機構曾經有過最大貢獻。這一機構定大計，決大疑，對內推動重大發展計畫，對外洽商協調各種外資援款。這一機構在經濟方面曾經是新思想、新觀念的發源地；曾經是新政策、新制度的創始者。這一機構曾有思想深沈的策畫者，也有活力充沛的執行者。它的輝煌成就在國外為世界著名的倫敦《經濟學人》雜誌譽為台灣經濟發展的兩大支柱之一，在國內則為全國人士所仰望。其實，它的貢獻何止於經濟而已，它實在是整個國家現代化的主要推動力量。然而由於人謀不臧，過度的擴充與權力的濫用，終於使它走上沒落之途而不自知，終於使它功能癱瘓而告解體。在國家多難，我們正需要這樣一個機構為國家盡力的時候，而竟告改組，我們的感慨實非言語所能形容。

由經合會改組一事，使我們體念到，任何組織，無論有如何輝煌的歷史，無論有如何偉大的貢獻，如果不能朝夕惕勵，如果不能日新又新，如果不能自我約束，隨時檢討，則在一個不斷進步的社會，一個具有發展動力的社會中，終有被進步的浪潮沖刷而消逝的一天。經合會的改組證明我們是一個不斷進步的社會，一個具有發展動力的社會，我們社會具有對一切不合時宜的事物加以淘汰的力量，而唯有淘汰才是不斷進步的保證，我們因經合會改組而感到欣慰者在此。

我們仔細檢討今日之經合會其所以必須改組的原因，主要有下列四點：

一、目標不明。設立一個機構必定要有一個或一套非常明確的工作目標，有了目標，才能擬定工作計畫，部署人員，分配經費，然後才能發生作用，有所貢獻於國家社會。像今天這樣的經合會，它存在的目標是什麼？老實說，它是一九六三年協調各方意見而成立的一個內容龐雜而其任務不明的組織。沒有人能清楚說出它的目標何在，也就沒有人能明確指出它的工作範圍，至於它應該用什麼人，用多少錢，也因此全都沒有一定可循的規範和標準。

二、權責不清。因爲目標不明，所以權責不清。經合會對外與各部會的權責從沒有明白的畫分；對內，各單位之間也從沒有各自應守而不可逾越的權責。做什麼事，做多少事，又如何做法，一切全看主管的性格而定。以對外關係而言，如果主管人積極進取，可以成爲一個小型內閣：外交、內政、財政、金融、經濟、交通、教育、科技都可過問；如果主管人消極保守，則可以全無作爲，垂拱而治。

三、制度未立。大而言之，目標不明，權責不清，當然就是因爲沒有制度。小而言之，則經合會內部關於經費預算與動支，人事調動，內部單位調整，設立附屬單位等等，亦全無制度可言。

四、人事不調。這是前三項缺點的必然結果。在經合會內部，可說全不曾達到適才適任的要求。

我們舉出這經合會所以必須改組的四大原因，目的當然不在清理舊帳。事實上，幾度人事變遷，責任界限早已模糊，想清理也不可能了。但前事不忘，後事之師，我們作此論，是希望在這一次徹底改組時，必須將這些缺點全部清除。對於改組後的新機構，必須要確定目標，畫清權責，建立制度，依工作需要而調配人事。否則恕我們坦白指出，如果僅就現狀分解歸併，換個名稱，恐怕仍難達到改組的目的。

除了上述四點外，我們還希望在改組的同時，採取下列幾項措施：

一、經合會外調人員約有三、四十人之多，其中多半均已派任固定的職務，但仍有若干人在經合會支薪，而在服務機關享受其他待遇，引起服務機關及經合會會內人員之不平。此種不合理現象，應在改組時一體清除。

二、過去為酬庸或其他安插理由，動用中美基金每筆少則幾百萬，多則幾千萬。附設若干臨時機構，其經費動用，人事安排，工作成就，從無認真考核，亦從不結束停止，宜利用此次改組機會全面加以檢討。如認為有存在必要，宜由各部會納入正式編制，不應再任由此種不正常的現象繼續存在。

三、改組後的經合會既不再負有執行的責任，則中美基金似不宜再由一個設計機構加以掌管。

四、經合會都市發展處與台灣地區綜合開發計畫處，人多而濫，工作缺少績效，宜予裁撤，另行設立國土綜合開發計畫處，指派專家主持。

我們誠懇希望這次改組方案經過仔細策畫後再行提出，將過去的癥結所在分析清楚，再對症下藥，使這一次的改組成為以後政府整頓各行政機關，全面從事行政革新的範本。

（一九七三年五月）

附錄八

在憲法架構下調整政治權力結構

說明：一九八六年三月，中國國民黨召開十二屆三中全會，作者為《中國時報》撰寫此一社論，咸認影響經國先生威權統治態度之轉變，因而相繼採取開放報禁、黨禁、解除戒嚴等之措施，故甚受朝野之重視。經國先生於閱讀此文後，曾當面向余紀忠董事長表示讚賞。

在政府遷台的三十七年中，整個國家情勢，可用「安定繁榮」四字以概括其成就。而此種情勢之形成，又出自政治的有效領導。

就政治有效領導而言，無論時間與空間如何，一個強有力的政治領導必須包含兩個重要因素：領導人才與政治制度。領導人才常指以一個政治中心所集合的一批菁英份子形成的核心權力集團，在現代社會多出之以政黨形式。領導人才與政治制度又是相輔相成，互相爲用者。兩者俱強，國家必可期於強盛；兩者俱弱，國家必致衰敗；一強一弱，則尚可維持一中等局面。兩者之中，尤以政治制度更爲重要。蓋從長期觀點看，特出領導人才未必代代有之，而一個優良之制度，必然包含本身之高度適應性與調整性，則可經歷甚長之時間，猶可作有效之運用。而只要有優良之制度，即使無特出領導人才，放在制度之中，政治亦尚可維持正常之運作，國家仍可得到適度之安定繁榮。

政府遷台初期，以先總統蔣公爲領袖所聚集的菁英份子，足可創造新局。在政治方面，雖然行憲伊始，制度尚在塑造之中，然而隨時調節，仍可適應當時國內外局面。以一兵燹之餘的貧窮落後地區，復承大陸撤守之後，於短期間能轉危爲安，重建國家之復興光大，在歷史上實屬少有之事。先總統蔣公崩殂，今總統經國先生繼志述事，在原有基礎上，開展規模宏遠之國家建設，促進安定繁榮、民生樂利，尤爲國際間一致之肯定。然而時間轉移，不可否認，三十餘年來，原有領導階層，已日趨衰老凋謝，而原有制度之運作，亦因此而日呈僵化。難於適應國內外激烈變化之環境。

所謂國內外劇烈變化之環境，㈠以國內言，人民生活富足，教育普及，在國內外接受高等教育者以十、百萬計；而且社會開放，國際交往頻繁，一個具有高度現代知識水準之廣大中產階級業經形成。此爲政治社會之安定力量，亦爲要求革新、進步及參與政治權力之壓迫力量。載舟覆舟，正指此種情形而言，與先總統蔣公領導時期顯然不同，不能忽視。㈡以國際言，戰後冷戰期間，意識型態之強烈對抗已逐漸消失，而趨於互相容忍及接受存在之事實，國家本位利益觀念及國際強權政治之傳統變本加厲，更有甚於往昔；此對我國處境之肆應自將日趨困難。㈢以敵人言，無論其未來演變如何，就日前情形看，其政治秩序似已在控制之下，經濟改革及發展似已有部分之成果，並均已引起國際之注意，從而其國際地位及國際政治之參與，亦逐漸威脅到我們之安全與生存。

以上三種劇烈變化，目前已感肆應維艱，而展望未來，此種變化正方興未艾，如此時不作綢繆之計，將來必有難以措手之感。此我們秉諸愛國良知，不能不沈痛坦直加以指出者。處此時際，必須面對現實，痛下決心，爲能承受此種環境變化所生的壓力，必須培養對抗此種壓力之能力。在政治領導上突破現狀，開創新局，以確保國家之安定與進步。時日迫切，不容猶豫拖延，因循致誤。

憲法爲我國立國之根本大法，不容更動，更動即可能動搖國本，已成爲朝野之共識，是以如何加強今後之領導與政治制度，必須在憲法架構之下調整政治權力結構以達成之。此種結構調整，固須針對現實，而尤在肆應未來之發展。所謂未來，即不爲百年大計，至少亦應遠看三十年。在此一前提下，我們認爲下列幾方面應予調整。

執政黨與其權力機構之再塑造

依照目前政治權力結構，最高決策權無疑在執政黨。因此，執政黨的最高決策權力機關是否具有充分活力，及能對國家現勢作充分之反應，足以獲得人民之信賴與支持；此不僅關係執政黨是否有足夠力量可以面對未來社會與政治多元化之挑戰，及其本身之興衰；更關係政府整體之運作，從而決定國家之命運。爲了達成此一承先啓後的使命，必須有大開大闔、推陳出新的做法，重新塑造一活力充沛之權力機構。

對於此一問題，我們作如下之建議：

一、強化執政黨決策組織

蔣總統經國先生宣示，我們的繼承問題，一切以憲法爲依歸，本諸憲法軌道而運作。但如何集合黨國的菁英份子，承擔未來之大責重任，實有待於更具體的培養與部署。要承續三十餘年來的政治領導，不僅是名位的繼承問題，而是政治權威、人民信賴，尤其是執政黨內部親和力的傳遞問題。因此，我們建議，在黨中央成立一核心決策小組，其成員若干人，由年富力強，具有發展潛能，現在或預備未來擔負國家重任者組成，並考慮籍貫之合理分配。諸凡國家大計、施政方針之釐定及興革，均可在小組中提出，以培養繼起者決策之能力及經驗。此一小組直接對黨主席負責。在初期爲求運作之順暢，由主席指定元老一人擔任輔導之責。

二、強化黨中央幕僚機構

執政黨中央在實質上既爲最高之決策機構，故其幕僚單位，一方面自應依循政黨常規，發展組織，推動黨務；另一方面更須隨時注意及研究國內外情勢、了解民意趨向、考核施政成果、適時提出具體建議，以供決策採行。故更應加強其職權、發揮其功能，吸納黨內第一流人才入幕，予以特殊之待遇及禮遇，組成堅強之陣營，以一新耳目。

三、重塑形象，整飭黨紀

使執政黨之整體組織及黨員構成份子更趨健全完善，以提升執政黨在國內外之形象及地位，吸引更多之社會菁英份子入黨。我們深信使執政黨之機能作強有力之運用，及長保執政黨之活潑生機，不在於免疫之安全措施，而在於抗疫之強壯力量，因此重新塑造形象，俾能吸收社會菁英份子，乃有必要。

強化行政機構及人才儲備

行政院為全國最高行政機構，負施政成敗之責。故行政院之組織及人事必須加強。多年以來，歷任及現任行政院長均屬有為有守、賢能睿智之士，能應付艱巨，締造新猷。惟每當遴選高層首長，時有才難之歎，而展望未來，環境益將複襍，任務益將重大，必須儲備更多人才，以資銜接。又行政院現行組織沿襲大陸時代八部二會之體制，諸如國科會、農委會、文建會、工業局、貿易局、衛生署等，或乏法定地位，或隸其他部會，編制受限，效率未能充分發揮。然其業務在我國今日正待積極展開，責重事繁，衡諸現代國家，俱已列入內閣正式建制。因此我們建議擴大行政院組織，增設部會，既可肆應政務日繁之需要，復足以充實內閣人事，加強基礎。閣員人選之遴選，必須擴大範圍及於學術界、企業界、民意代表及非國民黨員，平均年齡應大幅降低。我們要在此強調指出，今後安排人事之準則已不能一仍舊貫，必須針對情勢重行釐定。內閣閣員遴選範圍愈廣，政治基礎便愈穩定；愈多負有時譽的才智之士入閣，內閣聲望及威信便愈高；此為增強人民對政府信心及團結力量應付未來艱巨之必備條件。

充實中央民代機構

目前由大陸時代選出之中央民意代表，正日趨衰老凋謝，爲無法避免之事實。即使能維持現狀，對於肆應劇烈變化之環境，作迅速有力之反應，以充分發揮國會之功能，亦已時有力不從心之感。因此無論困難如何，此時必須面對事實，尋求解決途徑。我們深信在廣集眾議，縝密思維之下，必有途徑可循。所謂法統問題、代表性問題，即使在未分裂之國家，在政治理論上亦屬聚訟紛紜。因此我們與其求理論上之完備，不如求現實之適用性。凡最有利於現在及未來之國家前途者，即爲最優良之解決中央民意代表辦法。

我們認爲增加中央民代的名額，以補可能發生之缺額，並在此多元社會中，容納更多賢俊之士，共同參與國是，爲事勢所必趨。在法理上，自可於憲法及臨時條款中尋求途徑；在實施上，唯有在台灣地區由選舉產生。一九八〇年擴大中央民意代表在台灣地區的增選名額，曾經是國民黨一項十分有力的政治號召。而由此選出的增額民代，在中央政治系統中發揮的作用，亦得到高度肯定的評價。我們認爲此次執政黨三中全會，應秉持此種精神，以恢弘開拓的胸襟，一勞永逸的做法，不但再度擴充增選名額，同時對三個中央民代機構之建制，作整體徹底之解決。至於名額之多寡、地區及職業團體之分配等技術性問題，近日各方專家學者，已迭有經過審思熟慮而提出之意見。執政黨允宜專案研究，比較得失，制定可行之方案，俾此關係重大之體制改革，早日見諸實施。

我們無法不承認國家處境的艱難，我們也無法不承認政治制度下所面臨的諸般問題。當前最重要的，是確保政治領導之持續與加強，以維國脈於不墜。因而主張在憲法架構下，對政治權力結構作適時適度之調整。所謂政治權力結構，我們認爲主要的是指執政的國民黨中央，負責政務的行政院，及發生制衡作用之中央民代機構三方面而言。在此三方面，如能作適當之突破，必可立即在國內外產生良好之反應。尤其對不願受中共奴役之海內外中國人而言，將增加對國事前途之信心，因而提高對政府之向心力，同時亦可改善我們在國際社會中之處境。其影響且不止於現在，尤在於爲未來開創一個新局。此次十二屆三中全會在舉國熱烈期盼中召開，我們祈求對這幾個重大問題，作坦誠深入之檢討，就解決原則作成決議，據以擬訂辦法，付諸實施。則承先啓後，開創光明前途，庶有厚望。掬誠進言，尚請睿察。

（一九八六年三月）

附錄九

要做偉大的總統，不做有權力的總統

說明：此為作者寫的第一篇有關李登輝總統之文章，刊於《工商時報》社論欄。

蔣故總統逝世，萬民弔唁，備極哀榮。對於其人格作爲，豐功偉績，將來史家必定會給與公正的評價。無論評價的內容如何，有一點是可以確定的，那就是蔣故總統運作的政治是強人政治與個人領導。這種政治運作形態有其時代背景與個人條件，不是每一個人都可做到的，而且站在國家利益立場，我們也絕不希望再出現這種政治運作形態。這是因爲這種形態無論其對國家、對全民作出多大貢獻，也無論其如何能適應時代的需要，對一個國家的長期健全發展來說，都是不正常的現象，不合於時代潮流及人民的需要。無論對台灣而言，或對整個中國而言，將來我們寧願有一個平庸的民主政治，而不願有一個偉大的強人政治與個人領導。問題在於絕大多數人居於那種高位後，都傾向於強人政治與個人領導，因爲這樣才有權力，而權力則是人類寧願犧牲人格與生命以追求的少數目標之一。這幾乎成了一個定律，只有兩種情形之下才有例外：一是有良好的制度規範，即是民主政治制度，不容許出現這種形態；一是當局者個人的人格偉大，可以爲而不爲強人政治，這種人少如鳳毛麟角，難得一見。

李總統登輝先生晉位國家元首後，復接掌了執政黨主席職位，在動員戡亂時期臨時條款的運作下，實質上已具備強人政治與個人領導的條件。再加上近日來久已習慣於強人政治與個人領導的各種傳播媒體，不自覺地在向這一方向推動，以從前對待蔣故總統者，轉而對待李總統。這實在是令人十分憂慮的現象。現在，跳出這一圈套，領導國家走上純淨民主政治之路，爲全中國人開闢一長久的康莊大道，唯有仰賴於李總統可以爲而不爲的偉大人格了。即是基於這一理由，我們期望李總統做一個偉大的總統，而不做有權力的總統。那麼，如何才可以做一個偉大的總統呢？我們認爲可從兩方面著手：一是制度，一是用人。

回歸憲法，改革黨政關係

先說制度。中華民國憲法是一部奇特的憲法，它既不是總統制，也不是內閣制，而是遷就當時實際環境的一種折衷辦法，即是賦予總統若干實質權力的內閣制。換句話說，總統不是虛位元首，仍擁有若干權力。但由於行政院長須對立法院負責，及總統命令需行政院長副署，是以在實質上仍爲內閣制。我們可以說，這仍是一個可以接受的民主政治制度。但是在動員戡亂時期臨時條款下，這一民主制度的安排受到了相當大的限制，實質上已成爲總統制，而總統又不必向立法院負責，但行政院卻須向立法院負責，結果是總統有權無責，行政院有責無權，權責分離的一種特殊制度。

這個制度已經夠特殊了。但過去十多年的實際政治運作又不是完全依循這一制度。政治權力係隨著強人政治的「強人」與個人領導的「個人」而轉的，強人與個人在什麼地方，政治權力就在什麼地方，這已經不是一種制度，而是完全的人治了。在這種情形下，政治的良窳，國家的禍福，就完全繫之於個人的品質，而非健全的制度。幸而得人，則國家與人民俱受其福；不幸而不得人，則國家與人民俱受其害，這對於一個國家而言，是非常危險的事，民主不民主尚在其次。這種情形處國家變局尚可，但絕非處正常狀態的長久之計。

我們所希望於李總統者，是能在其任內，運用其權力，回歸憲法，憲法規定總統與行政院長各有多大權力，就各自運用多大的權力，將真正的憲政體制建立起來，也使中華民國今後能依循制度向前邁進，進一步帶動全中國能在民主軌道上推進。果能做到這一點，就是中國歷史上最偉大的總統了。至於動員戡亂時期臨時條款，在目前情形下，仍可保留，但除非有極特殊的需要，不輕易使用。

制度方面另一個需要改革或節制的，是黨政關係。在一個高唱民主憲政的時代，前幾年還有執政黨是否爲一革命政黨之爭。所謂革命的政黨，實際上指的就是以黨領政；再露骨一點說，就是以黨治國。而執政黨的實際運作也確是如此。所有國家重大的人事命令，都要先經過執政黨中常會的通過，轉交行政院才能任命；所有重大的國家政策及法案，也都要先經過中常會的通過，轉交行政院執行或完成立法手續。但是中常會並不對立法院負責，負責的是行政院院長。又是一個有權無責，有責無權的局面，憲法上所規定的內閣制又告落空。而執政黨內部的大權則又在其黨魁之手，形成黨魁可以控制黨及中常會，中常會則控制行政院的一個體系，這實際上就是強人政治與個人領導的另一面。這與所有民主國家的黨政關係都不一樣，坦白地說，這實是目前集權國家黨政關係的一種模型。

假如中華民國今後要一如蔣故總統的遺言，推行民主憲政，則這種黨政關係勢必難以維持。因爲今後必將有一個強有力的立法院，行政院長勢必要對其負責；假如另一方面行政院長又須事事聽命於中常會，即是要對中常會負責，這個行政院長就無論如何當不下去了。假如要當下去，便是一個每天都要受到攻擊，而一籌莫展的行政院長與行政院，這必然會拖垮政府，也拖垮執政黨。一個有責任的媳婦，兩個有權力的婆婆，除了上吊，還能有第二條路？

因此我們認爲李總統於接任主席後，不是蕭規曹隨，一仍舊貫，而是盱衡今後全局，立即指派黨內通達之士，就現有黨政關係作一徹底檢討，重作界定與部署，逐步走向民主國家黨政關係之路。要做到這一點，首先就必須黨主席能放棄若干黨內成文與不成文的權力。而放棄權力是一件極艱難的事，於此我們又需要有一個偉大的執政黨主席了。

中興以人才為本

現在再談到用人。有人問戰後使日本復興，終於走上經濟大國之路的已故日本首相吉田茂，一生認爲對國家最大的貢獻是什麼，吉田茂首相的回答很特別：「我最大的貢獻是爲日本培養了一百多位稱職的大臣，包括好多位首相人才在內。」吉田茂首相的話一點也不錯，作爲國家最高權力人物，無論是總統也好，首相也好，其最大的責任就是建立制度與培養人才，這也是我國歷代評騭宰相賢與不肖的標準。試想一個國家如果有良好的制度，又有良好的人才，這個國家還能治不好嗎？非常不幸的一件事，是我們過去在培養人才方面幾乎交了白卷，到了要什麼人才，沒有什麼人才的地步，連找幾個勝任愉快的次長，甚至局處長都難，更不要說「一百多位大臣了」。但是以一個二千萬人口，教育又是如此普遍的國家，難道真的就培養不出人才嗎？這顯然是什麼地方出了差錯，讓人才不能出頭而已。

我們無意在此分析人才何以不能出頭的原因，但必須要指出不僅「中興以人才爲本」，維持今後國家的生存也還是以人才爲本，因此寄望於李總統的地位與權力，多爲國家培育一些人才，這也是一個偉大的領導人所應該做、必須做的工作。

培育人才的制度與方法是十分容易建立的，困難在於培育者本人的器識、胸襟、氣度，是否足以認識人才、拔擢人才及使用人才，而使人才樂於爲其所用。所謂「世有伯樂，然後有千里馬，千里馬常有，而伯樂不常有。」人才到處都是，端在有無具有足夠器識、胸襟及氣度的培育者，來識拔及使用這些人才而已。我們深信李總統有此器識、胸襟及氣度，足以成爲千里馬的伯樂，足以爲國家培育一批人才，一如吉田茂首相之所爲，而能夠做到這一點，便必然是一個偉大的總統。這裡我們引述俞大維先生的幾句話來作爲用人的指導原則。

俞先生說：「到處都有人才，作長官的求才、用才、信才、敬才，還要宥才。」先總統蔣公最懂得宥才，而求才、用才、信才，必須以全國爲對象，不能限於一個小圈子，這就叫做天下爲公。遜清以異族入主中國，帶甲之士不過八萬人，而能有二百六十五年天下，就在其能以全國爲對象，求才、用才、信才。

最後，我們要指出一點，即是一個有權力的總統，不一定就是個偉大的總統。另一方面，一個偉大的總統，一定是一個有權力的總統。這個權力來自人民長久的信任與尊敬，不僅及於當時及本國，也會超越時代、超越國界，讓後世及全人類都在其權力影響的籠罩之下，如華盛頓與林肯。我們以此來期望於李總統，也深信李總統確能不負我們的期望。

（一九八八年二月）

附錄十

建設現代台灣

台灣為總統之家鄉，誠懇盼望總統於當選連任後，以六年時間，建設一個現代台灣，至少亦為一現代台灣奠立堅強基礎，包括民主政治、自由經濟、公平社會，以及優美文化與高品質生活。以台灣現有之基礎及潛力，可以做到，端在能否盡力而為而已。

為達到此一目的，盼望總統能成為中國之華盛頓，超越於黨派利益之上，以中立性質，不偏不倚，謀取台灣及中國之總體利益。亦盼望總統成為中國之戈巴契夫，勇敢拋掉舊包袱、舊教條、舊框框，以遠瞻未來百年為準則，規畫及樹立新的典章制度。茲試就下列各方面提供初步意見，恭請總統指教。

內政部分

一、政治體制改革

在總統選舉以後、下居立委國代選舉以前的三年期間，宜採取前瞻性之革新措施，完成體制改革的準備及部分實施工作，以建立一真正之民主政治制度。

㈠廢除動員戡亂時期臨時條款，回歸憲法。

㈡確立內閣制，並制定行政與立法互相制衡之條款（省市縣亦應制定行政與議會互相制衡辦法）。

㈢資深民意代表在一九九三年新選民代到任前全部退職。

㈣國民大會代表職權簡化爲總統選舉人，選舉總統後即告解散。

㈤一九九二年底之國民大會代表選舉，聲明爲一「修憲國代選舉」，其任務僅爲修憲，任期在三年後國代選舉前終止。依現行憲法規定程序修憲，國代必加重本身權力，不可能修出一部完善公允之憲法，建議仿當年制憲國民大會，是居國大代表專職修憲，修憲畢則解散，如此較能客觀，不致爲個人私利或利益團體所左右。（現行憲法一方面為僵持國父當時不成熟之構想，另一方面則遷就總統蔣公掌握實權而又不願對立法部門負責之產物，漏洞百出，必須全面翻修，方能建立真正民主體制。但不廢除，以維持法統之繼續及政治穩定。）

㈥一九九五年底宣布修憲後之新憲法實施日期，並即依據新憲法選舉國大代表（即總統選舉人），以及立法委員。至於監察委員有無存在必要，由新憲法決定。一九九六年三月由總統選舉人選舉新總統，以接替任期居滿之現任總統。

㈦在新憲法中重新規定省市縣之地位。

㈧設立大陸代表制，維持約民意代表總額之五分之一之人數；廢除僑選代表，代之以其他名義。大陸代表之產生應在憲法中有所規定，此舉在表示政府爲一與中共政權抗衡之中央政府，既非地方政府，亦非台灣獨立政府。一方面抗衡並安撫中共，另一方面亦在使在台之大陸人士安心，求取內部和諧。無論如何，現政府爲繼承大陸政府而來，此血脈不可斷，政治號召不可不顧。若干年後再視實際情形廢除大陸代表制。內閣人事安排及軍方將領之處理，亦應作同樣考慮。

㈨頒布一公平合理之政黨法及選舉規則，使各參選人能從事公平而乾淨之競爭。

二、行政改革

㈠以建立法治爲第一優先。前面民主體制的建立與運行，必須以法治爲規範與保障，而就台灣現狀言，法治可說蕩然無存。故在總統新任期開始後，應以建立法治爲第一優先。

1.就現行法令規章嚴格執行，絕不在威脅之下退讓，以堅定人民守法信心。

2.命令各有關機關全面檢討有關法令規章，建立一套現代化民主國家所必須具備之完整法律體系。此一法律體系必須公平合理，讓人民願意遵守。

考慮在行政院設立一臨時工作小組，大量延聘國內法律人才，就若干重要法律予以修改補充，使其現代化，限期二年完成，包括立法程序在內。（各機關一方面本位主義，另一方面抱殘守缺，依賴其本身修法，甚難達到目的。）

3.對司法人員、警察人員及情治人員作全面整頓，大量淘汰老年、貪污及無能份子，招致新人補充。建立公家宿舍，集中居住，集中管理，並建立良好之人事制度，以激勵及保障優良人員。

4.派人至新加坡及香港考察及蒐集資料，研究此兩地當年如何從貪污腐敗中脫出，作爲我行政改革之參考。

5.本居大法官任期居滿後，應不分省籍及黨派，慎選大法官人選，務求其有現代知識及公正廉明品格，以樹立權威。

6.徹底整頓最高檢察署，派年輕有爲之人擔任總檢察長，統率及指揮全國檢察機構，發揮摘奸發伏，肅清罪犯功能。目前最高檢察署等於虛設，各級檢察機關則應付公事，均未能發生應有之作用。最高檢察署與法務部之關係，應一如調查局與法務部、警政署與內政部之關係，可以獨立行使職權，並有人事任免權。

(二)建立文官制度。此爲一現代國家及廉能政府必須具備之條件。過去若干居考試委員太不稱職，現任者程度不齊，工作廢弛，不能發揮作用。今年八月考試委員任期居滿，宜趁此機會使新派委員至少應有十人以上，年齡大約在四十至五十歲之間，在法律、政治、行政學等方面具有專長，且必須專職專任，不許兼任其他任何職務，包括教職在內，全天辦公。組織一「工作小組」，負責研究及草擬新文官制度，包括向立法院提出之法案在內，限期三年完成及付諸實施。爲執行此項任務，應寬給經費，配置佐理人員，並聘請熟悉現行人事法規之卸任考試委員或人事官員數人擔任顧問。

此一工作小組亦同時負責就政府整個行政結構作一研究，提出報告及建議，並配合修憲工作，對整個政體及結構提出意見。

㈢內閣改組。以建立一強勢內閣，足以配合總統建設現代台灣之需要為目標，挑選閣揆及閣員，總統再予以有力之支持，當能有所作為。

1.閣揆應以有現代知識、有任事魄力、公忠體國、不為私謀為首要條件。遴選範圍應該「內舉不避親，外舉不避仇」，只要能勝任，其他在所不計。

2.對現有閣員作詳細評估，勝任者留，不能勝任者去位，不宜再用搬風方式，長居要津而無貢獻，徒使濫竽者誤事、有志者氣餒，而仕途官風為之敗壞。

3.挑選新人不拘一格，不問省籍、年齡、黨派、出身，估量能勝任者即用，其範圍應包括反對黨、無黨派人士、企業界、學術界，應使在台灣成長之人才有機會為台灣前途效力。

三、經濟問題與對策

關於當前的經濟問題與對策，另有專章呈閱，此處僅加補充。

台灣資金充裕，勞力品質高，有一頗具活力之企業家階級，技術已具相當水準，對外經濟關係與活動頗為密切，各項基本建設大致完備，故經濟進一步之發展與繁榮，應為可以預期之事。但卻受阻於下列不健全因素：

㈠大企業財團勾結中高級官員，施以小惠，為其套牢，肆意壟斷國內市場，謀取特權利益。

㈡民意代表與地方派系份子，其中部分為黑社會力量，控制小規模經濟活動及向政府爭取特權。

㈢黑社會份子與地方角頭經營地下金融如投資公司之類，若干地方金融機構甚至全國性金融機構亦常與之往來。

㈣同一類人再加上少數大財團與大炒戶操縱股市，幾乎所有有關管理及執法機關之官員不是受其收買，便是不敢過問；不是見而不問，便是重罪輕罰，遂使㈡、㈢兩類人物得以為所欲為，已無法律秩序存在。

在上述情形之下，社會風氣為之敗壞，人民皆欲求速富，皆望不勞而獲，過去勤儉維生之精神已喪失，代之而起的為欺詐、搶劫、殺人，以其所得之錢財，度奢侈浪費之生活。社會腐化，令人憂心。是故：

1.地下投資公司與股市不正常現象無論付出多大代價，都必須下決心徹底解決。否則台灣社會與經濟都會為之腐爛。針對此兩現象重新立法，嚴懲當事人，非必使其坐牢及破產不可，美國有前例可以援引。政府不必宣揚，亦不必干預股市，只是立法與執法，依法行事，使其恢復正常。估計消除此兩惡瘤，不會對台灣經濟帶來重大災害。

2.對環保與勞工立法依照日本及西方國家法律制度，再作規畫，再行立法，然後嚴格執行。不准黑社會、政治團體，及非居民與非勞工介入紛爭，如有，立予逮捕處以重刑。另一方面，政府除公正立法及執法外，亦可設置公正之仲裁機構處理此類糾紛。

3.公共建設。台灣有此資力與能力將其建設成為一個美麗寶島，一如西、北歐小國，但現在卻集髒、亂、擠之大成，實在是政府負責官員未做事。宜下定決心，在一、二年內不顧任何反對，大量出售公營事業，再加上發行公債，以籌集資金，以全省爲對象，從事公共建設，由中央政府集資舉辦。部分可由民間舉辦。

4.土地利用。台灣土地有限，如不加以有效管理，必然會長期成爲投機、囤積、炒作，及獲取暴利、財富分配不平均之來源。由於絕大部分土地已爲私有，土地國有已不可能，但政府宜堅決推行「私有公用」政策，即土地所有權爲私有，但其利用則由政府依整體利益決定。爲執行此一政策，宜以二至三年時間，就台灣土地利用作一規畫，並擬定細部利用計畫，依計畫執行，當可解決土地問題及房地產問題。

5.繼續貫徹經濟自由化與國際化政策。目前因有強大國際壓力，在此一方面已有顯著進展，但仍嫌不足，特別是國內壟斷幾乎毫無改進，政府必須在這一方面採取強力措施。

6.假如以上各項問題獲得適當解決，其餘聽由民間企業自行發展，則台灣經濟即可有持續之繁榮與成長。

四、社會問題

台灣舊社會結構已大部分解體，相對的社會倫理及人生觀亦已大幅度轉變，遂成混亂現象。目前可以列舉之社會問題大致分爲下列幾點：㈠社會倫理問題；㈡生活品質問題；㈢社會治安問題；㈣財富分配及社會福利問題。

㈠社會倫理問題。台灣社會缺乏倫理，尊卑長幼、師長學生、家人朋友、長官僚屬等舊倫理關係蕩然無存，彼此欺詐、辱駡、攻訐，甚至砍殺等等到處可見。恢復舊倫理既無可能，亦不必要，但現代社會新倫理必須建立。建立之道，一在法治，一在教育。法治已如前述，教育則應從小學教育開始，而以社會教育及宗教廣爲傳布。惟新倫理內容如何，宜由專家策畫。

㈡生活品質問題。此與治安、都市建設、公共建設、教育程度、文化水準，及社會倫理均有關係。國民所得反而不是重要因素。

㈢社會治安問題。適用前面行政改革各條，另加重罰、切實執法。

㈣財富分配及社會福利問題。台灣現在情形係以極不公平之手段大量集中財富，重新分配財富，此爲最不能容忍之現象。在前述經濟問題得到解決後，此一現象當可消除，但財富分配不平均現象仍將存在。政府責任不在消除此種必須有之不平均，而在建立適當之社會福利制度，保障每一國民之最低生活。在建立此制度時，必須堅持受惠者應自負一部分成本的原則，否則會流於浮濫而難以收拾，如西方國家之情形。

大陸部分

在訂定大陸政策時，必須了解兩個前提：

一、中共要統一台灣之政策不會改變，所能改變者爲執行政策之手段。而滅人國家之手段不外兩種：一爲鯨吞，即以武力一次吃下；一爲蠶食，即以迂緩方式於不知不覺間吃掉。中共以前之所以堅持要三通四流，現在之所以全力發展對台經貿關係，即在蠶食。

二、台灣四十年來實質上已是獨立，現在政權正在大幅本土化，故以台人治台之台灣獨立實際已經存在，現在再主張台獨，除了少數人要奪取政權外，已毫無意義。

在上述了解之下，對大陸政策應包含下列各點：

㈠公開堅持一個中國政策，嚴厲反對台獨，對台獨活動予以絕對壓制，此舉目的在應付中共。

㈡承認中共政權之存在，不認其爲非法組織，肯定現狀爲一個中國，兩個中央政權，一在大陸，一在台灣。一如東、西德，南、北韓。

㈢堅持中國必須和平統一，兩岸政治經濟條件相接近時，即爲和平統一之時。

㈣不干預中共內政。放棄強調以三民主義統一中國之主張，亦不必要求中共放棄四個堅持，對中共內政，官方採取不問不聞態度。

㈤不刺激中共情緒。不必一再譴責中共暴政，對中共人權及民運之關切，依國際反應而定，不超越國際反應水準。對民運人士來台應逐漸冷卻，民間可支持，政府則只做而少說。

總之，台灣繼續民主自由、繁榮進步，就是對中國未來統一最有力的力量，不必讓中共把台灣視爲推翻中共的基地。

㈥堅持有限度接觸：

1.基本原則：經濟接觸要鬆，社會接觸要緊，政治接觸儘量避免，軍事要嚴防。

2.將所有民間接觸納入統計及管理，掌握所有動態及資訊。應設立一較大規模之機構主持其事。官方將來可能有接觸之必要，但堅持以平等地位接觸，亦一如東、西德，南、北韓。

3.儘量做到單向接觸，即我方往大陸限制較寬，中共來我方限制較嚴。因中共太大，中共人員大量來台，非我方所能承受。

4.物資交往可以較鬆，人員交往必須從嚴。

(七)港澳政策：

1.公開宣布在一定條件下，可以接納港澳移民，宣布一明確配額，例如十萬家至二十萬家。事實上，來台人數不會太多，我方可以容納。

2.口頭上聲援港人爭取各項權益，包括政治權益，如選舉等，一如其他國家之作爲。

3.公開宣稱願見港澳安定繁榮，此符合港澳人民之利益。

4.我方在港澳之官方經貿及教育文化機構不撤退，派遣年輕幹練者從事。海空通航及電訊等應預爲安排，將來官方接觸恐不可避免。黨政機構應撤退，現在即應開始預作安排。事實上，此等機構多年來並未發生作用。若干經貿機構應予擴充增設者，現在即予擴充增設。

對外部分

中共在任何情形之一，對我方擴展對外正式外交關係，因疑懼台灣獨立，必將盡力阻止，故我方可以努力進行，但不能預期收到有意義之成效，包括國際政治與經濟機構在內。

一、外交重點仍在美、日，宜在兩國民間及企業界厚植力量。

二、與歐洲國家之外交形勢已進步很多，宜多派遣年輕有能力之幹練人才進駐，在無形中爭取與美、日同等模式或極接近此種模式之外交關係，鼓勵民間企業界開展此一地區之市場與經貿關係。爲執行此一任務，宜大量訓練具歐語能力、了解歐情的人才。

三、對蘇俄及東歐採取自然發展方式，不刻意爭取密切關係，更不宜渲染。但可選擇一適當國家建立交流模式，作爲我國與其他類似國家建立實質關係之範本，此事要儘快辦理。

四、新加坡與印尼之與中共建交恐不能避免，將來特別是與此等國家之實質關係如何維持，現在即宜提出具體意見，以備印尼、新加坡在與中共建交談判中提出，確立一基本模式。此點至關重要，因日後馬、泰、菲，甚至將來韓國，均有可能採用同一模式。

五、與若干小國建交，無實質意義，可行則行，不必強求。

六、對於加入或重回國際機構，宜與美方密商可否建立一種模式。了解國際政治之現實性，定出可行但務實之模式，在此一模式之下，可自然加入。此一模式非常值得研究。

七、所有外交活動儘量採低姿勢，能不渲染便不渲染，因我方在於獲取實質利益及各國對我之實質支持，不在於名義上如何，過度渲染，招來中共之警惕與阻撓，反而不妥。

（一九九〇年一月）

附錄十一

當前的經濟問題與對策

——建設現代台灣之附錄

基本了解

經濟與政治不能分，任何經濟問題的產生，都或多或少與政治有關，而其解決則尤其脫不了政治，特別是政府，這在台灣尤其如此。台灣目前經濟情況不是很差，仍在高度成長與繁榮中，然而危機亦愈來愈明顯。這些危機包括投資意願不高，資金人才外流，經濟與社會倫理及秩序紊亂，以及下列種種問題。這些危機中有些立即的危險，如股市、貿易引起之通貨膨脹、地下經濟等等；有些則將長期侵蝕台灣經濟基礎，如投資意願不高，資金人才外流等等，如不解決，終將使台灣經濟日趨衰弱萎縮，終至難以收拾。

解決這些問題，化除危機，純從經濟方面著手，屬技術面，容易進行，但是受到政治牽掣，難以收效。故必須同時從經濟與政治兩方面著手，而尤以政治爲核心所在。政治方面，則又集中於下列三點：

一、法治：這不僅是經濟政治問題，而是整個國家能否現代化及堅強的問題。目前政府最重要的一項工作，即是下定決心，集中政府所有資源，將法治建立起來。這又分兩個途徑：㈠徹底整頓司法風紀，日前舉行之全國司法會議並不能解決問題，應另尋解決途徑。㈡在任何情形之下，政府絕對不可以因政治上的便利而干預司法，一如過去四十年之行徑，政府本身行事尤應率先守法。

二、公權力：現在公權力之軟弱無力，已為不爭之事實。一個政府而命令不能出衙門，其事之不可為，至為明顯。而樹立公權力的唯一途徑，為堅持依法行政，一切照法律來，即使激起民變亦在所不惜。但立法及執法必須合理。故政府公權力之行使，除依法行政，亦即法治外，尚有政府官員的品質問題。

三、官員品質：現在政府官員能力強而又負責盡職者固然不少，然而上自閣員，下至一般公務員，現代知識不足，不肯負責盡職，缺乏盡忠報國精神，及圖謀私利，貪污舞弊者為數更多。閣員中很大一部分缺乏閣員應有之胸襟、器識與擔當，甚至部分缺乏行政能力。解決此一問題，在於加緊建立完善之文官制度，及對閣員之挑選、任免、使用，應以其器識、胸襟、擔當與現代知識及行政能力為準繩，藉以扭轉目前風氣。

未來十年經濟政策目標

一、以高科技工業與高服務業為中心，以自由化與國際化為手段，建立一國際經濟社會，一如香港與新加坡。此不但在經濟上有此需要，在政治上尤其有此需要。

二、建立一生產力高而生活品質亦高之現代社會。

三、建立一生活富裕而財富分配較為平均之合理社會。

做到以上三點，台灣即可在經濟上成為一完全現代化社會，一如北美、西歐、北歐等國家。而假如認真去做，十年之內可以做到。

投資意願

目前投資意願不高，已有強烈跡象顯示，原因複雜，但下列各點應居重要地位：

一、投資環境：

㈠環保及勞工運動：目前影響投資環境最為嚴重者為環保及勞工運動，已遠超過任何進步國家之範圍，而成為敲詐政府及企業之手段，若干勞工運動甚至全省串連，有成為大陸紅衛兵之勢。政府應指派少數獨立思想之人士，並延聘進步國家之專家，就環保與勞運立法作深入之檢討，對現有法律重作修訂及補充，成為一套合理及合於時代精神之法律，據以建立制度。在過程中，政府應採堅決態度，不接受任何方面之威脅，亦不求妥協折衷。

㈡黑社會：現在黑社會不僅大量介入非法之事業經營，而且有組織敲詐勒索正當企業。政府宜針對此點單獨立法，全面予以掃蕩，在掃蕩過程中，亦可准許其經營若干事業，如賭博、賽馬、賽車、旅遊、遊樂、集中若干特定地區之色情等，使其有生路，但仍須守法。至於若干正當行業，自可經營。

㈢工人：目前各事業普遍感到缺乏工人，一部分固由於風氣不良；一部分亦係經濟發展之自然結果。在政府採取本文所提出之若干措施後，風氣可望有大幅改善，至於因經濟發展而起者，則一方面可聽其自然，會逼迫企業界提高工資，因而逼使產業升級，故有良好影響；另一方面則聽由企業引用外籍勞工，不加限制，但必須周密立法以防流弊，諸如剝削及虐待外籍勞工，及外籍勞工不願返回原居留地等。

㈣土地：現在趨勢，土地逐漸為少數財團所囤積操縱，價格奇昂，中小企業，甚至大企業一地難求，即使求得，成本亦奇高，難以負荷。解決之道為全省土地之規畫使用，請參考「農業」一項。

二、投資機會：台灣目前亦缺乏良好之投資機會，特別是大企業是如此。此點政府不宜採個別措施，判斷哪些產業可以投資，因而予以獎勵。只應改善一般投資環境，包括科技教育及技術引進之法律等，其他不必過問，投資者自會尋求出路。照目前情形，將來投資機會應較偏向於以科技為主之高級製造業及高級服務業。

三、外資政策及對外投資：政府應全面檢討及制定法律，徹底開放外人來台投資，包括各類製造業及服務業（包含金融業、運輸業），政府不加干預及限制，一如香港與新加坡之情形。此可提升我國經濟水準，亦可造成國際化，造成對政治上有利之影響。如果外人與國人合作，將大爲擴大國內投資機會。但必須注意不能給與任何個別國家或個別國外企業以特權，只能與我國國民享受同等之待遇。

至於我國對外投資，亦爲經濟高度發展之自然現象，政府宜採中立政策，不加阻止，亦不鼓勵。目前採取鼓勵措施實不必要。

公共投資

台灣如此富裕，而公共設施之落後不如落後國家，據赴蘇俄訪問人士言，遠落蘇俄之後。不僅降低人民生活品質，而且已引起人民極大不便。今後無論如何，要將公共建設投資列爲首要之圖。據我個人觀察，至少下列幾項公共建設投資刻不容緩：

一、大台北地區地下鐵路：東至內湖、南港，南至新店，西至中和甚至板橋，北至基隆，興建地下鐵，分段完成。請由日本人設計及建造。連帶打通南港至宜蘭之隧道公路，如可能，亦在隧道中敷設鐵路。

二、基隆淡水河疏濬整理，一方面可以順暢排水；一方面清潔後作爲風景遊樂區；三方面填出一部分土地供使用。

三、台北市捷運系統：立即加速施工。

四、第二條南北高速公路：限期分段完成。

五、興建高速鐵路：立即請日本人規畫設計，以後並包給日商承建。

六、興建環島公路：並在沿海開闢遊樂渡假休閒區。

七、興建全省天然瓦斯管。

八、興建全省垃圾處理焚化設備，先從台北、高雄等大都市開始。

九、對電力供應作徹底檢討，如必須立即興建電廠，便當立即開始興建，不容許有停電發生。

十、檢查全省學校建築，及對新建築之需要，全面規畫興建。

十一、在平地興建體育運動場所，在沿海及山區大規模興建休閒場所。

十二、高雄地下鐵及愛河整理計畫。

以上各項建設均爲一現代社會所必須，遲早都要興建，而且不能拖延。所需經費以萬億計，何至於像目前有錢無處用，流入股票等賭博市場，令人不可思議。至於如何將這些錢移轉到上述各項建設上，則分下列三大途徑：㈠部分計畫准許民間興建，政府監督品質。㈡部分計畫由政府興建後移轉民間經營。㈢一部分必須由政府經手興建並管理者，其經費來源可分爲四：1.發行公債。2.出售部分公營事業股票，如中化、中鋼、商銀等股票可全部出售，移轉民營。台糖土地在土地利用規畫妥當後，可以有一部分出售。中油亦可出售部分股票。3.其他中央與地方財產之出售。4.課徵受益稅及土地增值稅。

以上各項公共建設，不分中央地方，一律由中央統籌辦理，在行政院設建設部或建設委員會主持其事均可，如無其他適當人選主持，則趙耀東仍爲合格人選。此事無論從任何角度看，都要立即辦理，不能拖延。

都市整理

以台北市爲例，其髒亂無秩序之情形，已達不堪居住程度。事實上整理並非不容易，端在有無決心及做法而已。

一、在全省適當地點或大都市郊區設立色情及賭博專區，給與適當之管理，亦給與應有之方便。所有色情及職業性賭博均集中於該等地區。如有在非指定區經營此項行業，立予重罰，例如五年以上徒刑及百萬、千萬罰金等。

二、設立攤販區，所有攤販必須集中該區，其他地區在任何情形之下，不准有攤販出現。

三、所有違章建築一律限於：例如說，半年之內拆除；所有違規使用之建築一律在半年之內恢復原核准用途。

四、所有原規定之停車場，一律只作停車用。政府並應在適當地點大量興建停車場，規定所有汽、機車使用年限，定期檢查排放系統。

五、規定招牌尺寸、數量及懸掛方式，違者除取締外，並予重罰。

公營事業移轉民營

若干公營事業不是依賴獨占利潤生存，便是虧損累累，不僅增加公庫及人民負擔，抑且敗壞政治及社會風氣，應下定決心，大量移轉民營。例如中化、中鋼、公營金融機構（除中央、交通、農民、土地、合庫、中小企銀等政策性金融機構外）可以股票上市方式完全移轉；中船可以免費或低價租給民間或低價轉讓，其負債由政府清償；中油、台電可准許同性質之民營企業出現，以加強競爭；台鐵可以移轉民營；台汽則早該移轉民營；台糖應大幅收縮業務並大幅裁員，其土地俟全省土地利用規畫妥當後再作處理；台肥應移轉民營；台機應移轉民營；中華工程裁撤；菸酒事業應畫歸民營。其他中央與地方之公營事業，均應依照上述情形或移轉民營，或則關閉。

股市與地下經濟

目前股市之畸形現象與地下經濟有密切關係，因此放在一起敘述：

一、股市：台灣股市已經成爲一純粹之詐賭市場，參加者有所謂大戶（主要炒作詐賭者）；大財團；民營地上金融機構，包括人壽保險公司；地下經濟，特別是地下投資公司；以及散戶。目前已達到無法無天程度，而且政府不能插手。現在所能做者，一方面坐視其演變，等待最後崩盤；另一方面則不動聲色，以籌集前述公共建設資金爲由，大量分期拋出公營事業股票及以高利率發行公債，所得資金專款存儲，即真作爲公共投資之用，此爲釜底抽薪之計；三方面爲俟其崩盤後，再窮究違法者及追查發行公司之財務報表等，並進一步作更周詳之立法，防阻下一次發生類似情形。

二、地下經濟：地下經濟各國均有，但以台灣最多。各國地下經濟多爲合法逃稅，故仍有秩序，台灣則很大一部分係爲詐財，而尤以最近二年出現之所謂地下投資公司爲最甚。政府主管機關每以無法律根據爲藉口而不肯認真取締，但又不肯去立法。實際情形則係黑社會及若干政府單位退休人員均參與其事，不敢亦不願取締。如聽其蔓延，必然爲禍社會，應下決心予以取締，如真無法律根據，可責成主管單位立即立法。（幾乎每人均知道之一件事實，為某最大之投資公司，在設立時預備詐騙數億元逃往國外，不料開幕後，錢財源源而來，以至以百億計，想逃都無法逃。）

農業問題與土地利用

所有進步國家均有農業問題，而且多半採用保護及補貼政策，台灣自不例外。但此種保護及補貼策略無論從國內及國際觀點看，恐都不能持久，而必須有所改變，現事實上已成爲一種趨勢。因此對台灣而言，對農業繼續予以保護及補給，應限於短期，例如說十年之內；長期則應謀根本解決之道，包括以下各點：

一、以五十年或更長期間爲準，規畫全省土地利用，就最適宜於農業用之地區及土地，畫爲農業用地，立法嚴格規定不得作任何其他用途。在規畫時，應考慮到作物種類，及技術之可能變動。

二、加強農業技術之發展，徹底清理改組農業組織，包括產銷管道（大部分已落入黑社會之手），以大幅降低成本，提高與進口品之競爭能力。

三、農地可以自由買賣，並不限身分及數量，但必須耕作按政府計畫之農作物，否則課以極高之廢耕稅。如此，可以使單位面積擴大及加速農業企業化。

至於目前之保護及補貼政策可以繼續，但必須逐漸縮小範圍及程度，千萬不可擴大。

前述農業用地應依土地利用規畫使用一點，意指全省土地有限，爲求得到最有效之利用，並避免土地被囤積炒作，致使地價上升至不合理程度，應就土地之各項用途作一總規畫，包括農業、商業、工業、交通運輸、住宅、休閒遊樂等用地在內。一經規畫定案，即不得輕易轉作其他用途，而個人使用土地時，必須先得到政府之核准。此點對台灣地少人稠之狀況至爲重要。

房地產價格

台灣房地產價格幾乎全操在少數大財團之手，此等大財團在全省以高價收購囤積土地，每視時機成熟即哄抬一次，將一般人民之儲蓄囊括以去，並使大部分勤勞工作之大眾終其一生卻無法購置一自有住宅，其引起之憤恨不平可想而知。目前主管機關所擬之平抑房地產價格辦法，均屬表面文章，不能收到效果。真正解決辦法應如下述：

一、規畫全省土地利用及都市發展計畫，指定住宅用地，由政府視實際情形，命令地主居時必須依照政府規定之建築面積及進度進行建築房屋，如不遵守，即將土地拍賣給願意建築之商人，或由政府自行利用而給地主以較低價格之補償。

二、對於價格過高之土地課徵高額之土地增值稅，以其收入補貼一般人民購買房屋，如設立基金、供長期低利貸款等方式。

三、政府可利用自有之土地，按照計畫興建住宅出售。此一辦法過去弊端百出，但如政府有決心整頓貪污，亦可達到目的。

社會福利

社會福利自有人類以來即已存在，有由人民社團舉辦，有由政府舉辦。台灣今後爲一完全之工商業社會，則政府舉辦社會福利乃爲必要之施政，不能規避，但亦不希望如西歐、北歐、北美等國，成爲福利大國。因此今後社會福利應朝以下方向發展，而且不能遲延：

一、醫藥保險：應全面實施，但必須做到：㈠病者必須負擔一部分醫藥費，例如說百分之二十或百分之三十。另設赤貧濟助基金，由政府撥款及私人捐款組成，對於不能負擔百分之二十或百分之三十之病家，經過一定手續予以救助。㈡慎選保險醫院及醫生，如發現有濫報、假報情形，即取消醫生資格，永不許執業，並處以極重之徒刑及罰金。

二、失業保險：必須舉辦，但必須有嚴格之限制條件，否則將不堪負擔。

三、災害救助。

四、住宅，見前。

對外貿易與匯率問題

對於此一問題，在擬訂政策時，必須先有下列了解：一、貿易為我國經濟之命脈，不能引起重要貿易對手國之反感，甚至杯葛。二、不能由我方一廂情願，必須考慮對方之利害關係，如此，則我方必須有所犧牲，我方應該慨然承受，至於引起國內之反對與抗拒，則屬內政問題，政府應一肩承擔。三、此等犧牲，從長期觀點看，可能對我方有利；四、衡量整個情勢後，哪些方面應自動讓步；哪些短期可堅持，長期應讓步；哪些長期亦不能讓步，應先自己弄清楚，然後明告對方。

在上述了解下，玆建議：

一、徹底自由化與國際化，包括貿易與投資在內，前面曾說過，此對我方亦有長遠利益。縱有保留，項目亦應極少。

二、所謂分散市場，應主要以日本為對象，設立對日貿易小組，人數不要多，但要精，專門負責開發日本市場。如果我國若干公共工程，如地下鐵及高速鐵路，委由日人興建，則對日逆差將更為擴大，開拓日本市場亦更有需要，也更有可能。

至於其他市場當然能開拓多少，就開拓多少，但是估量效果不是很大，至少在短期是如此。

匯率方面，目前緊守二十八對一，預料可至年底，明年上半年是否能守住，有待中、美雙方經濟及貿易演變情況而定，守住前途並不太樂觀。現在中央銀行即應考慮外匯市場更進一步開放之可能性，及做若干準備工作，希望在一年内做到全面開放，匯率聽由外匯市場自由決定，僅在有特殊情形經央行判斷有干預必要時，始進場干預，一如其他進步國家。估計在完全開放外匯市場後，在正常狀態之下，匯率很可能長期在二十七至三十對一美元之間波動。

假如外匯市場完全開放，貿易及投資又作大幅度自由化與國際化，雖可以有對美出超發生，但美國即不會對我國外匯及貿易多事干涉。作為一個依靠貿易維生之國家，此種徹底自由化及國際化對我方有長久利益，即使無外國壓力，亦當走上此一路線，何況如果我不自由化與國際化，外國壓力將不斷來臨。

對大陸經貿關係

對大陸所有關係，現已陷入一團混亂，而以經貿關係為尤甚。毫無問題，民心士氣均已受到嚴重影響。敵對意識與中共統治之可怕幾已完全不存在，中共統戰之目的很輕易就達到很大一部分，於此益見蔣故總統三不政策之正確性，如今欲全面挽救為時已晚，特別是經貿關係是如此。

為今之計，只有一方面加強軍事戰備，及嚴守政治防線（社會防線亦已衝破），另一方面則在經貿方面再加廓清，明定哪些行為允許，哪些行為絕對不允許。基本原則為：㈠貿易較鬆，投資較緊；㈡物資較鬆，人員較緊；㈢出口較鬆，進口較緊。一般而論，㈠貿易物資進出不加限制，但進入我方海空港，必須他國船隻及航器，不准中共運載工具進入。㈡中小企業至大陸投資不加過問，但對大企業進入大陸投資則採取勸告稍緩態度。㈢我方經商人員進入大陸不加限制，但嚴禁大陸經商人員來台。㈣通電與通郵暫由國際機構如香港、日本轉，通匯則由我方民營金融機構包括外商銀行處理，一、二年後再檢討情形重作決定。以上各點，事實上亦爲掩耳盜鈴之計，無多大實質意義，經貿全面進行終不可免，目前只求進度稍緩而已。

總結

除金融與租稅改革，因其重要性及改革方向已爲政府官員所了解，未曾在此提出外，共涉及十一個項目，其中大陸經貿關係除外，其餘十項均爲建立一高品質、高所得之現代台灣所必須要做到之事。在進行過程中，也許會遭遇若干強烈反對，但如堅決貫徹，執政黨及政府必可得到絕大部分選民之支持，選票反而會增加。明、後年均爲選舉年，執政黨及政府也許不願作大幅度之革新，因恐時間太短，成效未能充分顯現，使選票受損失。但以李總統爲主要領導人，現在即應指派一部分人員或專責機構祕密就上述各點加以愼重研究，並草擬革新計畫，若干公共工程建設並可提早宣布項目及決心，以振奮人心。在明後年選舉過後，政局穩定，即可放手施行，一舉而完成拖延多年、包袱重重之革新工作，使台灣面目完全更新，成爲一真正之現代地區，超越香港與新加坡。連香港、新加坡、韓國都能做到之事，台灣應該能夠做到。過去多半在官僚系統中兜圈子，互相推託，一部分官員保位固寵，或欲圖升遷，以不出事爲原則；另一部分官員則貪汚舞弊，與民間利益集團勾結圖利，以致定不出好政策，有好政策亦不能認真執行，造成今日遠落香港、新加坡、韓國之後，甚至混亂一片，殊令人惋惜。如新政府能振奮起來，有所作爲，台灣整個面貌立可改觀。

（一九九〇年元月）

附錄十二

爲中華民族開創一個新時代

——就任第八任總統演講詞（初擬稿）

親愛的全國同胞們、諸位貴賓：

國民大會第八次會議，選舉登輝爲中華民國第八任總統，今天與李元簇副總統敬謹依法宣誓就職。

際茲國際局勢正作歷史性地轉向和平與民主之時，中華民族如何主動地乘潮流而直上，展開一個新時代，爲國家萬世太平，爲民族永久繁榮奠定基礎，固然是十二億海內外中國人的共同責任，而居住在台、澎、金、馬、自由地區的兩千萬中國人，以其實行自由經濟與推動民主政治的經驗與成就，爲之前導，更是責無旁貸。登輝有幸逢此際遇，膺此重寄，備感責任沈重，只有虔誠禱告天祐中華，亦誠懇祈求十二億中國同胞給與勇氣與支持，俾能在未來六年任期中，達成任務。

「中華民國憲法」是一部民主的憲法。惟實施以來，由於時際非常，而有「動員戡亂時期臨時條款」之訂定，當初審時度勢，自有其必要。玆國內外局勢既已迥異當初，自當於適當時機（或最短期間）宣告動員戡亂時期的終止。並當進一步根據四十餘年實施憲法之經驗，及國內外局勢之演變，在既有架構之下，一本大公無私之精神，廣集海內外人士之意見，對其內容作適當之調整，爲中華民族樹立一切合時代潮流與國家需要之憲法典範，亦爲民主政治奠立百世之宏規。

民主政治之平滑運作與長久維護，端賴兩大要件：一爲法治，一爲行政中立。無法治而侈言民主，將是暴民政治；無行政中立而侈言民主，將是分贓政治。兩者俱將導國家於混亂，致社會於墮落。而爲收拾此一局面，最後必將回歸到獨裁專制政體，此絕對爲國人所不願見到者。法治在於依法執法，而關鍵所在則在於司法獨立；行政中立在於依法行政，而關鍵所在則在於文官制度。我們已有一套完整之司法體系，亦有一套完整之文官制度，基礎已備。在此基礎上稍作整頓調適，修訂法條，更新人事，嚴肅官員紀律，端正社會風氣，培養舉國上下知法意識與守法精神，即可收民主政治之宏效。

然而民主政治不一定即可形成一和諧、守分、重倫理、尊人道、講公德、抑私欲之社會，而此一社會則正爲我們所追求締造之社會。此必有賴於國民教育之薰陶與固有文化之發揚，而教育則必須植深根於國民啓蒙之時，方可變化氣質，端正心性。是以今後教育之發展與改進，尤其國民中、小學教育，將列爲建立一現代國家重大施政之一。

自由經濟與民主政治之於現代國家，實有互相加強與互相依存作用。中華民國政府於過去四十餘年在台、澎、金、馬地區推行自由經濟制度，所得到之輝煌成果，為舉世所共見。在此一地區，饑餓貧窮已從兩千餘年之歷史中消失。但亦不諱言，伴隨此一制度而來之缺失，已不僅使經濟進一步發展受到嚴重阻礙，且導致經濟與社會之失序。此一現象必須立即結束。所有以不守法、不公平等不正當手段聚集財富、欺詐及剝削廣大人民之行為；所有以聚眾強暴脅迫或運用政治及黑社會力量導引羣眾施暴，以打擊投資環境，妨礙正當企業經營之行為，必予嚴禁，其犯者必予嚴懲，務使此一自由經濟制度恢復正常運作，正當企業及投資者得到合理保障。而由於自由經濟制度運作所必然帶來某種程度之財富分配不均，以及因此而產生之社會不安，則當以適當之社會福利措施及租稅政策予以調適。

全國同胞們，諸位貴賓，如事實之所示，中華民國政府有效統治地區僅及於台、澎、金、馬，但其所代表者則為全中國。因而我們所規畫之政治、經濟、社會制度，無一不是針對十二億中國人民，亦無一不是以中華民族為施行對象。因為我們堅決認為，全世界人士也都知道，台、澎、金、馬為中國國土之一部分，而國土不可割裂，居住在台、澎、金、馬兩千萬中國人為中華民族之一部分，而民族不可分離。我們與大陸血脈相通，骨肉相連，目前的分隔，只是基於意識型態與政治經濟制度不同的暫時現象，終久必然會和平統一。

於此，登輝謹代表中華民國向中共當局誠懇呼籲，當此全世界人類都在祈求和平，即使是對峙達半世紀之強權，亦在和解之時，何況我們同根相生，源出一系，希望在我們這一代手裡結束兩千餘年來中華民族自相砍殺的愚蠢行為，從茲以後，永不再有兄弟相鬩，骨肉相殘的景象出現。更呼籲中共當局，在全世界共產國家，包括共產黨一黨專政的創始者與同類政權的領導者蘇俄共產黨在內，都紛紛宣布放棄共產黨一黨專政，並在經濟上改走自由經濟路線之時，中共沒有任何理由，也沒有任何力量，中國人民更不允許，對抗此一潮流，違反十二億中國人的願望，而堅持包括共產黨一黨專政在內的四個堅持，繼續維持獨裁政體與共產社會主義經濟道路。堅持到底，必然失敗到底，徒貽中國人以災難。何況中共當局亦已知道共產制度爲害至烈，難以繼續，早在一九七九年即已開始經濟改革，走向自由市場經濟及私有財產制度，早已不是馬列主義。只是改革步伐太慢，淺嘗即止，反而造成目前之混亂與困局。然則何不迎向世界潮流，放開腳步，勇敢地遵循民主政治與自由經濟道路前進。須知一黨、一小羣人、一時之掌握國家政權，與整個民族千秋大業之民主自由與和平相比較，何其渺小，希望中共當局面對歷史與十二億中國人，知所選擇。

如果中共能開誠布公宣告不以武力犯台，並改走民主政治及自由經濟道路，則中華民國政府願以平等地位，在適當時機從事談判兩岸交流事宜，並願提供包括財力及人力在內之經濟援助。而在統一條件成熟時，商討兩岸之和平統一。

同樣基於同胞愛，我們對港澳同胞的處境至表關切，亦誠懇呼籲中共當局允許港澳人民有充分自治權，得以繼續其政治與經濟之自由權利。爲維護港澳之繼續安定與繁榮，在一九九七屆臨之時，中華民國將不撤退駐港澳之機構，並在台灣容納能力範圍之內，歡迎不願接受中共統治之港澳同胞來台定居。

登輝也願在此同時宣布，中華民國政府對於與我維持外交關係之友邦，表示欽敬，並珍視及將加強此種外交關係。對於願意在實質外交基礎上，以友好待我之國家，我們亦願意與其維持友好關係。作爲國際社會一份子，中華民國自當盡應盡之國際責任，特別是我們既是國際經濟社會的重要一員，自當遵守一切國際經濟活動規範。我們已對外充分開放商品及勞務市場，撤除資金進出國境的障礙；爲適應友邦之要求，我們的貨幣已不再升值。今後仍將本著自由化與國際化的既定政策路線，促進國際間之經濟合作與繁榮，亦誠懇希望世界各國給與我們以同等之待遇。

全國同胞們，諸位貴賓，二千多年前，中華文化已孕育有世界大同理想，其所揭櫫之政治、經濟、社會制度與目標，與現代民主自由國家所實行及所追求者若合符節。中華民國政府已在台、澎、金、馬將此種文化遺產予以復興，並使其具體實現，今後必將更爲發揚光大。我們要從我們這一代人的手裡，根絕中華民族二千多年的閉塞與貧窮，締造一個開明富裕的社會；根絕二千多年的獨裁專制政體，締造一個民主自由的社會；根絕二千多年的骨肉相殘，互相砍殺，締造一個永久和平、講信修睦的社會。我們要向全世界中國同胞宣告，也向全世界人類宣告，我們要從現在起，爲中華民族開創一個這樣的時代，一個我們所稱的新時代。

謝謝諸位，並祝諸位

健康愉快。

（一九九〇年二月）

附錄十三

國家統一綱領

說明：作者曾任國家安全局外聘研究委員約十年，當初負責大陸經濟問題之研究，以後逐漸負責研究國內經濟問題。一九九〇年九月接任考選部長後，即辭去該職務。時總統府正成立國家統一委員會，要頒布國家統一綱領，宋心濂局長仍就此一問題徵詢作者書面意見，因提出本稿，亦可看出作者對國家統一與兩岸關係之看法。

一、總綱

㈠大陸與台灣，均爲中國不可割裂之領土；所有中國人，皆爲中華民族一份子。促成中國之統一，乃是全體中國人之神聖責任。

㈡中國之統一，應以和平漸進方式完成。

㈢中國之統一，應在全中國達到政治民主、經濟自由與社會平等狀態下完成。

㈣中國之統一，應在符合全體中國人利益下完成。
㈤海峽兩岸政府之施政及民間交流，均應致力於統一條件之完成，以求統一早日實現。
㈥統一後之國體，應實行各省自治，並組織中央聯邦政府。
㈦在國家未統一前，兩岸政府應在平等互惠原則下處理兩岸事務，各自適用本身之法律，無法律可適用者，從雙方約定或適用涉外案例。
㈧兩岸政府互相尊重對方現狀，互不干涉對方內政。
㈨設立中介機構，在平等互惠原則下處理兩岸相關事務；在時機適當時，設立政府與政府間之直接接觸機構。

二、政治

㈠兩岸政府與人民應共同致力建立憲政體制，實施政黨政治。
㈡兩岸應同時停止敵對狀態，廢除有關敵對之一切法令與措施。
㈢在統一未實現前，兩岸政府各自依本身法律與需要，治理現有轄區。
㈣對於兩岸人民來往，各自依本身之法律及需要予以規範。

三、經濟

㈠兩岸政府與人民應共同致力於社會民主主義經濟制度之建立，於維護私有財產制度下求取財富之適度平均分配。
㈡在平等互惠原則下，兩岸人民可進行經貿投資活動，但得視各自本身之需要予以規範。

㈢在雙方敵對意思逐漸消除，雙方安全獲得保證後，得直接通航、通郵，並得進一步進行資源開發、科技發展，及其他能促進雙方經濟利益之合作計畫。

㈣雙方在對方之經貿投資活動，適用對方之法律規章。如無適當法律規章可資適用時，得由雙方當事人作特別之約定。

四、文化

㈠雙方政府與人民應共同致力於振興及改造中華傳統文化，並由此融合兩岸人民之思想觀念、生活行爲，奠定國家統一之堅實基礎。

㈡在平等互惠原則下，兩岸可進行文化交流，但得視各自本身之需要予以規範。

㈢各種文化交流，應在自由公開原則下進行。

㈣各種文化交流活動，應摒除政治色彩與政治意識型態，並禁止以文化交流作爲宣傳工具。

㈤在國際文化活動中，雙方可結合共同參與及相互支援，並可使用雙方認可之共同名稱、旗幟或其他標誌。

五、軍事

㈠在國家未統一前，雙方應各自保有其軍隊，保衛其所統轄之疆土。

㈡雙方不得以其武力從事內戰。

㈢在國家統一完成時，軍隊應國家化。

六、外交

㈠雙方外交基本目標，應在提升中國之國際地位，及謀求全體中國人之利益。
㈡在一個中國之前提下，雙方各自獨立自主發展外交關係。
㈢在國際關係上，雙方應本諸善意，互相合作，互不排斥。
㈣時機適當時，雙方可共同參與國際會議及其他國際活動。

（一九九〇年十月）

附錄十四

李登輝總統的施政理念及其成就

經國先生於一九八八年元月逝世，李登輝先生依憲法接任總統職位，權力移轉完成，得到中外一致讚譽，認爲我們是一民主國家，不曾像集權國家一旦主政者逝世，便發生嚴重的權力鬥爭。不幸讚譽得太早了，以後竟然權力鬥爭不斷，仍然脫離不了集權政權移轉的窠臼，令人失望與遺憾之至。

在最近這一次的政治鬥爭中，一部分人士對李登輝總統個人有嚴酷的指責，這本是政治鬥爭中的常事，不足爲奇。但是公正的、負責任的、對社會有正面影響的指責，便必須要根據事實。如果不了解事實真相而誤用事實，或是明知道事實而歪曲，甚至捏造事實，或是因基於個人利益立場而根本不問事實，便加以指責、謾罵，或公開侮辱，這對指責者個人而言，是一種人格上的污點，對社會而言，則是一種損害。

本文願就作者所知李總統的施政理念作一概括性的敘述，呈現於國人面前，接受國人的公斷。特別是希望有法政學者的訓練，熟悉西方民主政治運作的學者專家及歷史學者，不僅就本文加以評斷，也希望蒐集李總統過去五年的施政資料，作一深入的分析，加以論斷。

建立台灣最欠缺的民主制度

綜合李總統的施政理念，可以概括分爲下列幾項：

一、建立民主政治制度。台灣是李總統的家鄉，而台灣現在所最欠缺的，也是全中國人所最欠缺的，就是民主政治制度，因此他下決心要在台灣將這一制度建立起來，這是爲台灣，也爲了全中國。他要在中華民族史上作一畫時代的貢獻，爲中華民族開民主政治的新紀元。他的這一工程分兩方面進行：

㈠分兩階段完成憲改：

在憲改完成時，反對者從憲改內容看，說是一個完全的失敗；李總統從憲改的實際結果看，說是一大成功。李總統的理由是：透過這次憲改，使資深民代在和平氣氛下安然退職，這是經國先生碰都不敢碰的一個問題，李總統收拾得乾淨俐落。接著而來的，便是一九九一、一九九二兩年的全面選舉，讓這一代的選民有權利投票選出他們認爲足以代表他們的民意代表，這就是真正的民主，是中華民族兩千多年以來所未曾有的民主，是大陸的中國人所夢想不到的民主，連國際上都一致讚譽。

㈡充分發揮民主制度的精神：

李總統分幾次釋放政治犯，讓海外異議份子返台，恢復被剝奪選舉權者的選舉權，容許台獨的言論主張。這在習慣於威權統治的外省人看來，就是台獨；但在李總統看來，在一個民主社會，容許不同的聲音與不同主張的人物的活動，就是民主。那些法政學者與留學西方民主國家，習慣於西方民主生活方式的人士，應該可以證明西方的民主是不是這個樣子。幾曾見一個民主國家有政治犯關在監牢裡？又幾曾見一個民主國家有所謂異議份子流亡海外，有家歸不得？

不僅如此，李總統也同樣容忍部分人士在中央黨部門口大喊：「李登輝，你給我出來。」喊了之後，不但無事，而且在安撫下離開。在老總統時代，誰敢在中央黨部門口聚眾大喊：「蔣中正，你給我出來。」或是在經國先生主政時，大喊：「蔣經國，你給我出來。」嗎？這就是民主，就是李總統所經營的民主制度下的民主，也是他辛苦建立的一個可以隨意罵他，而他必須容忍的民主。不要以爲喊一聲「李登輝，你給我出來。」人人都可以喊，沒有什麼了不起，在有些國家，例如在大陸，要流多少人民的鮮血都未必做得到。

李總統現在正在從事這一民主制度的整合、完美與生根、發揚的工作。假如能如他之願完成，就可免除中華民族兩千多年以來，政權移轉的砍殺、鬥爭，就如現在正上演的權力鬥爭，即可避免；同時也讓所有的人選擇他們喜歡的生活方式，不再受奴役壓迫，如同現在的西方民主國家一樣。這實在是一件偉大的工程與成就。

民主是一朝天子一朝臣

近日來，總統所受到的最多指責就是他獨裁與一人統治，這是完全不了解民主政治的運作。如前所云，在李總統的親自經營之下，建立了一個可以公開、公平，及反映全民意見的中央民代選舉制度，造成了強勢的，也是真實反映民意的國民代表大會與立法院，他的言行與政策無論直接或間接，都必須受制於這兩個民意機構，並向他們負責。換句話說，他必須與三百幾十位國大代表及一百六十一位立法委員共裁共治，也就是間接地與二千萬人民共裁共治，這如何能稱爲獨裁與一人統治。一個國家只要有強勢的，真正由民間選出的民意機構，就不可能獨裁，不可能一人統治。美國總統的權力要比李總統大得太多了，柯林頓接任總統，要換掉二千名以上的政務官，改用自己的班底，什麼國務卿、國防部長等等一起捲鋪蓋走路。即使是同黨的布希接任雷根總統，也一樣地大幅換人，一樣地毫不避諱地任用自己競選班底。甘迺迪總統還要用他的胞弟當司法部長，未曾聽說獨裁或一人統治，因爲有一個國會與最高法院存在。美國如此，其他西方民主國家莫不如此，行政首長或元首獨裁與否，不在用人，而在有無國會制衡，有無司法防止其違憲。

所謂民主政治，就是一朝天子一朝臣的政治。以柯林頓來說，他是選民選出來的，他必須有一隻自由的手，選擇一批志同道合、能與他合作實現他的競選政綱的人來爲他做事，然後他才可向選民交代，成功失敗都由他向選民負責。基於這一原則，柯林頓向參院提出的人選，除非被提名人有重大瑕疵，否則反對黨議員也會投同意票。只有在集權獨裁政治制度之下，爲了權力分贓，才有所謂集體領導，而且領導幾十年不下台，將幾個同床異夢的人強行聚在一起，形式上是權力平衡，實際上天天搞權力鬥爭。他們之所以能夠這樣做，是因爲他們只有權力，沒有政綱，沒有施政理念，也不需對選民負責。而且他們也不得不這樣做，否則便是今天東風壓倒西風，明天又是西風壓倒東風，鬥個沒完，鬥得理直氣壯，就像我們現在這樣。我們現在是徹底的、集權統治下的遺留物。

確保台灣生存，活得有尊嚴

二、爲了確保台灣的生存，也就是爲了確保中華民國與中國國民黨的生存，而且要生存得有尊嚴，李總統便徹底改變過去消極退縮的大陸與外交政策，改採積極開展的政策。

㈠大陸政策：

知中共之深，知中共之難纏，知光復大陸之無望，以及對在台外省人前途憂慮之重者，莫如兩代蔣總統；而對中共仇視之大者，亦莫如兩代蔣總統。對中共政策，在老總統時代，有第七艦隊保護，可以放膽高喊反攻復國；在經國先生時代，由於東西對峙局面尚在，中共不敢輕舉妄動，還可以採取三不政策。所謂三不政策，就是隔離政策，就是「算我怕你，我對你敬鬼神而遠之」的政策，也是一種不敢面對現實的政策；對內則力求緩和省籍衝突，宣稱「自己是本省人」。這無論是對內對外，都是消極的、規避問題的對策，並沒有真正解決問題。

但是時移勢轉，兩代蔣總統的大陸政策都不能再適用，勢非與中共打交道不可。但是與中共打交道，談何容易，近之則被蠶食，遠之則被鯨吞。換句話說，如果過度接近，會被以大吃小，無形中包圍消化掉；如果過度拒絕接近，則逢彼之怒，會被攻占掉。如何不即不離，拿捏分寸，維持現狀，確保台灣安全，也就是確保中華民國與中國國民黨的安全，等待國際及大陸局勢之演變再作因應，爲一高度政治戰略與藝術問題，絕非簡單的強硬或妥協態度所能成事。

截至目前爲止，政府做得不錯，而民間則反應過度，不免於衝動幼稚，主要係基於私利。而政府大陸政策之掌舵者則爲李總統。以小事大，古今中外都是艱難異常之事，莫要輕估了李總統在這一方面的成就。若干統派人士總是批評與中共的接觸不夠，應該直航，應該談判，否則便是妨礙統一，有台獨傾向，這些人若非別有用心，便是太不了解中共的性質了。

㈡務實外交：

像台灣這種國際處境，辦外交必須要有一些基本觀念：「能在場，才能主張自己的權利」，「要讓人承認自己的存在，必須先讓人知道自己的存在」，「存在就有希望」。我們過去因爲忽視了、或不顧、或不知道這些基本觀念，總是在名義上、漢賊之爭上打轉，採取了自我封閉的外交政策，國際活動空間愈來愈窄，到了窒息的程度。

現在，終於可以和美國官方公開打交道，可以和對我們而言有如銅牆鐵壁的歐洲共同市場國家來往，可以有正式加入關貿總協定這樣重要的國際組織的可能，可以用台灣的總統名義訪問新加坡，甚至畏中共如虎的日本也已放鬆對我方的限制，可說全世界都知道中國還有個在台灣的、中國人的民主自由政府存在，而且還生活得很好。這都是從退出聯合國，特別是與美國斷交後所夢想不到的。國際社會多一份承諾我們的存在，我們就多一份安全，而中華民國與中國國民黨也就多一份延續的機會。這雖然可部分歸因於國際情勢的轉變，但李總統的務實外交應居首功。

但看在少數遵循過去外交政策路線的人士眼中，便認爲這就是放棄了中華民國的立場，這就是變相的搞台獨，這就是想建立台灣共和國，或搞兩個中國。他們不知道台灣如不能存在，則皮之不存，毛將焉附，我們又在哪裡去找中華民國或中國國民黨。

外省人政治前途無需擔憂

三、重新分配政治資源，使其能充分反映人口結構，以求取台灣內部之安定，並藉以保障外省人之安全，同時這也符合公平原則。而且在民主政治運作之下，透過選舉，其結果也必然如此。

毋庸諱言，李總統在擔任總統後，很起用了一些本省籍人士擔任以前不曾擔任的職務，而且人數愈來愈多。相對地，外省人所占的重要位置便愈來愈少，愈來愈不重要。這在四十餘年來，習慣於由外省人主導政局的外省人看來，就不免有台獨或獨台的感覺，情緒上有所反應。但是依據人口結構來分析，便會知道這是必然的趨勢。依據一九九一年人口普查的統計，本省籍人口占總人口八六%強，外省籍占一四%弱；本省人納八六%的稅，對社會作八六%的貢獻，在政治資源上分配八六%，誰能說這是不公平，誰能說這就是台獨或獨台。另一方面，不作這樣的分配，本省人會甘心？社會與政治會安寧和平？是以這種平衡政治資源分配，實際上有緩和省籍情結的作用。當然，實際的分配並不必然要精確地按照人口比例，還是要顧及現實，要看選舉的結果，要看透過考試進入文官系統的人數，要看不同省籍所出現的人才多寡。但外省人分配的政治資源遠比從前少，則是極其自然的事。

也許外省籍的老一代會爲外省籍的後代的政治前途擔憂，這只是情感上的，實際上並無必要。在一個真正的民主社會，一切應公平的競爭，外省籍後代仍可從競選與透過考試進入文官系統，或憑本身的才能，分到應得的政治資源，無人能夠阻止。但是假如要像過去一樣，以人爲的方式，強制使外省人分配到不成比例的大量政治資源，也辦不到。這一點外省人應該有所認知，少數就是少數，就要承認少數，接受少數這一事實。外省人所當爭取的是公平競爭的機會，而不是斤斤計較地去爭取某一職位，或某些人的職位，或外省人在政治舞台上要占多少比例。

其實，李總統所做的，也正是兩代蔣總統所計畫最後必須要做的。兩代蔣總統早就知道反攻大陸無望，也早就知道中華民國與中國國民黨這兩塊大招牌在大陸已被從根挖掉。事實上，大陸上五十歲以下的人，只知道從前有個被打倒的國民政府與國民黨，很難得有幾個人認同這兩塊招牌。於是兩代蔣總統亟於要完成的遺志，便是如何讓中華民國與中國國民黨在台灣生根，必須在台灣生根才能繼續生存下去，而如經國先生所說：「生存就有希望。」兩代蔣總統絕對不希望中華民國與中國國民黨因他們而消滅，成爲歷史罪人。而依據本省人占八六％，外省人占一四％的人口結構，要生根就必須在本省人中間生根，而外省人本就有根了。這就是說中華民國與中國國民黨必須要本土化，也就是政權要本土化，而且客觀情勢也不容許政權不本土化。經國先生在晚年曾經公開說過，希望異議人士不要性急的話，這仔細查他生前三年以內的報導便可證實。是以從老總統開始，就在著手培養本省籍人才。而經國先生晚年大量起用及培植本省人，以便交替，更是衆所周知的事。經國先生自稱是台灣人，其用心爲何，便可想而知。

集中權力，以從事全面革新

四、從事台灣的全面革新、全面現代化的工作。李總統在其擔任總統的這五年期間，雖然權力鬥爭始終未曾停止，但前述三項施政理念都已經開始進行，且有顯著成就。然而一個更基本、更廣大，也更艱巨的工作卻待展開，這便是全面革新、全面現代化，使中華民國成爲一個完完全全的現代國家。由於他這一任總統任期只有三年多，時不我予，他必須集中權力，起用能與他密切配合的人，來有效地展開這一工作。如果這一工作能在這一任內有所進展，則一個民主的、安全的、和諧的、現代化的台灣或中華民國便可出現，至少基礎已奠立好了。在這樣的一個基礎上，他及其後任，退，可以有一個這個樣子的台灣或中華民國；進，則在統一後可以移植大陸，而中華民國與中國國民黨在統一後的中國，也可以爭一席之地，有其應有的地位，不致從歷史上消失，而他本人則將成爲台灣及中華民族史上最偉大的總統之一。一個具有這樣抱負與施政理念的總統，如何便可以簡單的幾個概念口號：獨裁、一人統治、台獨、獨台來看待他。從以上的敘述，也可了解他目前爲什麼要堅持用他所認爲適當的人，而不顧和稀泥，將一些志不同、道不合，只爲分享權力的人士湊合在一起的原因。這些人湊合在一起，他能成事嗎？

不再要爭論統獨，台灣是我們安身之地

我要在此向海內外中國人申述，更要向在台灣的二千萬人呼籲，特別是前述知識份子：

一、不要再爭論台獨問題，將台獨問題付與中共，有中共在，無論有無外國人介入，台獨都不敢越雷池一步，而自取滅亡；任何黨派、任何個人執政，也都不敢容許台獨越雷池一步。像現在這樣，喊喊口號，主張主張，無關閎旨。所以我從不懼怕台獨問題。

二、不要再爭論統一問題，將統一問題留給時間。等待國際及台海兩岸局勢的演變，時機成熟，水到渠成，自然就會統一。反之，如果時機不成熟，則水不到、渠不成，誰也不能強迫兩岸統一，也不應該強迫兩岸統一。所以我從不關心統一問題。

三、不要再去爭論誰獨裁、誰的政治資源分配得多少問題，將這些問題交給民主政治制度及選民。在一個民主政治制度下，選民會用投票去解決這些問題。

四、所有的外省人，包括我在內，應該明白我們已無家可歸，或是有家不願歸，台灣就是我們的安身立命之地。這塊土地的和平與和諧，才有我們的生存空間；這塊土地有民主自由，才有我們的公平機會。不要在這裡搞權力鬥爭，須知得到權力的是極少數外省人，而因和平與和諧的破壞，受害最大的是一般外省人。不要逞個人一時之快，毫無顧忌地發洩個人私怨，而破壞和平與和諧，及阻撓李總統施政理念的推行，其最後惡果也會落在一般外省人頭上。

李總統是一位虔誠的基督徒，也是一位了解西方民主政治的學者。他一再申言不爲一黨一人之私，要天下爲公，這就意指他的施政理念是從整個台灣、整個中華民族著眼，而不是爲了自己的權力與地位。從民國肇建以來，好不容易有一位了解西方民主制度，知道如何現代化的文人總統，居住在台灣的二千萬中國人應該珍惜這一機會。

（一九九三年二月）

附錄十五

我們要光榮地進入二十一世紀

——李登輝總統就任第九任總統演講稿初稿

親愛的全國同胞、各位貴賓：

中華民國在台、澎、金、馬地區舉行第九任總統、副總統選舉，在選民和平、理性的踴躍投票下完成，實現了政黨政治與主權在民的民主理想。這也是中華民族五千年來第一次直接民選國家元首，爲未來萬代中國人開啓政權和平移轉之門。此時此刻，我們是在共同爲中華民族創造一個新的時代，我們也會共同在歷史上留下輝煌的紀錄。

登輝逢此際遇，得膺選爲首任直接民選總統，今天與副總統連戰先生依憲法規定宣誓就職，實爲無上殊榮。而受二千一百萬父老兄弟姊妹的重託，及肩負十二億大陸同胞渴求民主的厚望，至感責任重大，無任惶悚。今後自當一秉過去數十年來服務國家人民的精神，益勵忠貞，敬謹完成任務，不負全民所託。

這次總統選舉，被中共當局解釋爲追求台灣獨立，這是故意的曲解，與完全不了解世界潮流及中國將來應走的道路。須知民主，及伴之而來的自由、平等、基本人權，與人性相吻合，迄今爲止，事實證明是人類所能發明的最好的政治制度，在今後人類的發展過程中，已成爲不可逆轉的趨勢。

登輝即是基於此一認識與理念，推動民主政治，主張總統直選，使居住在台、澎、金、馬的二千一百萬中國人親身體驗，如何用自己的一張選票來挑選國家元首，體會作爲國家真正主人的尊嚴與驕傲。經過這次選舉，相信居住在台、澎、金、馬的二千一百萬中國人會清楚了解自己在國家的地位，堅定了對民主政治的信仰，深植了民主文化，從此以後，民主政治將成爲我們生活的一部分。這次選舉的順利完成，與選後的迅速恢復平靜，更向全世界人類展示了中國人是適合民主政治的，是會運用民主政治的，是世界民主陣營中堅定的一員。

但是，我們並不能以此爲滿足。我們必須要進一步克服民主政治上的一些問題，提升民主政治運作的境界，才能使民主政治的基礎更爲穩固，民主政治的宏規永垂後世。爲此，我們必須推動第二階段的憲政改革，並根據改革的結果，進行相關法律制度的增補修訂，進而培養政治倫理，調整政治生態，以期實踐政黨政治的精髓，建立長期穩定的政黨政治運作的規範。

與民主政治同樣重要的，是追求經濟的繼續壯大發展，厚植國家的實力，讓中華民國能在國際社會上以至未來國家統一的過程中，扮演舉足輕重的角色。爲此，我們必須順應亞太世紀來臨的世界經濟大勢，充分運用台灣雄厚的人力資源與經濟戰略的地位，營造一個高度自由化、國際化的經濟空間，建設低稅賦、無障礙的企業經營環境，擴大科技發展的基礎，將台灣建設成爲亞太地區的科技重鎮及經濟樞紐。

爲求國家的富強繁榮，社會的安和樂利，我們將進一步致力於內政的革新，置改革重點於司法、教育、文化與社會重建等方面。

司法改革的重點工作在於建立法治精神，這又當從公平執法做起，而公平執法則應先從司法審判做起。必須做到法律之前，人人平等，而後司法審判方可受到人民必須有的尊敬與信賴，法治精神乃可形成。法治精神與民主政治相輔相成，建立法治精神實爲民主政治的保障。

其次是教育改革。我們要組織一個廉能的政府，要建立一個現代化的國家，要有一個繁榮富裕的經濟體系，要有一個安和的社會與舒適的家園，要有高尚的文化水準，最後要使民主政治能生根與發揚。最基本切實的做法，就是要以啓迪潛能，發展個性，鼓勵創造爲目標，解除過去不合理的束縛，既發揮個人，也爲國家厚植國力。我們會導引子弟認識自己的鄉土，熱愛自己的國家，並且具備寬廣的國際視野，以成爲下一世紀「地球村」的佼佼者。同時也要培養人民具有良好的品德、現代的知識、科技的才能、民主的修養，以及終生學習的習慣，而所有這些唯有仰賴於教育。我們正在檢討現行教育制度及相關設施，期能有所興革，足以肩負這樣重大的任務。

與教育革新息息相關，而其對國家民族的影響更爲深遠的，則爲文化的重建。中華民族之所以能世緒綿延，歷五千年而不墜者，端賴有列祖列宗所累積遺留的優秀文化的維繫。而此優秀文化曾經光照寰宇，四方咸服。然而自十九世紀中葉以來，在西方文化的強烈衝擊之下，已難以適應，致使國家民族處境艱危，受盡屈辱，一再瀕於覆亡。

揆其原因，不外兩點：一爲我國文化缺乏民主思想與科學精神，而此兩者又爲西方近代文化精髓之所在，亦爲西方建立富強文明國家的原動力。一爲我們本質上爲一農業社會文化，難以適應現代工商業社會，更遑論適應進入二十一世紀的資訊社會了。爲此，登輝無時無刻不在圖謀重建新文化。希望在我國傳統的優秀文化中，有所取捨，再吸取西方文化的精髓，揉合而成爲一種新的中華文化，以適應進入二十一世紀後的環境，不致重蹈我們在二十世紀的覆轍。

登輝曾提出「經營大台灣，建立新中原」的主張，其用意即在於此。我們不要忘記，中華民族五千年的優秀文化源起於中原一隅之地，我們也應當知道，世界人類所形成的幾個大文化，大都發祥於一個小的地域。台灣當大陸與海洋文化的匯集點，一方面繼承我國傳統文化，另一方面亦最先充分接受西方民主、科學、現代工商業社會文化，而其富裕與教育水準遠超越於中國其他地區，足以擔負建立一個新文化的重任。

經營大台灣的重要環節之一，是重建台灣社會，這與重建新文化是並肩同步，密不可分的。在民主開放的政治之下，台灣社會的多元化已充分展露在我們眼前。我們要運用這多元化釋出的活力，孕育出社會新的生命力量，導引爲推動社會進步的原動力。我們將從基層開始，重振家庭倫理觀念，建立社區意識及社區自治的體制，使民衆能真正享有家園生活之樂。我們也將從永續發展的觀點，整體規畫國土的利用及加強生態環境的保育。同時，我們將從促進社會和諧與維護人民生活尊嚴的觀點，加強關懷照顧弱勢團體，並依據財政負荷的能力，循序建立健康、可行之久遠的社會安全制度。

全國同胞們，當我們全心全力從事中華民國的建設時，我們不會忘記我們是中國這個大家族的一員。我們需要大陸、港澳，及海外中國同胞的關愛，我們也將盡力之所及，給與他們以關懷與支援。尤其港澳同胞，我們盼望在九七之後，仍能享有民主與自由，我們隨時都可在我們的能力範圍內給與援手。

經過這一次總統大選之後，中華民國在台灣已進一步地受到國際社會的肯定與認同。而即將進入二十一世紀的世界大局的發展，必將是一個講求民主、尊重人權、崇尚和平、拋棄武力的國際新秩序，這與我們的立國精神正相一致。我們將善用這些有利的條件，繼續務實外交的推動，進一步追求國際地位的平等，使我們中華民國與在台、澎、金、馬地區的這一部分中國人，受到國際社會的尊敬與應有的待遇。

當然，我們也會善盡對國際社會應有的責任。我們將充分參與有助於全人類福祉的活動，加入為促進國際社會合作與共同利益的各種組織。增進我們有邦交國家的互利關係，加強與我們友好國家的互助合作。尤其對於與我們鄰近的亞太地區國家，更有唇齒相依，休戚與共的情懷。希望能在區域組織之下，共同攜手向民主、自由、和平、富裕的大道前進，並建立區域安全體系，共同為此一地區創造一個光輝繁榮而安定的前途。

關於海峽兩岸關係，一直都是登輝與所有中國人及國際社會所關注的問題。尤其對於最近一次的所謂台海危機，海內外中國同胞與國際社會對我們所給與的關懷與支持，登輝在此謹申由衷的謝忱，也要趁此機會重申我們的立場與意願。

盡人皆知，一九四九年中華民國政府播遷來台，迄今已將近四十七年，仍然在台、澎、金、馬地區存在，也仍然是一個擁有領土、人民與主權的獨立主權國家與政府。而且發展經濟，推行民主政治，均能開創中華民族五千年來未有之宏規，受到國際社會的讚揚，這些都是不容絲毫懷疑的事實。另一方面，中國共產黨所領導的中華人民共和國，統治台、澎、金、馬以外的中國領土，也是不容否認的事實。

是以登輝於一九九一年三月核定「國家統一綱領」，復於五月宣布廢除「動員戡亂時期臨時條款」，主動結束兩岸敵對關係，冀求雙方合作，和平推動國家統一大業。但始終不為中共當局所接受，仍然完全抹煞事實，否定中華民國的存在，而以民族主義煽動部分中國人民，及以台獨栽誣登輝個人。如果為求兩岸一時之安定而接受中共當局此一主張，則中華民國將永遠消失，而登輝亦將成為亡國之罪人，將無以對二千一百萬同胞付託之重，亦無以對國父與兩代蔣總統在天之靈，更將使海內外追求民主的中國人及支持中國民主化的國際人士失望，是登輝所堅決不為者。

（謹註：關於大陸政策，與會同仁有具體與原則性兩種意見，茲分為甲、乙兩案並呈，請鈞裁。）

甲案

經過此次危機後，至盼中共當局改變過去的觀念，停止國共內戰期間消滅對方的敵意，互相承認現實，並在雙方各自界定的一個中國，或經過雙方協議的一個中國前提下，參酌江澤民先生所提的八點與登輝所提的六點原則，進行和平談判，以建立中國長期統一的基礎。如果和談有成，登輝不排除訪問大陸，亦將誠意邀請中共領導人訪台。在此之前，登輝並呼籲恢復早先已展開的雙方事務性溝通，及促成進一步的經貿、學術、文化交流。

二十一世紀將是一個人類大融合的世紀，雖世仇異族，亦可和平相處，何況海峽兩岸人民同爲炎黃子孫，源出一系，與其將國力浪費於同室操戈，消滅異己之爭，何如攜手並肩，共謀中華民族的發展與繁榮。

乙案

經過這次危機以後，至盼中共當局能夠徹底憬悟，停止對台灣的敵意，面對中華民國存在的事實，將兩岸關係帶回正軌。登輝不只一次地指出，世界各國寄望海峽兩岸能開啓和平交流的新時代；海峽兩岸所有民眾也都期盼，兩岸終止敵對狀態，營造和平環境，開展互惠互利，共同繁榮的關係。未來，針對兩岸結束敵對狀態，登輝願意與全體國民貢獻智慧，廣集各界的意見，凝聚國人的共識，研擬具體可行的方案，爲兩岸和平發展，亞太地區的安定與繁榮，做出歷史性的貢獻。

雖然兩岸分裂分治已四十多年，但我們追求一個統一的中國的職志從未改變。儘管數十年來我們在台灣地區的辛勤努力已獲致舉世矚目的成就，但是我們胸懷大陸，關心大陸同胞卻無一日間斷。海峽兩岸如何在和平的基礎上，進一步致力於現代化社會的建設，促進建設性的互動，培養互信與互助，進而謀求國家的民主統一，實爲兩岸的中國人進入二十一世紀的考驗。也唯有具備宏觀與遠見，相互學習，相互包容，展現善意與誠意，才能爲整個中華民族開創一個嶄新的時代（乙案到此為止）。

以上各點，多已包含在登輝競選時，所列舉的五大目標與五大改革中，競選時所作的承諾，必將信守，切實付諸實施。然而建設一個現代國家，經緯萬端，斷非一人一黨所能成事，必有賴於各方人才的襄助，全國同胞的監督鞭策。因此登輝必將不分黨派出身，延攬各界有品德、能力、見識、經驗，及有使命感的人才，進入政府，以求羣策羣力，共同爲國家前途奮鬥。

登輝自執政八年以來，受限於歷史因素與內外環境，國政雖有所開展，仍未能完成個人的願望與全國同胞的期待，衷心常感不安。今幸受全民之託付與支持，誓必突破困境，拔擢人才，建立制度，整肅吏治，維護法紀，爲國家展開新局。

四年轉眼即逝，雖然若干政策制度必然跨越任期，方能見到成效，但仍將爲國家人民立一長治久安的基礎，爲後繼者闢一施政的坦途。登輝生於斯土，長於斯土，必將有所報於斯土斯民。登輝生爲中國人，亦必爲中國人樹一現代民主國家典範，帶動全中國的現代化與民主化，無愧於爲一個中國人。此爲登輝不可推卸的歷史使命。

全國同胞們，我們中國人曾以被西方國家認定爲專制、貧窮、落後，甚至野蠻的身分，屈辱地進入二十世紀。現在，我們這一羣在台、澎、金、馬的中國人，將以民主、富裕、進步、文明的身分，光榮地進入二十一世紀。登輝也熱切地盼望大陸與港澳同胞，以及全世界所有的中國人，都能與我們以同等的身分，光榮地進入這一新的世紀。

謝謝各位。

（一九九六年三月）

一九九九年五月二日讀完。

王乃弘 加州佛利蒙。

天下文化〈社會人文系列之一〉

書號	書　名	作者	譯者	定價	備註
GB001	我們正在寫歷史—方勵之自選集	方勵之		200	
GB009	蕭乾與文潔若（上、下冊）	文潔若		400	
GB013	尋找台灣生命力	小野		200	
GB014	風雨江山—許倬雲的天下事	許倬雲		220	
GB027	大格局	高希均		220	
GB028	智慧新憲章—著作權與現代生活	理律法律事務所		250	
GB030	美麗共生—使用地球者付費	凱恩格斯	徐炳勳	220	
GB033	尋找心中那把尺	熊秉元		220	
GB037	時代七十年	姜敬寬		250	
GB040	無愧—郝柏村的政治之旅	王力行		360	
GB043	活用消費者保護法	理律法律事務所		280	
GB044	無冕王的神話世界	羅文輝		220	
GB046	最後的貓熊	夏勒	張定綺	320	
GB048	歡喜人間（上）	星雲大師		250	
GB049	歡喜人間（下）	星雲大師		250	
GB050	報人王惕吾—聯合報的故事	王麗美		360	
GB051	燈塔的故事	熊秉元		220	
GB053	電腦叛客	海芙納、馬可夫	尚青松	280	
GB054	觀念播種—高希均文集 I	高希均		250	
GB055	優勢台灣—高希均文集 II	高希均		250	
GB056	失控—解讀新世紀亂象	布里辛斯基	陳秀娟	250	
GB059	教育改革的省思	郭為藩		280	
GB060	石油一生—李達海回憶錄	鄧潔華整理		360	
GB061	1895日軍侵台圖紀—台灣民主國抗敵實錄	徐宗懋策劃		360	
GB062	務實的台灣人	徐宗懋		300	
GB063	點滴在心頭—42位身邊人談二位蔣總統	朱秀娟訪談		320	
GB064	大家都站著	熊秉元		250	
GB065	惜緣	王端正		220	
GB066	傳燈—星雲大師傳	符芝瑛		360	
GB067	出走紐西蘭——個母親的教育實驗	尹萍		240	
GB068	誠信—林洋港回憶錄	官麗嘉		360	
GB069	讓好人出頭—王建煊的從政理念	王建煊		320	
GB070	頂尖人物成功之路	李慧菊　等		240	
GB071	大是大非—梁肅戎回憶錄	梁肅戎		360	
GB072	永遠的春天—陳香梅自傳	陳香梅		360	
GB073	郝總長日記中的經國先生晚年	郝柏村		360	
GB074	我心永平—連戰從政之路	林黛嫚		300	
GB075	大愛—證嚴法師與慈濟世界	丘秀芷		360	
GB076	捍衛網路	克里夫・斯多	白方平	420	
GB077	探險天地間—劉其偉傳奇	楊孟瑜		360	
GB078	期待一個城市	黃碧端		280	
GB079	狗兒的祕密生活	湯瑪士	符芝瑛	280	
GB080	千山獨行—蔣緯國的人生之旅	汪士淳		360	
GB081	前進非洲	派克	陳秀娟	360	
GB082	響自心靈的高音—卡列拉斯自傳	卡列拉斯	張劉芬	320	
GB083	小女遊學英倫—教育體制外的一扇窗	陳淑玲		220	

天下文化〈社會人文系列之二〉

書號	書　　名	作者	譯者	定價	備註
GB084	鬧中取靜	王力行		240	
GB085	誰在乎媒體（原名：第四勢力）	張作錦		250	
GB086	中國飛彈之父—錢學森之謎	張純如	張定綺、許耀雲	360	
GB087	全是贏家的學校—借鏡美國教改藍圖	威爾遜、戴維斯	蕭昭君	320	
GB088	一百億國票風暴	刁明芳		320	
GB089	孤獨與追尋—地質學大師許靖華的成長故事	許靖華	唐清蓉	380	
GB090	薪火—佛光山承先啟後的故事	符芝瑛		300	
GB091	寧靜中的風雨—蔣孝勇的真實聲音	王力行、汪士淳		360	
GB092	試為媒體說短長	張作錦		250	
GB093	日本情結—從蔣介石到李登輝	徐宗懋		260	
GB094	田長霖的柏克萊之路—華裔校長的輝煌歲月	劉曉莉		300	
GB095	堤河邑冒險學校—紐西蘭的山野教育	尹萍、韓敦瑋		240	
GB096	刻畫人間—藝術大師朱銘傳	楊孟瑜		360	
GB097	宇宙遊子—柯錫杰：台灣現代攝影第一人	余宜芳		360	
GB098	被遺忘的大屠殺—1937南京浩劫	張純如	蕭富元	360	
GB099	20世紀中國人的山河歲月	中華歷史工作室		2500	
GB100	追隨半世紀—李煥與經國先生	林蔭庭		360	
GB101	回首向來蕭瑟處	孫震		260	
GB102	新台灣人之路—建構一個乾乾淨淨的社會	高希均		300	
GB103	民進黨轉型之痛	郭正亮		340	
GB104	從森林小學到椰林大道——人本教育的思考與實踐	史英		300	
GB105	許信良的政治世界	夏珍		380	
GB106	交鋒——當代中國三次思想解放實錄	馬立誠、凌志軍		300	
GB107	飆舞—林懷民與雲門傳奇	楊孟瑜		360	
GB108	讓好人出頭—王建煊的從政理念	王建煊		320	（增訂版）
GB109	從憂患中走來—梅可望回憶錄	梅可望		340	
GB110	蘭陽之子游錫堃	林志恆		360	
GB111	個人歷史—全美最有影響力的女報人葛蘭姆（上）	凱瑟琳・葛蘭姆	尹萍	280	
GB112	個人歷史—全美最有影響力的女報人葛蘭姆（下）	凱瑟琳・葛蘭姆	尹萍	300	
GB113	蘇格拉底與孟子的虛擬對話—建構法治理想國	周天瑋		260	
GB114	壯志未酬—王作榮自傳	王作榮		500	
GB115	茱萸的孩子——余光中傳	傅孟麗		320	
GB116	今生相隨——楊惠姍、張　毅與琉璃工房	符芝瑛		360	

國家圖書館出版品預行編目資料

壯志未酬：王作榮自傳＝The failure of a life mission ： autobiography of Tso-Yung Wang / 王作榮著. --第一版. --臺北市：天下遠見，1999［民88］
面；　公分.--(社會人文；114)

ISBN 957-621-538-2(平裝)

1.王作榮-傳記

782.886　　88001712

訂購辦法：
- 請向全省各大書局選購。
- 利用郵政劃撥、現金袋、匯票或即期支票訂購，可享九折優惠。
  劃撥帳號：1326703-6　戶名／支票抬頭：天下遠見出版股份有限公司
  地址：台北市 104 松江路93巷 1 號 2 樓
- 利用信用卡／簽帳卡訂購者，請與本公司讀者服務部聯絡。團體訂購，另有優惠。
- 讀者服務專線：(02) 2662-0012　傳真：(02) 2662-0007；2662-0009
- 訂購總額在新台幣600元以下，請加付掛號郵資30元。
- 購滿40冊以上，台北市區有專人送書收款。

國外訂購價格（含郵費）

航空／歐、美、日等地區		定價×1.8
	香港、澳門	定價×1.6
水陸／歐、美、日等地區		定價×1.6
	香港、澳門	定價×1.4

- 購買總金額在新台幣1,000元（含1,000元）以下者，請加付手續費新台幣200元。
- 請以美金支票付款，支票抬頭請開Commonwealth Publishing Co., Ltd.。
- NT$32.00＝US$1.00。（若與實際買入匯率相差5%以上，將於訂購時告知實際匯率，並以實際匯率為準。）

社會人文⑪④

壯志未酬

王作榮自傳

作　者／王作榮
系列副主編／林蔭庭
責任編輯／林蔭庭、曾文娟、詹小玫
特約校對／吳燕萍、李寶珠
美術編輯／蔡素美（特約）
封面設計／李錦鳳
照片提供／王作榮、天下雜誌、聯合報、遠見雜誌
社　長／高希均
發行人／王力行
研發主編／吳程遠
法律顧問／理律法律事務所陳長文律師、太穎國際法律事務所謝穎青律師
出版者／天下遠見出版股份有限公司
地　址／台北市104松江路93巷1號2樓
讀者服務專線／（02）2662-0012
傳　眞／（02）2662-0007；2662-0009
直接郵撥帳號／1326703-6號　天下遠見出版股份有限公司
（本公司尊重智慧財產權，已設專款專戶以支付目前未能查明攝影者之照片費用）
電腦排版／極翔企業有限公司
製版廠／立全電腦印前排版有限公司
印刷廠／盈昌印刷股份有限公司
裝訂廠／台興裝訂廠
登記證／局版台業字第2517號
總經銷／黎銘圖書有限公司　電話／（02）2981-8089　網址／www.liming.com.tw
著作權所有・侵害必究
出版日期／1999年3月10日第一版第1次印行（1~20,000本）

定價／500元

3/14/99 [illegible]

Copyright © 1999 by Tso-Yung Wang
Published by Commonwealth Publishing Co., Ltd.
All Rights Reserved.
Printed in Taiwan.

ISBN：957-621-538-2
書號：GB114

※本書僅代表作者言論，不代表本社立場。
※本書如有缺頁、破損、裝訂錯誤，請寄回本公司調換。